初心者にもできる

年末調整の実務と
法定調書の作り方

年末調整に関する実務問答 **205** 問

令和 **6** 年分

令和6年の定額減税に対応！

JN223725

公益財団法人 納税協会連合会

は　じ　め　に

　本年もまもなく年末調整の時期を迎えます。

　年末調整は、給与所得者の各人ごとに、その年分の給与の支給総額を基に所得税及び復興特別所得税の年税額を計算し、この年税額と既に毎月の給料や賞与等の支払の際に源泉徴収を行った所得税及び復興特別所得税の合計額との過不足額を精算する一連の手続をいいます。大部分の給与所得者にとっては、確定申告に代えてその年の所得税及び復興特別所得税の納税を完了させる重要な手続ですので、正確な事務処理が要求されます。

　本書では、年末調整の基本的な仕組みや手続について、初めて年末調整事務を担当される方にも十分理解していただけるよう、図解を多く採り入れるとともに、重要な事項については、項目ごとに「確認のポイント」を掲げ、利用しやすいように編集しています。

　また、毎年の税制改正を織り込み、法定調書の作成の仕方について分かりやすく解説するほか、年末調整等に関する疑問点についても問答形式に取りまとめています。

　令和6年分の年末調整においては、定額減税への対応も必要です。

　本書が、年末調整事務を担当される皆様のお役に立てば幸いです。

　令和6年10月

　　　　　　　　　　　　　　　　　　　　　　編　　　者

目　　次

─────────────── **第一編　年末調整の実務** ───────────────

―――――――― 第三編　年末調整に関する実務問答 ――――――――

4　障害者控除、寡婦控除、ひとり親控除、勤労学生控除

5　生命保険料控除

6　地震保険料控除

7　社会保険料控除

8　小規模企業共済等掛金控除

9　所得金額調整控除

10　住宅借入金等特別控除

11　年末調整手続の電子化

14　簡易な扶養控除等申告書

15　法定調書

─────── 付　　　録 ───────

付録１　給与所得者の確定申告　305

付録２　給与所得者の還付申告　307

付録３　源泉所得税と消費税及び地方消費税　318

◎令和６年分　年末調整に関係のある控除額等一覧表　320
◎令和６年分　本人・控除対象配偶者・控除対象扶養親族の所得控除額の合計表　324

（注）　本書の内容は、令和６年９月13日現在の法令通達によります。

─── 凡　　　例 ───

　本書において引用した法令や通達は、それぞれ次の略号によっています。
　　法……………所得税法（昭和40年法律第33号）
　　平18改法附…平成18年所得税法等の一部を改正する法律（平成18年法律第10号）附則
　　令……………所得税法施行令（昭和40年政令第96号）
　　規…………所得税法施行規則（昭和40年大蔵省令第11号）
　　基通…………所得税基本通達（昭和45年７月１日直審(所)30）
　　措法………租税特別措置法（昭和32年法律第26号）
　　措令………租税特別措置法施行令（昭和32年政令第43号）
　　措規………租税特別措置法施行規則（昭和32年大蔵省令第15号）

令和6年分 年末調整のための所得税額の速算表と控除額早見表等

保険

月額表

年調所得表

賞与

控除額早見表

年調税額速算表

令和6年3月分（4月納付）からの 健康保険・厚生年金保険 標準報酬月額・保険料額表

（単位：円）

保険（健康保険料額）：40歳から64歳までの人は（一般保険料）＋（介護保険料）、上記以外の人は（一般保険料）のみとなります。

厚生年金保険 等級	健康保険 等級	標準報酬月額	報酬月額	厚生年金保険料額（18.300%）被保険者・事業主	合計	一般保険料 被保険者・事業主	合計	介護保険料（1.64%）被保険者・事業主	合計
	1	58,000	63,000未満	8,052	16,104			464	928
	2	68,000	63,000以上 ～ 73,000	8,052	16,104			544	1,088
	3	78,000	73,000 ～ 83,000	8,052	16,104			624	1,248
1	4	88,000	83,000 ～ 93,000	8,052	16,104			704	1,408
2	5	98,000	93,000 ～ 101,000	8,967	17,934			784	1,568
3	6	104,000	101,000 ～ 107,000	9,516	19,032			832	1,664
4	7	110,000	107,000 ～ 114,000	10,065	20,130			880	1,760
5	8	118,000	114,000 ～ 122,000	10,797	21,594			944	1,888
6	9	126,000	122,000 ～ 130,000	11,529	23,058			1,008	2,016
7	10	134,000	130,000 ～ 138,000	12,261	24,522			1,072	2,144
8	11	142,000	138,000 ～ 146,000	12,993	25,986			1,136	2,272
9	12	150,000	146,000 ～ 155,000	13,725	27,450			1,200	2,400
10	13	160,000	155,000 ～ 165,000	14,640	29,280			1,280	2,560
11	14	170,000	165,000 ～ 175,000	15,555	31,110			1,360	2,720
12	15	180,000	175,000 ～ 185,000	16,470	32,940			1,440	2,880
13	16	190,000	185,000 ～ 195,000	17,385	34,770			1,520	3,040
14	17	200,000	195,000 ～ 210,000	18,300	36,600			1,600	3,200
15	18	220,000	210,000 ～ 230,000	20,130	40,260			1,760	3,520
16	19	240,000	230,000 ～ 250,000	21,960	43,920			1,920	3,840
17	20	260,000	250,000 ～ 270,000	23,790	47,580			2,080	4,160
18	21	280,000	270,000 ～ 290,000	25,620	51,240			2,240	4,480
19	22	300,000	290,000 ～ 310,000	27,450	54,900			2,400	4,800
20	23	320,000	310,000 ～ 330,000	29,280	58,560			2,560	5,120
21	24	340,000	330,000 ～ 350,000	31,110	62,220			2,720	5,440
22	25	360,000	350,000 ～ 370,000	32,940	65,880			2,880	5,760
23	26	380,000	370,000 ～ 395,000	34,770	69,540			3,040	6,080
24	27	410,000	395,000 ～ 425,000	37,515	75,030			3,280	6,560
25	28	440,000	425,000 ～ 455,000	40,260	80,520			3,520	7,040
26	29	470,000	455,000 ～ 485,000	43,005	86,010			3,760	7,520
27	30	500,000	485,000 ～ 515,000	45,750	91,500			4,000	8,000
28	31	530,000	515,000 ～ 545,000	48,495	96,990			4,240	8,480
29	32	560,000	545,000 ～ 575,000	51,240	102,480			4,480	8,960
30	33	590,000	575,000 ～ 605,000	53,985	107,970			4,720	9,440
31	34	620,000	605,000 ～ 635,000	56,730	113,460			4,960	9,920
32	35	650,000	635,000 ～ 665,000	59,475	118,950			5,200	10,400
	36	680,000	665,000 ～ 695,000	59,475	118,950			5,440	10,880
	37	710,000	695,000 ～ 730,000	59,475	118,950			5,680	11,360
	38	750,000	730,000 ～ 770,000	59,475	118,950			6,000	12,000
	39	790,000	770,000 ～ 810,000	59,475	118,950			6,320	12,640
	40	830,000	810,000 ～ 855,000	59,475	118,950			6,640	13,280
	41	880,000	855,000 ～ 905,000	59,475	118,950			7,040	14,080
	42	930,000	905,000 ～ 955,000	59,475	118,950			7,440	14,880
	43	980,000	955,000 ～ 1,005,000	59,475	118,950			7,840	15,680
	44	1,030,000	1,005,000 ～ 1,055,000	59,475	118,950			8,240	16,480
	45	1,090,000	1,055,000 ～ 1,115,000	59,475	118,950			8,720	17,440
	46	1,150,000	1,115,000 ～ 1,175,000	59,475	118,950			9,200	18,400
	47	1,210,000	1,175,000 ～ 1,235,000	59,475	118,950			9,680	19,360
	48	1,270,000	1,235,000 ～ 1,295,000	59,475	118,950			10,160	20,320
	49	1,330,000	1,295,000 ～ 1,355,000	59,475	118,950			10,640	21,280
	50	1,390,000	1,355,000 ～	59,475	118,950			11,120	22,240

一般保険料欄：各都道府県単位の全国健康保険協会管掌健康保険一般保険料率及び一般保険料額は、339～351ページを参照してください。

（注）令和5年3月～令和6年2月分の保険料額表は352ページに掲載しています。

▶賞与から徴収する保険料…賞与等の額（1,000円未満切捨て）×（厚保18.300％＋健保料率《＋介護保険料率》）で計算し、被保険者負担はその2分の1。ただし、賞与等の額は、厚生年金保険については1回の支払につき150万円、健康保険については年度（4月1日～翌年3月31日）の累計額573万円が上限となります。
なお、賞与とは年3回以下の支給のものをいいます。

▶上表の「被保険者負担額」を給与から控除する場合の端数処理は、原則として50銭以下は切捨て・50銭超は切上げ

雇用保険の一般保険料額

令和5年4月1日から令和7年3月31日までの雇用保険の一般保険料額

賃金総額 ×	**1,000分の15.5（被保険者負担部分は1,000分の6）** ※1　1,000分の17.5（被保険者負担部分は1,000分の7） ※2　1,000分の18.5（被保険者負担部分は1,000分の7）
	（被保険者負担部分を給与から控除する場合の端数処理は、原則として50銭以下は切捨て・50銭超は切上げ）

※1　農林水産業（牛馬育成、酪農、養鶏又は養豚、園芸サービス、内水面養殖の事業を除く。
　　　これらの事業は、1,000分の15.5の料率を適用）、清酒製造業
※2　建設業

令和6年分の給与所得の源泉徴収税額表（月額表）

（平成24年3月31日財務省告示第115号別表第一（令和2年3月31日財務省告示第81号改正））

（一） （～166,999円）

その月の社会保険料等控除後の給与等の金額		甲								乙
		扶 養 親 族 等 の 数								
		0 人	1 人	2 人	3 人	4 人	5 人	6 人	7 人	
以 上	未 満	税					額			税 額
円 88,000	円 円未満	円 0	円 0	円 0	円 0	円 0	円 0	円 0	円 0	円 その月の社会保険料等控除後の給与等の金額の3.063%に相当する金額
88,000	89,000	130	0	0	0	0	0	0	0	3,200
89,000	90,000	180	0	0	0	0	0	0	0	3,200
90,000	91,000	230	0	0	0	0	0	0	0	3,200
91,000	92,000	290	0	0	0	0	0	0	0	3,200
92,000	93,000	340	0	0	0	0	0	0	0	3,300
93,000	94,000	390	0	0	0	0	0	0	0	3,300
94,000	95,000	440	0	0	0	0	0	0	0	3,300
95,000	96,000	490	0	0	0	0	0	0	0	3,400
96,000	97,000	540	0	0	0	0	0	0	0	3,400
97,000	98,000	590	0	0	0	0	0	0	0	3,500
98,000	99,000	640	0	0	0	0	0	0	0	3,500
99,000	101,000	720	0	0	0	0	0	0	0	3,600
101,000	103,000	830	0	0	0	0	0	0	0	3,600
103,000	105,000	930	0	0	0	0	0	0	0	3,700
105,000	107,000	1,030	0	0	0	0	0	0	0	3,800
107,000	109,000	1,130	0	0	0	0	0	0	0	3,800
109,000	111,000	1,240	0	0	0	0	0	0	0	3,900
111,000	113,000	1,340	0	0	0	0	0	0	0	4,000
113,000	115,000	1,440	0	0	0	0	0	0	0	4,100
115,000	117,000	1,540	0	0	0	0	0	0	0	4,100
117,000	119,000	1,640	0	0	0	0	0	0	0	4,200
119,000	121,000	1,750	120	0	0	0	0	0	0	4,300
121,000	123,000	1,850	220	0	0	0	0	0	0	4,500
123,000	125,000	1,950	330	0	0	0	0	0	0	4,800
125,000	127,000	2,050	430	0	0	0	0	0	0	5,100
127,000	129,000	2,150	530	0	0	0	0	0	0	5,400
129,000	131,000	2,260	630	0	0	0	0	0	0	5,700
131,000	133,000	2,360	740	0	0	0	0	0	0	6,000
133,000	135,000	2,460	840	0	0	0	0	0	0	6,300
135,000	137,000	2,550	930	0	0	0	0	0	0	6,600
137,000	139,000	2,610	990	0	0	0	0	0	0	6,800
139,000	141,000	2,680	1,050	0	0	0	0	0	0	7,100
141,000	143,000	2,740	1,110	0	0	0	0	0	0	7,500
143,000	145,000	2,800	1,170	0	0	0	0	0	0	7,800
145,000	147,000	2,860	1,240	0	0	0	0	0	0	8,100
147,000	149,000	2,920	1,300	0	0	0	0	0	0	8,400
149,000	151,000	2,980	1,360	0	0	0	0	0	0	8,700
151,000	153,000	3,050	1,430	0	0	0	0	0	0	9,000
153,000	155,000	3,120	1,500	0	0	0	0	0	0	9,300
155,000	157,000	3,200	1,570	0	0	0	0	0	0	9,600
157,000	159,000	3,270	1,640	0	0	0	0	0	0	9,900
159,000	161,000	3,340	1,720	100	0	0	0	0	0	10,200
161,000	163,000	3,410	1,790	170	0	0	0	0	0	10,500
163,000	165,000	3,480	1,860	250	0	0	0	0	0	10,800
165,000	167,000	3,550	1,930	320	0	0	0	0	0	11,100

月額表

その月の社会保険料等控除後の給与等の金額		甲								乙
		扶　養　親　族　等　の　数								
		0 人	1 人	2 人	3 人	4 人	5 人	6 人	7 人	
以　　上	未　　満	税				額				税　　額
円	円	円	円	円	円	円	円	円	円	円
167,000	169,000	3,620	2,000	390	0	0	0	0	0	11,400
169,000	171,000	3,700	2,070	460	0	0	0	0	0	11,700
171,000	173,000	3,770	2,140	530	0	0	0	0	0	12,000
173,000	175,000	3,840	2,220	600	0	0	0	0	0	12,400
175,000	177,000	3,910	2,290	670	0	0	0	0	0	12,700
177,000	179,000	3,980	2,360	750	0	0	0	0	0	13,200
179,000	181,000	4,050	2,430	820	0	0	0	0	0	13,900
181,000	183,000	4,120	2,500	890	0	0	0	0	0	14,600
183,000	185,000	4,200	2,570	960	0	0	0	0	0	15,300
185,000	187,000	4,270	2,640	1,030	0	0	0	0	0	16,000
187,000	189,000	4,340	2,720	1,100	0	0	0	0	0	16,700
189,000	191,000	4,410	2,790	1,170	0	0	0	0	0	17,500
191,000	193,000	4,480	2,860	1,250	0	0	0	0	0	18,100
193,000	195,000	4,550	2,930	1,320	0	0	0	0	0	18,800
195,000	197,000	4,630	3,000	1,390	0	0	0	0	0	19,500
197,000	199,000	4,700	3,070	1,460	0	0	0	0	0	20,200
199,000	201,000	4,770	3,140	1,530	0	0	0	0	0	20,900
201,000	203,000	4,840	3,220	1,600	0	0	0	0	0	21,500
203,000	205,000	4,910	3,290	1,670	0	0	0	0	0	22,200
205,000	207,000	4,980	3,360	1,750	130	0	0	0	0	22,700
207,000	209,000	5,050	3,430	1,820	200	0	0	0	0	23,300
209,000	211,000	5,130	3,500	1,890	280	0	0	0	0	23,900
211,000	213,000	5,200	3,570	1,960	350	0	0	0	0	24,400
213,000	215,000	5,270	3,640	2,030	420	0	0	0	0	25,000
215,000	217,000	5,340	3,720	2,100	490	0	0	0	0	25,500
217,000	219,000	5,410	3,790	2,170	560	0	0	0	0	26,100
219,000	221,000	5,480	3,860	2,250	630	0	0	0	0	26,800
221,000	224,000	5,560	3,950	2,340	710	0	0	0	0	27,400
224,000	227,000	5,680	4,060	2,440	830	0	0	0	0	28,400
227,000	230,000	5,780	4,170	2,550	930	0	0	0	0	29,300
230,000	233,000	5,890	4,280	2,650	1,040	0	0	0	0	30,300
233,000	236,000	5,990	4,380	2,770	1,140	0	0	0	0	31,300
236,000	239,000	6,110	4,490	2,870	1,260	0	0	0	0	32,400
239,000	242,000	6,210	4,590	2,980	1,360	0	0	0	0	33,400
242,000	245,000	6,320	4,710	3,080	1,470	0	0	0	0	34,400
245,000	248,000	6,420	4,810	3,200	1,570	0	0	0	0	35,400
248,000	251,000	6,530	4,920	3,300	1,680	0	0	0	0	36,400
251,000	254,000	6,640	5,020	3,410	1,790	170	0	0	0	37,500
254,000	257,000	6,750	5,140	3,510	1,900	290	0	0	0	38,500
257,000	260,000	6,850	5,240	3,620	2,000	390	0	0	0	39,400
260,000	263,000	6,960	5,350	3,730	2,110	500	0	0	0	40,400
263,000	266,000	7,070	5,450	3,840	2,220	600	0	0	0	41,500
266,000	269,000	7,180	5,560	3,940	2,330	710	0	0	0	42,500
269,000	272,000	7,280	5,670	4,050	2,430	820	0	0	0	43,500
272,000	275,000	7,390	5,780	4,160	2,540	930	0	0	0	44,500
275,000	278,000	7,490	5,880	4,270	2,640	1,030	0	0	0	45,500
278,000	281,000	7,610	5,990	4,370	2,760	1,140	0	0	0	46,600
281,000	284,000	7,710	6,100	4,480	2,860	1,250	0	0	0	47,600
284,000	287,000	7,820	6,210	4,580	2,970	1,360	0	0	0	48,600
287,000	290,000	7,920	6,310	4,700	3,070	1,460	0	0	0	49,700

月額表

その月の社会保険料等控除後の給与等の金額		甲								乙
		扶養親族等の数								
		0 人	1 人	2 人	3 人	4 人	5 人	6 人	7 人	
以上	未満	税					額			税額
円	円	円	円	円	円	円	円	円	円	円
290,000	293,000	8,040	6,420	4,800	3,190	1,570	0	0	0	50,900
293,000	296,000	8,140	6,520	4,910	3,290	1,670	0	0	0	52,100
296,000	299,000	8,250	6,640	5,010	3,400	1,790	160	0	0	52,900
299,000	302,000	8,420	6,740	5,130	3,510	1,890	280	0	0	53,700
302,000	305,000	8,670	6,860	5,250	3,630	2,010	400	0	0	54,500
305,000	308,000	8,910	6,980	5,370	3,760	2,130	520	0	0	55,200
308,000	311,000	9,160	7,110	5,490	3,880	2,260	640	0	0	56,100
311,000	314,000	9,400	7,230	5,620	4,000	2,380	770	0	0	56,900
314,000	317,000	9,650	7,350	5,740	4,120	2,500	890	0	0	57,800
317,000	320,000	9,890	7,470	5,860	4,250	2,620	1,010	0	0	58,800
320,000	323,000	10,140	7,600	5,980	4,370	2,750	1,130	0	0	59,800
323,000	326,000	10,380	7,720	6,110	4,490	2,870	1,260	0	0	60,900
326,000	329,000	10,630	7,840	6,230	4,610	2,990	1,380	0	0	61,900
329,000	332,000	10,870	7,960	6,350	4,740	3,110	1,500	0	0	62,900
332,000	335,000	11,120	8,090	6,470	4,860	3,240	1,620	0	0	63,900
335,000	338,000	11,360	8,210	6,600	4,980	3,360	1,750	130	0	64,900
338,000	341,000	11,610	8,370	6,720	5,110	3,480	1,870	260	0	66,000
341,000	344,000	11,850	8,620	6,840	5,230	3,600	1,990	380	0	67,000
344,000	347,000	12,100	8,860	6,960	5,350	3,730	2,110	500	0	68,000
347,000	350,000	12,340	9,110	7,090	5,470	3,850	2,240	620	0	69,000
350,000	353,000	12,590	9,350	7,210	5,600	3,970	2,360	750	0	70,000
353,000	356,000	12,830	9,600	7,330	5,720	4,090	2,480	870	0	71,100
356,000	359,000	13,080	9,840	7,450	5,840	4,220	2,600	990	0	72,100
359,000	362,000	13,320	10,090	7,580	5,960	4,340	2,730	1,110	0	73,100
362,000	365,000	13,570	10,330	7,700	6,090	4,460	2,850	1,240	0	74,200
365,000	368,000	13,810	10,580	7,820	6,210	4,580	2,970	1,360	0	75,200
368,000	371,000	14,060	10,820	7,940	6,330	4,710	3,090	1,480	0	76,200
371,000	374,000	14,300	11,070	8,070	6,450	4,830	3,220	1,600	0	77,100
374,000	377,000	14,550	11,310	8,190	6,580	4,950	3,340	1,730	100	78,100
377,000	380,000	14,790	11,560	8,320	6,700	5,070	3,460	1,850	220	79,000
380,000	383,000	15,040	11,800	8,570	6,820	5,200	3,580	1,970	350	79,900
383,000	386,000	15,280	12,050	8,810	6,940	5,320	3,710	2,090	470	81,400
386,000	389,000	15,530	12,290	9,060	7,070	5,440	3,830	2,220	590	83,100
389,000	392,000	15,770	12,540	9,300	7,190	5,560	3,950	2,340	710	84,700
392,000	395,000	16,020	12,780	9,550	7,310	5,690	4,070	2,460	840	86,500
395,000	398,000	16,260	13,030	9,790	7,430	5,810	4,200	2,580	960	88,200
398,000	401,000	16,510	13,270	10,040	7,560	5,930	4,320	2,710	1,080	89,800
401,000	404,000	16,750	13,520	10,280	7,680	6,050	4,440	2,830	1,200	91,600
404,000	407,000	17,000	13,760	10,530	7,800	6,180	4,560	2,950	1,330	93,300
407,000	410,000	17,240	14,010	10,770	7,920	6,300	4,690	3,070	1,450	95,000
410,000	413,000	17,490	14,250	11,020	8,050	6,420	4,810	3,200	1,570	96,700
413,000	416,000	17,730	14,500	11,260	8,170	6,540	4,930	3,320	1,690	98,300
416,000	419,000	17,980	14,740	11,510	8,290	6,670	5,050	3,440	1,820	100,100
419,000	422,000	18,220	14,990	11,750	8,530	6,790	5,180	3,560	1,940	101,800
422,000	425,000	18,470	15,230	12,000	8,770	6,910	5,300	3,690	2,060	103,400
425,000	428,000	18,710	15,480	12,240	9,020	7,030	5,420	3,810	2,180	105,200
428,000	431,000	18,960	15,720	12,490	9,260	7,160	5,540	3,930	2,310	106,900
431,000	434,000	19,210	15,970	12,730	9,510	7,280	5,670	4,050	2,430	108,500
434,000	437,000	19,450	16,210	12,980	9,750	7,400	5,790	4,180	2,550	110,300
437,000	440,000	19,700	16,460	13,220	10,000	7,520	5,910	4,300	2,680	112,000

月額表

その月の社会保険料等控除後の給与等の金額		甲								乙
		扶　養　親　族　等　の　数								
		0 人	1 人	2 人	3 人	4 人	5 人	6 人	7 人	
以　　上	未　　満	税					額			税　　額
円	円	円	円	円	円	円	円	円	円	円
440,000	443,000	20,090	16,700	13,470	10,240	7,650	6,030	4,420	2,800	113,600
443,000	446,000	20,580	16,950	13,710	10,490	7,770	6,160	4,540	2,920	115,400
446,000	449,000	21,070	17,190	13,960	10,730	7,890	6,280	4,670	3,040	117,100
449,000	452,000	21,560	17,440	14,200	10,980	8,010	6,400	4,790	3,170	118,700
452,000	455,000	22,050	17,680	14,450	11,220	8,140	6,520	4,910	3,290	120,500
455,000	458,000	22,540	17,930	14,690	11,470	8,260	6,650	5,030	3,410	122,200
458,000	461,000	23,030	18,170	14,940	11,710	8,470	6,770	5,160	3,530	123,800
461,000	464,000	23,520	18,420	15,180	11,960	8,720	6,890	5,280	3,660	125,600
464,000	467,000	24,010	18,660	15,430	12,200	8,960	7,010	5,400	3,780	127,300
467,000	470,000	24,500	18,910	15,670	12,450	9,210	7,140	5,520	3,900	129,000
470,000	473,000	24,990	19,150	15,920	12,690	9,450	7,260	5,650	4,020	130,700
473,000	476,000	25,480	19,400	16,160	12,940	9,700	7,380	5,770	4,150	132,300
476,000	479,000	25,970	19,640	16,410	13,180	9,940	7,500	5,890	4,270	134,000
479,000	482,000	26,460	20,000	16,650	13,430	10,190	7,630	6,010	4,390	135,600
482,000	485,000	26,950	20,490	16,900	13,670	10,430	7,750	6,140	4,510	137,200
485,000	488,000	27,440	20,980	17,140	13,920	10,680	7,870	6,260	4,640	138,800
488,000	491,000	27,930	21,470	17,390	14,160	10,920	7,990	6,380	4,760	140,400
491,000	494,000	28,420	21,960	17,630	14,410	11,170	8,120	6,500	4,880	142,000
494,000	497,000	28,910	22,450	17,880	14,650	11,410	8,240	6,630	5,000	143,700
497,000	500,000	29,400	22,940	18,120	14,900	11,660	8,420	6,750	5,130	145,200
500,000	503,000	29,890	23,430	18,370	15,140	11,900	8,670	6,870	5,250	146,800
503,000	506,000	30,380	23,920	18,610	15,390	12,150	8,910	6,990	5,370	148,500
506,000	509,000	30,880	24,410	18,860	15,630	12,390	9,160	7,120	5,490	150,100
509,000	512,000	31,370	24,900	19,100	15,880	12,640	9,400	7,240	5,620	151,600
512,000	515,000	31,860	25,390	19,350	16,120	12,890	9,650	7,360	5,740	153,300
515,000	518,000	32,350	25,880	19,590	16,370	13,130	9,890	7,480	5,860	154,900
518,000	521,000	32,840	26,370	19,900	16,610	13,380	10,140	7,610	5,980	156,500
521,000	524,000	33,330	26,860	20,390	16,860	13,620	10,380	7,730	6,110	158,100
524,000	527,000	33,820	27,350	20,880	17,100	13,870	10,630	7,850	6,230	159,600
527,000	530,000	34,310	27,840	21,370	17,350	14,110	10,870	7,970	6,350	161,000
530,000	533,000	34,800	28,330	21,860	17,590	14,360	11,120	8,100	6,470	162,500
533,000	536,000	35,290	28,820	22,350	17,840	14,600	11,360	8,220	6,600	164,000
536,000	539,000	35,780	29,310	22,840	18,080	14,850	11,610	8,380	6,720	165,400
539,000	542,000	36,270	29,800	23,330	18,330	15,090	11,850	8,630	6,840	166,900
542,000	545,000	36,760	30,290	23,820	18,570	15,340	12,100	8,870	6,960	168,400
545,000	548,000	37,250	30,780	24,310	18,820	15,580	12,340	9,120	7,090	169,900
548,000	551,000	37,740	31,270	24,800	19,060	15,830	12,590	9,360	7,210	171,300
551,000	554,000	38,280	31,810	25,340	19,330	16,100	12,860	9,630	7,350	172,800
554,000	557,000	38,830	32,370	25,890	19,600	16,380	13,140	9,900	7,480	174,300
557,000	560,000	39,380	32,920	26,440	19,980	16,650	13,420	10,180	7,630	175,700
560,000	563,000	39,930	33,470	27,000	20,530	16,930	13,690	10,460	7,760	177,200
563,000	566,000	40,480	34,020	27,550	21,080	17,200	13,970	10,730	7,900	178,700
566,000	569,000	41,030	34,570	28,100	21,630	17,480	14,240	11,010	8,040	180,100
569,000	572,000	41,590	35,120	28,650	22,190	17,760	14,520	11,280	8,180	181,600
572,000	575,000	42,140	35,670	29,200	22,740	18,030	14,790	11,560	8,330	183,100
575,000	578,000	42,690	36,230	29,750	23,290	18,310	15,070	11,830	8,610	184,600
578,000	581,000	43,240	36,780	30,300	23,840	18,580	15,350	12,110	8,880	186,000
581,000	584,000	43,790	37,330	30,850	24,390	18,860	15,620	12,380	9,160	187,500
584,000	587,000	44,340	37,880	31,410	24,940	19,130	15,900	12,660	9,430	189,000
587,000	590,000	44,890	38,430	31,960	25,490	19,410	16,170	12,940	9,710	190,400

月額表

その月の社会保険料等控除後の給与等の金額		甲								乙
		扶 養 親 族 等 の 数								
以 上	未 満	0 人	1 人	2 人	3 人	4 人	5 人	6 人	7 人	
		税				額				税 額
円	円	円	円	円	円	円	円	円	円	円
590,000	593,000	45,440	38,980	32,510	26,050	19,680	16,450	13,210	9,990	191,900
593,000	596,000	46,000	39,530	33,060	26,600	20,130	16,720	13,490	10,260	193,400
596,000	599,000	46,550	40,080	33,610	27,150	20,690	17,000	13,760	10,540	194,800
599,000	602,000	47,100	40,640	34,160	27,700	21,240	17,280	14,040	10,810	196,300
602,000	605,000	47,650	41,190	34,710	28,250	21,790	17,550	14,310	11,090	197,800
605,000	608,000	48,200	41,740	35,270	28,800	22,340	17,830	14,590	11,360	199,300
608,000	611,000	48,750	42,290	35,820	29,350	22,890	18,100	14,870	11,640	200,700
611,000	614,000	49,300	42,840	36,370	29,910	23,440	18,380	15,140	11,920	202,200
614,000	617,000	49,860	43,390	36,920	30,460	23,990	18,650	15,420	12,190	203,700
617,000	620,000	50,410	43,940	37,470	31,010	24,540	18,930	15,690	12,470	205,100
620,000	623,000	50,960	44,500	38,020	31,560	25,100	19,210	15,970	12,740	206,700
623,000	626,000	51,510	45,050	38,570	32,110	25,650	19,480	16,240	13,020	208,100
626,000	629,000	52,060	45,600	39,120	32,660	26,200	19,760	16,520	13,290	209,500
629,000	632,000	52,610	46,150	39,680	33,210	26,750	20,280	16,800	13,570	211,000
632,000	635,000	53,160	46,700	40,230	33,760	27,300	20,830	17,070	13,840	212,500
635,000	638,000	53,710	47,250	40,780	34,320	27,850	21,380	17,350	14,120	214,000
638,000	641,000	54,270	47,800	41,330	34,870	28,400	21,930	17,620	14,400	214,900
641,000	644,000	54,820	48,350	41,880	35,420	28,960	22,480	17,900	14,670	215,900
644,000	647,000	55,370	48,910	42,430	35,970	29,510	23,030	18,170	14,950	217,000
647,000	650,000	55,920	49,460	42,980	36,520	30,060	23,590	18,450	15,220	218,000
650,000	653,000	56,470	50,010	43,540	37,070	30,610	24,140	18,730	15,500	219,000
653,000	656,000	57,020	50,560	44,090	37,620	31,160	24,690	19,000	15,770	220,000
656,000	659,000	57,570	51,110	44,640	38,180	31,710	25,240	19,280	16,050	221,000
659,000	662,000	58,130	51,660	45,190	38,730	32,260	25,790	19,550	16,330	222,100
662,000	665,000	58,680	52,210	45,740	39,280	32,810	26,340	19,880	16,600	223,100
665,000	668,000	59,230	52,770	46,290	39,830	33,370	26,890	20,430	16,880	224,100
668,000	671,000	59,780	53,320	46,840	40,380	33,920	27,440	20,980	17,150	225,000
671,000	674,000	60,330	53,870	47,390	40,930	34,470	28,000	21,530	17,430	226,000
674,000	677,000	60,880	54,420	47,950	41,480	35,020	28,550	22,080	17,700	227,100
677,000	680,000	61,430	54,970	48,500	42,030	35,570	29,100	22,640	17,980	228,100
680,000	683,000	61,980	55,520	49,050	42,590	36,120	29,650	23,190	18,260	229,100
683,000	686,000	62,540	56,070	49,600	43,140	36,670	30,200	23,740	18,530	230,400
686,000	689,000	63,090	56,620	50,150	43,690	37,230	30,750	24,290	18,810	232,100
689,000	692,000	63,640	57,180	50,700	44,240	37,780	31,300	24,840	19,080	233,600
692,000	695,000	64,190	57,730	51,250	44,790	38,330	31,860	25,390	19,360	235,100
695,000	698,000	64,740	58,280	51,810	45,340	38,880	32,410	25,940	19,630	236,700
698,000	701,000	65,290	58,830	52,360	45,890	39,430	32,960	26,490	20,030	238,200
701,000	704,000	65,840	59,380	52,910	46,450	39,980	33,510	27,050	20,580	239,700
704,000	707,000	66,400	59,930	53,460	47,000	40,530	34,060	27,600	21,130	241,300
707,000	710,000	66,960	60,480	54,020	47,550	41,090	34,620	28,150	21,690	242,900
710,000	713,000	67,570	61,100	54,630	48,160	41,700	35,230	28,760	22,300	244,400
713,000	716,000	68,180	61,710	55,250	48,770	42,310	35,850	29,370	22,910	246,000
716,000	719,000	68,790	62,320	55,860	49,390	42,920	36,460	29,990	23,520	247,500
719,000	722,000	69,410	62,930	56,470	50,000	43,540	37,070	30,600	24,140	249,000
722,000	725,000	70,020	63,550	57,080	50,610	44,150	37,690	31,210	24,750	250,600
725,000	728,000	70,630	64,160	57,700	51,220	44,760	38,300	31,820	25,360	252,200
728,000	731,000	71,250	64,770	58,310	51,840	45,370	38,910	32,440	25,970	253,700
731,000	734,000	71,860	65,380	58,920	52,450	45,990	39,520	33,050	26,590	255,300
734,000	737,000	72,470	66,000	59,530	53,060	46,600	40,140	33,660	27,200	256,800
737,000	740,000	73,080	66,610	60,150	53,670	47,210	40,750	34,270	27,810	258,300

月額表

その月の社会保険料等控除後の給与等の金額	甲								乙
	扶 養 親 族 等 の 数								税 額
	0 人	1 人	2 人	3 人	4 人	5 人	6 人	7 人	
以上　　未満	税					額			税　　額
740,000円	円 73,390	円 66,920	円 60,450	円 53,980	円 47,520	円 41,050	円 34,580	円 28,120	円 259,800
740,000円を超え780,000円に満たない金額	740,000円の場合の税額に、その月の社会保険料等控除後の給与等の金額のうち740,000円を超える金額の20.42％に相当する金額を加算した金額								259,800円に、その月の社会保険料等控除後の給与等の金額のうち740,000円を超える金額の40.84％に相当する金額を加算した金額
780,000円	円 81,560	円 75,090	円 68,620	円 62,150	円 55,690	円 49,220	円 42,750	円 36,290	
780,000円を超え950,000円に満たない金額	780,000円の場合の税額に、その月の社会保険料等控除後の給与等の金額のうち780,000円を超える金額の23.483％に相当する金額を加算した金額								
950,000円	円 121,480	円 115,010	円 108,540	円 102,070	円 95,610	円 89,140	円 82,670	円 76,210	
950,000円を超え1,700,000円に満たない金額	950,000円の場合の税額に、その月の社会保険料等控除後の給与等の金額のうち950,000円を超える金額の33.693％に相当する金額を加算した金額								
1,700,000円	円 374,180	円 367,710	円 361,240	円 354,770	円 348,310	円 341,840	円 335,370	円 328,910	円 651,900
1,700,000円を超え2,170,000円に満たない金額	1,700,000円の場合の税額に、その月の社会保険料等控除後の給与等の金額のうち1,700,000円を超える金額の40.84％に相当する金額を加算した金額								651,900円に、その月の社会保険料等控除後の給与等の金額のうち1,700,000円を超える金額の45.945％に相当する金額を加算した金額
2,170,000円	円 571,570	円 565,090	円 558,630	円 552,160	円 545,690	円 539,230	円 532,760	円 526,290	
2,170,000円を超え2,210,000円に満たない金額	2,170,000円の場合の税額に、その月の社会保険料等控除後の給与等の金額のうち2,170,000円を超える金額の40.84％に相当する金額を加算した金額								
2,210,000円	円 593,340	円 586,870	円 580,410	円 573,930	円 567,470	円 561,010	円 554,540	円 548,070	
2,210,000円を超え2,250,000円に満たない金額	2,210,000円の場合の税額に、その月の社会保険料等控除後の給与等の金額のうち2,210,000円を超える金額の40.84％に相当する金額を加算した金額								
2,250,000円	円 615,120	円 608,650	円 602,190	円 595,710	円 589,250	円 582,790	円 576,310	円 569,850	
2,250,000円を超え3,500,000円に満たない金額	2,250,000円の場合の税額に、その月の社会保険料等控除後の給与等の金額のうち2,250,000円を超える金額の40.84％に相当する金額を加算した金額								

月額表

月額表

その月の社会保険料等控除後の給与等の金額	甲								乙
	扶 養 親 族 等 の 数								
	0 人	1 人	2 人	3 人	4 人	5 人	6 人	7 人	
以　上　　未　満	税　　　　　　　　　　　　　額								税　　額
3,500,000円	円 1,125,620	円 1,119,150	円 1,112,690	円 1,106,210	円 1,099,750	円 1,093,290	円 1,086,810	円 1,080,350	651,900 円 に、その月の社会保険料等控除後の給与等の金額のうち1,700,000円を超える金額の45.945％に相当する金額を加算した金額
3,500,000円を超える金額	3,500,000円の場合の税額に、その月の社会保険料等控除後の給与等の金額のうち3,500,000円を超える金額の45.945％に相当する金額を加算した金額								
扶養親族等の数が7人を超える場合には、扶養親族等の数が7人の場合の税額から、その7人を超える1人ごとに1,610円を控除した金額									従たる給与についての扶養控除等申告書が提出されている場合には、当該申告書に記載された扶養親族等の数に応じ、扶養親族等1人ごとに1,610円を、上の各欄によって求めた税額から控除した金額

（注）この表における用語の意味は、次のとおりです。
1　「扶養親族等」とは、源泉控除対象配偶者及び控除対象扶養親族をいいます。
2　「社会保険料等」とは、所得税法第74条第2項（社会保険料控除）に規定する社会保険料及び同法第75条第2項（小規模企業共済等掛金控除）に規定する小規模企業共済等掛金をいいます。

（備考）税額の求め方は、次のとおりです。
1　「給与所得者の扶養控除等申告書」（以下この表において「扶養控除等申告書」といいます。）の提出があった人
　(1)　まず、その人のその月の給与等の金額から、その給与等の金額から控除される社会保険料等の金額を控除した金額を求めます。
　(2)　次に、扶養控除等申告書により申告された扶養親族等（その申告書に記載がされていないものとされる源泉控除対象配偶者を除きます。また、扶養親族等が国外居住親族である場合には、親族に該当する旨を証する書類（その国外居住親族である扶養親族等が年齢30歳以上70歳未満の控除対象扶養親族であり、かつ、留学により国内に住所及び居所を有しなくなった人である場合には、親族に該当する旨を証する書類及び留学により国内に住所及び居所を有しなくなった人に該当する旨を証する書類）が扶養控除等申告書に添付され、又は扶養控除等申告書の提出の際に提示された扶養親族等に限ります。）の数が7人以下である場合には、(1)により求めた金額に応じて「その月の社会保険料等控除後の給与等の金額」欄の該当する行を求め、その行と扶養親族等の数に応じた甲欄の該当欄との交わるところに記載されている金額を求めます。これが求める税額です。
　(3)　扶養控除等申告書により申告された扶養親族等の数が7人を超える場合には、(1)により求めた金額に応じて、扶養親族等の数が7人であるものとして(2)により求めた税額から、扶養親族等の数が7人を超える1人ごとに1,610円を控除した金額を求めます。これが求める税額です。
　(4)　(2)及び(3)の場合において、扶養控除等申告書にその人が障害者（特別障害者を含みます。）、寡婦、ひとり親又は勤労学生に該当する旨の記載があるときは、扶養親族等の数にこれらの一に該当するごとに1人を加算した数を、扶養控除等申告書にその人の同一生計配偶者又は扶養親族のうちに障害者（特別障害者を含みます。）又は同居特別障害者（障害者（特別障害者を含みます。）又は同居特別障害者が国外居住親族である場合には、親族に該当する旨を証する書類が扶養控除等申告書に添付され、又は当該書類が扶養控除等申告書の提出の際に提示された障害者（特別障害者を含みます。）又は同居特別障害者に限ります。）に該当する人がいる旨の記載があるときは、扶養親族等の数にこれらの一に該当するごとに1人を加算した数を、それぞれ(2)及び(3)の扶養親族等の数とします。
2　扶養控除等申告書の提出がない人（「従たる給与についての扶養控除等申告書」の提出があった人を含みます。）
　その人のその月の給与等の金額から、その給与等の金額から控除される社会保険料等の金額を控除し、その控除後の金額に応じた「その月の社会保険料等控除後の給与等の金額」欄の該当する行と乙欄との交わるところに記載されている金額（「従たる給与についての扶養控除等申告書」の提出があった場合には、その申告書により申告された扶養親族等（その申告書に記載がされていないものとされる源泉控除対象配偶者を除きます。）の数に応じ、扶養親族等1人ごとに1,610円を控除した金額）を求めます。これが求める税額です。

別表第五　令和 6 年分年末調整等のための給与所得控除後の給与等の金額の表

（所得税法第28条、第190条関係）

（一）

給与等の金額 以上	給与等の金額 未満	給与所得控除後の給与等の金額	給与等の金額 以上	給与等の金額 未満	給与所得控除後の給与等の金額	給与等の金額 以上	給与等の金額 未満	給与所得控除後の給与等の金額
円	円	円	円	円	円	円	円	円
551,000円未満		0	1,772,000	1,776,000	1,163,200	1,972,000	1,976,000	1,300,400
			1,776,000	1,780,000	1,165,600	1,976,000	1,980,000	1,303,200
			1,780,000	1,784,000	1,168,000	1,980,000	1,984,000	1,306,000
			1,784,000	1,788,000	1,170,400	1,984,000	1,988,000	1,308,800
			1,788,000	1,792,000	1,172,800	1,988,000	1,992,000	1,311,600
551,000	1,619,000	給与等の金額から550,000円を控除した金額	1,792,000	1,796,000	1,175,200	1,992,000	1,996,000	1,314,400
			1,796,000	1,800,000	1,177,600	1,996,000	2,000,000	1,317,200
			1,800,000	1,804,000	1,180,000	2,000,000	2,004,000	1,320,000
			1,804,000	1,808,000	1,182,800	2,004,000	2,008,000	1,322,800
			1,808,000	1,812,000	1,185,600	2,008,000	2,012,000	1,325,600
1,619,000	1,620,000	1,069,000	1,812,000	1,816,000	1,188,400	2,012,000	2,016,000	1,328,400
1,620,000	1,622,000	1,070,000	1,816,000	1,820,000	1,191,200	2,016,000	2,020,000	1,331,200
1,622,000	1,624,000	1,072,000	1,820,000	1,824,000	1,194,000	2,020,000	2,024,000	1,334,000
1,624,000	1,628,000	1,074,000	1,824,000	1,828,000	1,196,800	2,024,000	2,028,000	1,336,800
1,628,000	1,632,000	1,076,800	1,828,000	1,832,000	1,199,600	2,028,000	2,032,000	1,339,600
1,632,000	1,636,000	1,079,200	1,832,000	1,836,000	1,202,400	2,032,000	2,036,000	1,342,400
1,636,000	1,640,000	1,081,600	1,836,000	1,840,000	1,205,200	2,036,000	2,040,000	1,345,200
1,640,000	1,644,000	1,084,000	1,840,000	1,844,000	1,208,000	2,040,000	2,044,000	1,348,000
1,644,000	1,648,000	1,086,400	1,844,000	1,848,000	1,210,800	2,044,000	2,048,000	1,350,800
1,648,000	1,652,000	1,088,800	1,848,000	1,852,000	1,213,600	2,048,000	2,052,000	1,353,600
1,652,000	1,656,000	1,091,200	1,852,000	1,856,000	1,216,400	2,052,000	2,056,000	1,356,400
1,656,000	1,660,000	1,093,600	1,856,000	1,860,000	1,219,200	2,056,000	2,060,000	1,359,200
1,660,000	1,664,000	1,096,000	1,860,000	1,864,000	1,222,000	2,060,000	2,064,000	1,362,000
1,664,000	1,668,000	1,098,400	1,864,000	1,868,000	1,224,800	2,064,000	2,068,000	1,364,800
1,668,000	1,672,000	1,100,800	1,868,000	1,872,000	1,227,600	2,068,000	2,072,000	1,367,600
1,672,000	1,676,000	1,103,200	1,872,000	1,876,000	1,230,400	2,072,000	2,076,000	1,370,400
1,676,000	1,680,000	1,105,600	1,876,000	1,880,000	1,233,200	2,076,000	2,080,000	1,373,200
1,680,000	1,684,000	1,108,000	1,880,000	1,884,000	1,236,000	2,080,000	2,084,000	1,376,000
1,684,000	1,688,000	1,110,400	1,884,000	1,888,000	1,238,800	2,084,000	2,088,000	1,378,800
1,688,000	1,692,000	1,112,800	1,888,000	1,892,000	1,241,600	2,088,000	2,092,000	1,381,600
1,692,000	1,696,000	1,115,200	1,892,000	1,896,000	1,244,400	2,092,000	2,096,000	1,384,400
1,696,000	1,700,000	1,117,600	1,896,000	1,900,000	1,247,200	2,096,000	2,100,000	1,387,200
1,700,000	1,704,000	1,120,000	1,900,000	1,904,000	1,250,000	2,100,000	2,104,000	1,390,000
1,704,000	1,708,000	1,122,400	1,904,000	1,908,000	1,252,800	2,104,000	2,108,000	1,392,800
1,708,000	1,712,000	1,124,800	1,908,000	1,912,000	1,255,600	2,108,000	2,112,000	1,395,600
1,712,000	1,716,000	1,127,200	1,912,000	1,916,000	1,258,400	2,112,000	2,116,000	1,398,400
1,716,000	1,720,000	1,129,600	1,916,000	1,920,000	1,261,200	2,116,000	2,120,000	1,401,200
1,720,000	1,724,000	1,132,000	1,920,000	1,924,000	1,264,000	2,120,000	2,124,000	1,404,000
1,724,000	1,728,000	1,134,400	1,924,000	1,928,000	1,266,800	2,124,000	2,128,000	1,406,800
1,728,000	1,732,000	1,136,800	1,928,000	1,932,000	1,269,600	2,128,000	2,132,000	1,409,600
1,732,000	1,736,000	1,139,200	1,932,000	1,936,000	1,272,400	2,132,000	2,136,000	1,412,400
1,736,000	1,740,000	1,141,600	1,936,000	1,940,000	1,275,200	2,136,000	2,140,000	1,415,200
1,740,000	1,744,000	1,144,000	1,940,000	1,944,000	1,278,000	2,140,000	2,144,000	1,418,000
1,744,000	1,748,000	1,146,400	1,944,000	1,948,000	1,280,800	2,144,000	2,148,000	1,420,800
1,748,000	1,752,000	1,148,800	1,948,000	1,952,000	1,283,600	2,148,000	2,152,000	1,423,600
1,752,000	1,756,000	1,151,200	1,952,000	1,956,000	1,286,400	2,152,000	2,156,000	1,426,400
1,756,000	1,760,000	1,153,600	1,956,000	1,960,000	1,289,200	2,156,000	2,160,000	1,429,200
1,760,000	1,764,000	1,156,000	1,960,000	1,964,000	1,292,000	2,160,000	2,164,000	1,432,000
1,764,000	1,768,000	1,158,400	1,964,000	1,968,000	1,294,800	2,164,000	2,168,000	1,434,800
1,768,000	1,772,000	1,160,800	1,968,000	1,972,000	1,297,600	2,168,000	2,172,000	1,437,600

年調所得表

(二)

給与等の金額		給与所得控除後の給与等の金額	給与等の金額		給与所得控除後の給与等の金額	給与等の金額		給与所得控除後の給与等の金額
以 上	未 満		以 上	未 満		以 上	未 満	
円	円	円	円	円	円	円	円	円
2,172,000	2,176,000	1,440,400	2,372,000	2,376,000	1,580,400	2,572,000	2,576,000	1,720,400
2,176,000	2,180,000	1,443,200	2,376,000	2,380,000	1,583,200	2,576,000	2,580,000	1,723,200
2,180,000	2,184,000	1,446,000	2,380,000	2,384,000	1,586,000	2,580,000	2,584,000	1,726,000
2,184,000	2,188,000	1,448,800	2,384,000	2,388,000	1,588,800	2,584,000	2,588,000	1,728,800
2,188,000	2,192,000	1,451,600	2,388,000	2,392,000	1,591,600	2,588,000	2,592,000	1,731,600
2,192,000	2,196,000	1,454,400	2,392,000	2,396,000	1,594,400	2,592,000	2,596,000	1,734,400
2,196,000	2,200,000	1,457,200	2,396,000	2,400,000	1,597,200	2,596,000	2,600,000	1,737,200
2,200,000	2,204,000	1,460,000	2,400,000	2,404,000	1,600,000	2,600,000	2,604,000	1,740,000
2,204,000	2,208,000	1,462,800	2,404,000	2,408,000	1,602,800	2,604,000	2,608,000	1,742,800
2,208,000	2,212,000	1,465,600	2,408,000	2,412,000	1,605,600	2,608,000	2,612,000	1,745,600
2,212,000	2,216,000	1,468,400	2,412,000	2,416,000	1,608,400	2,612,000	2,616,000	1,748,400
2,216,000	2,220,000	1,471,200	2,416,000	2,420,000	1,611,200	2,616,000	2,620,000	1,751,200
2,220,000	2,224,000	1,474,000	2,420,000	2,424,000	1,614,000	2,620,000	2,624,000	1,754,000
2,224,000	2,228,000	1,476,800	2,424,000	2,428,000	1,616,800	2,624,000	2,628,000	1,756,800
2,228,000	2,232,000	1,479,600	2,428,000	2,432,000	1,619,600	2,628,000	2,632,000	1,759,600
2,232,000	2,236,000	1,482,400	2,432,000	2,436,000	1,622,400	2,632,000	2,636,000	1,762,400
2,236,000	2,240,000	1,485,200	2,436,000	2,440,000	1,625,200	2,636,000	2,640,000	1,765,200
2,240,000	2,244,000	1,488,000	2,440,000	2,444,000	1,628,000	2,640,000	2,644,000	1,768,000
2,244,000	2,248,000	1,490,800	2,444,000	2,448,000	1,630,800	2,644,000	2,648,000	1,770,800
2,248,000	2,252,000	1,493,600	2,448,000	2,452,000	1,633,600	2,648,000	2,652,000	1,773,600
2,252,000	2,256,000	1,496,400	2,452,000	2,456,000	1,636,400	2,652,000	2,656,000	1,776,400
2,256,000	2,260,000	1,499,200	2,456,000	2,460,000	1,639,200	2,656,000	2,660,000	1,779,200
2,260,000	2,264,000	1,502,000	2,460,000	2,464,000	1,642,000	2,660,000	2,664,000	1,782,000
2,264,000	2,268,000	1,504,800	2,464,000	2,468,000	1,644,800	2,664,000	2,668,000	1,784,800
2,268,000	2,272,000	1,507,600	2,468,000	2,472,000	1,647,600	2,668,000	2,672,000	1,787,600
2,272,000	2,276,000	1,510,400	2,472,000	2,476,000	1,650,400	2,672,000	2,676,000	1,790,400
2,276,000	2,280,000	1,513,200	2,476,000	2,480,000	1,653,200	2,676,000	2,680,000	1,793,200
2,280,000	2,284,000	1,516,000	2,480,000	2,484,000	1,656,000	2,680,000	2,684,000	1,796,000
2,284,000	2,288,000	1,518,800	2,484,000	2,488,000	1,658,800	2,684,000	2,688,000	1,798,800
2,288,000	2,292,000	1,521,600	2,488,000	2,492,000	1,661,600	2,688,000	2,692,000	1,801,600
2,292,000	2,296,000	1,524,400	2,492,000	2,496,000	1,664,400	2,692,000	2,696,000	1,804,400
2,296,000	2,300,000	1,527,200	2,496,000	2,500,000	1,667,200	2,696,000	2,700,000	1,807,200
2,300,000	2,304,000	1,530,000	2,500,000	2,504,000	1,670,000	2,700,000	2,704,000	1,810,000
2,304,000	2,308,000	1,532,800	2,504,000	2,508,000	1,672,800	2,704,000	2,708,000	1,812,800
2,308,000	2,312,000	1,535,600	2,508,000	2,512,000	1,675,600	2,708,000	2,712,000	1,815,600
2,312,000	2,316,000	1,538,400	2,512,000	2,516,000	1,678,400	2,712,000	2,716,000	1,818,400
2,316,000	2,320,000	1,541,200	2,516,000	2,520,000	1,681,200	2,716,000	2,720,000	1,821,200
2,320,000	2,324,000	1,544,000	2,520,000	2,524,000	1,684,000	2,720,000	2,724,000	1,824,000
2,324,000	2,328,000	1,546,800	2,524,000	2,528,000	1,686,800	2,724,000	2,728,000	1,826,800
2,328,000	2,332,000	1,549,600	2,528,000	2,532,000	1,689,600	2,728,000	2,732,000	1,829,600
2,332,000	2,336,000	1,552,400	2,532,000	2,536,000	1,692,400	2,732,000	2,736,000	1,832,400
2,336,000	2,340,000	1,555,200	2,536,000	2,540,000	1,695,200	2,736,000	2,740,000	1,835,200
2,340,000	2,344,000	1,558,000	2,540,000	2,544,000	1,698,000	2,740,000	2,744,000	1,838,000
2,344,000	2,348,000	1,560,800	2,544,000	2,548,000	1,700,800	2,744,000	2,748,000	1,840,800
2,348,000	2,352,000	1,563,600	2,548,000	2,552,000	1,703,600	2,748,000	2,752,000	1,843,600
2,352,000	2,356,000	1,566,400	2,552,000	2,556,000	1,706,400	2,752,000	2,756,000	1,846,400
2,356,000	2,360,000	1,569,200	2,556,000	2,560,000	1,709,200	2,756,000	2,760,000	1,849,200
2,360,000	2,364,000	1,572,000	2,560,000	2,564,000	1,712,000	2,760,000	2,764,000	1,852,000
2,364,000	2,368,000	1,574,800	2,564,000	2,568,000	1,714,800	2,764,000	2,768,000	1,854,800
2,368,000	2,372,000	1,577,600	2,568,000	2,572,000	1,717,600	2,768,000	2,772,000	1,857,600

年調 所得 控除 表

給与等の金額		給与所得控除後の給与等の金額	給与等の金額		給与所得控除後の給与等の金額	給与等の金額		給与所得控除後の給与等の金額
以上	未満		以上	未満		以上	未満	
円	円	円	円	円	円	円	円	円
2,772,000	2,776,000	1,860,400	2,972,000	2,976,000	2,000,400	3,172,000	3,176,000	2,140,400
2,776,000	2,780,000	1,863,200	2,976,000	2,980,000	2,003,200	3,176,000	3,180,000	2,143,200
2,780,000	2,784,000	1,866,000	2,980,000	2,984,000	2,006,000	3,180,000	3,184,000	2,146,000
2,784,000	2,788,000	1,868,800	2,984,000	2,988,000	2,008,800	3,184,000	3,188,000	2,148,800
2,788,000	2,792,000	1,871,600	2,988,000	2,992,000	2,011,600	3,188,000	3,192,000	2,151,600
2,792,000	2,796,000	1,874,400	2,992,000	2,996,000	2,014,400	3,192,000	3,196,000	2,154,400
2,796,000	2,800,000	1,877,200	2,996,000	3,000,000	2,017,200	3,196,000	3,200,000	2,157,200
2,800,000	2,804,000	1,880,000	3,000,000	3,004,000	2,020,000	3,200,000	3,204,000	2,160,000
2,804,000	2,808,000	1,882,800	3,004,000	3,008,000	2,022,800	3,204,000	3,208,000	2,162,800
2,808,000	2,812,000	1,885,600	3,008,000	3,012,000	2,025,600	3,208,000	3,212,000	2,165,600
2,812,000	2,816,000	1,888,400	3,012,000	3,016,000	2,028,400	3,212,000	3,216,000	2,168,400
2,816,000	2,820,000	1,891,200	3,016,000	3,020,000	2,031,200	3,216,000	3,220,000	2,171,200
2,820,000	2,824,000	1,894,000	3,020,000	3,024,000	2,034,000	3,220,000	3,224,000	2,174,000
2,824,000	2,828,000	1,896,800	3,024,000	3,028,000	2,036,800	3,224,000	3,228,000	2,176,800
2,828,000	2,832,000	1,899,600	3,028,000	3,032,000	2,039,600	3,228,000	3,232,000	2,179,600
2,832,000	2,836,000	1,902,400	3,032,000	3,036,000	2,042,400	3,232,000	3,236,000	2,182,400
2,836,000	2,840,000	1,905,200	3,036,000	3,040,000	2,045,200	3,236,000	3,240,000	2,185,200
2,840,000	2,844,000	1,908,000	3,040,000	3,044,000	2,048,000	3,240,000	3,244,000	2,188,000
2,844,000	2,848,000	1,910,800	3,044,000	3,048,000	2,050,800	3,244,000	3,248,000	2,190,800
2,848,000	2,852,000	1,913,600	3,048,000	3,052,000	2,053,600	3,248,000	3,252,000	2,193,600
2,852,000	2,856,000	1,916,400	3,052,000	3,056,000	2,056,400	3,252,000	3,256,000	2,196,400
2,856,000	2,860,000	1,919,200	3,056,000	3,060,000	2,059,200	3,256,000	3,260,000	2,199,200
2,860,000	2,864,000	1,922,000	3,060,000	3,064,000	2,062,000	3,260,000	3,264,000	2,202,000
2,864,000	2,868,000	1,924,800	3,064,000	3,068,000	2,064,800	3,264,000	3,268,000	2,204,800
2,868,000	2,872,000	1,927,600	3,068,000	3,072,000	2,067,600	3,268,000	3,272,000	2,207,600
2,872,000	2,876,000	1,930,400	3,072,000	3,076,000	2,070,400	3,272,000	3,276,000	2,210,400
2,876,000	2,880,000	1,933,200	3,076,000	3,080,000	2,073,200	3,276,000	3,280,000	2,213,200
2,880,000	2,884,000	1,936,000	3,080,000	3,084,000	2,076,000	3,280,000	3,284,000	2,216,000
2,884,000	2,888,000	1,938,800	3,084,000	3,088,000	2,078,800	3,284,000	3,288,000	2,218,800
2,888,000	2,892,000	1,941,600	3,088,000	3,092,000	2,081,600	3,288,000	3,292,000	2,221,600
2,892,000	2,896,000	1,944,400	3,092,000	3,096,000	2,084,400	3,292,000	3,296,000	2,224,400
2,896,000	2,900,000	1,947,200	3,096,000	3,100,000	2,087,200	3,296,000	3,300,000	2,227,200
2,900,000	2,904,000	1,950,000	3,100,000	3,104,000	2,090,000	3,300,000	3,304,000	2,230,000
2,904,000	2,908,000	1,952,800	3,104,000	3,108,000	2,092,800	3,304,000	3,308,000	2,232,800
2,908,000	2,912,000	1,955,600	3,108,000	3,112,000	2,095,600	3,308,000	3,312,000	2,235,600
2,912,000	2,916,000	1,958,400	3,112,000	3,116,000	2,098,400	3,312,000	3,316,000	2,238,400
2,916,000	2,920,000	1,961,200	3,116,000	3,120,000	2,101,200	3,316,000	3,320,000	2,241,200
2,920,000	2,924,000	1,964,000	3,120,000	3,124,000	2,104,000	3,320,000	3,324,000	2,244,000
2,924,000	2,928,000	1,966,800	3,124,000	3,128,000	2,106,800	3,324,000	3,328,000	2,246,800
2,928,000	2,932,000	1,969,600	3,128,000	3,132,000	2,109,600	3,328,000	3,332,000	2,249,600
2,932,000	2,936,000	1,972,400	3,132,000	3,136,000	2,112,400	3,332,000	3,336,000	2,252,400
2,936,000	2,940,000	1,975,200	3,136,000	3,140,000	2,115,200	3,336,000	3,340,000	2,255,200
2,940,000	2,944,000	1,978,000	3,140,000	3,144,000	2,118,000	3,340,000	3,344,000	2,258,000
2,944,000	2,948,000	1,980,800	3,144,000	3,148,000	2,120,800	3,344,000	3,348,000	2,260,800
2,948,000	2,952,000	1,983,600	3,148,000	3,152,000	2,123,600	3,348,000	3,352,000	2,263,600
2,952,000	2,956,000	1,986,400	3,152,000	3,156,000	2,126,400	3,352,000	3,356,000	2,266,400
2,956,000	2,960,000	1,989,200	3,156,000	3,160,000	2,129,200	3,356,000	3,360,000	2,269,200
2,960,000	2,964,000	1,992,000	3,160,000	3,164,000	2,132,000	3,360,000	3,364,000	2,272,000
2,964,000	2,968,000	1,994,800	3,164,000	3,168,000	2,134,800	3,364,000	3,368,000	2,274,800
2,968,000	2,972,000	1,997,600	3,168,000	3,172,000	2,137,600	3,368,000	3,372,000	2,277,600

年調所得表

給与等の金額		給与所得控除後の給与等の金額	給与等の金額		給与所得控除後の給与等の金額	給与等の金額		給与所得控除後の給与等の金額
以　上	未　満		以　上	未　満		以　上	未　満	
円	円	円	円	円	円	円	円	円
3,372,000	3,376,000	2,280,400	3,572,000	3,576,000	2,420,400	3,772,000	3,776,000	2,577,600
3,376,000	3,380,000	2,283,200	3,576,000	3,580,000	2,423,200	3,776,000	3,780,000	2,580,800
3,380,000	3,384,000	2,286,000	3,580,000	3,584,000	2,426,000	3,780,000	3,784,000	2,584,000
3,384,000	3,388,000	2,288,800	3,584,000	3,588,000	2,428,800	3,784,000	3,788,000	2,587,200
3,388,000	3,392,000	2,291,600	3,588,000	3,592,000	2,431,600	3,788,000	3,792,000	2,590,400
3,392,000	3,396,000	2,294,400	3,592,000	3,596,000	2,434,400	3,792,000	3,796,000	2,593,600
3,396,000	3,400,000	2,297,200	3,596,000	3,600,000	2,437,200	3,796,000	3,800,000	2,596,800
3,400,000	3,404,000	2,300,000	3,600,000	3,604,000	2,440,000	3,800,000	3,804,000	2,600,000
3,404,000	3,408,000	2,302,800	3,604,000	3,608,000	2,443,200	3,804,000	3,808,000	2,603,200
3,408,000	3,412,000	2,305,600	3,608,000	3,612,000	2,446,400	3,808,000	3,812,000	2,606,400
3,412,000	3,416,000	2,308,400	3,612,000	3,616,000	2,449,600	3,812,000	3,816,000	2,609,600
3,416,000	3,420,000	2,311,200	3,616,000	3,620,000	2,452,800	3,816,000	3,820,000	2,612,800
3,420,000	3,424,000	2,314,000	3,620,000	3,624,000	2,456,000	3,820,000	3,824,000	2,616,000
3,424,000	3,428,000	2,316,800	3,624,000	3,628,000	2,459,200	3,824,000	3,828,000	2,619,200
3,428,000	3,432,000	2,319,600	3,628,000	3,632,000	2,462,400	3,828,000	3,832,000	2,622,400
3,432,000	3,436,000	2,322,400	3,632,000	3,636,000	2,465,600	3,832,000	3,836,000	2,625,600
3,436,000	3,440,000	2,325,200	3,636,000	3,640,000	2,468,800	3,836,000	3,840,000	2,628,800
3,440,000	3,444,000	2,328,000	3,640,000	3,644,000	2,472,000	3,840,000	3,844,000	2,632,000
3,444,000	3,448,000	2,330,800	3,644,000	3,648,000	2,475,200	3,844,000	3,848,000	2,635,200
3,448,000	3,452,000	2,333,600	3,648,000	3,652,000	2,478,400	3,848,000	3,852,000	2,638,400
3,452,000	3,456,000	2,336,400	3,652,000	3,656,000	2,481,600	3,852,000	3,856,000	2,641,600
3,456,000	3,460,000	2,339,200	3,656,000	3,660,000	2,484,800	3,856,000	3,860,000	2,644,800
3,460,000	3,464,000	2,342,000	3,660,000	3,664,000	2,488,000	3,860,000	3,864,000	2,648,000
3,464,000	3,468,000	2,344,800	3,664,000	3,668,000	2,491,200	3,864,000	3,868,000	2,651,200
3,468,000	3,472,000	2,347,600	3,668,000	3,672,000	2,494,400	3,868,000	3,872,000	2,654,400
3,472,000	3,476,000	2,350,400	3,672,000	3,676,000	2,497,600	3,872,000	3,876,000	2,657,600
3,476,000	3,480,000	2,353,200	3,676,000	3,680,000	2,500,800	3,876,000	3,880,000	2,660,800
3,480,000	3,484,000	2,356,000	3,680,000	3,684,000	2,504,000	3,880,000	3,884,000	2,664,000
3,484,000	3,488,000	2,358,800	3,684,000	3,688,000	2,507,200	3,884,000	3,888,000	2,667,200
3,488,000	3,492,000	2,361,600	3,688,000	3,692,000	2,510,400	3,888,000	3,892,000	2,670,400
3,492,000	3,496,000	2,364,400	3,692,000	3,696,000	2,513,600	3,892,000	3,896,000	2,673,600
3,496,000	3,500,000	2,367,200	3,696,000	3,700,000	2,516,800	3,896,000	3,900,000	2,676,800
3,500,000	3,504,000	2,370,000	3,700,000	3,704,000	2,520,000	3,900,000	3,904,000	2,680,000
3,504,000	3,508,000	2,372,800	3,704,000	3,708,000	2,523,200	3,904,000	3,908,000	2,683,200
3,508,000	3,512,000	2,375,600	3,708,000	3,712,000	2,526,400	3,908,000	3,912,000	2,686,400
3,512,000	3,516,000	2,378,400	3,712,000	3,716,000	2,529,600	3,912,000	3,916,000	2,689,600
3,516,000	3,520,000	2,381,200	3,716,000	3,720,000	2,532,800	3,916,000	3,920,000	2,692,800
3,520,000	3,524,000	2,384,000	3,720,000	3,724,000	2,536,000	3,920,000	3,924,000	2,696,000
3,524,000	3,528,000	2,386,800	3,724,000	3,728,000	2,539,200	3,924,000	3,928,000	2,699,200
3,528,000	3,532,000	2,389,600	3,728,000	3,732,000	2,542,400	3,928,000	3,932,000	2,702,400
3,532,000	3,536,000	2,392,400	3,732,000	3,736,000	2,545,600	3,932,000	3,936,000	2,705,600
3,536,000	3,540,000	2,395,200	3,736,000	3,740,000	2,548,800	3,936,000	3,940,000	2,708,800
3,540,000	3,544,000	2,398,000	3,740,000	3,744,000	2,552,000	3,940,000	3,944,000	2,712,000
3,544,000	3,548,000	2,400,800	3,744,000	3,748,000	2,555,200	3,944,000	3,948,000	2,715,200
3,548,000	3,552,000	2,403,600	3,748,000	3,752,000	2,558,400	3,948,000	3,952,000	2,718,400
3,552,000	3,556,000	2,406,400	3,752,000	3,756,000	2,561,600	3,952,000	3,956,000	2,721,600
3,556,000	3,560,000	2,409,200	3,756,000	3,760,000	2,564,800	3,956,000	3,960,000	2,724,800
3,560,000	3,564,000	2,412,000	3,760,000	3,764,000	2,568,000	3,960,000	3,964,000	2,728,000
3,564,000	3,568,000	2,414,800	3,764,000	3,768,000	2,571,200	3,964,000	3,968,000	2,731,200
3,568,000	3,572,000	2,417,600	3,768,000	3,772,000	2,574,400	3,968,000	3,972,000	2,734,400

年調　所得表

給与等の金額		給与所得控除後の給与等の金額	給与等の金額		給与所得控除後の給与等の金額	給与等の金額		給与所得控除後の給与等の金額
以　上	未　満		以　上	未　満		以　上	未　満	
円	円	円	円	円	円	円	円	円
3,972,000	3,976,000	2,737,600	4,172,000	4,176,000	2,897,600	4,372,000	4,376,000	3,057,600
3,976,000	3,980,000	2,740,800	4,176,000	4,180,000	2,900,800	4,376,000	4,380,000	3,060,800
3,980,000	3,984,000	2,744,000	4,180,000	4,184,000	2,904,000	4,380,000	4,384,000	3,064,000
3,984,000	3,988,000	2,747,200	4,184,000	4,188,000	2,907,200	4,384,000	4,388,000	3,067,200
3,988,000	3,992,000	2,750,400	4,188,000	4,192,000	2,910,400	4,388,000	4,392,000	3,070,400
3,992,000	3,996,000	2,753,600	4,192,000	4,196,000	2,913,600	4,392,000	4,396,000	3,073,600
3,996,000	4,000,000	2,756,800	4,196,000	4,200,000	2,916,800	4,396,000	4,400,000	3,076,800
4,000,000	4,004,000	2,760,000	4,200,000	4,204,000	2,920,000	4,400,000	4,404,000	3,080,000
4,004,000	4,008,000	2,763,200	4,204,000	4,208,000	2,923,200	4,404,000	4,408,000	3,083,200
4,008,000	4,012,000	2,766,400	4,208,000	4,212,000	2,926,400	4,408,000	4,412,000	3,086,400
4,012,000	4,016,000	2,769,600	4,212,000	4,216,000	2,929,600	4,412,000	4,416,000	3,089,600
4,016,000	4,020,000	2,772,800	4,216,000	4,220,000	2,932,800	4,416,000	4,420,000	3,092,800
4,020,000	4,024,000	2,776,000	4,220,000	4,224,000	2,936,000	4,420,000	4,424,000	3,096,000
4,024,000	4,028,000	2,779,200	4,224,000	4,228,000	2,939,200	4,424,000	4,428,000	3,099,200
4,028,000	4,032,000	2,782,400	4,228,000	4,232,000	2,942,400	4,428,000	4,432,000	3,102,400
4,032,000	4,036,000	2,785,600	4,232,000	4,236,000	2,945,600	4,432,000	4,436,000	3,105,600
4,036,000	4,040,000	2,788,800	4,236,000	4,240,000	2,948,800	4,436,000	4,440,000	3,108,800
4,040,000	4,044,000	2,792,000	4,240,000	4,244,000	2,952,000	4,440,000	4,444,000	3,112,000
4,044,000	4,048,000	2,795,200	4,244,000	4,248,000	2,955,200	4,444,000	4,448,000	3,115,200
4,048,000	4,052,000	2,798,400	4,248,000	4,252,000	2,958,400	4,448,000	4,452,000	3,118,400
4,052,000	4,056,000	2,801,600	4,252,000	4,256,000	2,961,600	4,452,000	4,456,000	3,121,600
4,056,000	4,060,000	2,804,800	4,256,000	4,260,000	2,964,800	4,456,000	4,460,000	3,124,800
4,060,000	4,064,000	2,808,000	4,260,000	4,264,000	2,968,000	4,460,000	4,464,000	3,128,000
4,064,000	4,068,000	2,811,200	4,264,000	4,268,000	2,971,200	4,464,000	4,468,000	3,131,200
4,068,000	4,072,000	2,814,400	4,268,000	4,272,000	2,974,400	4,468,000	4,472,000	3,134,400
4,072,000	4,076,000	2,817,600	4,272,000	4,276,000	2,977,600	4,472,000	4,476,000	3,137,600
4,076,000	4,080,000	2,820,800	4,276,000	4,280,000	2,980,800	4,476,000	4,480,000	3,140,800
4,080,000	4,084,000	2,824,000	4,280,000	4,284,000	2,984,000	4,480,000	4,484,000	3,144,000
4,084,000	4,088,000	2,827,200	4,284,000	4,288,000	2,987,200	4,484,000	4,488,000	3,147,200
4,088,000	4,092,000	2,830,400	4,288,000	4,292,000	2,990,400	4,488,000	4,492,000	3,150,400
4,092,000	4,096,000	2,833,600	4,292,000	4,296,000	2,993,600	4,492,000	4,496,000	3,153,600
4,096,000	4,100,000	2,836,800	4,296,000	4,300,000	2,996,800	4,496,000	4,500,000	3,156,800
4,100,000	4,104,000	2,840,000	4,300,000	4,304,000	3,000,000	4,500,000	4,504,000	3,160,000
4,104,000	4,108,000	2,843,200	4,304,000	4,308,000	3,003,200	4,504,000	4,508,000	3,163,200
4,108,000	4,112,000	2,846,400	4,308,000	4,312,000	3,006,400	4,508,000	4,512,000	3,166,400
4,112,000	4,116,000	2,849,600	4,312,000	4,316,000	3,009,600	4,512,000	4,516,000	3,169,600
4,116,000	4,120,000	2,852,800	4,316,000	4,320,000	3,012,800	4,516,000	4,520,000	3,172,800
4,120,000	4,124,000	2,856,000	4,320,000	4,324,000	3,016,000	4,520,000	4,524,000	3,176,000
4,124,000	4,128,000	2,859,200	4,324,000	4,328,000	3,019,200	4,524,000	4,528,000	3,179,200
4,128,000	4,132,000	2,862,400	4,328,000	4,332,000	3,022,400	4,528,000	4,532,000	3,182,400
4,132,000	4,136,000	2,865,600	4,332,000	4,336,000	3,025,600	4,532,000	4,536,000	3,185,600
4,136,000	4,140,000	2,868,800	4,336,000	4,340,000	3,028,800	4,536,000	4,540,000	3,188,800
4,140,000	4,144,000	2,872,000	4,340,000	4,344,000	3,032,000	4,540,000	4,544,000	3,192,000
4,144,000	4,148,000	2,875,200	4,344,000	4,348,000	3,035,200	4,544,000	4,548,000	3,195,200
4,148,000	4,152,000	2,878,400	4,348,000	4,352,000	3,038,400	4,548,000	4,552,000	3,198,400
4,152,000	4,156,000	2,881,600	4,352,000	4,356,000	3,041,600	4,552,000	4,556,000	3,201,600
4,156,000	4,160,000	2,884,800	4,356,000	4,360,000	3,044,800	4,556,000	4,560,000	3,204,800
4,160,000	4,164,000	2,888,000	4,360,000	4,364,000	3,048,000	4,560,000	4,564,000	3,208,000
4,164,000	4,168,000	2,891,200	4,364,000	4,368,000	3,051,200	4,564,000	4,568,000	3,211,200
4,168,000	4,172,000	2,894,400	4,368,000	4,372,000	3,054,400	4,568,000	4,572,000	3,214,400

年調所得税表

給与等の金額		給与所得控除後の給与等の金額	給与等の金額		給与所得控除後の給与等の金額	給与等の金額		給与所得控除後の給与等の金額
以上	未満		以上	未満		以上	未満	
円	円	円	円	円	円	円	円	円
4,572,000	4,576,000	3,217,600	4,772,000	4,776,000	3,377,600	4,972,000	4,976,000	3,537,600
4,576,000	4,580,000	3,220,800	4,776,000	4,780,000	3,380,800	4,976,000	4,980,000	3,540,800
4,580,000	4,584,000	3,224,000	4,780,000	4,784,000	3,384,000	4,980,000	4,984,000	3,544,000
4,584,000	4,588,000	3,227,200	4,784,000	4,788,000	3,387,200	4,984,000	4,988,000	3,547,200
4,588,000	4,592,000	3,230,400	4,788,000	4,792,000	3,390,400	4,988,000	4,992,000	3,550,400
4,592,000	4,596,000	3,233,600	4,792,000	4,796,000	3,393,600	4,992,000	4,996,000	3,553,600
4,596,000	4,600,000	3,236,800	4,796,000	4,800,000	3,396,800	4,996,000	5,000,000	3,556,800
4,600,000	4,604,000	3,240,000	4,800,000	4,804,000	3,400,000	5,000,000	5,004,000	3,560,000
4,604,000	4,608,000	3,243,200	4,804,000	4,808,000	3,403,200	5,004,000	5,008,000	3,563,200
4,608,000	4,612,000	3,246,400	4,808,000	4,812,000	3,406,400	5,008,000	5,012,000	3,566,400
4,612,000	4,616,000	3,249,600	4,812,000	4,816,000	3,409,600	5,012,000	5,016,000	3,569,600
4,616,000	4,620,000	3,252,800	4,816,000	4,820,000	3,412,800	5,016,000	5,020,000	3,572,800
4,620,000	4,624,000	3,256,000	4,820,000	4,824,000	3,416,000	5,020,000	5,024,000	3,576,000
4,624,000	4,628,000	3,259,200	4,824,000	4,828,000	3,419,200	5,024,000	5,028,000	3,579,200
4,628,000	4,632,000	3,262,400	4,828,000	4,832,000	3,422,400	5,028,000	5,032,000	3,582,400
4,632,000	4,636,000	3,265,600	4,832,000	4,836,000	3,425,600	5,032,000	5,036,000	3,585,600
4,636,000	4,640,000	3,268,800	4,836,000	4,840,000	3,428,800	5,036,000	5,040,000	3,588,800
4,640,000	4,644,000	3,272,000	4,840,000	4,844,000	3,432,000	5,040,000	5,044,000	3,592,000
4,644,000	4,648,000	3,275,200	4,844,000	4,848,000	3,435,200	5,044,000	5,048,000	3,595,200
4,648,000	4,652,000	3,278,400	4,848,000	4,852,000	3,438,400	5,048,000	5,052,000	3,598,400
4,652,000	4,656,000	3,281,600	4,852,000	4,856,000	3,441,600	5,052,000	5,056,000	3,601,600
4,656,000	4,660,000	3,284,800	4,856,000	4,860,000	3,444,800	5,056,000	5,060,000	3,604,800
4,660,000	4,664,000	3,288,000	4,860,000	4,864,000	3,448,000	5,060,000	5,064,000	3,608,000
4,664,000	4,668,000	3,291,200	4,864,000	4,868,000	3,451,200	5,064,000	5,068,000	3,611,200
4,668,000	4,672,000	3,294,400	4,868,000	4,872,000	3,454,400	5,068,000	5,072,000	3,614,400
4,672,000	4,676,000	3,297,600	4,872,000	4,876,000	3,457,600	5,072,000	5,076,000	3,617,600
4,676,000	4,680,000	3,300,800	4,876,000	4,880,000	3,460,800	5,076,000	5,080,000	3,620,800
4,680,000	4,684,000	3,304,000	4,880,000	4,884,000	3,464,000	5,080,000	5,084,000	3,624,000
4,684,000	4,688,000	3,307,200	4,884,000	4,888,000	3,467,200	5,084,000	5,088,000	3,627,200
4,688,000	4,692,000	3,310,400	4,888,000	4,892,000	3,470,400	5,088,000	5,092,000	3,630,400
4,692,000	4,696,000	3,313,600	4,892,000	4,896,000	3,473,600	5,092,000	5,096,000	3,633,600
4,696,000	4,700,000	3,316,800	4,896,000	4,900,000	3,476,800	5,096,000	5,100,000	3,636,800
4,700,000	4,704,000	3,320,000	4,900,000	4,904,000	3,480,000	5,100,000	5,104,000	3,640,000
4,704,000	4,708,000	3,323,200	4,904,000	4,908,000	3,483,200	5,104,000	5,108,000	3,643,200
4,708,000	4,712,000	3,326,400	4,908,000	4,912,000	3,486,400	5,108,000	5,112,000	3,646,400
4,712,000	4,716,000	3,329,600	4,912,000	4,916,000	3,489,600	5,112,000	5,116,000	3,649,600
4,716,000	4,720,000	3,332,800	4,916,000	4,920,000	3,492,800	5,116,000	5,120,000	3,652,800
4,720,000	4,724,000	3,336,000	4,920,000	4,924,000	3,496,000	5,120,000	5,124,000	3,656,000
4,724,000	4,728,000	3,339,200	4,924,000	4,928,000	3,499,200	5,124,000	5,128,000	3,659,200
4,728,000	4,732,000	3,342,400	4,928,000	4,932,000	3,502,400	5,128,000	5,132,000	3,662,400
4,732,000	4,736,000	3,345,600	4,932,000	4,936,000	3,505,600	5,132,000	5,136,000	3,665,600
4,736,000	4,740,000	3,348,800	4,936,000	4,940,000	3,508,800	5,136,000	5,140,000	3,668,800
4,740,000	4,744,000	3,352,000	4,940,000	4,944,000	3,512,000	5,140,000	5,144,000	3,672,000
4,744,000	4,748,000	3,355,200	4,944,000	4,948,000	3,515,200	5,144,000	5,148,000	3,675,200
4,748,000	4,752,000	3,358,400	4,948,000	4,952,000	3,518,400	5,148,000	5,152,000	3,678,400
4,752,000	4,756,000	3,361,600	4,952,000	4,956,000	3,521,600	5,152,000	5,156,000	3,681,600
4,756,000	4,760,000	3,364,800	4,956,000	4,960,000	3,524,800	5,156,000	5,160,000	3,684,800
4,760,000	4,764,000	3,368,000	4,960,000	4,964,000	3,528,000	5,160,000	5,164,000	3,688,000
4,764,000	4,768,000	3,371,200	4,964,000	4,968,000	3,531,200	5,164,000	5,168,000	3,691,200
4,768,000	4,772,000	3,374,400	4,968,000	4,972,000	3,534,400	5,168,000	5,172,000	3,694,400

年調所得表

給与等の金額		給与所得控除後の給与等の金額	給与等の金額		給与所得控除後の給与等の金額	給与等の金額		給与所得控除後の給与等の金額
以上	未満		以上	未満		以上	未満	
円	円	円	円	円	円	円	円	円
5,172,000	5,176,000	3,697,600	5,372,000	5,376,000	3,857,600	5,572,000	5,576,000	4,017,600
5,176,000	5,180,000	3,700,800	5,376,000	5,380,000	3,860,800	5,576,000	5,580,000	4,020,800
5,180,000	5,184,000	3,704,000	5,380,000	5,384,000	3,864,000	5,580,000	5,584,000	4,024,000
5,184,000	5,188,000	3,707,200	5,384,000	5,388,000	3,867,200	5,584,000	5,588,000	4,027,200
5,188,000	5,192,000	3,710,400	5,388,000	5,392,000	3,870,400	5,588,000	5,592,000	4,030,400
5,192,000	5,196,000	3,713,600	5,392,000	5,396,000	3,873,600	5,592,000	5,596,000	4,033,600
5,196,000	5,200,000	3,716,800	5,396,000	5,400,000	3,876,800	5,596,000	5,600,000	4,036,800
5,200,000	5,204,000	3,720,000	5,400,000	5,404,000	3,880,000	5,600,000	5,604,000	4,040,000
5,204,000	5,208,000	3,723,200	5,404,000	5,408,000	3,883,200	5,604,000	5,608,000	4,043,200
5,208,000	5,212,000	3,726,400	5,408,000	5,412,000	3,886,400	5,608,000	5,612,000	4,046,400
5,212,000	5,216,000	3,729,600	5,412,000	5,416,000	3,889,600	5,612,000	5,616,000	4,049,600
5,216,000	5,220,000	3,732,800	5,416,000	5,420,000	3,892,800	5,616,000	5,620,000	4,052,800
5,220,000	5,224,000	3,736,000	5,420,000	5,424,000	3,896,000	5,620,000	5,624,000	4,056,000
5,224,000	5,228,000	3,739,200	5,424,000	5,428,000	3,899,200	5,624,000	5,628,000	4,059,200
5,228,000	5,232,000	3,742,400	5,428,000	5,432,000	3,902,400	5,628,000	5,632,000	4,062,400
5,232,000	5,236,000	3,745,600	5,432,000	5,436,000	3,905,600	5,632,000	5,636,000	4,065,600
5,236,000	5,240,000	3,748,800	5,436,000	5,440,000	3,908,800	5,636,000	5,640,000	4,068,800
5,240,000	5,244,000	3,752,000	5,440,000	5,444,000	3,912,000	5,640,000	5,644,000	4,072,000
5,244,000	5,248,000	3,755,200	5,444,000	5,448,000	3,915,200	5,644,000	5,648,000	4,075,200
5,248,000	5,252,000	3,758,400	5,448,000	5,452,000	3,918,400	5,648,000	5,652,000	4,078,400
5,252,000	5,256,000	3,761,600	5,452,000	5,456,000	3,921,600	5,652,000	5,656,000	4,081,600
5,256,000	5,260,000	3,764,800	5,456,000	5,460,000	3,924,800	5,656,000	5,660,000	4,084,800
5,260,000	5,264,000	3,768,000	5,460,000	5,464,000	3,928,000	5,660,000	5,664,000	4,088,000
5,264,000	5,268,000	3,771,200	5,464,000	5,468,000	3,931,200	5,664,000	5,668,000	4,091,200
5,268,000	5,272,000	3,774,400	5,468,000	5,472,000	3,934,400	5,668,000	5,672,000	4,094,400
5,272,000	5,276,000	3,777,600	5,472,000	5,476,000	3,937,600	5,672,000	5,676,000	4,097,600
5,276,000	5,280,000	3,780,800	5,476,000	5,480,000	3,940,800	5,676,000	5,680,000	4,100,800
5,280,000	5,284,000	3,784,000	5,480,000	5,484,000	3,944,000	5,680,000	5,684,000	4,104,000
5,284,000	5,288,000	3,787,200	5,484,000	5,488,000	3,947,200	5,684,000	5,688,000	4,107,200
5,288,000	5,292,000	3,790,400	5,488,000	5,492,000	3,950,400	5,688,000	5,692,000	4,110,400
5,292,000	5,296,000	3,793,600	5,492,000	5,496,000	3,953,600	5,692,000	5,696,000	4,113,600
5,296,000	5,300,000	3,796,800	5,496,000	5,500,000	3,956,800	5,696,000	5,700,000	4,116,800
5,300,000	5,304,000	3,800,000	5,500,000	5,504,000	3,960,000	5,700,000	5,704,000	4,120,000
5,304,000	5,308,000	3,803,200	5,504,000	5,508,000	3,963,200	5,704,000	5,708,000	4,123,200
5,308,000	5,312,000	3,806,400	5,508,000	5,512,000	3,966,400	5,708,000	5,712,000	4,126,400
5,312,000	5,316,000	3,809,600	5,512,000	5,516,000	3,969,600	5,712,000	5,716,000	4,129,600
5,316,000	5,320,000	3,812,800	5,516,000	5,520,000	3,972,800	5,716,000	5,720,000	4,132,800
5,320,000	5,324,000	3,816,000	5,520,000	5,524,000	3,976,000	5,720,000	5,724,000	4,136,000
5,324,000	5,328,000	3,819,200	5,524,000	5,528,000	3,979,200	5,724,000	5,728,000	4,139,200
5,328,000	5,332,000	3,822,400	5,528,000	5,532,000	3,982,400	5,728,000	5,732,000	4,142,400
5,332,000	5,336,000	3,825,600	5,532,000	5,536,000	3,985,600	5,732,000	5,736,000	4,145,600
5,336,000	5,340,000	3,828,800	5,536,000	5,540,000	3,988,800	5,736,000	5,740,000	4,148,800
5,340,000	5,344,000	3,832,000	5,540,000	5,544,000	3,992,000	5,740,000	5,744,000	4,152,000
5,344,000	5,348,000	3,835,200	5,544,000	5,548,000	3,995,200	5,744,000	5,748,000	4,155,200
5,348,000	5,352,000	3,838,400	5,548,000	5,552,000	3,998,400	5,748,000	5,752,000	4,158,400
5,352,000	5,356,000	3,841,600	5,552,000	5,556,000	4,001,600	5,752,000	5,756,000	4,161,600
5,356,000	5,360,000	3,844,800	5,556,000	5,560,000	4,004,800	5,756,000	5,760,000	4,164,800
5,360,000	5,364,000	3,848,000	5,560,000	5,564,000	4,008,000	5,760,000	5,764,000	4,168,000
5,364,000	5,368,000	3,851,200	5,564,000	5,568,000	4,011,200	5,764,000	5,768,000	4,171,200
5,368,000	5,372,000	3,854,400	5,568,000	5,572,000	4,014,400	5,768,000	5,772,000	4,174,400

年調所得税額表

給与等の金額		給与所得控除後の給与等の金額	給与等の金額		給与所得控除後の給与等の金額	給与等の金額		給与所得控除後の給与等の金額
以　上	未　満		以　上	未　満		以　上	未　満	
円	円	円	円	円	円	円	円	円
5,772,000	5,776,000	4,177,600	5,972,000	5,976,000	4,337,600	6,172,000	6,176,000	4,497,600
5,776,000	5,780,000	4,180,800	5,976,000	5,980,000	4,340,800	6,176,000	6,180,000	4,500,800
5,780,000	5,784,000	4,184,000	5,980,000	5,984,000	4,344,000	6,180,000	6,184,000	4,504,000
5,784,000	5,788,000	4,187,200	5,984,000	5,988,000	4,347,200	6,184,000	6,188,000	4,507,200
5,788,000	5,792,000	4,190,400	5,988,000	5,992,000	4,350,400	6,188,000	6,192,000	4,510,400
5,792,000	5,796,000	4,193,600	5,992,000	5,996,000	4,353,600	6,192,000	6,196,000	4,513,600
5,796,000	5,800,000	4,196,800	5,996,000	6,000,000	4,356,800	6,196,000	6,200,000	4,516,800
5,800,000	5,804,000	4,200,000	6,000,000	6,004,000	4,360,000	6,200,000	6,204,000	4,520,000
5,804,000	5,808,000	4,203,200	6,004,000	6,008,000	4,363,200	6,204,000	6,208,000	4,523,200
5,808,000	5,812,000	4,206,400	6,008,000	6,012,000	4,366,400	6,208,000	6,212,000	4,526,400
5,812,000	5,816,000	4,209,600	6,012,000	6,016,000	4,369,600	6,212,000	6,216,000	4,529,600
5,816,000	5,820,000	4,212,800	6,016,000	6,020,000	4,372,800	6,216,000	6,220,000	4,532,800
5,820,000	5,824,000	4,216,000	6,020,000	6,024,000	4,376,000	6,220,000	6,224,000	4,536,000
5,824,000	5,828,000	4,219,200	6,024,000	6,028,000	4,379,200	6,224,000	6,228,000	4,539,200
5,828,000	5,832,000	4,222,400	6,028,000	6,032,000	4,382,400	6,228,000	6,232,000	4,542,400
5,832,000	5,836,000	4,225,600	6,032,000	6,036,000	4,385,600	6,232,000	6,236,000	4,545,600
5,836,000	5,840,000	4,228,800	6,036,000	6,040,000	4,388,800	6,236,000	6,240,000	4,548,800
5,840,000	5,844,000	4,232,000	6,040,000	6,044,000	4,392,000	6,240,000	6,244,000	4,552,000
5,844,000	5,848,000	4,235,200	6,044,000	6,048,000	4,395,200	6,244,000	6,248,000	4,555,200
5,848,000	5,852,000	4,238,400	6,048,000	6,052,000	4,398,400	6,248,000	6,252,000	4,558,400
5,852,000	5,856,000	4,241,600	6,052,000	6,056,000	4,401,600	6,252,000	6,256,000	4,561,600
5,856,000	5,860,000	4,244,800	6,056,000	6,060,000	4,404,800	6,256,000	6,260,000	4,564,800
5,860,000	5,864,000	4,248,000	6,060,000	6,064,000	4,408,000	6,260,000	6,264,000	4,568,000
5,864,000	5,868,000	4,251,200	6,064,000	6,068,000	4,411,200	6,264,000	6,268,000	4,571,200
5,868,000	5,872,000	4,254,400	6,068,000	6,072,000	4,414,400	6,268,000	6,272,000	4,574,400
5,872,000	5,876,000	4,257,600	6,072,000	6,076,000	4,417,600	6,272,000	6,276,000	4,577,600
5,876,000	5,880,000	4,260,800	6,076,000	6,080,000	4,420,800	6,276,000	6,280,000	4,580,800
5,880,000	5,884,000	4,264,000	6,080,000	6,084,000	4,424,000	6,280,000	6,284,000	4,584,000
5,884,000	5,888,000	4,267,200	6,084,000	6,088,000	4,427,200	6,284,000	6,288,000	4,587,200
5,888,000	5,892,000	4,270,400	6,088,000	6,092,000	4,430,400	6,288,000	6,292,000	4,590,400
5,892,000	5,896,000	4,273,600	6,092,000	6,096,000	4,433,600	6,292,000	6,296,000	4,593,600
5,896,000	5,900,000	4,276,800	6,096,000	6,100,000	4,436,800	6,296,000	6,300,000	4,596,800
5,900,000	5,904,000	4,280,000	6,100,000	6,104,000	4,440,000	6,300,000	6,304,000	4,600,000
5,904,000	5,908,000	4,283,200	6,104,000	6,108,000	4,443,200	6,304,000	6,308,000	4,603,200
5,908,000	5,912,000	4,286,400	6,108,000	6,112,000	4,446,400	6,308,000	6,312,000	4,606,400
5,912,000	5,916,000	4,289,600	6,112,000	6,116,000	4,449,600	6,312,000	6,316,000	4,609,600
5,916,000	5,920,000	4,292,800	6,116,000	6,120,000	4,452,800	6,316,000	6,320,000	4,612,800
5,920,000	5,924,000	4,296,000	6,120,000	6,124,000	4,456,000	6,320,000	6,324,000	4,616,000
5,924,000	5,928,000	4,299,200	6,124,000	6,128,000	4,459,200	6,324,000	6,328,000	4,619,200
5,928,000	5,932,000	4,302,400	6,128,000	6,132,000	4,462,400	6,328,000	6,332,000	4,622,400
5,932,000	5,936,000	4,305,600	6,132,000	6,136,000	4,465,600	6,332,000	6,336,000	4,625,600
5,936,000	5,940,000	4,308,800	6,136,000	6,140,000	4,468,800	6,336,000	6,340,000	4,628,800
5,940,000	5,944,000	4,312,000	6,140,000	6,144,000	4,472,000	6,340,000	6,344,000	4,632,000
5,944,000	5,948,000	4,315,200	6,144,000	6,148,000	4,475,200	6,344,000	6,348,000	4,635,200
5,948,000	5,952,000	4,318,400	6,148,000	6,152,000	4,478,400	6,348,000	6,352,000	4,638,400
5,952,000	5,956,000	4,321,600	6,152,000	6,156,000	4,481,600	6,352,000	6,356,000	4,641,600
5,956,000	5,960,000	4,324,800	6,156,000	6,160,000	4,484,800	6,356,000	6,360,000	4,644,800
5,960,000	5,964,000	4,328,000	6,160,000	6,164,000	4,488,000	6,360,000	6,364,000	4,648,000
5,964,000	5,968,000	4,331,200	6,164,000	6,168,000	4,491,200	6,364,000	6,368,000	4,651,200
5,968,000	5,972,000	4,334,400	6,168,000	6,172,000	4,494,400	6,368,000	6,372,000	4,654,400

年調所得表

給与等の金額		給与所得控除後の給与等の金額	給与等の金額		給与所得控除後の給与等の金額	給与等の金額		給与所得控除後の給与等の金額
以　　上	未　　満		以　　上	未　　満		以　　上	未　　満	
円	円	円	円	円	円	円	円	
6,372,000	6,376,000	4,657,600	6,492,000	6,496,000	4,753,600	6,600,000	8,500,000	給与等の金額に90％を乗じて算出した金額から1,100,000円を控除した金額
6,376,000	6,380,000	4,660,800	6,496,000	6,500,000	4,756,800			
6,380,000	6,384,000	4,664,000	6,500,000	6,504,000	4,760,000			
6,384,000	6,388,000	4,667,200	6,504,000	6,508,000	4,763,200			
6,388,000	6,392,000	4,670,400	6,508,000	6,512,000	4,766,400			
6,392,000	6,396,000	4,673,600	6,512,000	6,516,000	4,769,600	8,500,000	20,000,000	給与等の金額から1,950,000円を控除した金額
6,396,000	6,400,000	4,676,800	6,516,000	6,520,000	4,772,800			
6,400,000	6,404,000	4,680,000	6,520,000	6,524,000	4,776,000			
6,404,000	6,408,000	4,683,200	6,524,000	6,528,000	4,779,200			
6,408,000	6,412,000	4,686,400	6,528,000	6,532,000	4,782,400			
6,412,000	6,416,000	4,689,600	6,532,000	6,536,000	4,785,600	20,000,000円		18,050,000円
6,416,000	6,420,000	4,692,800	6,536,000	6,540,000	4,788,800			
6,420,000	6,424,000	4,696,000	6,540,000	6,544,000	4,792,000			
6,424,000	6,428,000	4,699,200	6,544,000	6,548,000	4,795,200			
6,428,000	6,432,000	4,702,400	6,548,000	6,552,000	4,798,400			
6,432,000	6,436,000	4,705,600	6,552,000	6,556,000	4,801,600			
6,436,000	6,440,000	4,708,800	6,556,000	6,560,000	4,804,800			
6,440,000	6,444,000	4,712,000	6,560,000	6,564,000	4,808,000			
6,444,000	6,448,000	4,715,200	6,564,000	6,568,000	4,811,200			
6,448,000	6,452,000	4,718,400	6,568,000	6,572,000	4,814,400			
6,452,000	6,456,000	4,721,600	6,572,000	6,576,000	4,817,600			
6,456,000	6,460,000	4,724,800	6,576,000	6,580,000	4,820,800			
6,460,000	6,464,000	4,728,000	6,580,000	6,584,000	4,824,000			
6,464,000	6,468,000	4,731,200	6,584,000	6,588,000	4,827,200			
6,468,000	6,472,000	4,734,400	6,588,000	6,592,000	4,830,400			
6,472,000	6,476,000	4,737,600	6,592,000	6,596,000	4,833,600			
6,476,000	6,480,000	4,740,800	6,596,000	6,600,000	4,836,800			
6,480,000	6,484,000	4,744,000						
6,484,000	6,488,000	4,747,200						
6,488,000	6,492,000	4,750,400						

（備考）　給与所得控除後の給与等の金額を求めるには、その年中の給与等の金額に応じ、「給与等の金額」欄の該当する行を求めるものとし、その行の「給与所得控除後の給与等の金額」欄に記載されている金額が、その給与等の金額についての給与所得控除後の給与等の金額です。この場合において、給与等の金額が6,600,000円以上の人の給与所得控除後の給与等の金額に１円未満の端数があるときは、これを切り捨てた額をもってその求める給与所得控除後の給与等の金額とします。

年調所得表

令和6年分の賞与に対する源泉徴収税額の算出率の表

（平成24年3月31日財務省告示第115号別表第三（令和2年3月31日財務省告示第81号改正））

甲

賞与の金額に乗ずべき率	扶養　　親　　族　　等							
	0　　人		1　　人		2　　人		3　　人	
	前　月　の　社　会　保　険　料　等　控							
	以　上	未　満	以　上	未　満	以　上	未　満	以　上	未　満
％	千円	千円	千円	千円	千円	千円	千円	千円
0.000	68 千円未満		94 千円未満		133 千円未満		171 千円未満	
2.042	68	79	94	243	133	269	171	295
4.084	79	252	243	282	269	312	295	345
6.126	252	300	282	338	312	369	345	398
8.168	300	334	338	365	369	393	398	417
10.210	334	363	365	394	393	420	417	445
12.252	363	395	394	422	420	450	445	477
14.294	395	426	422	455	450	484	477	510
16.336	426	520	455	520	484	520	510	544
18.378	520	601	520	617	520	632	544	647
20.420	601	678	617	699	632	721	647	745
22.462	678	708	699	733	721	757	745	782
24.504	708	745	733	771	757	797	782	823
26.546	745	788	771	814	797	841	823	868
28.588	788	846	814	874	841	902	868	931
30.630	846	914	874	944	902	975	931	1,005
32.672	914	1,312	944	1,336	975	1,360	1,005	1,385
35.735	1,312	1,521	1,336	1,526	1,360	1,526	1,385	1,538
38.798	1,521	2,621	1,526	2,645	1,526	2,669	1,538	2,693
41.861	2,621	3,495	2,645	3,527	2,669	3,559	2,693	3,590
45.945	3,495 千円以上		3,527 千円以上		3,559 千円以上		3,590 千円以上	

賞与

（注）この表における用語の意味は、次のとおりです。

1　「扶養親族等」とは、源泉控除対象配偶者及び控除対象扶養親族をいいます。

2　「社会保険料等」とは、所得税法第74条第2項（社会保険料控除）に規定する社会保険料及び同法第75条第2項（小規模企業共済等掛金控除）に規定する小規模企業共済等掛金をいいます。

　　また、「賞与の金額に乗ずべき率」の賞与の金額とは、賞与の金額から控除される社会保険料等の金額がある場合には、その社会保険料等控除後の金額をいいます。

（備考）賞与の金額に乗ずべき率の求め方は、次のとおりです。

1　「給与所得者の扶養控除等申告書」（以下この表において「扶養控除等申告書」といいます。）の提出があった人（4に該当する場合を除きます。）

　(1)　まず、その人の前月中の給与等（賞与を除きます。以下この表において同じです。）の金額から、その給与等の金額から控除される社会保険料等の金額（以下この表において「前月中の社会保険料等の金額」といいます。）を控除した金額を求めます。

　(2)　次に、扶養控除等申告書により申告された扶養親族等（その申告書に記載がされていないものとされる源泉控除対象配偶者を除きます。また、扶養親族等が国外居住親族である場合には、親族に該当する旨を証する書類（その国外居住親族である扶養親族等が年齢30歳以上70歳未満の控除対象扶養親族であり、かつ、留学により国内に住所及び居所を有しなくなった人である場合には、親族に該当する旨を証する書類及び留学により国内に住所及び居所を有しなくなった人に該当する旨を証する書類）が扶養控除等申告書等に添付され、又は扶養控除等申告書の提出の際に提示された扶養親族等に限ります。）の数と(1)により求めた金額とに応じて甲欄の「前月の社会保険料等控除後の給与等の金額」欄の該当する行を求めます。

　(3)　(2)により求めた行と「賞与の金額に乗ずべき率」欄との交わるところに記載されている率を求めます。これが求める率です。

2　1の場合において、扶養控除等申告書にその人が障害者（特別障害者を含みます。）、寡婦、ひとり親又は勤労学生に該当する旨の記載があるときは、扶養親族等の数にこれらの一に該当するごとに1人を加算した数を、扶養控除等申告書にその人の同一生計配偶者又は扶養親族のうちに障害者（特別障害者を含みます。）又は同居特別障害者（障害者（特

等		の		数				乙	
4　　人		5　　人		6　　人		7 人 以 上		前月の社会保険料等控除後の給与等の金額	
除　後　の　給　与　等　の　金　額									
以　上	未　満	以　上	未　満	以　上	未　満	以　上	未　満	以　上	未　満
千円	千円	千円	千円	千円	千円	千円	千円	千円	千円
210 千円未満		243 千円未満		275 千円未満		308 千円未満			
210	300	243	300	275	333	308	372		
300	378	300	406	333	431	372	456		
378	424	406	450	431	476	456	502		
424	444	450	472	476	499	502	523	222千円未満	
444	470	472	496	499	521	523	545		
470	503	496	525	521	547	545	571		
503	534	525	557	547	582	571	607		
534	570	557	597	582	623	607	650		
570	662	597	677	623	693	650	708		
662	768	677	792	693	815	708	838	222	293
768	806	792	831	815	856	838	880		
806	849	831	875	856	900	880	926		
849	896	875	923	900	950	926	978		
896	959	923	987	950	1,015	978	1,043		
959	1,036	987	1,066	1,015	1,096	1,043	1,127	293	524
1,036	1,409	1,066	1,434	1,096	1,458	1,127	1,482		
1,409	1,555	1,434	1,555	1,458	1,555	1,482	1,583		
1,555	2,716	1,555	2,740	1,555	2,764	1,583	2,788	524	1,118
2,716	3,622	2,740	3,654	2,764	3,685	2,788	3,717		
3,622 千円以上		3,654 千円以上		3,685 千円以上		3,717 千円以上		1,118 千円以上	

別障害者を含みます。）又は同居特別障害者が国外居住親族である場合には、親族に該当する旨を証する書類が扶養控除等申告書に添付され、又は扶養控除等申告書の提出の際に提示された障害者（特別障害者を含みます。）又は同居特別障害者に限ります。）に該当する人がいる旨の記載があるときは、扶養親族等の数にこれらの一に該当するごとに1人を加算した数を、それぞれ扶養親族等の数とします。

3　扶養控除等申告書の提出がない人（「従たる給与についての扶養控除等申告書」の提出があった人を含み、4に該当する場合を除きます。）

⑴　その人の前月中の給与等の金額から前月中の社会保険料等の金額を控除した金額を求めます。

⑵　⑴により求めた金額に応じて乙欄の「前月の社会保険料等控除後の給与等の金額」欄の該当する行を求めます。

⑶　⑵により求めた行と「賞与の金額に乗ずべき率」欄との交わるところに記載されている率を求めます。これが求める率です。

4　前月中の給与等の金額がない場合や前月中の給与等の金額が前月中の社会保険料等の金額以下である場合又はその賞与の金額（その金額から控除される社会保険料等の金額がある場合には、その控除後の金額）が前月中の給与等の金額から前月中の社会保険料等の金額を控除した金額の10倍に相当する金額を超える場合には、この表によらず、平成24年3月31日財務省告示第115号（令和2年3月31日財務省告示第81号改正）第3項第1号イ⑵若しくはロ⑵又は第2号の規定により、月額表を使って税額を計算します。

5　1から4までの場合において、その人の受ける給与等の支給期が月の整数倍の期間ごとと定められているときは、その賞与の支払の直前に支払を受けた若しくは支払を受けるべき給与等の金額又はその給与等の金額から控除される社会保険料等の金額をその倍数で除して計算した金額を、それぞれ前月中の給与等の金額又はその金額から控除される社会保険料等の金額とみなします。

賞

与

控除額の合計額は、「①」欄及び「②」欄により求めた金額の合計額となります。

①　控除対象扶養親族の数に応じた控除額

人　　数	控　　除　　額	人　　数	控　　除　　額
な　し	0 円	4　人	1,520,000 円
1　人	380,000	5　人	1,900,000
2　人	760,000	6　人	2,280,000
3　人	1,140,000	7人以上	6人を超える1人につき380,000円を2,280,000円に加えた金額

②　障害者等の控除の加算額がある場合

② 障害者等の控除の加算額がある場合	イ	同居特別障害者に当たる人がいる場合	1人につき	750,000 円
	ロ	同居特別障害者以外の特別障害者に当たる人がいる場合	1人につき	400,000 円
	ハ	一般の障害者、寡婦（所得者本人のみ）又は勤労学生（所得者本人のみ）に当たる人がいる場合	左の一に該当するとき　各	270,000 円
	ニ	ひとり親（所得者本人のみ）に当たる場合		350,000 円
	ホ	同居老親等に当たる人がいる場合	1人につき	200,000 円
	ヘ	特定扶養親族に当たる人がいる場合	1人につき	250,000 円
	ト	同居老親等以外の老人扶養親族に当たる人がいる場合	1人につき	100,000 円

◎　この表には、基礎控除額並びに配偶者控除額及び配偶者特別控除額は含まれていません。

◎　所得者本人に係る障害者控除額、寡婦控除額、ひとり親控除額及び勤労学生控除額は、「②」欄に含めて計算します。

◎　同一生計配偶者に係る障害者控除についても、「②」欄に含めて計算します。

（注）

1　年齢16歳未満の扶養親族に対する扶養控除は廃止されており、控除対象扶養親族（扶養親族のうち年齢16歳以上の人）が扶養控除の対象とされています。なお、障害者控除は、年齢16歳未満の扶養親族を有する場合で、扶養控除の適用がない場合においても適用されます。

2　国外に居住する親族の扶養控除等を適用する場合には、親族に該当する旨を証する書類を「給与所得者の扶養控除等申告書」に添付又は提出の際に提示しなければなりません。

　　なお、国外に居住する親族に係る扶養控除については、令和5年分以後、23ページに掲げる要件を新たに満たさなければなりませんので、留意ください。

3　「②」欄のイからトの控除額は次のようになっています。

(1)　「イ」欄の750,000円……障害者控除額（同居特別障害者）の750,000円

(2)　「ロ」欄の400,000円……障害者控除額（特別障害者）の400,000円

(3)　「ハ」欄の270,000円……障害者控除額（一般の障害者）、寡婦控除額又は勤労学生控除額の270,000円

(4)　「ニ」欄の350,000円……ひとり親控除額の350,000円

(5)　「ホ」欄の200,000円……控除対象扶養親族が同居老親等に該当する場合の扶養控除額の割増額200,000円（580,000円－380,000円）

(6)　「ヘ」欄の250,000円……控除対象扶養親族が特定扶養親族（控除対象扶養親族のうち年齢19歳以上23歳未満の人）に該当する場合の扶養控除額の割増額250,000円（630,000円－380,000円）

(7)　「ト」欄の100,000円……控除対象扶養親族が同居老親等以外の老人扶養親族に該当する場合の扶養控除額の割増額100,000円（480,000円－380,000円）

控除額
早見表

基礎控除額

本人の合計所得金額	基礎控除額
2,400万円以下	48万円
2,400万円超　2,450万円以下	32万円
2,450万円超　2,500万円以下	16万円
2,500万円超	0円（適用なし）

（注）　合計所得金額とは、次の①から⑦までの金額の合計額をいいます。（源泉分離課税のものは含まれません。）
　　①　純損失又は雑損失の繰越控除、居住用財産の買換え等の場合の譲渡損失の繰越控除及び特定居住用財産の譲渡損失の繰越控除を適用しないで計算した総所得金額
　　②　分離課税の土地建物等の譲渡所得の金額（特別控除前）
　　③　分離課税の上場株式等に係る配当所得等の金額（上場株式等に係る譲渡損失の繰越控除がある場合には、その適用前の金額）
　　④　分離課税の一般株式等及び上場株式等に係る譲渡所得等の金額（上場株式等に係る譲渡損失の繰越控除などがある場合には、その適用前の金額）
　　⑤　分離課税の先物取引に係る雑所得等の金額（先物取引の差金等決済に係る損失の繰越控除がある場合には、その適用前の金額）
　　⑥　退職所得金額
　　⑦　山林所得金額

国外居住親族に係る扶養控除の要件

　国外に居住する親族に係る扶養控除の適用を受けるためには、次に掲げる要件を満たすこととされ、令和5年分以後の所得税から適用されています。
　①　扶養控除の対象となる親族の範囲から、年齢30歳以上70歳未満の非居住者であって次に掲げる者のいずれにも該当しないものは除外されます。
　　イ　留学により国内に住所及び居所を有しなくなった者
　　ロ　障害者
　　ハ　その適用を受ける居住者からその年において生活費又は教育費に充てるための支払を38万円以上受けている者
　②　給与等に係る源泉徴収税額の計算において、年齢30歳以上70歳未満の非居住者である親族が上記①イに掲げる者に該当するものとして扶養控除に相当する控除の適用を受ける所得者は、その非居住者である親族が上記①イに掲げる者に該当する旨を証する留学ビザ等相当書類（例：外国におけるビザの写し、在留カードの写し）及び親族関係書類（例：パスポートの写し及び戸籍の附票の写し）を提出等しなければならず、扶養控除等申告書等にも所要の記載が必要です。
　③　給与等の年末調整において、年齢30歳以上70歳未満の非居住者である親族が上記①ハに掲げる者に該当するものとして扶養控除に相当する控除の適用を受けようとする所得者は、その非居住者である親族が上記①ハに掲げる者に該当することを明らかにする38万円以上の送金関係書類（例：外国送金依頼書の控え、クレジットカードの利用明細書）を提出等しなければなりません。

控除額早見表

配偶者控除及び配偶者特別控除の控除額

		所得者本人の合計所得金額		
		900万円以下	900万円超 950万円以下	950万円超 1,000万円以下
配偶者控除	配偶者の合計所得金額 48万円以下	38万円	26万円	13万円
	老人控除対象配偶者	48万円	32万円	16万円
配偶者特別控除	配偶者の合計所得金額 48万円超 95万円以下	38万円	26万円	13万円
	95万円超 100万円以下	36万円	24万円	12万円
	100万円超 105万円以下	31万円	21万円	11万円
	105万円超 110万円以下	26万円	18万円	9万円
	110万円超 115万円以下	21万円	14万円	7万円
	115万円超 120万円以下	16万円	11万円	6万円
	120万円超 125万円以下	11万円	8万円	4万円
	125万円超 130万円以下	6万円	4万円	2万円
	130万円超 133万円以下	3万円	2万円	1万円
	133万円超	0円	0円	0円

(注) 1 所得者本人の合計所得金額が1,000万円を超える場合には、配偶者控除及び配偶者特別控除の適用を受けることができません。

2 夫婦の双方がお互いに配偶者特別控除の適用を受けることはできませんので、いずれか一方の配偶者はこの控除を受けることはできません。

3 所得者本人の配偶者自身が源泉控除対象配偶者があるものとして給与等に係る源泉徴収の適用を受けている場合も、この控除を受けることはできません。

令和6年分 年末調整のための所得税額の速算表

課税給与所得金額 (A)		税率(B)	控除額 (C)	税 額＝(A)×(B)−(C)
	1,950,000円以下	5％	—	(A)× 5％
1,950,000円超	3,300,000円 〃	10％	97,500円	(A)×10％ − 97,500円
3,300,000円 〃	6,950,000円 〃	20％	427,500円	(A)×20％ − 427,500円
6,950,000円 〃	9,000,000円 〃	23％	636,000円	(A)×23％ − 636,000円
9,000,000円 〃	18,000,000円 〃	33％	1,536,000円	(A)×33％ −1,536,000円
18,000,000円 〃	18,050,000円 〃	40％	2,796,000円	(A)×40％ −2,796,000円

1 課税給与所得金額に1,000円未満の端数があるときは、これを切り捨てます。

2 課税給与所得金額が18,050,000円を超える場合は、年末調整の対象となりません。

令和6年分　年末調整で所得控除が認められる人的要件一覧

控除の種類	人の範囲	本人との同一生計基準	所得金額基準（★は所得が給与所得だけの場合の収入基準）	控除が認められる場合
社会保険料控除	本　人	－		}が負担すべき社会保険料を本人が支払った場合
	配偶者	要		
	その他の親族			
小規模企業共済等掛金控除	本　人	－		→が共済掛金等を支払った場合
生命保険料控除	本　人	不要		}が受取人のすべてとなる生命保険料又は本人もしくは配偶者が生存している場合はいずれかの者を受取人とする個人年金保険料を本人が支払った場合
	配偶者			
	その他の親族			
地震保険料控除	本　人	－		}が所有する資産について生じた損失の額の補填のための地震保険料を本人が支払った場合
	配偶者	要		
	その他の親族			
障害者控除	本　人	－		}が障害者、特別障害者（同居特別障害者）である場合
	配偶者※	要	合計所得金額が48万円以下のもの ★給与収入金額103万円以下	
	その他の親族※			
寡婦控除	扶養親族	要	合計所得金額が48万円以下のもの ★給与収入金額103万円以下	→を有する本人が離婚による寡婦である場合（本人の合計所得金額が500万円以下、事実婚を除く）
	本　人		合計所得金額が500万円以下のもの ★給与収入金額6,777,778円以下	→が夫の死亡や生死不明による寡婦である場合（事実婚を除く）
ひとり親控除	子	要	総所得金額等の合計額が48万円以下のもの ★給与収入金額103万円以下	→を本人が有し、かつ、
	本　人		合計所得金額が500万円以下のもの ★給与収入金額6,777,778円以下	→現に婚姻をしていない又は配偶者の生死の明らかでない場合（事実婚を除く）
勤労学生控除	本　人		合計所得金額が75万円以下で、そのうち給与所得等以外の所得の金額が10万円以下のもの ★給与収入金額130万円以下	→が勤労学生である場合
配偶者控除	配偶者※	要	合計所得金額が48万円以下のもの ★給与収入金額103万円以下	→を本人が有する場合（老人控除対象配偶者は控除対象配偶者が70歳以上（昭和30年1月1日以前生まれの人））
	本　人	－	合計所得金額が900万円以下、900万円超950万円以下、950万円超1,000万円以下のもの ★給与収入金額が1,095万円以下、1,095万円超1,145万円以下、1,145万円超1,195万円以下のもの	
配偶者特別控除	配偶者※	要	合計所得金額48万円超133万円以下のもの ★給与収入金額103万円超201万5,999円以下のもの	→を本人が有し、かつ、
	本　人	－	合計所得金額が900万円以下、900万円超950万円以下、950万円超1,000万円以下のもの ★給与収入金額が1,095万円以下、1,095万円超1,145万円以下、1,145万円超1,195万円以下のもの	→である場合（ただし、配偶者自身がこの控除を受けていないこと）
扶養控除	その他の親族※（16歳以上（平成21年1月1日以前生まれ））	要	合計所得金額が48万円以下のもの ★給与収入金額103万円以下	→を本人が有する場合（老人扶養控除は控除対象扶養親族が70歳以上（昭和30年1月1日以前生まれ）特定扶養控除は控除対象扶養親族が19歳以上23歳未満（平成14年1月2日〜平成18年1月1日生まれ））

（注）　※印の「配偶者」、「その他の親族」からは、青色事業専従者・白色事業専従者が除かれます。

控除要件

令和6年分年末調整関連の税制改正事項

1　令和6年分以後の年末調整事務に適用されるもの

(1)　令和6年度の税制改正

　令和6年度の税制改正により、令和6年分以後の年末調整事務に関して、次のような改正が行われています。

定額減税の実施	令和6年分の所得税について、定額による所得税額の特別控除（定額減税）が実施されます。年末調整における定額減税事務の概要については、33ページを参照してください。	 定額減税特設サイト （国税庁）
住宅借入金等を有する場合の所得税額の特別控除の拡充	住宅借入金等を有する場合の所得税額の特別控除について、次の措置が講じられました。 (1)　特例対象個人(注1)が、認定住宅等(注2)の新築若しくは認定住宅等で建築後使用されたことのないものの取得（以下「認定住宅等の新築等」といいます。）又は買取再販認定住宅等の取得(注3)をして令和6年1月1日から同年12月31日までの間に居住の用に供した場合の住宅借入金等の年末残高の限度額（借入限度額）を次のとおりとして所得税額の特別控除が適用できることとされました。	

住宅の区分	借入限度額		
	改正前	改正後	
		特例対象個人	左記以外
認定住宅	4,500万円	**5,000万円**	4,500万円
特定エネルギー消費性能向上住宅	3,500万円	**4,500万円**	3,500万円
エネルギー消費性能向上住宅	3,000万円	**4,000万円**	3,000万円

（注1）　「特例対象個人」とは、年齢40歳未満であって配偶者を有する者、年齢40歳以上であって年齢40歳未満の配偶者を有する者又は年齢19歳未満の扶養親族を有する者をいいます。次の(2)においても同じです。

（注2）　「認定住宅等」とは、認定住宅、特定エネルギー消費性能向上住宅及びエネルギー消費性能向上住宅をいい、「認定住宅」とは、認定長期優良住宅及び認定低炭素住宅をいいます。次の(2)においても同じです。

（注3）　「買取再販認定住宅等の取得」とは、認定住宅等である既存住宅のうち宅地建物取引業者により一定の増改築等が行われたもののその宅地建物取引業者からの取得をいいます。次の(2)においても同じです。

(2) 特例対象個人である住宅被災者[注]が、認定住宅等の新築等又は買取再販認定住宅等の取得をして令和6年1月1日から同年12月31日までの間に居住の用に供した場合の再建住宅借入金等の年末残高の限度額（借入限度額）を次のとおりとして所得税額の特別控除が適用できることとされました。

(注) 居住の用に供していた家屋が、東日本大震災によって被害を受けたことにより居住の用に供することができなくなった者をいいます。

住宅の区分	借入限度額		
	改正前	改正後	
		特例対象個人	左記以外
認定住宅	4,500万円	5,000万円	4,500万円
特定エネルギー消費性能向上住宅			
エネルギー消費性能向上住宅			

(3) 認定住宅等の新築又は認定住宅等で建築後使用されたことのないものの取得に係る床面積要件について、合計所得金額1,000万円以下の者に限り40㎡に緩和（原則：50㎡）する措置が、令和6年12月31日以前（改正前：令和5年12月31日以前）に建築確認を受けた家屋について適用できることとされました。

(2) 令和5年度の税制改正

令和5年度の税制改正により、令和6年分以後の年末調整事務に関して、次のような改正が行われています。

給与所得者の保険料控除申告書の簡略化	(1) 給与所得者の保険料控除申告書について、次に掲げる事項の記載を要しないこととされました。 ① 申告者が生計を一にする配偶者その他の親族の負担すべき社会保険料を支払った場合のこれらの者の申告者との続柄 ② 生命保険料控除の対象となる支払保険料等に係る保険金等の受取人の申告者との続柄 (2) 適用関係 　この改正は、令和6年10月1日以後に提出する給与所得者の保険料控除申告書について適用されます。

(3) 令和4年度の税制改正

令和4年度の税制改正により、令和6年分以後の年末調整事務に関して、次のような改正が行われています。

住宅借入金等を有する場合の所得税額の特別控除の特例の申告手続等の見直し	(1) 年末調整の際に、令和5年1月1日以後に居住の用に供する家屋に係る住宅借入金等を有する場合の所得税額の特別控除の適用を受けようとする者は、住宅取得資金に係る借入金の残高証明書を「給与所得者の住宅借入金等特別控除申告書」へ添付することが不要とされました（31ページ上の図表参照）。

	(2) 適用関係
	この改正は、令和6年1月1日以後に提出する「給与所得者の住宅借入金等特別控除申告書」について適用されます。
	（注） 住宅借入金等を有する場合の所得税額の特別控除の特例の申告手続等の見直しは、法令上、居住年が令和5年1月1日以後である者が、令和6年1月1日以後に行う確定申告及び年末調整について適用されることとなっていますが、金融機関等におけるシステム改修等の必要性から経過措置が設けられており、実務上は、この経過措置を全ての金融機関に適用するものとして取り扱うこととし、令和6年1月1日以後に居住を開始した者について、対応が完了した金融機関等から順次、見直し後の手続に移行することとなっています。したがって、金融機関等のシステム改修が間に合わない場合等には、これまでどおり借入金の年末残高等証明書を提出又は提示することになります。

2 令和7年分以後の年末調整事務に適用されるもの

令和5年度の税制改正により、令和7年分以後の年末調整事務に関して、次のような改正が行われています。

給与所得者の扶養控除等申告書等の簡略化	(1) 給与所得者の扶養控除等申告書等について、その申告書に記載すべき事項がその年の前年の申告内容と異動がない場合には、その記載すべき事項の記載に代えて、その異動がない旨の記載によることができることとされます。
	(2) 適用関係
	この改正は、令和7年1月1日以後に支払を受けるべき給与等について提出する給与所得者の扶養控除等申告書等について適用されます。

3 令和9年分以後の年末調整事務に適用されるもの

令和5年度の税制改正により、令和9年分以後の年末調整事務に関して、次のような改正が行われています。

源泉徴収票の提出方法の見直し	(1) 給与等の支払をする者が、源泉徴収票に記載すべき一定の事項が記載された給与支払報告書を市区町村の長に提出した場合には、これらの報告書に記載された給与等については、その支払をする者は、税務署長に給与等の源泉徴収票の提出をしたものとみなすこととされます。
	上記の見直しに伴い、給与所得の源泉徴収票の税務署長への提出を要しないこととされる給与等の範囲を、給与支払報告書の市区町村の長への提出を要しないこととされる給与等の範囲と同様に、年の中途において退職した居住者に対するその年中の給与等の支払金額が30万円以下である場合のその給与等とされます。
	(2) 適用関係
	この改正は、令和9年1月1日以後に提出すべき給与等又は公的年金等の源泉徴収票について適用されます。

（住宅借入金等を有する場合の所得税額の特別控除の特例の申告手続等の見直し）

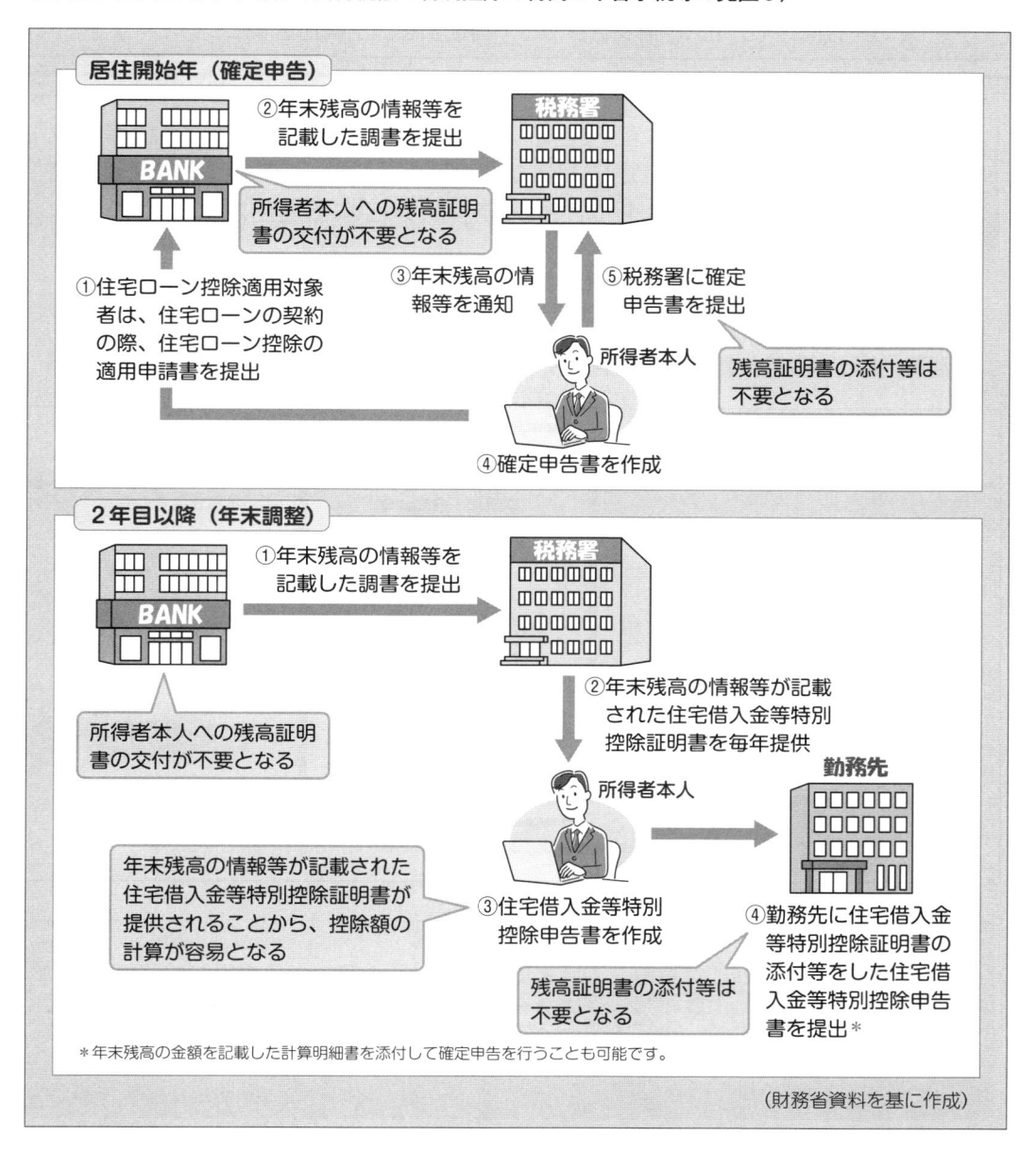

（財務省資料を基に作成）

復興特別所得税について

★ 所得税の源泉徴収の対象となる所得の支払をする際は、復興特別所得税を併せて源泉徴収する必要があります。年末調整により年税額を算出する際は、復興特別所得税を含めて算出（定額減税額控除後の所得税額に102.1％を乗じて算出）する必要がありますので、ご注意ください。

e-Tax、光ディスク等又はクラウド等による提出義務基準について

法定調書の種類ごとに、前々年の提出すべきであった当該法定調書の枚数が１００枚以上である法定調書については、e-Tax、光ディスク等又はクラウド等（以下「e-Tax等」といいます。）による提出が必要です。

例えば、令和４年に提出した「給与所得の源泉徴収票」の枚数が「100枚以上」であった場合には、令和６年に提出する「給与所得の源泉徴収票」は、e-Tax等により提出する必要があります。
なお、提出義務の判定は法定調書の種類ごとに行いますのでご注意ください。

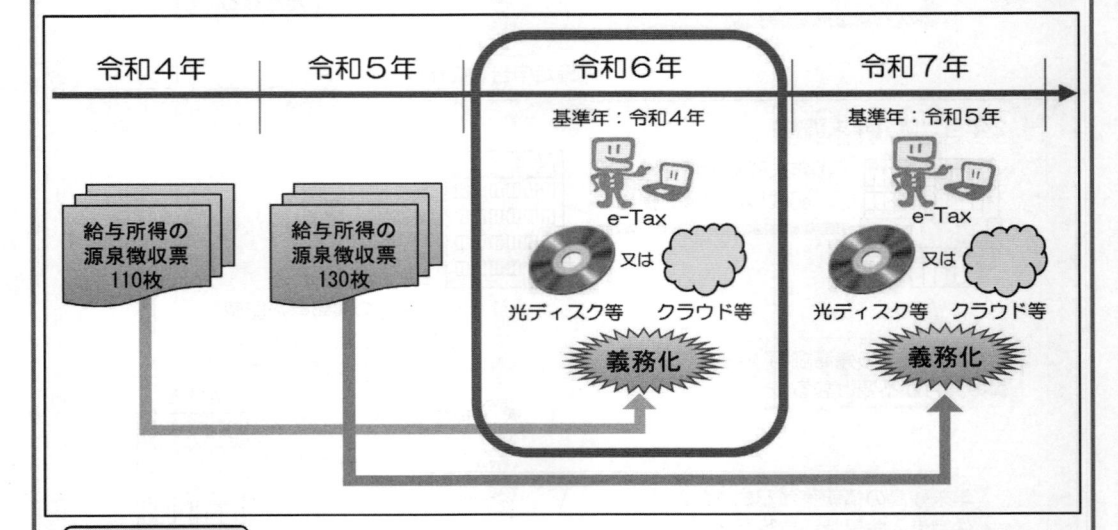

留意事項

給与所得（及び公的年金等）の源泉徴収票のe-Tax等による提出が義務付けられた年分については、市区町村に提出する給与支払報告書（及び公的年金等支払報告書）についてもeLTAX（地方税ポータルシステム）又は光ディスク等による提出が義務化されています。

（国税庁HPより）

令和6年分所得税の定額減税・年調減税事務について

　令和6年度税制改正により、令和6年分の所得税について定額による所得税額の特別控除（定額減税）が実施されることになりました。

1　定額減税の概要

(1)　定額減税の対象となる人

　令和6年分所得税について、定額による所得税額の特別控除（以下「定額減税」といいます。）の適用を受けることができる人は、令和6年分所得税の納税者である居住者で、令和6年分の所得税に係る合計所得金額が1,805万円以下である人です。

（注）　「居住者」とは、国内に住所を有する個人又は現在まで引き続いて1年以上居所を有する個人をいいます。居住者以外の個人である「非居住者」は定額減税の対象となりません。

(2)　定額減税額

　定額による所得税額の特別控除の額（以下「定額減税額」といいます。）は、次の金額の合計額です。

　ただし、その合計額がその人の所得税額を超える場合には、控除される金額は、その所得税額が限度となります。

①	本人（居住者に限ります。）	30,000円
②	同一生計配偶者及び扶養親族（いずれも居住者に限ります。）	1人につき30,000円

2　給与の支払者の事務のあらまし（給与所得者に対する定額減税）

　給与所得者に対する定額減税は、扶養控除等申告書を提出している給与所得者（いわゆる甲欄適用者）に対して、その給与の支払者のもとで、その給与等を支払う際に、源泉徴収税額から定額減税額を控除する方法で行われます。

　給与の支払者は、次の二つの事務を行うことになります。

①	令和6年6月1日以後に支払う給与等（賞与を含みます。以下同じです。）に対する源泉徴収税額からその時点の定額減税額を控除する事務（以下「**月次減税事務**」といいます。）
②	年末調整の際、年末調整時点の定額減税額に基づき精算を行う事務（以下「**年調減税事務**」といいます。）

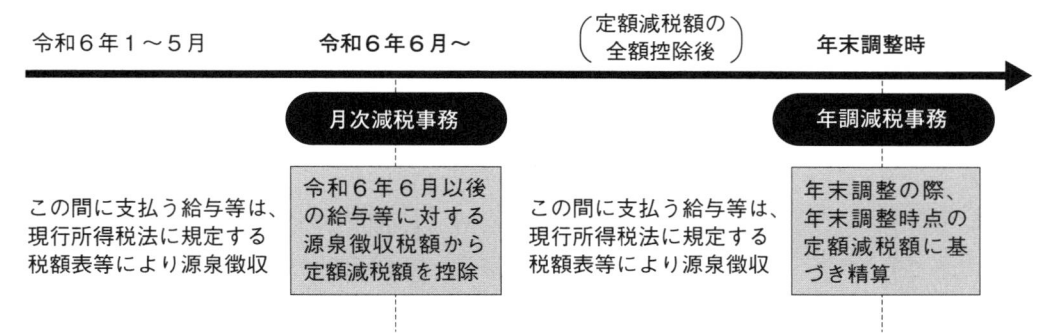

(注)　本書における次の用語は、それぞれ次に掲げる意味で使用しています。

「月次減税額」……令和6年6月以後に支払う給与等に対する源泉徴収税額から控除する定額減税額

「年調減税額」……年末調整時に年調所得税額から控除する定額減税額

3　年調減税事務の手順

年調減税事務では、年末調整の際、年末調整時点の定額減税額に基づき、年間の所得税額との精算を行います。

(1)　対象者の確認

年末調整の対象となる人が、原則として、年調所得税額（年末調整により算出された所得税額で、住宅借入金等特別控除の適用を受ける場合には、その控除後の金額をいいます。以下同じです。）から年調減税額を控除する対象者となります。

ただし、年末調整の対象となる人のうち、給与所得以外の所得を含めた合計所得金額が1,805万円を超えると見込まれる人については、年調減税額を控除しないで年末調整を行うことになります。

(注)　年末調整において合計所得金額が1,805万円を超えるかどうかを判断する際には、基礎控除申告書により把握した合計所得金額を用います。

■年末調整の際に年調所得税額から行う控除（年調減税）の適用が受けられる給与所得者の範囲

年末調整で控除を受けられる人	年末調整で控除を受けられない人
令和6年6月1日以後の令和6年分の年末調整時に給与の支払者に扶養控除等申告書を提出している人（右の欄に掲げる人を除きます。） 　年の中途で年末調整の対象となる次のような人も、これに該当します。 ①　令和6年6月1日以後、年の中途で退職した人のうち、次の人 　イ　死亡により退職した人 　ロ　著しい心身の障害のため退職した人で、その退職時期からみて、本年中に再就職ができないと見込まれる人 　ハ　12月中に支給期の到来する給与の支払を受けた後に退職した人 ②　令和6年6月1日以後、年の中途で海外の支店へ転勤したことなどの理由により、非居住者となった人	(1)　年末調整の対象とならない人 　令和6年分の年末調整時に給与の支払者のもとに勤務する人であっても、次に掲げる人については、この控除の適用を受けることはできません。 ①　令和6年中の主たる給与の収入金額が2,000万円を超える人 ②　令和6年分の給与に係る源泉所得税について、災害被害者に対する租税の減免、徴収猶予等に関する法律（昭22法律第175号）の規定による徴収猶予や還付を受けた人 ③　令和6年分の年末調整時にその給与の支払者に扶養控除等申告書を提出していない人 　(注)　令和6年分の年末調整時に乙欄又は丙欄適用者である人がこれに該当します。 (2)　令和6年5月31日以前において、年の中途で年末調整の対象となった人 (3)　合計所得金額が1,805万円を超える人

(2)　年調減税額の計算

対象者ごとの年調減税額の計算は、「扶養控除等申告書」や「配偶者控除等申告書」などから、年末調整を行う時の現況における同一生計配偶者の有無及び扶養親族（いずれも居住者に限ります。）の人数を確認し、「本人30,000円」と「同一生計配偶者と扶養親族1人につき30,000円」との合計額を求めます。

なお、年調減税額の計算のための人数に含まれる「同一生計配偶者」は、次のいずれかに該当する配偶者となります。

①	「配偶者控除等申告書」に記載された控除対象配偶者
②	合計所得金額が48万円以下の配偶者のうち、年調減税額の計算に含める配偶者として「年末調整に係る定額減税のための申告書」に記載された配偶者

(3) 年調減税額の控除

　対象者ごとの年末調整における年調減税額の控除は、住宅借入金等特別控除後の所得税額（年調所得税額）から、その住宅借入金等特別控除後の所得税額を限度に行います。また、年調減税額を控除した金額に102.1％を乗じて復興特別所得税を含めた年調年税額を計算します。

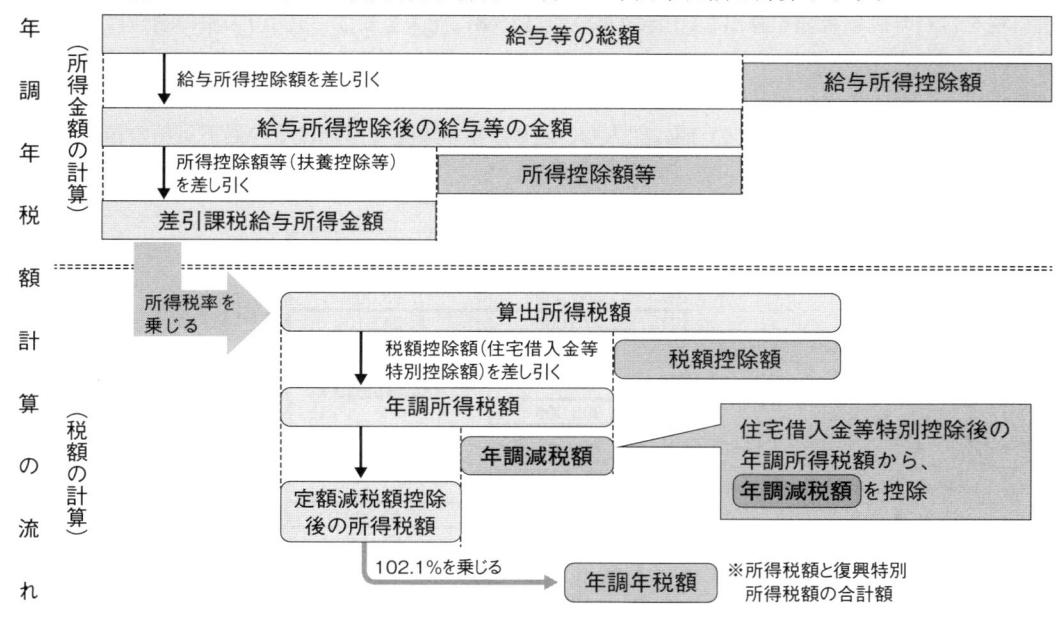

（出典：国税庁「給与等の源泉徴収事務に係る令和6年分所得税の定額減税のしかた」）

　具体的には、次の①及び②により控除を行います。

① 年調所得税額の計算

　上記のとおり通常の例により年末調整を行い、令和6年分源泉徴収簿の「年調所得税額㉔」欄の算出までを行います。

　なお、源泉徴収税額の集計に当たっては、控除前税額から月次減税額の控除を行った後の実際に源泉徴収した税額を給与と賞与とでそれぞれ集計して、源泉徴収簿の「税額③」欄と「税額⑥」欄に記入し、その合計額を「税額⑧」欄に記入（入力）します。

② 年調減税額の控除

　年調所得税額から年調減税額の控除を行い、年調減税額を控除した後の金額に102.1％を乗じて復興特別所得税を含めた年調年税額を算出した上で、過不足額の精算を行います。

令和6年分給与所得に対する源泉徴収簿（年末調整欄）

以下では、源泉徴収簿を利用した場合の入力（記載）方法を説明します。

(2)の「年調減税額の計算」で求めた年調減税額を、令和6年分源泉徴収簿の余白に「㉔－2　××
××円」と記入します。

次に、「年調所得税額㉔」欄の金額から「㉔－2　×××円」（年調減税額）を控除し、その控除後の残額を令和6年分源泉徴収簿の余白に「㉔－3　△△△円」と記入します（控除しきれない場合は「㉔－3　0円」と記入し、年調減税額のうち控除しきれなかった金額を余白に「㉔－4　◇◇◇円」と記入します。）。

そして、「㉔－3　△△△円」（年調減税額控除後の年調所得税額）に102.1％を乗じて、復興特別所得税を含む年調年税額を算出し、「年調年税額㉕」欄に記入します（100円未満の端数は切り捨てます。）。

最後に、その「年調年税額㉕」欄の金額と、①で集計した「税額⑧」欄の金額とを比べて過不足額を「差引超過額又は不足額㉖」欄に記入し、通常の年末調整と同様にその過不足額の精算を行います。

〔記載例〕〈源泉徴収簿を利用する場合〉

区　　　　　　　　分		金　　額	税　　額
給　料　・　手　当　等	①	5,970,000 円	③ 111,810 円
賞　　　　与　　　　等	④	1,800,000	⑥ 93,000
計	⑦	7,770,000	⑧ 204,810
給与所得控除後の給与等の金額	⑨	5,893,000	所得金額調整控除の適用
所　得　金　額　調　整　控　除　額 （（⑦－8,500,000円）×10％、マイナスの場合は0）	⑩	(1円未満切上げ、最高150,000円)	有・無 （※　適用有の場合は⑩に記載）
給与所得控除後の給与等の金額（調整控除後） （⑨－⑬）	⑪	5,893,000	

差引課税給与所得金額（⑪－⑳）及び算出所得税額	㉑	(1,000円未満切捨て) 3,011,000	㉒ 203,600
（特定増改築等）住宅借入金等特別控除額	㉓		40,000
年調所得税額（㉒－㉓、マイナスの場合は0）	㉔		163,600
年　調　年　税　額　（　㉔　×　1 0 2 . 1 ％ ）	㉕		(100円未満切捨て) 44,500
差　引　超　過　額　又　は　不　足　額（㉕－⑧）	㉖		160,310

超過額 の精算	本年最後の給与から徴収する税額に充当する金額	㉗	
	未払給与に係る未徴収の税額に充当する金額	㉘	
	差　引　還　付　す　る　金　額　（㉖－㉗－㉘）	㉙	160,310
	同上の うち	本　年　中　に　還　付　す　る　金　額	㉚ 160,310
		翌　年　に　お　い　て　還　付　す　る　金　額	㉛
不足額 の精算	本　年　最　後　の　給　与　か　ら　徴　収　す　る　金　額	㉜	
	翌　年　に　繰　り　越　し　て　徴　収　す　る　金　額	㉝	

(3)　「㉔－3」に102.1％を乗じた金額を「年調年税額㉕」欄に記載します。

㉔－2　120,000円　　㉔－3　43,600円　　㉔－4　0円

(1)　余白に「㉔－2」として、年調減税額を記載します。
(2)　余白に「㉔－3」として、「年調所得税額㉔」欄の金額から「㉔－2」を控除した残額を記載します。
※　「年調所得税額㉔」欄の金額から「㉔－2」の金額を控除して、控除しきれない金額がある場合には、余白に「㉔－2」（控除外額）として記載します。

4　源泉徴収票への表示

(1)　年末調整済みの源泉徴収票

年末調整終了後に作成する「給与所得の源泉徴収票」には、その「(摘要)」欄に、実際に控除した年調減税額を「源泉徴収時所得税減税控除済額×××円」と記載します。

記載する金額は次のとおりです。

（年調所得税額㉔ ≧ 年調減税額㉔－2 の場合）

⇒　源泉徴収簿の「年調減税額㉔－2」の金額を記載します。

（年調所得税額㉔ ＜ 年調減税額㉔－2 の場合）

⇒　源泉徴収簿の「年調所得税額㉔」欄の金額を記載します。

　また、年調減税額のうち年調所得税額から控除しきれなかった金額（源泉徴収簿の控除外額「㉔－4」の金額）を「控除外額×××円」（控除しきれなかった金額がない場合は「控除外額0円」）と記載します。

　さらに、合計所得金額が1,000万円超である居住者の同一生計配偶者（以下「非控除対象配偶者」といいます。）分を年調減税額の計算に含めた場合には、上記に加えて「非控除対象配偶者減税有」と記載します。

　なお、「（摘要）」欄への記載に当たっては、定額減税に関する事項を最初に記載するなど、書ききれないことがないよう留意します。

　年末調整を行った後の源泉徴収票の「源泉徴収税額」欄には、年調所得税額から年調減税額を控除した残額（㉔－3）に102.1％を乗じて算出した復興特別所得税を含む年調年税額を記載することになります。

（注1）　令和6年6月1日以後の退職・国外転出・死亡等で、年末調整を行った後に作成する源泉徴収票においても同様となります。

（注2）　非控除対象配偶者を有する者で、その同一生計配偶者が障害者、特別障害者又は同居特別障害者に該当する場合、「給与所得の源泉徴収票」の「（摘要）」欄には、同一生計配偶者の氏名及び同一生計配偶者である旨を記載することとされていますが、この場合に当該非控除対象配偶者分を年調減税額の計算に含めた場合には、「減税有」の追記で差し支えありません。

〔記載例〕　〈年末調整を行った一般的な場合〉

令和6年分　　給与所得の源泉徴収票

支払を受ける者	住所又は居所	△△市○○町1-2-3				

（個人番号）1 1 2 2 3 3 4 4 5 5 6 6

（役職名）

氏名（フリガナ）　ヤマカワ　タロウ　山川　太郎

種別	支払金額	給与所得控除後の金額（調整控除後）	所得控除の額の合計額	源泉徴収税額
給料	内　7 770 000	5 893 000	2 881 300	内　44 500

（源泉）控除対象配偶者の有無等		配偶者（特別）控除の額	控除対象扶養親族の数（配偶者を除く。）			16歳未満扶養親族の数	障害者の数（本人を除く。）		非居住者である親族の数
有	従有	老人	特定	老人	その他		特別	その他	
○		380 000	1	内　　人	内　　人 ほか 人	1	内　人	人	人

社会保険料等の金額	生命保険料の控除額	地震保険料の控除額	住宅借入金等特別控除の額
内　1221 300	120 000	50 000	40 000

（摘要）
源泉徴収時所得税減税控除済額120,000円、控除外額0円

〔記載例〕　〈非控除対象配偶者分の定額減税の適用を受けた場合〉

令和 **6** 年分　給与所得の源泉徴収票

支払を受ける者	住所又は居所	△△市○○町1-2-3		

(個人番号) 1 1 2 2 3 3 4 4 5 5 6 6
(役職名)
氏名 (フリガナ) ヤマカワ　タロウ　山川　太郎

種別	支払金額	給与所得控除後の金額（調整控除後）	所得控除の額の合計額	源泉徴収税額
給料	14 400 000	12 300 000	2 849 930	1 283 900

(源泉)控除対象配偶者の有無等		配偶者(特別)控除の額	控除対象扶養親族の数（配偶者を除く。）					16歳未満扶養親族の数	障害者の数（本人を除く。）		非居住者である親族の数
有	従有		特定		老人		その他		特別	その他	
			1 人				1 人				

社会保険料等の金額	生命保険料の控除額	地震保険料の控除額	住宅借入金等特別控除の額
1569 930	120 000	50 000	205 000

(摘要)
源泉徴収時所得税減税控除済額120,000円、控除外額 0 円
非控除対象配偶者減税有

〔記載例〕　〈非控除対象配偶者が障害者に該当する場合〉

令和 **6** 年分　給与所得の源泉徴収票

支払を受ける者	住所又は居所	△△市○○町1-2-3		

(個人番号) 1 1 2 2 3 3 4 4 5 5 6 6
(役職名)
氏名 (フリガナ) ヤマカワ　タロウ　山川　太郎

種別	支払金額	給与所得控除後の金額（調整控除後）	所得控除の額の合計額	源泉徴収税額
給料	14 400 000	12 300 000	3 599 930	1 061 800

(源泉)控除対象配偶者の有無等		配偶者(特別)控除の額	控除対象扶養親族の数（配偶者を除く。）					16歳未満扶養親族の数	障害者の数（本人を除く。）		非居住者である親族の数
有	従有		特定		老人		その他		特別	その他	
			1 人				1 人		1 人		

社会保険料等の金額	生命保険料の控除額	地震保険料の控除額	住宅借入金等特別控除の額
1569 930	120 000	50 000	205 000

(摘要)
源泉徴収時所得税減税控除済額120,000円、控除外額 0 円
減税有　山川花子（同配）

⑵　年末調整を行っていない源泉徴収票

　年末調整を行わずに退職し再就職しない場合や、令和 6 年分の給与の収入金額が2,000万円を超えるなどの理由により年末調整の対象とならなかった給与所得者については、その人に係る「給与所得の源泉徴収票」の作成に当たり、「(摘要)」欄には、定額減税等を記載する必要はありません。

　なお、「源泉徴収税額」欄には、控除前税額から月次減税額を控除した後の、実際に源泉徴収した税額の合計額を記入することになります。

第一編 年末調整の実務

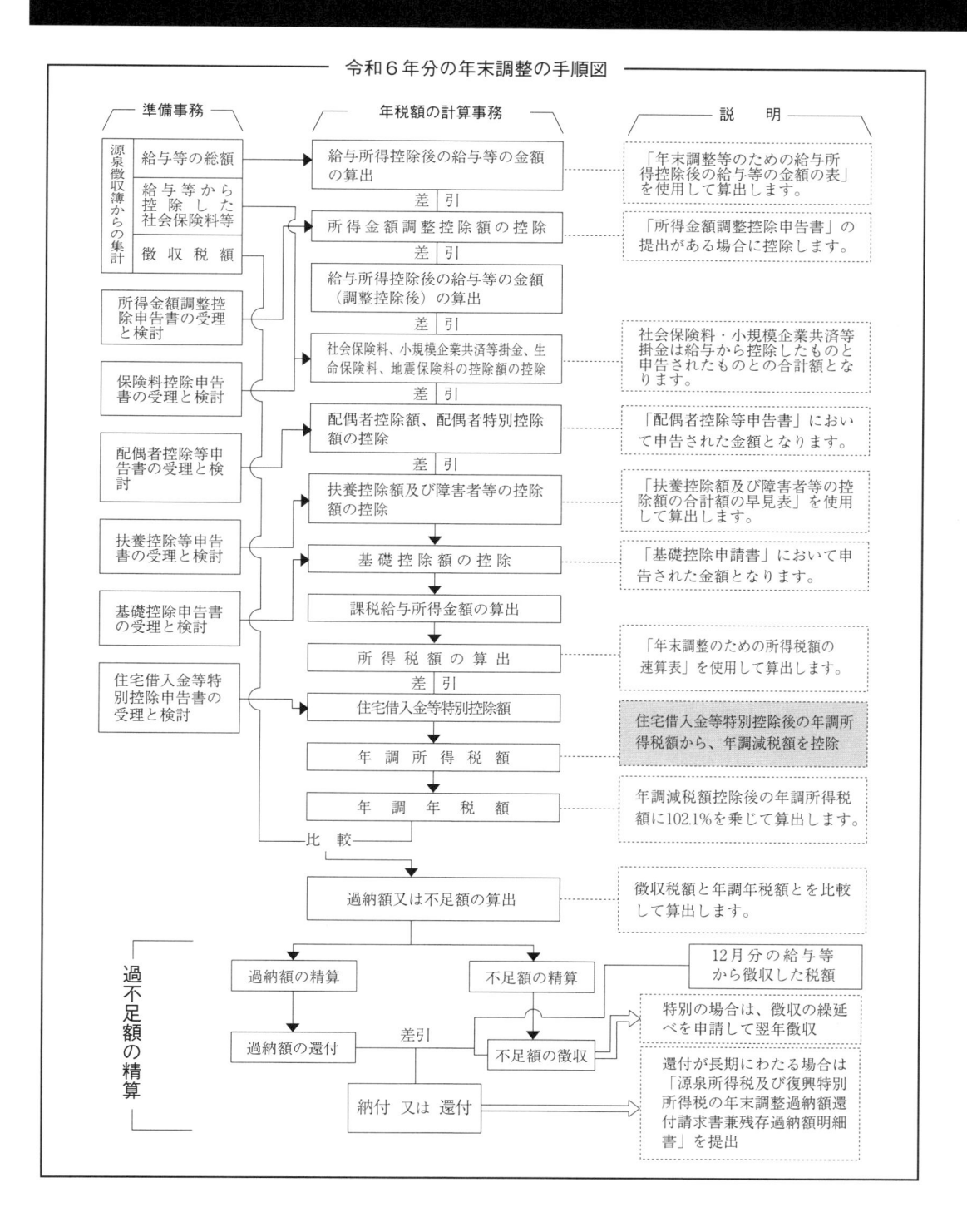

令和6年分の年末調整の手順図

第一章　年末調整のあらまし

☞ 年末調整とは、毎月（日）の源泉徴収税額の合計額と年税額との過不足額を精算する事務です。

「年末調整」は、給与所得者の月々の給料から差し引かれている源泉所得税及び復興特別所得税の総決算をする手続ですから、給与の支払者にとっては極めて重要な事務になります。

我が国の所得税は、所得者自身が自分の所得とそれに対する税金を計算して納付するという、いわゆる申告納税制度を建前としています。

しかし、給料や賞与などの給与所得については、その支払者が毎月（日）の支払の際に所定の税額表によって所得税及び復興特別所得税を天引きして納付するという源泉徴収制度が採られています。

源泉徴収制度のもとにおいて毎月（日）源泉徴収してきた税額の１年間の合計額は、年の中途で源泉控除対象配偶者及び控除対象扶養親族（以下、これらを併せて「扶養親族等」といいます。）に異動があってもさかのぼって源泉徴収税額を修正しないとか、各種の保険料控除、配偶者控除及び配偶者特別控除の一部や住宅借入金等特別控除に相当する控除が行われていないなどの理由によって、その人の年間給与総額について納めなければならない年税額とは一致しないのが普通です。

この不一致を精算する事務が「年末調整」です。

年末調整は、これによって大部分の給与所得者が確定申告をすることなくその年分の所得税及び復興特別所得税の納税を完了することになりますし、また、給与の支払者にとってその年分の源泉徴収事務の締めくくりとなるものですから、特に正確に処理していただく必要があります。

《ご留意》　平成25年１月１日以後に支払うべき給与等から、所得税と併せて復興特別所得税を源泉徴収することとされています。年末調整に当たっては、従来どおり、所得税の額を算出し、その後（住宅借入金等特別控除額があればその額を差し引いた後の）その所得税額に102.1％を乗じることで復興特別所得税を含めた年調年税額を求めることとなりましたので、ご留意ください。前ページの手順図もご覧ください。

《ご留意》　令和６年度税制改正により、令和６年分の所得税について定額による所得税額の特別控除（定額減税）が実施されることになりました。令和６年分の年末調整に当たっては、住宅借入金等特別控除後の年調所得税額から年末調整時点の定額減税額に基づく年調減税額を控除することとなります。前ページの手順図もご覧ください。

１ 年末調整を行う時期

 **年末調整は、12月に行います。**

　年末調整を行う時期は、「年末調整」という字句のとおり、通常は12月において本年の最後の給与を支払う時になります。

　したがって、本年最後に支払う給与が通常の給与（月給等）であれば、その通常の給与を支払う時となり、年末手当等の賞与が最後の給与であれば、その賞与を支払う時ということになります。

　ただし、年末の賞与が通常の給与より先に支払われるような場合には、その賞与を本年最後に支払う給与とみなして、その賞与の支払の時に年末調整を行うことができることになっています。この場合の年末調整は、その賞与を支払う時点で、その後に支払われる12月分の通常の給与の見積額及びその見積額に対する徴収税額を含めたところで行うことになりますので、後日、その見積額等に異動が生ずることになったときは、その後に支払う通常の給与で、年末調整の再調整を行うことになります。（基通190－6）

　また、次のような特別の場合には、それぞれ次に掲げる時に年末調整を行うことになっています。（基通190－１）

特別な場合の年末調整の時期

① 給与所得者が死亡により退職した場合……………………………………………………その退職の時

② 給与所得者が海外支店等に転勤したことにより非居住者となった場合……非居住者となった時

③ 給与所得者が著しい心身の障害のために退職した場合で、その退職の時期からみて本年中に再就職することが明らかに不可能と認められ、かつ、その退職後、本年中に給与の支払を受けることとなっていない場合…………………………………その退職の時

④ 給与所得者が12月に支給期の到来する給与の支払を受けた後に退職した場合……その退職の時

⑤ いわゆるパートタイマーとして働いている人などが退職した場合で、本年中に支払を受ける給与の総額が103万円以下であるとき（その退職後、本年中に他の勤務先等から給与の支払を受けると見込まれる人を除きます。）…………その退職の時

　なお、所得税法上の賞与とは、定期の給与とは別に支払われる給与等で、賞与、ボーナス、夏期手当、年末手当、期末手当等の名目で支給されるものその他これらに類するものをいいますが、給与等が賞与の性質を有するかどうか明らかでない場合には、次に掲げるようなものは賞与に該当するものとされます。（基通183－１の２）

イ　純益を基準として支給されるもの

ロ　あらかじめ支給額又は支給基準の定めのないもの

ハ　あらかじめ支給期の定めのないもの（ただし、雇用契約そのものが臨時である場合のものを除きます。）

（注）　次に掲げる給与については、賞与に該当します。

　1　法人税法に規定する事前確定届出給与（他に定期の給与を受けていない者に対して継続して毎年所定の時期に定額を支給する旨の定めに基づき支給されるものを除きます。）

　2　法人税法に規定する業績連動給与

2　年末調整の対象となる人・ならない人

 年末調整は、扶養控除等申告書の提出者で、給与の収入金額が 2,000万円以下の人について行います。

　年末調整は、本年最後の給与を支払う時において、「給与所得者の扶養控除等（異動）申告書」（以下「**扶養控除等申告書**」といいます。）を提出している人で、本年中に支払うべきことが確定した給与の総額（本年中途で就職した人で、その就職前に他の給与の支払者に「扶養控除等申告書」を提出して給与の支払を受けていた人については、その給与を含めた総額）が2,000万円以下である人を対象にして行います。したがって、年末調整の対象とならない人は、これに該当しない人といえますが、それだけで単純に区分することはできません。

　年末調整の対象となる人とならない人の区分をまとめますと、次のようになります。

年末調整の対象となる人	次のいずれかに該当する人（①〜④のいずれかに該当する人のうち、同時に⑤⑥⑧⑪のいずれかに該当する人を除きます。） ①　1年を通じて勤務している人 ②　年の中途で就職し、年末まで勤務している人 ③　年の中途で退職した人のうち、 　イ　死亡により退職した人 　ロ　著しい心身の障害のために退職した人で、その退職の時期からみて、本年中に再就職することができないと見込まれる人 　ハ　12月中に支給期の到来する給与の支払を受けた後に退職した人 　ニ　いわゆるパートタイマーとして働いている人などが退職した場合で、次の要件を満たしている人 　　㋑　その年中に支払を受ける給与の総額が103万円以下であること

	㋺　退職後本年中に他の勤務先等から給与の支払を受ける見込みがないこと ④　年の中途で、1年以上の予定で海外の支店などに転勤した人
年末調整の対象とならない人	次のいずれかに該当する人 ⑤　本年中の主たる給与の収入金額が2,000万円を超える人 ⑥　災害により被害を受けて、「災害被害者に対する租税の減免、徴収猶予等に関する法律」により、本年分の給与に対する源泉所得税及び復興特別所得税の徴収猶予又は還付を受けた人 ⑦　年の中途で退職した人で、③以外の人 ⑧　2か所以上から給与の支払を受けている人で、他の給与の支払者に「扶養控除等申告書」を提出している人（月額表又は日額表の乙欄適用者） ⑨　継続して同一の雇用主に雇用されないいわゆる日雇労働者など（日額表の丙欄適用者） ⑩　日本に住所又は1年以上の居所のない人（非居住者） ⑪　年末調整を行う時までに「扶養控除等申告書」を提出していない人

（注1）　「扶養控除等申告書」は、扶養親族等がない人でも、原則として提出しなければなりませんので、まだ提出していない人については、年末調整の時までに提出するよう指導してください。

　　　　　この申告書を提出することができないのは、上記の⑧～⑩のいずれかに該当する人だけです。

（注2）　年末調整の対象とならない人は、自分で確定申告をして税額の精算をすることになりますから、このような人には期限までに確定申告をするよう指導してください。確定申告をしなければならない給与所得者の範囲は**付録1**（305ページ）を参照してください。

（注3）　年末調整では控除できない医療費控除や初めて住宅借入金等特別控除の適用を受ける人などは、税額の還付を受けるための確定申告をすることができますが、詳しくは**付録2**（307ページ）を参照してください。

❸　年末調整の対象となる給与とその計算

 年末調整の対象となる給与は、扶養控除等申告書を提出した勤務先から受ける給与です。

1　年末調整の対象となる給与

　年末調整は、本年最後の給与を支払う時において、「扶養控除等申告書」を提出している人に対し、本年中に支払うべきことが確定した給与について行います。ここでいう「本年中に支払うべきことが確定した給与」とは、本年1月1日から12月31日までの間に支払が確定した給与で、これを給与所得者の側からいえば、「本年中に収入すべきことが確定した給与」ということになります。

　したがって、前年の未払給与で本年中に支払われたものは既に前年の年末調整の対象とされていますから含まれませんが、本年の未払給与で来年に繰り越して支払われるものは「本年中に支払うべきことが確定した給与」に含まれます。

また、本年の中途で就職した人については、その人が就職前に他の給与の支払者に「扶養控除等申告書」を提出して給与の支払を受けていた場合には、その給与の額を他の給与の支払者から交付された「給与所得の源泉徴収票」によって確認し、それを含めたところで年末調整を行います。この場合、給与所得の源泉徴収票の提出がないため、他の給与の支払者が支払った給与が分からないときは、その人の年末調整は、その提出があるまで見合わせることになります。

　なお、給与所得の収入すべき時期は、それぞれ次に掲げる日によることになっています。（基通36-9）

給与所得の収入金額の収入すべき時期

① 雇用契約とか慣習その他株主総会の決議等により支給日の定められているもの（③に掲げるものを除く。）……その支給日

② 雇用契約等により支給日の定められていないもの……その支給を受けた日

③ 役員に対する賞与のうち、株主総会の決議等によりその算定の基礎となる利益に関する指標の数値が確定し支給金額が定められるものその他利益を基礎として支給金額が定められるもの……その決議等があった日

　　（注）　株主総会の決議等が、役員に対して支払う賞与の金額の総額を定めただけで、各役員に支給する具体的な金額は、後日、取締役会等で定めることにしているような場合には、その取締役会等において各役員に支給する賞与の金額が具体的に定められた日が、収入金額の収入すべき時期となります。

④ 給与規程の改訂が既往にさかのぼって実施されたため追加支給する新旧給与の差額

　イ　その支給日が定められているもの……その支給日

　ロ　その支給日が定められていないもの……その改訂の効力が生じた日

⑤ いわゆる認定賞与とされる給与等

　イ　その支給日があらかじめ定められているもの……その支給日

　ロ　その支給日が定められていないもの……現実にその支給を受けた日（その日が明らかでない場合には、その支給が行われたと認められる事業年度の終了の日）

2　年末調整の対象となる給与の例示

　1で述べた年末調整の対象となる給与の範囲を図解しますと、次のようになります。

給与所得者の区分	年末調整の対象となる給与
①　年初から「扶養控除等申告書」の提出があった人の場合	（年末調整の対象となる給与） 　1月　　　　　甲欄給与　　　　　12月 「申告書」提出

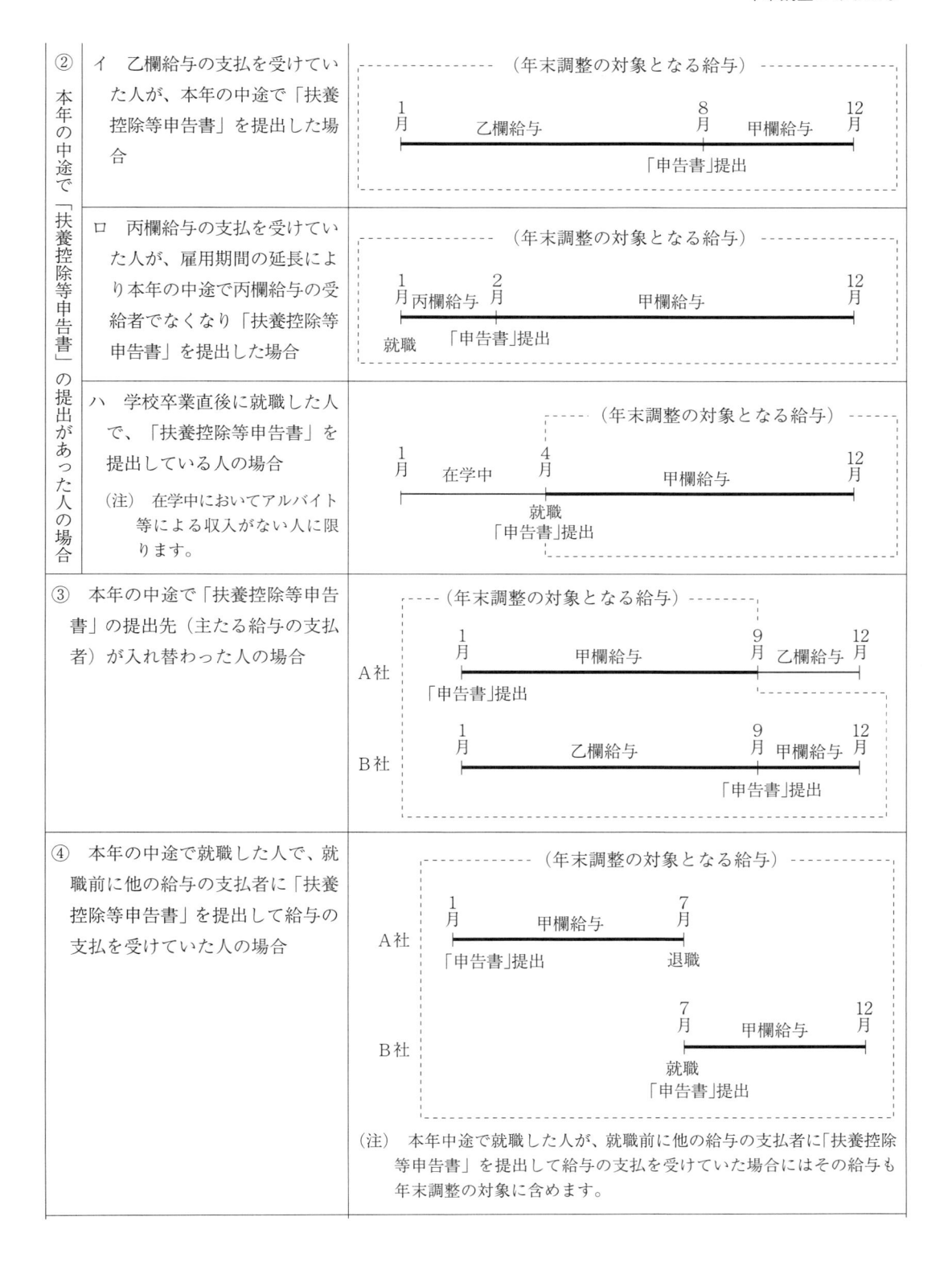

② 本年の中途で「扶養控除等申告書」の提出があった人の場合	イ 乙欄給与の支払を受けていた人が、本年の中途で「扶養控除等申告書」を提出した場合	（年末調整の対象となる給与） 1月 乙欄給与 8月 甲欄給与 12月 「申告書」提出
	ロ 丙欄給与の支払を受けていた人が、雇用期間の延長により本年の中途で丙欄給与の受給者でなくなり「扶養控除等申告書」を提出した場合	（年末調整の対象となる給与） 1月 丙欄給与 2月 甲欄給与 12月 就職 「申告書」提出
	ハ 学校卒業直後に就職した人で、「扶養控除等申告書」を提出している人の場合 （注） 在学中においてアルバイト等による収入がない人に限ります。	（年末調整の対象となる給与） 1月 在学中 4月 甲欄給与 12月 就職 「申告書」提出
③ 本年の中途で「扶養控除等申告書」の提出先（主たる給与の支払者）が入れ替わった人の場合		（年末調整の対象となる給与） A社 1月 甲欄給与 9月 乙欄給与 12月 「申告書」提出 B社 1月 乙欄給与 9月 甲欄給与 12月 「申告書」提出
④ 本年の中途で就職した人で、就職前に他の給与の支払者に「扶養控除等申告書」を提出して給与の支払を受けていた人の場合		（年末調整の対象となる給与） A社 1月 甲欄給与 7月 「申告書」提出 退職 B社 7月 甲欄給与 12月 就職 「申告書」提出

（注） 本年中途で就職した人が、就職前に他の給与の支払者に「扶養控除等申告書」を提出して給与の支払を受けていた場合にはその給与も年末調整の対象に含めます。

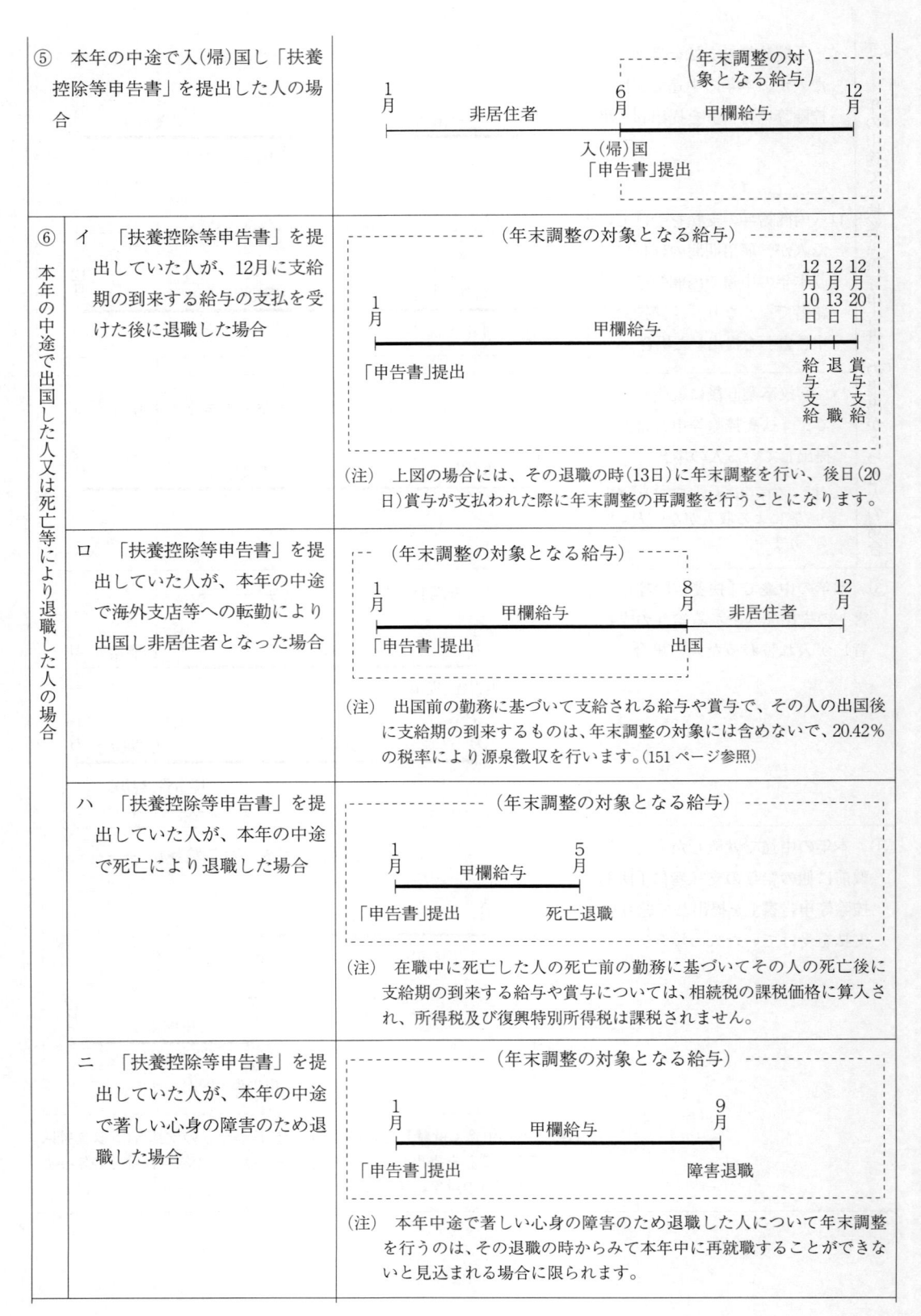

⑤		本年の中途で入(帰)国し「扶養控除等申告書」を提出した人の場合

⑥ 本年の中途で出国した人又は死亡等により退職した人の場合

イ 「扶養控除等申告書」を提出していた人が、12月に支給期の到来する給与の支払を受けた後に退職した場合

(注)　上図の場合には、その退職の時(13日)に年末調整を行い、後日(20日)賞与が支払われた際に年末調整の再調整を行うことになります。

ロ 「扶養控除等申告書」を提出していた人が、本年の中途で海外支店等への転勤により出国し非居住者となった場合

(注)　出国前の勤務に基づいて支給される給与や賞与で、その人の出国後に支給期の到来するものは、年末調整の対象には含めないで、20.42%の税率により源泉徴収を行います。(151ページ参照)

ハ 「扶養控除等申告書」を提出していた人が、本年の中途で死亡により退職した場合

(注)　在職中に死亡した人の死亡前の勤務に基づいてその人の死亡後に支給期の到来する給与や賞与については、相続税の課税価格に算入され、所得税及び復興特別所得税は課税されません。

ニ 「扶養控除等申告書」を提出していた人が、本年の中途で著しい心身の障害のため退職した場合

(注)　本年中途で著しい心身の障害のため退職した人について年末調整を行うのは、その退職の時からみて本年中に再就職することができないと見込まれる場合に限られます。

⑦　11月以前にその年最後の給与の支払を受ける人の場合（給与の支給を年2回と定めている場合など）	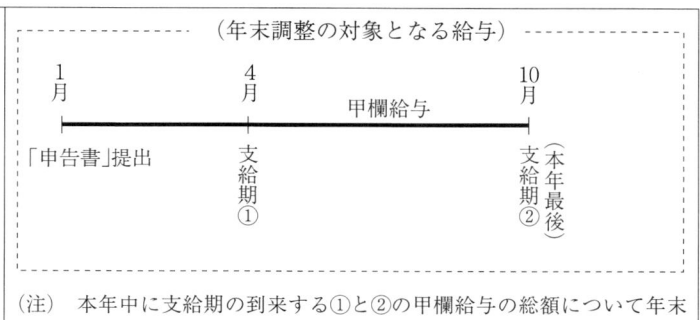 （注）　本年中に支給期の到来する①と②の甲欄給与の総額について年末調整を行います。

------- 《《用語の説明》》 -------

甲欄給与……「扶養控除等申告書」の提出があった人に支払う給与をいいます。

乙欄給与……「扶養控除等申告書」の提出がなかった人又は「従たる給与についての扶養控除等申告書」の提出があった人に支払う給与をいいます。

丙欄給与……賃金の額が労働した日又は時間によって算定され、かつ、労働した日ごとに支払われる、いわゆる日雇賃金等をいいます。

　（注）　必ずしも毎日支払う場合に限らず、後日、一定の日数分を合計して支払う場合及びあらかじめ定められた雇用契約の期間が2か月以内の場合で、その賃金が労働した日又は時間によって算定されるものも丙欄給与に含まれます。

　　　ただし、同一の雇用主が継続して2か月を超えて給与の支払をするときの、その2か月を超えて支払う給与は除かれます。

第二章　年末調整の準備

 年末調整に当たっては、その準備として次の
事務が必要です。

　年末調整による正しい税額を算出するためには、その準備として、次に掲げる事務を行う必要があります。

　これらの事務は、準備とはいえ、年末調整事務の主要な部分を占め、正しく行われないと正しい年税額が算出されないことになりますから、十分に検討していただくことが大切です。

1　**扶養控除等申告書による扶養控除額等の検討**
　　　　　（控除対象扶養親族、障害者、寡婦、ひとり親、勤労学生）

2　**基礎控除申告書による基礎控除額の検討**

3　**配偶者控除等申告書による配偶者控除額及び配偶者特別控除額の検討**

4　**所得金額調整控除申告書による所得金額調整控除額の計算**

5　**保険料控除申告書による各種保険料控除額の検討**
　　　　　（生命保険料・介護医療保険料・個人年金保険料、地震保険料、社会保険料、小規模企業共済等掛金）

6　**住宅借入金等特別控除申告書による住宅借入金等特別控除額の検討**

7　**給与の金額、給与から控除した社会保険料・小規模企業共済等掛金の金額及び月（日）々の徴収税額の集計**

8　**年調減税事務に際しての基礎控除申告書、扶養控除等申告書及び配偶者控除等申告書兼年末調整に係る定額減税のための申告書の再検討並びに年末調整に係る定額減税のための申告書の検討**

第一節　扶養控除等申告書の受理と検討

 既に提出されている「扶養控除等申告書」の
記載事項に変更がないか、その内容を改めて
確認してください。

　毎年最初に給与の支払をする日の前日までに、給与所得者から各人が控除を受けようとする源泉控除対象配偶者、控除対象扶養親族、障害者、寡婦、ひとり親及び勤労学生の有無、又はこれらに該当する事実などを記載した「扶養控除等申告書」の提出を受け、その後において次のような事情で申告内容に異

動があったときは、その都度異動申告を受けることになっています。しかし、現実には申告書が提出されていなかったり、その後の異動申告を怠っているなどの例が少なくありませんので、**年末調整の際に改めて異動がなかったかなどについて確認し**、申告書の提出や異動申告をさせなければなりません。

(1) 出生などにより扶養親族を有する、又は増加することとなったこと

(2) 本人が障害者、寡婦、ひとり親又は勤労学生に該当することとなったこと

(3) 同一生計配偶者又は扶養親族が障害者に該当することとなったこと

(4) 控除対象扶養親族であった人の就職、結婚などにより控除対象扶養親族の数が減少したこと

(注) 扶養控除等申告書は、一定の要件の下で、書面による提出に代えて電磁的方法による提供を受けることができます。詳しくは、160ページを参照してください。

■1 控除対象扶養親族についての検討

1 控除対象扶養親族の確認

控除対象扶養親族の有無を確認し、控除対象扶養親族がある場合には、その数、その控除対象扶養親族各人の合計所得金額がそれぞれ48万円以下であるかどうか、所得者と生計を一にしているかどうかなどについて十分に検討する必要があります。

(注) 合計所得金額については、■4を参照してください。

> **確認のポイント**
>
> ① 年の中途において、次のような異動があった場合に、その異動申告が正しく行われているかどうか。
>
> イ 子の就職又は結婚等により控除対象扶養親族が増減した場合
>
> ロ 控除対象扶養親族の合計所得金額が増減し、所得要件を満たさなくなったり、又は満たすことになった場合
>
> ② 同居老親等、同居老親等以外の老人扶養親族、特定扶養親族の判定は正しく行われているかどうか。
>
> ③ 年の中途で死亡した人について、控除対象扶養親族に該当するかどうかの判定が正しく行われているかどうか。

2　控除対象扶養親族の分類

扶養親族は、右の図のように分類されます。

扶養親族、控除対象扶養親族、特定扶養親族、老人扶養親族及び同居老親等である扶養親族の範囲や控除額、その判定の時期は、それぞれ次表のとおりです。

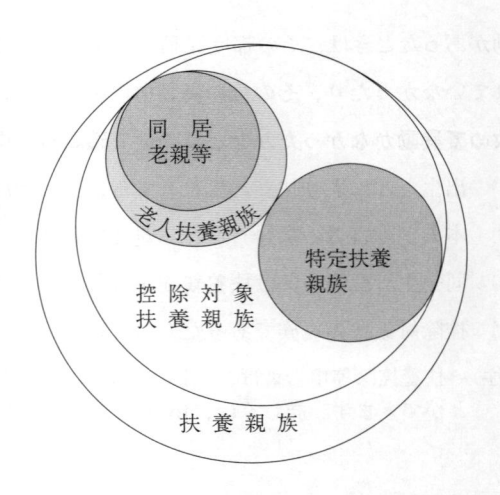

(1)　扶養親族及び控除対象扶養親族

範囲	扶養親族とは、所得者と生計を一にする次に掲げる人（青色事業専従者として給与の支払を受ける人及び白色事業専従者を除きます。）で、合計所得金額が48万円以下の人をいいます。（法2条1項34号） ①　親族（配偶者を除きます。） ②　児童福祉法の規定により里親に委託された原則として18歳未満の児童（基通2-49） ③　老人福祉法の規定により養護受託者に委託された原則として65歳以上の人（基通2-49） 　控除対象扶養親族とは、扶養親族のうち、年齢16歳以上の人（平成21年1月1日以前に生まれた人）をいいます。（法2条1項34号の2） (注)　扶養親族が国外に居住中で非居住者となっている場合は、16歳以上の人であっても、年齢30歳以上70歳未満で、①留学生でない人、②障害者でない人、③所得者本人から生活費として38万円以上の送金を受けていない人は、控除対象扶養親族とはなりません。
控除額	所得者のその年分の合計所得金額から控除対象扶養親族1人につき38万円を控除します。((2)〜(4)に該当する場合を除きます。)（法84条1項）
判定の時期	控除対象扶養親族に該当するかどうかは、その年12月31日（年の中途に所得者又は親族が死亡した場合には、その死亡の時）の現況により判定します。
参考	イ　勤務、修学、療養などのために、日常一緒に生活していない場合でも、生活費や学資金、療養費等を送金して扶養しているようなときは、生計を一にしているものとなります。（基通2-47） ロ　親族とは、民法の規定に従い6親等内の血族及び3親等内の姻族をいいます。（52ページ参照） ハ　青色事業専従者や白色事業専従者について扶養控除を受けられないのは、その事業主又はその事業主と生計を一にする人の控除対象扶養親族の場合であって、例えば、父の家業を手伝って青色専従者給与を受けていた妹（16歳以上）が、父と生計を一にしていない所得者（兄）と生計を一にするようになったような場合に、妹の合計所得金額が48万円以下であるときには、所得者（兄）の控除対象扶養親族とすることができます。（基通2-48） ニ　配偶者は、所得者の控除対象扶養親族にはなりません。ただし、所得者が配偶者を控除対象配偶者にしなかった場合には、生計を一にする他の所得者の控除対象扶養親族として扶養控除を受けることができます。 ホ　親族等の所得が給与所得だけの場合には、本年中の給与の収入金額が103万円以下であれば、合計所得金額は48万円以下となります。 ヘ　親族等が家内労働者等で内職等による所得だけの場合には、本年中の内職等の収入金額が103万円以下であれば、合計所得金額が48万円以下となります。

	ト　親族等の所得が公的年金等に係る雑所得だけの場合は、本年中の公的年金等の収入金額が、年齢65歳以上の人は158万円以下、年齢65歳未満の人は108万円以下であれば、合計所得金額が48万円以下となり、他の所得者の控除対象扶養親族となることができます。
	チ　2人以上の所得者の控除対象扶養親族に該当する人がいる場合には、いずれか1人の所得者だけの控除対象扶養親族となります。 　　この場合において、いずれの所得者の控除対象扶養親族とするかは、その所得者が提出する扶養控除等申告書に記載されたところによります。（法85条5項、令219条）

(2)　特定扶養親族

範囲	特定扶養親族とは、控除対象扶養親族のうち年齢19歳以上23歳未満の人（平成14年1月2日から平成18年1月1日までの間に生まれた人）をいいます。（法2条1項34号の3）
控除額	所得者のその年分の合計所得金額から63万円を控除します。（法84条1項かっこ書き前段）
判定の時期	特定扶養親族に該当するかどうかは、その年12月31日（年の中途に所得者又は親族が死亡した場合には、その死亡の時）の現況により判定します。

（注）　本書では説明を簡単にするため、特定扶養親族に係る扶養控除を「**特定扶養控除**」と呼ぶことにします。

(3)　老人扶養親族

範囲	老人扶養親族とは、控除対象扶養親族のうち年齢70歳以上の人（昭和30年1月1日以前に生まれた人）をいいます。（法2条1項34号の4）
控除額	所得者のその年分の合計所得金額から48万円を控除します。（(4)に該当する場合を除きます。）（法84条1項かっこ書き後段）
判定の時期	老人扶養親族に該当するかどうかは、その年12月31日（年の中途に所得者又は親族が死亡した場合には、その死亡の時）の現況により判定します。

（注）　本書では説明を簡単にするため、老人扶養親族に係る扶養控除を「**老人扶養控除**」と呼ぶことにします。

(4)　同居老親等

範囲	同居老親等とは、老人扶養親族（控除対象扶養親族のうち年齢70歳以上の人）のうち、次のいずれにも該当する人をいいます。（措法41条の16　1項） ①　所得者又はその配偶者の直系尊属（父母や祖父母などをいいます。）である人 ②　所得者又はその配偶者のいずれかとの同居を常況としている人
控除額	所得者のその年分の合計所得金額から58万円を控除します。
判定の時期	同居老親等に該当するかどうかは、その年12月31日（年の中途に所得者又は親族が死亡した場合には、その死亡の時）の現況により判定します。

（注）　本書では説明を簡単にするため、同居老親等に係る扶養控除を「**同居老親控除**」と呼ぶことにします。

親 族 表

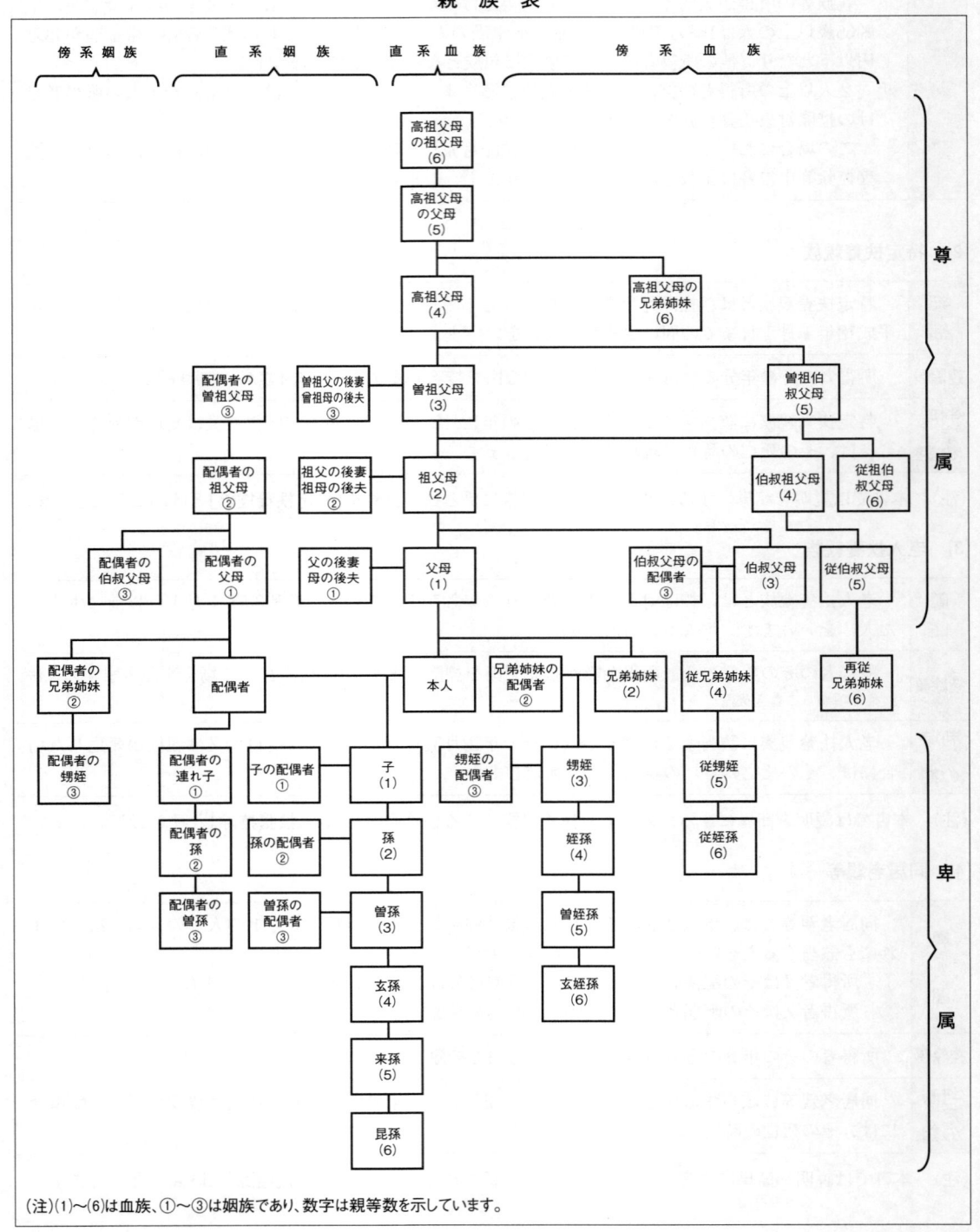

(注)(1)～(6)は血族、①～③は姻族であり、数字は親等数を示しています。

❷ 障害者、寡婦、ひとり親及び勤労学生についての検討

1 障害者、寡婦、ひとり親、勤労学生の確認

　年末調整の計算に当たっては、給与所得者自身が障害者、寡婦、ひとり親又は勤労学生に該当するかどうか、給与所得者の同一生計配偶者又は扶養親族が障害者に該当するかどうか、更にその数及び控除の対象となるそれぞれの要件を満たしているかどうかについて検討する必要があります。

> ### 確認のポイント
>
> ①　寡婦、ひとり親又は勤労学生の控除は、給与所得者自身がこれらに該当する場合に限られますが、本人以外の人を申告していないかどうか。
>
> ②　障害者に該当する人のうちに、その障害の程度が重度で特別障害者に該当する人がいないかどうか。
>
> ③　寡婦控除を受けようとする人について、次の点が確認されているかどうか。
>
> 　イ　夫と離婚した後婚姻していない人については、扶養親族を有しているか、また、本人の合計所得金額が500万円以下であり、かつ、事実婚の状況にないかどうか。
>
> 　ロ　夫と死別した後婚姻していない人又は夫の生死の不明な人については、合計所得金額が500万円以下であり、かつ、事実婚の状況にないかどうか。
>
> ④　ひとり親控除を受けようとする人について、次の点が確認されているかどうか。
>
> 　イ　現に婚姻をしていない人又は配偶者の生死の明らかでない人で、事実婚の状況にない人かどうか。
>
> 　ロ　総所得金額等の合計額が48万円以下の生計を一にする子を有しているかどうか。
>
> 　ハ　合計所得金額が500万円以下であるかどうか。
>
> ⑤　勤労学生控除を受けようとする人については、所得金額が一定金額の範囲内であるかどうか、また、専修学校又は各種学校の生徒、認定職業訓練を受ける訓練生である場合には、所定の証明書類が添付されているかどうか。
>
> ⑥　障害者等に年の中途で次のような異動があった場合に、その異動申告が行われているかどうか。
>
> 　イ　本人が障害者、特別障害者、寡婦、ひとり親又は勤労学生に該当することになった場合又は該当しなくなった場合
>
> 　ロ　同一生計配偶者や扶養親族が障害者又は特別障害者に該当することになった場合又は該当しなくなった場合

2 障害者（特別障害者）の範囲、控除額及び判定の時期

障害者（特別障害者）の範囲、控除額及びその判定の時期は、次表のとおりです。

範	(1) 障害者	障害者とは、所得者本人や同一生計配偶者、扶養親族で次のいずれかに該当する人をいいます。（法2条1項28号、令10条1項） ① 児童相談所、知的障害者更生相談所、精神保健福祉センター又は精神保健指定医の判定により知的障害者とされた人 ② 精神保健及び精神障害者福祉に関する法律の規定により精神障害者保健福祉手帳の交付を受けている人 ③ 身体障害者福祉法の規定により交付を受けた身体障害者手帳に身体上の障害がある者として記載されている人 ④ 戦傷病者特別援護法の規定により戦傷病者手帳の交付を受けている人 ⑤ 精神又は身体に障害のある年齢65歳以上の人（昭和35年1月1日以前に生まれた人）で、その障害の程度が①又は③に掲げる人と同程度であるものとして、市町村長や福祉事務所長の認定を受けている人
	(2) 特別障害者	特別障害者とは、所得者本人や同一生計配偶者、扶養親族で次のいずれかに該当する人をいいます。（法2条1項29号、令10条2項） ① 精神上の障害により事理を弁識する能力を欠く常況にある人。 ② (1)①のうち児童相談所等から重度の知的障害者と判定された人 ③ (1)②のうち精神障害者保健福祉手帳に障害等級が1級である者として記載されている人 ④ (1)③のうち身体障害者手帳に障害の程度が1級又は2級である者として記載されている人 ⑤ (1)④のうち戦傷病者手帳に精神上又は身体上の障害の程度が恩給法別表第1号表ノ2の特別項症から第3項症までである者として記載されている人 ⑥ 原子爆弾被爆者に対する援護に関する法律11条1項の規定による厚生労働大臣の認定を受けている人 ⑦ 常に就床を要し、複雑な介護を要する人 ⑧ (1)⑤に掲げる人のうち、その障害の程度が①、②又は④に掲げる人と同程度であるものとして、市町村長や福祉事務所長の認定を受けている人
囲	(3) 同居特別障害者	同居特別障害者とは、所得者本人の同一生計配偶者又は扶養親族で次の要件のいずれにも該当する人をいいます。（法79条3項） ① 特別障害者である人 ② 所得者本人、その所得者の配偶者又はその所得者と生計を一にするその他の親族のいずれかとの同居を常況としている人

〈参考〉
イ 身体障害者手帳の交付を受けていない人又は戦傷病者手帳の交付を受けていない人であっても、次の要件のいずれにも該当する人は障害者（特別障害者）に該当するものとされています。（基通2−38）
　㋑ その年分の「扶養控除等申告書」又は「退職所得の受給に関する申告書」等を提出する時において、これらの手帳の交付を申請中か、又はこれらの手帳の交付を受けるための医師の診断書を有していること
　㋺ その年12月31日その他障害者（特別障害者）であるかどうかを判定すべき時において、明らかにこれらの手帳に記載され、又はその交付を受けられる程度の障害があると認められる人であること

範囲	ロ　療育手帳制度に基づいて療育手帳の交付を受けている人で、その療育手帳の「判定の記録」の「障害の程度」欄に、「Ａ」と表示されている人は特別障害者に、「Ｂ」と表示されている人は障害者にそれぞれ該当します。 ハ　(2)⑦の「常に就床を要し、複雑な介護を要する人」とは、その年12月31日その他障害者（特別障害者）であるかどうかを判定すべき時において、引き続き６か月以上にわたって身体の障害により就床を要し、介護を受けなければ自ら排便等をすることができない程度の状態にあると認められる人をいいます。（基通２−39）

所得者のその年分の合計所得金額から該当する１人につき27万円（特別障害者に該当する人は、40万円、同居特別障害者は75万円）を控除します。（法79条２項、３項）

（参考１） 障害者控除と配偶者控除、各分類別の合計額は次表のとおりです（本人の合計所得金額900万円以下の場合）。

障害者控除額		配偶者控除額		合　計
同居特別障害者	75万円	老人配偶者	48万円	123万円
	75万円	一般配偶者	38万円	113万円
特別障害者	40万円	老人配偶者	48万円	88万円
	40万円	一般配偶者	38万円	78万円
一般の障害者	27万円	老人配偶者	48万円	75万円
	27万円	一般配偶者	38万円	65万円
		老人配偶者	48万円	48万円
		一般配偶者	38万円	38万円

（参考２） 障害者控除と扶養控除、各分類別の合計額は次表のとおりです。

障害者控除額		扶養控除額		合　計
同居特別障害者	75万円	老人扶養親族	48万円	123万円
	75万円	同居老親等	58万円	133万円
	75万円	特定扶養親族	63万円	138万円
	75万円	一般の控除対象扶養親族	38万円	113万円
特別障害者	40万円	老人扶養親族	48万円	88万円
	40万円	特定扶養親族	63万円	103万円
	40万円	一般の控除対象扶養親族	38万円	78万円
一般の障害者	27万円	老人扶養親族	48万円	75万円
	27万円	同居老親等	58万円	85万円
	27万円	特定扶養親族	63万円	90万円
	27万円	一般の控除対象扶養親族	38万円	65万円
		老人扶養親族	48万円	48万円
		同居老親等	58万円	58万円
		特定扶養親族	63万円	63万円
		一般の控除対象扶養親族	38万円	38万円

（注）　「一般の控除対象扶養親族」とは、控除対象扶養親族のうち、特定扶養親族及び老人扶養親族（同居老親等を含みます。）以外の人をいいます。

判定の時期	障害者（特別障害者、同居特別障害者）に該当するかどうかは、その年12月31日（年の中途に所得者又は親族が死亡した場合には、その死亡の時）の現況により判定します。

3 寡婦の範囲、控除額及び判定の時期

寡婦の範囲、控除額及びその判定の時期は、次表のとおりです。

範囲	寡婦とは、次に掲げる人をいいます。（法2条1項30号、令11条） (1) 夫と離婚した後婚姻をしていない人のうち、次の要件を満たす人 　① 扶養親族を有すること 　② 合計所得金額が500万円以下であること 　③ 事実上婚姻関係と同様の事情にあると認められる人がいないこと (2) 夫と死別した後婚姻をしていない人又は夫の生死の明らかでない人（〈注〉参照）のうち、次の要件を満たす人 　① 合計所得金額が500万円以下であること 　② 事実上婚姻関係と同様の事情にあると認められる人がいないこと

> 〈注〉
>
> 「夫の生死が明らかでない人」とは、次のいずれかに該当する人の妻をいいます。
>
> 1　太平洋戦争の終結の当時、元の陸海軍に属していた人で、まだ国内に帰らない人
>
> 2　1に掲げた人以外の人で、太平洋戦争の終結の当時国外にあって、まだ国内に帰らず、かつ、その帰らないことについて1に掲げる人と同様の事情があると認められる人
>
> 3　船舶が沈没、転覆、滅失したり行方不明となった際その船舶に乗っていた人や船舶に乗っていてその船舶の航行中に行方不明となった人又は航空機が墜落、滅失したり行方不明となった際その航空機に乗っていた人や航空機に乗っていてその航空機の航行中に行方不明となった人で、3か月以上その生死が明らかでない人
>
> 4　3に掲げる人のほか死亡の原因となるべき危難に遭遇した人のうち、その危難が去った後1年以上その生死が明らかでない人
>
> 5　1〜4のいずれかに該当する人以外の人で、3年以上その生死が明らかでない人

〈参考〉

イ　「夫」、「離婚」又は「婚姻」は、民法の規定による夫、離婚又は婚姻をいいますから、内縁関係にあった夫と死別したような人は寡婦に該当しません。

ロ　(1)に規定する「扶養親族……を有する」とは、その人が扶養控除の適用を受ける控除対象扶養親族又はその人の控除対象扶養親族以外の扶養親族を有していることをいいます。（基通2-40）

ハ　(1)の「事実上婚姻関係と同様の事情にあると認められる人」とは、住民票に一定の記載がされている事実婚の夫や妻をいいます。（規1条の3）

◇本人が世帯主である場合

　同一世帯に属する者の住民票に、世帯主との続柄が未届の夫その他世帯主と事実上婚姻関係と同様の事情にあると認められる記載がされた人

◇本人が世帯主でない場合

　その人の住民票に、世帯主との続柄が未届の妻その他世帯主と事実上婚姻関係と同様の事情にあると認められる記載がされているときの世帯主

ニ　上記〈注〉の1又は2に該当する人については、その人の生存していることが通信等により明らかであると認められる場合でも生死が明らかでない人として取り扱われます。

ホ　夫が上記〈注〉の3又は4に掲げる危難に遭遇した人で同一の危難に遭遇した他の人について、既に死亡が確認されている等、その危難の状況からみて生存していることが期待できないと認められるものは、その危難があった時からこれらに該当するものとして差し支えありません。

　この場合において、後日その人の生存が確認されたときにおいても、その確認された日前の寡

範囲	婦の判定については影響がないものとします。（基通2−42） ヘ　年の中途で夫と死別した妻でその年において寡婦に該当する人は、死別した夫の控除対象配偶者として配偶者控除の適用を受けている場合であっても、寡婦控除の適用があります。（基通80−1） ト　その人の所得が給与所得だけの場合には、収入金額が6,777,778円以下であれば、合計所得金額は500万円以下になります。
控除額	その人のその年分の合計所得金額から27万円を控除します。
判定の時期	寡婦に該当するかどうかは、その年12月31日（年の中途にその人が死亡又は出国した場合には、その死亡又は出国の時）の現況により判定します。

4　ひとり親の範囲、控除額及び判定の時期

　ひとり親の範囲、控除額及びその判定の時期は、次表のとおりです。

範囲	ひとり親とは、現に婚姻をしていない人又は配偶者の生死の明らかでない人のうち、次に掲げる要件を満たす人をいいます。（法2条1項31号、令11条の2） ①　その者と生計を一にする子（他の人の同一生計配偶者又は扶養親族とされている子を除き、その年分の総所得金額等の合計額が48万円以下の子に限ります。）を有すること ②　合計所得金額が500万円以下であること ③　事実上婚姻関係と同様の事情にあると認められる人がいないこと 〈参考〉 　③の「事実上婚姻関係と同様の事情にあると認められる人」は、3の「範囲」欄の〈参考〉に記載の内容と同じです。
控除額	その人のその年分の合計所得金額から35万円を控除します。
判定の時期	ひとり親に該当するかどうかは、その年12月31日（年の中途にその人が死亡又は出国した場合には、その死亡又は出国の時）の現況により判定します。

5　勤労学生の範囲、控除額及び判定の時期

　勤労学生の範囲、控除額及びその判定の時期は、次表のとおりです。

範囲	勤労学生とは、次の(1)〜(4)のすべての要件に該当する人をいいます。（法2条1項32号、令11条の3） (1)　次のいずれかに該当すること ①　学校教育法に規定する学校の学生、生徒又は児童であること ②　国や地方公共団体、私立学校法に規定する学校法人等又はこれらに準ずる一定の者（〈注〉1参照）により設置された専修学校又は各種学校の生徒で一定の課程（〈注〉2参照）を履修する人であること ③　職業能力開発促進法の規定による認定職業訓練を行う職業訓練法人の訓練生で一定の課程（〈注〉2のB参照）を履修する人であること (2)　自己の勤労に基づく事業所得、給与所得、退職所得又は雑所得（以下「給与所得等」といいます。）があること (3)　給与所得等以外の所得の金額の合計額が10万円以下であること (4)　合計所得金額が75万円以下であること（合計所得金額の意義は60ページ参照）

<table>
<tr><td rowspan="2">範</td></tr>
<tr><td colspan="2">

〈注〉

1 　上記(1)②の「一定の者」とは、次の者をいいます。

①　独立行政法人国立病院機構、独立行政法人労働者健康福祉機構、日本赤十字社、商工会議所、健康保険組合、健康保険組合連合会、国民健康保険団体連合会、国家公務員共済組合連合会、社会福祉法人、宗教法人、一般社団法人及び一般財団法人並びに医療事業を行う農業協同組合連合会及び医療法人

②　学校教育法に規定する専修学校又は各種学校のうち、教育水準を維持するための教員の数その他の文部科学大臣が定める基準を満たすものを設置する者

2 　上記(1)②、(1)③の「一定の課程」とは、次の要件を満たすものをいいます。

</td></tr>
</table>

A 専修学校の高等課程及び専門課程の課程	a　職業に必要な技術の教授をすること b　その修業期間が１年以上であること c　その１年の授業時間数が800時間以上であること（夜間その他特別な時間において授業を行う場合には、その１年の授業時間数が450時間以上であり、かつ、その修業期間を通ずる授業時間数が800時間以上であること） d　その授業が年２回を超えない一定の時期に開始され、かつ、その終期が明確に定められていること
B A以外の課程に掲げる課程	a　職業に必要な技術の教授をすること b　その授業が年２回を超えない一定の時期に開始され、かつ、その終期が明確に定められていること c　その修業期間（普通科、専攻科その他これらに類する区別された課程があり、それぞれの修業期間が１年以上であって一の課程に他の課程が継続する場合には、これらの課程の修業期間を通算した期間）が２年以上であること d　その１年の授業時間数（普通科、専攻科その他これらに類する区別された課程がある場合には、それぞれの課程の授業時間数）が680時間以上であること

〈参考〉

イ　学校教育法に規定する学校であるかどうかは、その名称に小学校、中学校、中等教育学校、高等学校、大学、高等専門学校、盲学校、聾学校又は養護学校の名称を付しているかどうかにより判定します。

ロ　学校教育法に規定する学校の学生又は生徒には、通信教育生でその課程を履修した後は通信教育生以外の一般の学生等と同一の資格を与えられるものも含みます。（基通２−43）

ハ　「自己の勤労に基づいて得た」所得であるかどうかは、個々の具体的事実に基づいて判定しますが、事業所得、給与所得、退職所得については、特に勤労に基づかないものであることが明らかな場合以外は、「自己の勤労に基づいて得た所得」として取り扱います。

ニ　その人の所得が給与所得だけの場合には、その収入金額が130万円以下であれば、合計所得金額は75万円以下となります。

ホ　専修学校又は各種学校の生徒が勤労学生控除を受けようとする場合には、文部科学大臣の証明書の写し及び学校長の証明書を提出しなければなりません。（法194条３項、令316条の２、規73条の２、47条の２　11項）

ヘ　認定職業訓練を受ける訓練生が勤労学生控除を受けようとする場合には、厚生労働大臣の証明書の写し及び職業訓練法人の代表者の証明書を提出しなければなりません。（同上）

控除額	その人のその年分の合計所得金額から27万円を控除します。
判定の時期	勤労学生に該当するかどうかは、その年12月31日（年の中途にその人が死亡又は出国した場合には、その死亡又は出国の時）の現況により判定します。

3 扶養親族などの判定の基礎となる「合計所得金額」の計算

　扶養控除などの対象となる控除対象扶養親族などは、年末調整を行う日の現況により見積もったその年の合計所得金額が一定額以下であることとされていますし、配偶者控除及び配偶者特別控除や住宅借入金等特別控除を受ける人についても合計所得金額について同様の所得要件があります。

　この場合の合計所得金額は、次ページの図表のように計算することになっています。

　「合計所得金額」とは、純損失及び雑損失の繰越控除、居住用財産の買換え等の場合の譲渡損失の繰越控除及び特定居住用財産の譲渡損失の繰越控除を適用しないで計算した総所得金額、上場株式等に係る配当所得等について、申告分離課税の適用を受けることとした場合のその配当所得等の金額（上場株式等に係る譲渡損失の損益通算の適用がある場合には、その適用後の金額及び上場株式等に係る譲渡損失の繰越控除の適用がある場合には、その適用前の金額）、土地・建物等の長期・短期譲渡所得の金額（特別控除前）、株式等の譲渡所得等の金額（上場株式等に係る譲渡損失の繰越控除又は特定中小会社が発行した株式に係る譲渡損失の金額の繰越控除等の適用がある場合には、その適用前の金額）、先物取引に係る雑所得等の金額（先物取引の差金等決済に係る損失の繰越控除の適用がある場合には、その適用前の金額）、退職所得金額及び山林所得金額の合計額をいい、これらを図で示すと、次のようになります。

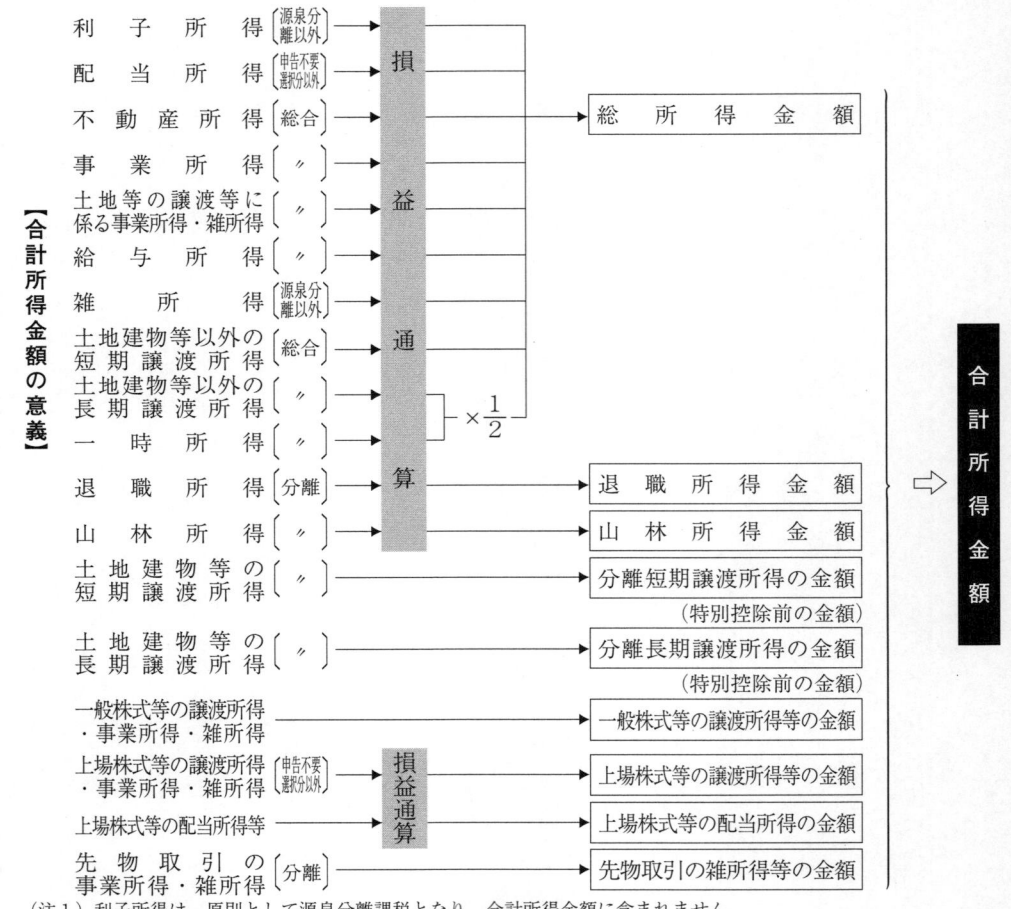

（注１）利子所得は、原則として源泉分離課税となり、合計所得金額に含まれません。
（注２）確定申告をしないことを選択した上場株式等の配当等の所得金額は、合計所得金額に含まれません。
（注３）土地等の譲渡等に係る事業所得・雑所得に対する（申告）分離課税制度は、平成10年１月１日から令和８年３月31日まで適用が停止されています。（措法28条の４　６項）

(1) 合計所得金額に含まれない所得

「合計所得金額」の計算に当たっては、次のイ、ロに掲げるような所得金額は含める必要がありません。（基通2－41）

イ　税法その他の法令により非課税とされているもの

- ⑴　遺族の受ける恩給及び年金（死亡した人の勤務に基づいて支給されるものに限ります。）
- ㋺　生活用動産の売却による譲渡所得の金額
- ㋩　障害者等の少額預金の利子所得等の非課税制度による預金等の利子
- ㋥　障害者等の少額公債の利子の非課税制度による公債の利子
- ㋭　勤労者財産形成住宅（年金）貯蓄の非課税制度による勤労者財産形成住宅（年金）貯蓄の利子
- ㋬　生活保護法の規定により給付される保護金品
- ㋣　雇用保険法等の規定により支給される失業給付金・育児休業給付金

ロ　租税特別措置法の規定により分離課税、あるいは確定申告不要とされている次の所得

- ⑴　利子所得のうち源泉分離課税とされるもの及び確定申告をしないことを選択した特定公社債の利子等
- ㋺　配当所得のうち、
  - ⑴　源泉分離課税とされる私募公社債等運用投資信託及び私募の特定目的信託（社債的受益権に限ります。）の収益の分配
  - ㋺　確定申告をしないことを選択した次の配当等
    - ⓐ上場株式等の配当等（大口株主等が受けるものを除きます。）、ⓑ特定株式投資信託（ETF等）の収益の分配、ⓒ上場不動産投資法人（J－REIT）の投資口の配当等、ⓓ公募証券投資信託（公社債投資信託及び特定株式投資信託を除きます。）の収益の分配、ⓔ特定投資法人の投資口の配当等及びⓕこれら以外の配当等で1銘柄について1回の金額が10万円に配当計算期間の月数（最高12か月）を乗じてこれを12で除して計算した金額以下の配当等
- ㋩　源泉分離課税とされる定期積金の給付補填金等、懸賞金付預貯金等の懸賞金等及び一定の割引債の償還差益
- ㋥　源泉徴収選択口座を通じて行った上場株式等の譲渡による所得等で確定申告をしないことを選択したもの
  - （注）　租税特別措置法により分離課税とされるものであっても、土地建物等の譲渡や申告分離課税の適用を受ける上場株式等に係る配当、先物取引による所得金額は「合計所得金額」に含めます。

(2) 譲渡所得の課税の特例等の適用を受ける場合

「合計所得金額」の計算に当たっては、マイホームの買換え等の場合の譲渡所得の課税の特例その他の所得計算の特例で、確定申告書の提出を要件として認められるものの適用を受ける場合には、その適用後の所得金額によります。租税特別措置法に規定する課税長期・短期譲渡所得金額を計算する場合における特別控除額の控除は、所得計算の特例ではないので、特別控除額を控除する前の長期・短期譲渡所得の金額を基礎として合計所得金額を計算することになります。（基通2－41）

(3) 特殊な場合の所得金額の計算

合計所得金額の計算に当たって、次のような人の場合には、所得金額の計算に注意してください。

イ　公的年金等の支払を受ける人の場合

公的年金等（年金や恩給など）の所得は雑所得とされますが、この公的年金等に係る雑所得の金額は、

次の算式により求めます。

$$\left(\begin{array}{c}\text{その年中の公的年}\\\text{金等の収入金額}\end{array}\right) - \left(\begin{array}{c}\text{公的年金等}\\\text{控 除 額}\end{array}\right) = \begin{array}{c}\text{公的年金等に係る}\\\text{雑 所 得 の 金 額}\end{array}$$

〔公的年金等控除額の計算〕

上記算式中の「公的年金等控除額」は、次の㋑又は㋺の区分に応じ、それぞれの速算式により計算した金額です。なお、受給者の年齢が65歳未満であるかどうかは、その年12月31日（年の中途で死亡した場合には、その死亡の時）の年齢により判定します。

㋑　65歳未満の場合

		公的年金等に係る雑所得以外の所得に係る合計所得金額		
		1,000万円以下	1,000万円超 2,000万円以下	2,000万円超
公的年金等の収入金額	130万円以下	60万円	50万円	40万円
	130万円超 410万円以下	公的年金等の収入金額 ×25％＋27.5万円	公的年金等の収入金額 ×25％＋17.5万円	公的年金等の収入金額 ×25％＋7.5万円
	410万円超 770万円以下	公的年金等の収入金額 ×15％＋68.5万円	公的年金等の収入金額 ×15％＋58.5万円	公的年金等の収入金額 ×15％＋48.5万円
	770万円超 1,000万円以下	公的年金等の収入金額 ×5％＋145.5万円	公的年金等の収入金額 ×5％＋135.5万円	公的年金等の収入金額 ×5％＋125.5万円
	1,000万円超	195.5万円	185.5万円	175.5万円

㋺　65歳以上の場合

		公的年金等に係る雑所得以外の所得に係る合計所得金額		
		1,000万円以下	1,000万円超 2,000万円以下	2,000万円超
公的年金等の収入金額	330万円以下	110万円	100万円	90万円
	330万円超 410万円以下	公的年金等の収入金額 ×25％＋27.5万円	公的年金等の収入金額 ×25％＋17.5万円	公的年金等の収入金額 ×25％＋7.5万円
	410万円超 770万円以下	公的年金等の収入金額 ×15％＋68.5万円	公的年金等の収入金額 ×15％＋58.5万円	公的年金等の収入金額 ×15％＋48.5万円
	770万円超 1,000万円以下	公的年金等の収入金額 ×5％＋145.5万円	公的年金等の収入金額 ×5％＋135.5万円	公的年金等の収入金額 ×5％＋125.5万円
	1,000万円超	195.5万円	185.5万円	175.5万円

ロ　家内労働者に該当する人の場合（家内労働者の所得計算の特例）

事業所得又は雑所得の金額は、収入金額から実際にかかった必要経費を差し引いて計算することになっていますが、家内労働者等（家内労働法に規定する家内労働者、外交員、集金人などをいいます。）のその年中の事業所得又は雑所得については、これらの所得の必要経費が55万円に満たないときは55万円が必要経費として認められます。

なお、家内労働者等が他に給与所得を有する場合で、給与の収入金額が55万円以上あるときは、この55万円の必要経費は認められません。他の給与の収入金額が55万円未満のときは、55万円からその給与の収入金額を差し引いた残額と、事業所得や雑所得の実際にかかった必要経費とを比べて高い方がその事業所得や雑所得の必要経費になります。また、事業所得又は雑所得の収入金額が55万円に満たないときは、その収入金額が、それぞれ必要経費とされます。

〈令和6年分の合計所得金額の計算例〉

区　　　分	合計所得金額に含まれるもの		計　算　過　程	合計所得金額
給与収入120万円のみの人	○		120万円 − 55万円 （給与所得控除額）	65万円
公的年金収入170万円と障害者等の少額預金の利子非課税制度の利子収入30万円がある人（年齢65歳以上）	公的年金	○	170万円 − 110万円 （公的年金等控除額）	60万円
	預金利子	×		
長期譲渡所得となる土地の譲渡収入2,000万円（必要経費800万円）と源泉徴収選択口座を通じて行い、確定申告をしないことを選択した上場株式の譲渡収入50万円がある人	土地譲渡	○	2,000万円 − 800万円	1,200万円 （特別控除前の金額が合計所得金額になります。）
	株式譲渡	×		

❹ 扶養控除等申告書と源泉徴収簿との照合

　扶養控除等申告書の記載内容について確認を終わった場合には、その申告書の内容が各人の源泉徴収簿の「扶養控除等の申告」欄に正しく記載されているかどうかを突き合わせます。この欄に記載されたところに基づいて扶養控除額及び障害者等の控除額の合計額を「早見表」によって一括して求めます。これらの関係を図示しますと次のようになります。

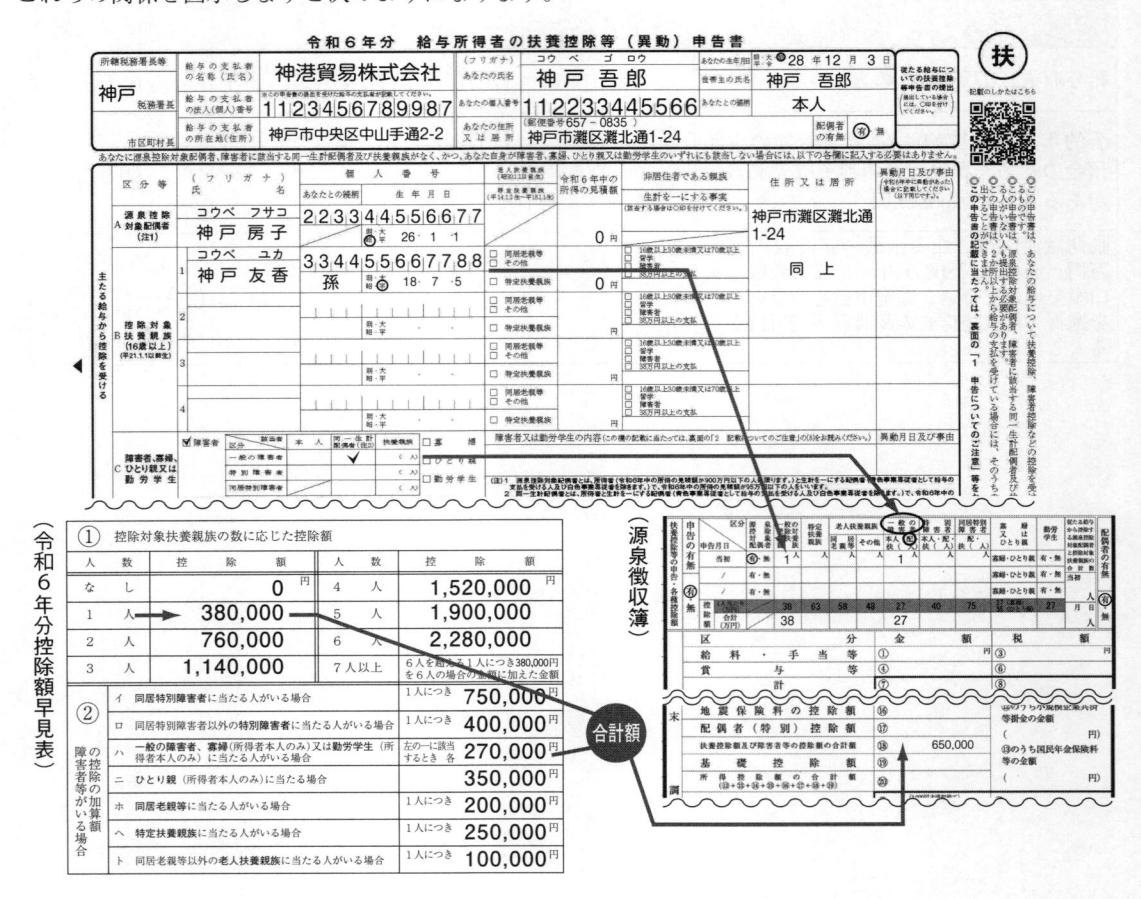

　（注）　「早見表」とは、「令和6年分　扶養控除額及び障害者等の控除額の合計額の早見表」（22ページ参照）をいいます。この例は、同一生計配偶者が一般の障害者に該当しますので、早見表の「①控除対象扶養親族の数に応じた控除額」の「人数」の「1人」欄の金額に、「②障害者等がいる場合の控除の加算額」の「ハ」欄の金額を加算します。

第二節　基礎控除申告書の受理と検討

 **基礎控除は、給与所得者から基礎控除申告書の提出を受け、年末調整で控除します。**

　所得者の合計所得金額が2,500万円以下である場合に、基礎控除として48万円を限度とした一定の金額を所得金額から控除することとされています。

	所得者の合計所得金額			
	2,400万円以下	2,400万円超 2,450万円以下	2,450万円超 2,500万円以下	2,500万円超
基礎控除額	48万円	32万円	16万円	0

　基礎控除は、給与所得者の場合、給与所得者各人から提出された「給与所得者の基礎控除申告書」に基づいて年末調整で控除できることになっています。

（注１）　「基礎控除申告書」、「配偶者控除等申告書」、「年末調整に係る定額減税のための申告書」及び「所得金額調整控除申告書」は、４様式の兼用様式です。

（注２）　年末調整を行わない人については、確定申告で控除を受けることになります。

１　基礎控除についての検討

　給与所得者が年末調整で基礎控除の適用を受けようとする場合には、給与支払者に「基礎控除申告書」を提出することが要件とされています。（法195条の３）

　給与の支払者は、給与所得者から提出された「基礎控除申告書」の記載内容について検討しなければなりません。

> **確認のポイント**
>
> ①　給与所得以外の所得がある場合には、それらの所得金額についても記載されているかどうか。
>
> ②　その給与所得者の本年の合計所得金額（60ページ参照）の見積額が2,500万円以下であるかどうか。
>
> ③　基礎控除額の計算は正しいかどうか。

② 基礎控除額の計算

　基礎控除額は、基礎控除申告書で求めることができるようになっています。その手順は、次のとおりです。

1　所得者の合計所得金額の計算

　「あなたの本年中の合計所得金額の見積額の計算」の表の(1)「給与所得」欄及び(2)「給与所得以外の所得の合計額」欄を記載し、それらの合計額を「あなたの本年中の合計所得金額の見積額（(1)と(2)の合計額）」欄に記載します。

2　所得者の合計所得金額の区分の判定及び控除額の計算

　1で計算した合計額に基づいて、所得者の合計所得金額が「控除額の計算」の表の「判定」欄の「900万円以下(A)」から「2,450万円超2,500万円以下」のいずれに該当するかを選び、その判定結果に対応する控除額を「基礎控除の額」欄に記載します。

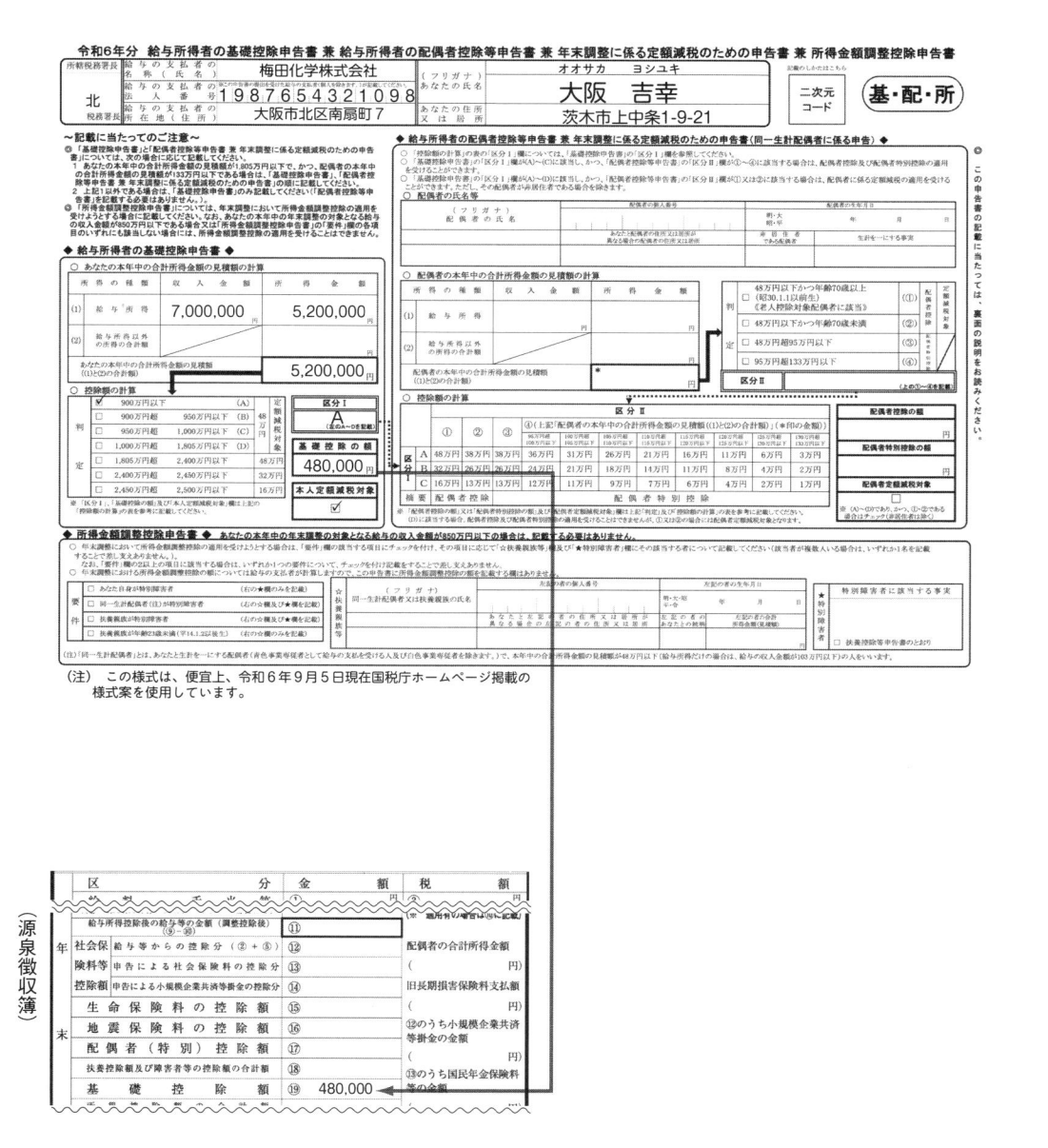

第三節　配偶者控除等申告書の受理と検討

 配偶者控除又は配偶者特別控除は、給与所得者から配偶者控除等申告書の提出を受け、年末調整で控除します。

　所得者（合計所得金額が1,000万円以下の人に限ります。）が、生計を一にする配偶者を有する場合には、配偶者の合計所得金額に応じ配偶者控除又は配偶者特別控除として一定の金額を所得金額から控除することとされています。

①　配偶者が控除対象配偶者（合計所得金額48万円以下）に該当する場合：配偶者控除

②　配偶者の合計所得金額が48万円超133万円以下である場合：配偶者特別控除

　配偶者控除又は配偶者特別控除は、給与所得者の場合、給与所得者各人から提出された「給与所得者の配偶者控除等申告書」に基づいて年末調整で控除できることになっています。

(注1)　「基礎控除申告書」、「配偶者控除等申告書」、「年末調整に係る定額減税のための申告書」及び「所得金額調整控除申告書」は、4様式の兼用様式です。

(注2)　年末調整を行わない人については、確定申告で控除を受けることになります。

1　配偶者控除についての検討

1　控除対象配偶者の確認

　所得者（合計所得金額が1,000万円以下の人に限ります。）が、控除対象配偶者を有する場合には、その人の申告によって、その人の本年分の所得の金額（給与所得者の場合は給与所得控除後の給与等の金額）から、その人の合計所得金額に応じた一定の金額が控除されることになっています。（法83条）

　給与所得者がこの配偶者控除を年末調整で受けるための申告は「配偶者控除等申告書」により行うことになっていますので、給与の支払者は、給与所得者から提出された「配偶者控除等申告書」の該当欄の記載内容について検討しなければなりません。

> **確認のポイント**
>
> ①　いわゆる内縁関係の人を、控除対象配偶者として申告していないかどうか。
>
> ②　その給与所得者の本年の合計所得金額（60ページ参照）の見積額が1,000万円以下であるかどうか。

③ 老人控除対象配偶者としている人の生年月日が、昭和30年１月１日以前であるかどうか。

④ 年の中途で死亡した人について、控除対象配偶者に該当するかどうかの判定が正しく行われているかどうか。

⑤ 配偶者控除額の計算は正しいかどうか。

２ 控除対象配偶者の分類

控除対象配偶者及び老人控除対象配偶者である控除対象配偶者の範囲、控除額及びその判定の時期は、それぞれ次表のとおりです。

(1) 控除対象配偶者

範囲	控除対象配偶者とは、同一生計配偶者のうち、合計所得金額が1,000万円（給与所得だけの場合の給与等の収入金額が1,195万円）以下である所得者の配偶者をいいます。（法２条１項33号の２）

控除額

所得者のその年分の合計所得金額から所得者の合計所得金額に応じ、次の金額を控除します。((2)に該当する場合を除きます。)

	所得者の合計所得金額		
	900万円以下	900万円超 950万円以下	950万円超 1,000万円以下
配偶者控除額	38万円	26万円	13万円

判定の時期	控除対象配偶者に該当するかどうかは、その年12月31日（年の中途に所得者又は配偶者が死亡した場合には、その死亡の時）の現況により判定します。

参考

イ 「生計を一にする」とは、同一の生活共同体に属して日常生活の資を共通にしていることをいいます。

ロ 配偶者とは、「夫」に対しては「妻」、「妻」に対しては「夫」をいいます。

ハ いわゆる内縁の妻又は夫は配偶者になりません。（基通２−46）

ニ 年の中途で配偶者と死別した人がその年中に再婚したときは、死亡した配偶者又は再婚後の配偶者のうちいずれか一人だけがその人の控除対象配偶者となり、他の一人はその人の扶養親族にならないのはもちろん、同じ世帯の他の所得者の扶養親族にもなりません。（令220条）

ホ 青色事業専従者や白色事業専従者について配偶者控除を受けられないのは、その事業主又はその事業主と生計を一にする人の配偶者の場合であって、例えば、結婚前に家業を手伝って青色事業専従者控除を受けていた娘は、合計所得金額が48万円以下であるときには、嫁入先で夫の控除対象配偶者とすることができます。ただし、夫がその事業主と生計を一にしている場合には、控除対象配偶者とすることはできません。（基通２−48）

ヘ 配偶者の所得が給与所得だけの場合には、本年中の給与の収入金額が103万円以下であれば、合計所得金額は48万円以下となります。

ト 配偶者が家内労働者で内職等による所得だけの場合には、本年中の内職等の収入金額が103万円以下であれば、合計所得金額は48万円以下となります。

チ 配偶者の所得が公的年金等に係る雑所得だけの場合には、本年中の公的年金等の収入金額が、年齢65歳以上の人は158万円以下、年齢65歳未満の人は108万円以下であれば、合計所得金額は48万円以下となります。

範囲	老人控除対象配偶者とは、控除対象配偶者のうち、年齢70歳以上の人（昭和30年1月1日以前に生まれた人）をいいます。（法2条1項33号の3）

控除額	所得者のその年分の合計所得金額から所得者の合計所得金額に応じ、次の金額を控除します。

	所得者の合計所得金額		
	900万円以下	900万円超 950万円以下	950万円超 1,000万円以下
配偶者控除額	48万円	32万円	16万円

判定の時期	老人控除対象配偶者に該当するかどうかは、その年12月31日（年の中途に所得者又は配偶者が死亡した場合には、その死亡の時）の現況により判定します。

❷　配偶者特別控除についての検討

　所得者（合計所得金額が1,000万円以下の人に限ります。）が、生計を一にする配偶者（合計所得金額が133万円以下の人に限ります。）で、控除対象配偶者に該当しない人を有する場合には、その人の申告によって、その人の本年分の所得の金額（給与所得者の場合は給与所得控除後の給与等の金額）から、その人の合計所得金額に応じた一定の金額が控除されることになっています。（法83条の2）

　給与所得者がこの配偶者特別控除を年末調整で受けるための申告は「配偶者控除等申告書」により行うことになっていますので、給与の支払者は、給与所得者から提出された「配偶者控除等申告書」の該当欄の記載内容について検討しなければなりません。

> **確認のポイント**
> ①　その配偶者と生計を一にしているかどうか。
> ②　その給与所得者の本年の合計所得金額（60ページ参照）の見積額が1,000万円以下であるかどうか。
> ③　その給与所得者の配偶者自身が所得者としてこの控除を受けていないかどうか。
> ④　配偶者特別控除額の計算は正しいかどうか。

※　配偶者の所得が給与所得だけの場合は、本年中の給与の収入金額が103万円を超え201万5,999円以下であるとき、また、配偶者の所得が公的年金等に係る雑所得だけの場合は、本年中の公的年金等の収入金額が年齢65歳以上の人については158万円を超え243万円以下のとき、年齢65歳未満の人については108万円を超え214万円以下のときは、配偶者特別控除を受けることはできます。

❸ 配偶者控除額及び配偶者特別控除額の計算

　配偶者控除額及び配偶者特別控除額は、配偶者控除等申告書で求めることができるようになっています。その手順は、次のとおりです。

1　所得者の合計所得金額の判定（区分Ⅰ）

①　所得者の合計所得金額の見積額の計算

　基礎控除申告書の「あなたの本年中の合計所得金額の見積額の計算」欄により、本年分の合計所得金額（見積額）を計算します。

②　所得者の合計所得金額の区分の判定

　①で計算した金額に基づいて、所得者の合計所得金額が「900万円以下（A）」、「900万円超950万円以下（B）」、「950万円超1,000万円以下（C）」のいずれに該当するかを選び、その判定結果を「区分Ⅰ」に記載します。

2　配偶者の合計所得金額の判定（区分Ⅱ）

①　配偶者の合計所得金額の見積額の計算

　「合計所得金額の見積額の計算表」欄の「配偶者の本年中の合計所得金額の見積額の計算」欄により、本年分の配偶者の合計所得金額（見積額）を計算します。

②　配偶者の合計所得金額の区分の判定

　①で計算した金額に基づいて、「48万円以下かつ年齢70歳以上（昭30.1.1以前生）（①）」、「48万円以下かつ年齢70歳未満（②）」、「48万円超95万円以下（③）」、「95万円超133万円以下（④）」のいずれに該当するかを選び、その判定結果を「区分Ⅱ」に記載します。

3　控除額の計算

　1の判定結果（A～C）及び2の判定結果（①～④）を「控除額の計算」欄に当てはめ、配偶者控除額又は配偶者特別控除額を求めます。

4　控除を受けるための手続

　給与所得者は、年末調整で配偶者控除又は配偶者特別控除を受けることができますので、その年最後に給与の支払を受ける日の前日までに、給与の支払者に「配偶者控除等申告書」を提出してください。

　この場合に、配偶者が生計を一にする配偶者に該当するかどうか、給与所得者及び配偶者の合計所得金額の見積額は、申告書を提出する日の現況により記載します。（合計所得金額の見積額と実際の所得金額とが相違することになって配偶者控除又は配偶者特別控除の適用の有無又は控除額に異動が生じたと

きは、年末調整の再調整又は確定申告により精算してください。）

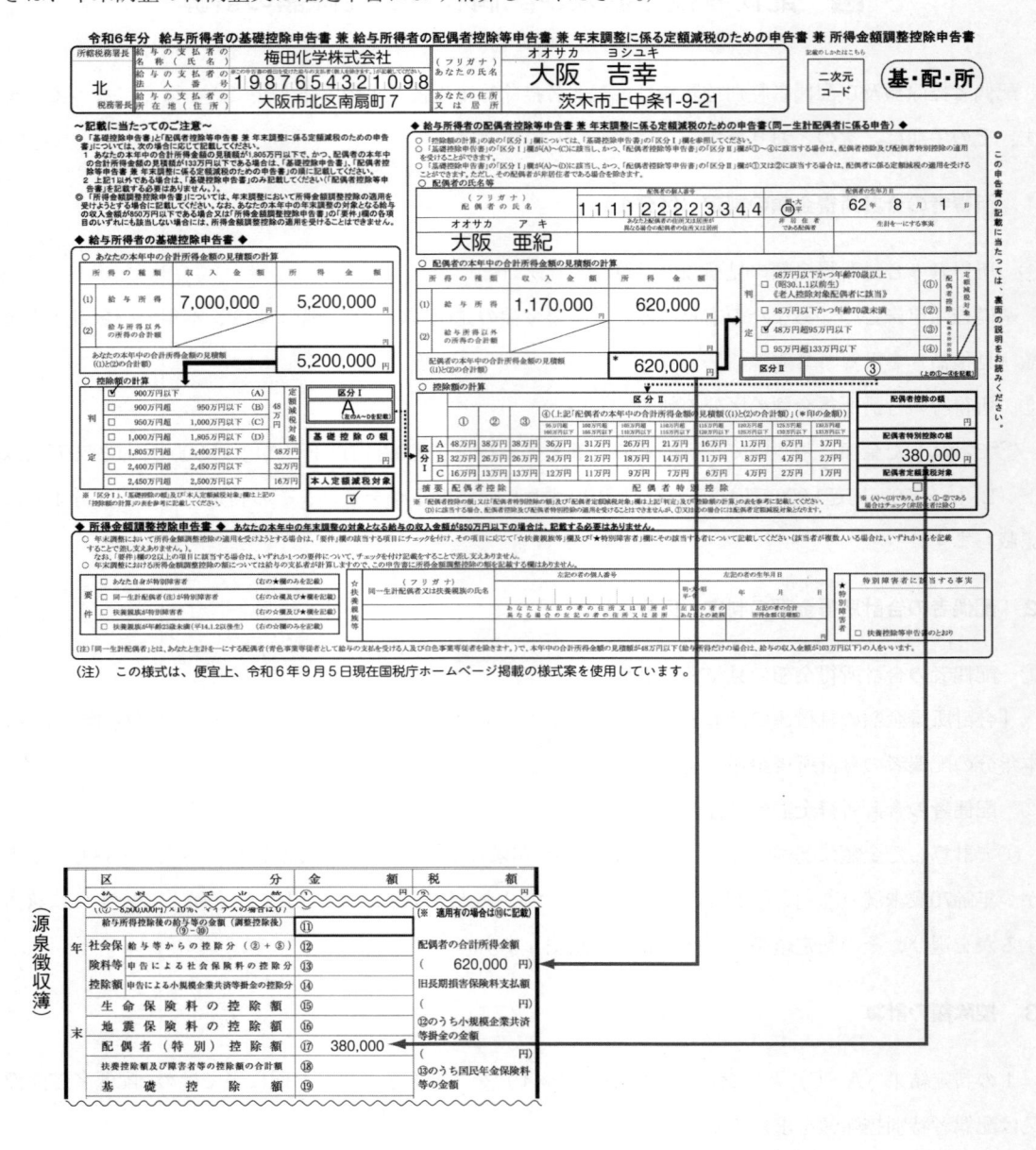

（注）　この様式は、便宜上、令和6年9月5日現在国税庁ホームページ掲載の様式案を使用しています。

第四節　所得金額調整控除申告書の受理と検討

 所得金額調整控除は、給与所得者から所得金額調整控除申告書の提出を受け、年末調整で控除します。

　所得者（その年中の給与の収入金額が850万円を超える人に限ります。）が、特別障害者に該当する場合又は年齢23歳未満の扶養親族、特別障害者である同一生計配偶者若しくは特別障害者である扶養親族を有する場合には、所得金額調整控除として、給与の収入金額（1,000万円を超える場合には1,000万円）から850万円を控除した金額の10％に相当する金額を給与所得の金額から控除します。

　所得金額調整控除は、給与所得者の場合、給与所得者各人から提出された「所得金額調整控除申告書」に基づいて年末調整で控除できることになっています。

（注１）　「基礎控除申告書」、「配偶者控除等申告書」、「年末調整に係る定額減税のための申告書」及び「所得金額調整控除申告書」は、４様式の兼用様式です。
（注２）　年末調整を行わない人、給与所得と公的年金等に係る雑所得の両方がある場合の所得金額調整控除を受ける人は、確定申告で控除を受けることになります。

１　所得金額調整控除についての検討

　給与所得者が年末調整で所得金額調整控除の適用を受けようとする場合には、給与支払者に「所得金額調整控除申告書」を提出することが必要とされています。（措法41条の３の12）

　給与の支払者は、給与所得者から提出された「所得金額調整控除申告書」の記載内容について検討しなければなりません。

> **確認のポイント**
> ①　その給与所得者の年末調整の対象となる給与が850万円を超えているかどうか。
> ②　要件に該当しているかどうか。
> ③　各要件に応じて求められている記載事項が記入されているかどうか。

　年末調整において、所得金額調整控除の適用を受けようとする場合における給与の収入金額が850万円を超えるかどうかの判定は、主たる給与の支払者から受ける給与など、年末調整の対象となる給与（43ページ参照）の金額で行います。

なお、同一世帯に属する夫婦において、夫婦ともにその年中の給与の収入金額が850万円を超え、かつ年齢23歳未満の扶養親族がいるような場合には、扶養控除とは異なり、いずれか一の者の扶養親族にのみ該当するものとみなされませんので、これらの者はいずれも扶養親族を有することとなります。そのため、夫婦の双方が所得金額調整控除の適用を受けることができます。

　また、所得金額調整控除の額については、従たる給与等を含めずに年末調整の対象となる給与等により計算することとなります。他方、従業員が「給与所得者の基礎控除申告書」等で合計所得金額の見積額の計算において給与所得の所得金額を求める際の所得金額調整控除の額については、①2か所以上から給与等の支払を受けている場合には、従たる給与等を含めた本年中の全ての給与等により計算することとなり、②公的年金等の支払を受けている場合には、所得金額調整控除（子ども等）と所得金額調整控除（年金等）の両方を考慮して計算することとなります。

❷　所得金額調整控除額の計算

　所得金額調整控除は、基礎控除、配偶者控除、配偶者特別控除とは異なり、給与所得者から提出を受けた所得金額調整控除申告書の記載内容に基づいて、給与の支払者が控除額を計算します。その手順は、次のとおりです。

1　要件と要件に応じた事項の記載

　「要件」の表の「あなた自身が特別障害者」、「同一生計配偶者が特別障害者」、「扶養親族が特別障害者」、「扶養親族が年齢23歳未満（平14.1.2以後生）」の該当する欄にチェックを付し、要件ごとに記載が求められている事項を「☆扶養親族等」欄又は「★特別障害者」欄に記載します。

（注）　なお、「★特別障害者」欄については、その特別障害者について扶養控除等申告書に詳細を記載しているときには、「扶養控除等申告書のとおり」にチェックを入れることでも差し支えありません。

2　控除額の計算

　1の所得金額調整控除申告書の記載内容に基づいて、給与の支払者が控除額を計算します。（1円未満切上げ、最高15万円）

　〈控除額〉

　(給与の収入金額−850万円)　×10％

　　　　↑

　　1,000万円を超える場合には、1,000万円

令和6年分　給与所得者の基礎控除申告書 兼 給与所得者の配偶者控除等申告書 兼 年末調整に係る定額減税のための申告書 兼 所得金額調整控除申告書

所轄税務署長	給与の支払者の名称（氏名）	株式会社　平和	（フリガナ）	ヨシダ　イチロウ	二次元コード	基・配・所
	給与の支払者の法人番号	2233445566778	あなたの氏名	吉田　一郎		
税務署長	給与の支払者の所在地（住所）	大阪市北区南森町3	あなたの住所又は居所	奈良県生駒市青山台1-2		

～記載に当たってのご注意～

◆ 給与所得者の基礎控除申告書 ◆

○ あなたの本年中の合計所得金額の見積額の計算

所得の種類	収入金額	所得金額
(1) 給与所得	円	円
(2) 給与所得以外の所得の合計額		円
あなたの本年中の合計所得金額の見積額（(1)と(2)の合計額）		円

○ 控除額の計算

判定	900万円以下	(A)	区分Ⅰ	定額減税対象
	900万円超 950万円以下	(B)		
	950万円超 1,000万円以下	(C)	基礎控除の額	
	1,000万円超 1,805万円以下	(D)		
	1,805万円超 2,400万円以下		48万円	本人定額減税対象
	2,400万円超 2,450万円以下		32万円	
	2,450万円超 2,500万円以下		16万円	

◆ 給与所得者の配偶者控除等申告書 兼 年末調整に係る定額減税のための申告書（同一生計配偶者に係る申告） ◆

○ 配偶者の氏名等

○ 配偶者の本年中の合計所得金額の見積額の計算

判定	48万円以下かつ年齢70歳以上《老人控除対象配偶者に該当》	①
	48万円以下かつ年齢70歳未満	②
	48万円超95万円以下	③
	95万円超133万円以下	④

◆ 所得金額調整控除申告書 ◆　あなたの本年中の年末調整の対象となる給与の収入金額が850万円以下の場合は、記載する必要はありません。

要件		同一生計配偶者又は扶養親族の氏名	左記の者の個人番号		生・大・昭・平	特別障害者に該当する事実
	扶養親族が年齢23歳未満（平14.1.2以後生）	ヨシダ　タロウ 吉田　太郎	3377889900022	子	20 6 6 0	

（注）　この様式は、便宜上、令和6年9月5日現在国税庁ホームページ掲載の様式案を使用しています。

給与の収入金額9,000,000円のケース

区分	金額	税額
給料・手当等 ①	円 ③	円
賞与等 ④	⑤	⑥
計 ⑦	9,000,000	
給与所得控除後の給与等の金額 ⑨	7,050,000	所得金額調整控除の適用 有・無
所得金額調整控除額（(⑦-8,500,000)×10%、マイナスの場合は0） ⑩	50,000	※適用有の場合は⑩に記載
給与所得控除後の給与等の金額（調整控除後）（⑨-⑩） ⑪	7,000,000	配偶者の合計所得金額
社会保険料等 社会保険料等からの控除分 ⑫		（　　　　円）
申告による社会保険料の控除分 ⑬		

第五節　保険料控除申告書の受理と検討

 保険料控除は、各人の申告を受けて控除する
ものですから、確実にこの申告書を提出させ、
その内容を確認してください。

　年末調整の際には、社会保険料、小規模企業共済等掛金、生命保険料・介護医療保険料・個人年金保険料及び地震保険料について、支払金額に応じた一定の所得控除をすることになっています。

　これらの保険料控除のうち、健康保険などのように月々の給与から控除することになっている社会保険料は、その給与から控除した保険料の額に基づいて控除しますが、月々の給与から控除しない国民健康保険の保険料や生命保険料・介護医療保険料・個人年金保険料、地震保険料等については、給与所得者各人から提出された「給与所得者の保険料控除申告書」（以下この節において「**保険料控除申告書**」といいます。）に基づいて年末調整で控除することになっています。このため、給与の支払者は、あらかじめ給与所得者各人にこの申告書を配付して、年末調整までにその提出を受けるとともに、この申告書を受理したときは、その記載内容を検討して、誤りのあるものについては補正をさせた上で年末調整をしなければなりません。

(注)　保険料控除申告書は、一定の要件の下で、書面による提出に代えて電磁的方法による提供を受けることができます。詳しくは、160ページを参照してください。

■1　生命保険料控除についての検討

1　生命保険料、介護医療保険料、個人年金保険料の確認

　所得者が、①本人又は配偶者その他の親族を保険金受取人とする生命保険契約等に基づいて保険料や掛金を支払っている場合、②本人又は配偶者その他の親族を保険金受取人とする介護医療保険契約等に基づいて保険料や掛金を支払っている場合、③本人又は配偶者を年金受取人とする個人年金保険契約等に基づいて保険料や掛金を支払っている場合には、その人の申告によって、その支払った保険料等の金額に応じて一定額がその人の本年分の所得の金額（給与所得者の場合は給与所得控除後の給与等の金額）から控除されることになっています。（法76条）

　給与所得者がこの生命保険料控除を年末調整で受けるための申告は「保険料控除申告書」により行うことになっていますので、給与の支払者は、給与所得者から提出された「保険料控除申告書」の該当欄

の記載内容について検討しなければなりません。

┌──── 確認のポイント ────┐

① 控除の対象となる生命保険契約等、介護医療保険契約等、個人年金保険契約等であるかどうか。また、特約付の個人年金保険契約等の判定は正しいか。

② 生命保険契約等、介護医療保険契約等は、保険金受取人のすべてが本人又は配偶者その他の親族となっているかどうか。また、個人年金保険契約等は、年金受取人が本人又は配偶者となっているかどうか。

③ 申告された生命保険料、介護医療保険料、個人年金保険料が本年中に支払ったものであるかどうか。

④ 分配を受けた剰余金や割戻しを受けた割戻金が、契約保険料等の金額から差し引かれているかどうか。

⑤ 保険料等の金額が一契約で9,000円を超える旧生命保険契約等について、また、旧生命保険契約等以外のものは金額の多少にかかわらず全てのものについて、証明書類又はその証明書類に記載すべき事項を記録した電子証明書等に係る電磁的記録印刷書面が添付又は提示されているかどうか。

⑥ 個人年金保険料を一般の生命保険料に含めて控除額の計算をしていないかどうか。

⑦ 旧個人年金保険契約等で傷害、疾病等の特約が付されているものに係る保険料や掛金のうち、その特約部分の保険料や掛金については、一般の旧生命保険料に含めて控除額の計算をしているかどうか。

└────────────────┘

2 控除の対象となる生命保険料の範囲

生命保険料控除の対象となる生命保険料は、次の(1)～(3)に掲げる生命保険契約等に基づいて支払った保険料や掛金で所得者本人が支払ったものに限られます。また、その保険料は「一般の生命保険料」、「介護医療保険料」及び「個人年金保険料」に区分されます。

支払った保険料や掛金の金額については、その保険料の区分ごとにそれぞれ合計額を計算します。

新生命保険料を旧生命保険料に含めることや新個人年金保険料を介護医療保険料に含めることなど、支払った保険料の区分を他の区分に振り替えることはできません。

生命保険契約等に基づき剰余金の分配や割戻金の割戻しを受けているときは、新生命保険料、旧生命保険料、介護医療保険料、新個人年金保険料又は旧個人年金保険料の金額の各合計額からそれぞれの保険料の区分に対応する剰余金や割戻金の金額の合計額を差し引いた残額が控除の対象となります。(法76条1項～3項)

(注) 次に掲げる保険料や掛金は、生命保険料控除の対象となりません。

① 保険期間などが５年未満の生命保険契約などで、その期間満了の日に生存している場合又はその期間中に特定の感染症など特別の事由で死亡した場合に限り保険金等が支払われることになっている、いわゆる貯蓄保険の保険料
② 外国生命保険会社等と国外で締結した生命保険契約等に基づく保険料
③ 勤労者財産形成貯蓄契約、勤労者財産形成年金貯蓄契約又は勤労者財産形成住宅貯蓄契約に基づく生命保険の保険料又は生命共済の共済掛金
④ 傷害保険契約に基づく保険料
⑤ 信用保険契約に基づく保険料

(1) 生命保険料控除の対象となる一般の生命保険料

　生命保険料控除の対象となる一般の生命保険料とは、生命保険会社又は損害保険会社等と締結した一定の生命保険契約等に基づいて支払った次の保険料等（(2)の「介護医療保険料」及び(3)の「個人年金保険料」を除きます。）をいい、「新生命保険料」と「旧生命保険料」とに区分されます。

　ただし、その支払った保険料や掛金が生命保険料控除の対象とされるためには、保険金、共済金その他の給付金（以下「保険金等」といいます。）の受取人の全てが所得者本人又は所得者の配偶者や親族となっていることが必要です。

　保険金受取人である配偶者その他の親族は、必ずしも生計を一にしていなくてもかまいません。また、同一生計配偶者や扶養親族に該当していなくても差支えありません。（法76条5項、6項）

　なお、控除の対象となる生命保険料に該当するかどうかは、保険料や掛金を支払った時の現況によって判定することになっています。（基通76－1）

控 除 の 対 象 と な る 生 命 保 険 契 約 等
平成24年1月1日以後に生命保険会社又は損害保険会社等と締結した次の保険契約等に基づいて支払った保険料等（法76条5項） （注）　イ～ハの契約等に係るものにあっては生存又は死亡に基因して一定額の保険金等を支払うことを約する部分に係る保険料等などの一定のものに限ります。 イ　生命保険会社又は外国生命保険会社等と締結した保険契約のうち生存又は死亡に基因して一定額の保険金等が支払われるもの（外国生命保険会社等については国内で締結したものに限ります。） ロ　郵政民営化法等の施行に伴う関係法律の整備等に関する法律第2条の規定による廃止前の簡易生命保険法第3条に規定する簡易生命保険契約（以下「旧簡易生命保険契約」といいます。）のうち生存又は死亡に基因して一定額の保険金等が支払われるもの ハ　次の組合等と締結した生命共済に係る契約又はこれに類する共済に係る契約（以下「生命共済契約等」といいます。）のうち生存又は死亡に基因して一定額の保険金等が支払われるもの 　○　農業協同組合又は農業協同組合連合会（以下「農協等」といいます。） 　○　漁業協同組合、水産加工業協同組合又は共済水産業協同組合連合会（以下「漁協等」といいます。） 　○　消費生活協同組合連合会 　○　共済事業を行う特定共済組合又は特定共済組合連合会 　○　教職員共済生活協同組合、警察職員生活協同組合、埼玉県民共済生活協同組合、全国交通運輸産業労働者共済生活協同組合、全日本自治体労働者共済生活協同組合、電気通信産業労働者共済

①新生命保険料

	生活協同組合又は日本郵政グループ労働者共済生活協同組合 ○ 全国理容生活衛生同業組合連合会 ○ 独立行政法人中小企業基盤整備機構 ○ 共済協同組合連合会（火災共済の再共済の事業を行う協同組合連合会）（平成26年4月1日以後に支払う保険料に限ります。） ニ 確定給付企業年金に係る規約 ホ 適格退職年金契約
② 旧生命保険料	平成23年12月31日以前に生命保険会社又は損害保険会社等と締結した次の保険契約等に基づいて支払った保険料等（法76条6項） イ ①イに掲げる契約 ロ 旧簡易生命保険契約（①ロ参照） ハ 生命共済契約等（①ハに掲げる契約） ニ 生命保険会社、外国生命保険会社等、損害保険会社又は外国損害保険会社等と締結した疾病又は身体の傷害その他これらに類する事由により保険金等が支払われる保険契約のうち、病院又は診療所に入院して医療費を支払ったことその他の一定の事由（以下「医療費等支払事由」といいます。）に基因して保険金等が支払われるもの（外国生命保険会社等又は外国損害保険会社等については国内で締結したものに限ります。） ホ 確定給付企業年金に係る規約 ヘ 適格退職年金契約

(2) 生命保険料控除の対象となる介護医療保険料

　生命保険料控除の対象となる介護医療保険料とは、生命保険会社又は損害保険会社等と締結した一定の生命保険契約等に基づいて支払った次の保険料等（(1)①の「新生命保険料」を除きます。）をいいます。

　ただし、その支払った保険料や掛金が生命保険料控除の対象とされるためには、保険金等の受取人の全てが所得者本人又は所得者の配偶者や親族となっていることが必要です。

　保険金受取人である配偶者その他の親族は、必ずしも生計を一にしていなくてもかまいません。また、控除対象配偶者や扶養親族に該当していなくても差支えありません。（法76条7項）

　なお、控除の対象となる生命保険料に該当するかどうかは、保険料や掛金を支払った時の現況によって判定することになっています。（基通76－1）

控 除 の 対 象 と な る 介 護 医 療 保 険 契 約 等
平成24年1月1日以後に生命保険会社又は損害保険会社等と締結した次の保険契約等に基づいて支払った保険料等のうち、医療費等支払事由に基因して保険金等を支払うことを約する部分に係るものなど一定のもの（法76条7項） イ (1)②ニに掲げる契約 ロ 疾病又は身体の傷害その他これらに類する事由に基因して保険金等が支払われる旧簡易生命保険契約（(1)①ロ参照）又は生命共済契約等（(1)①ハ）のうち医療費等支払事由（(1)②ニ参照）に基因して保険金等が支払われるもの

(3) 生命保険料控除の対象となる個人年金保険料

　生命保険料控除の対象となる個人年金保険料とは、年金を給付する定めのある一定の生命保険契約等（退職年金を給付する定めのあるものは除かれます。）のうち、一定の要件を満たすものに基づいて支払

った次の保険料等をいい、「新個人年金保険料」と「旧個人年金保険料」とに区分されます。

　ただし、その支払った保険料や掛金が生命保険料控除の対象とされるためには、保険金等の受取人は保険料の払込みをする者又はその配偶者が生存している場合にはこれらの者のいずれかとなっていることが必要です。

　保険金受取人である配偶者は、必ずしも生計を一にしていなくてもかまいません。また、同一生計配偶者に該当していなくても差支えありません。（法76条8項）

　なお、控除の対象となる生命保険料に該当するかどうかは、保険料や掛金を支払った時の現況によって判定することになっています。（基通76−1）

	控 除 の 対 象 と な る 個 人 年 金 保 険 契 約 等
① 新個人年金保険料	平成24年1月1日以後に生命保険会社又は損害保険会社等と締結した次の保険契約等（年金の給付を目的とするものに限ります。）に基づいて支払った保険料等（法76条8項） イ　(1)①イに掲げる契約 ロ　旧簡易生命保険契約（(1)①ロ参照）のうち生存又は死亡に基因して一定額の保険金等が支払われるもの ハ　生命共済契約等（(1)①ハ）のうち生存又は死亡に基因して一定額の保険金等が支払われるもの (注)　傷害特約や疾病特約等が付されている契約の場合には、その特約に関する要件を除いたところで所定の要件等を満たす契約に該当するかどうかを判定します。
② 旧個人年金保険料	平成23年12月31日以前に生命保険会社又は損害保険会社等と締結した次の保険契約等（年金の給付を目的とするものに限ります。）に基づいて支払った保険料等（法76条9項） イ　(1)②イに掲げる契約 ロ　旧簡易生命保険契約（(1)②ロ参照）のうち生存又は死亡に基因して一定額の保険金等が支払われるもの ハ　生命共済契約等（(1)②ハ）のうち生存又は死亡に基因して一定額の保険金等が支払われるもの (注)　傷害特約や疾病特約等が付されている契約の場合には、その特約に関する要件を除いたところで所定の要件等を満たす契約に該当するかどうかを判定します。

（注）　疾病又は身体の傷害その他これらに類する事由に基因して保険金等を支払う旨の特約が付されている旧個人年金保険契約等に係る保険料又は掛金のうち、その特約に係る保険料又は掛金は、旧生命保険料に該当することになります。（基通76−2）

　また、個人年金保険料の対象となる保険契約等ごとの要件は、次の表のとおりです。（法76条8項、9項、令211条、212条）

区　　　分	契約の範囲	契約の要件
1　生命保険契約	契約の内容が次の(1)から(4)までの要件を満たすもの (1)　年金以外の金銭の支払（剰余金の分配及び解約返戻金の支払は除きます。）は、被保険者が死亡し又は重度の障害に該当することとなった場合	1　年金の受取人 　保険料等の払込みをする者又はその配偶者が生存している場合には、これらの者のいずれかとするものであること。 2　保険料等の払込方法

	に限り行うものであること。 (2) (1)の金銭の額は、その契約の締結日以後の期間又は支払保険料の総額に応じて逓増的に定められていること。 (3) 年金の支払は、その支払期間を通じて年1回以上定期に行うものであり、かつ、年金の一部を一括して支払う旨の定めがないこと。 (4) 剰余金の分配は、年金支払開始日前に行わないもの又はその年の払込保険料の範囲内の額とするものであること。	年金支払開始日前10年以上の期間にわたって定期に行うものであること。 3 年金の支払方法 年金の支払は、次のいずれかとするものであること。 (1) 年金の受取人の年齢が60歳に達した日以後の日で、その契約で定める日以後10年以上の期間にわたって定期に行うものであること。 (2) 年金受取人が生存している期間にわたって定期に行うものであること。 (3) (1)の年金の支払のほか、被保険者の重度の障害を原因として年金の支払を開始し、かつ、年金の支払開始日以後10年以上の期間にわたって、又はその者が生存している期間にわたって定期に行うものであること。
2 旧簡易生命保険契約	契約の内容が1の(1)から(4)までの要件を満たすもの	
3 農協等・漁協等と締結した生命共済契約等	契約の内容が1の(1)から(4)までの要件に相当する要件その他の財務省令で定める要件を満たすもの	
4 3以外の生命共済契約等	一定の要件を満たすものとして、財務大臣の指定するもの	

3 「支払った保険料等」の計算

「支払った保険料等」の金額は、それぞれ次により計算することになっています。

分配を受けた剰余金等	本年中に生命保険契約等・介護医療保険契約等・個人年金保険契約等に基づく剰余金の分配若しくは割戻金の割戻しを受けた場合又は分配を受ける剰余金若しくは割戻しを受ける割戻金をもって保険料等の払込みに充てた場合には、その生命保険契約等・介護医療保険契約等・個人年金保険契約等の保険料等の金額から、その分配を受けた剰余金等の額（それぞれ生命保険料・介護医療保険契約等・個人年金保険料に係る部分の金額に限ります。）を控除した残額をそれぞれの「支払った保険料等の合計額」とします。(法76条1項、2項、3項) 　2口以上の新生命保険契約等（新個人年金保険契約等を除く。以下この項において同じ。）を締結している場合の「その年中に支払った新生命保険料の金額の合計額」は、例えば、甲生命保険会社と締結したAの契約については剰余金の分配を受けるだけであり、乙生命保険会社と締結したBの契約については新生命保険料を支払っているだけであるような場合、Bの契約について支払った新生命保険料の金額からAの契約について受けた剰余金の額を控除して計算することに留意してください。 　2口以上の旧生命保険契約等（旧個人年金保険契約等を除き、その旧個人年金保険契約等に付されている疾病等に係る特約を含みます。以下この項において同じ。）を締結している場合、介護医療保険契約等を締結している場合、新個人年金保険契約等を締結している場合及び旧個人年金保険契約等（当該旧個人年金保険契約等に付されている疾病等に係る特約を除く。以下この項において同じ。）を締結している場合の計算についても、それぞれ同様です。(基通76-6) (注) 新生命保険契約等について受けた剰余金又は割戻金（当該剰余金又は割戻金をもって生命保険料等の払込みに充てた場合の当該剰余金又は割戻金を含みます。）は、旧生命保険契約等、介護医療保険契約等、新個人年金保険契約等又は旧個人年金保険契約等に係る保険料又は掛金か

	らは控除しないことに留意してください。 　旧生命保険契約等、介護医療保険契約等、新個人年金保険契約等及び旧個人年金保険契約等について受けた剰余金又は割戻金についても、それぞれ同様です。
未払の生命保険料等	生命保険契約等・介護医療保険契約等・個人年金保険契約等に基づく払込期日が到来した保険料等（以下「生命保険料等」といいます。）であっても現実に支払っていないものは、本年中に支払った生命保険料等には含まれません。（基通76－3⑴）
振替貸付けにより払い込んだ生命保険料等	本年中にいわゆる振替貸付け（払込期日までに生命保険料等の払込みがない契約を有効に継続させるため保険約款等の定めるところにより保険会社等が生命保険料等の払込みに充当するために貸付けを行い、その生命保険料等の払込みに充当する処理をいいます。）により生命保険料等の払込みに充当された金額は、本年中に支払った生命保険料等の金額に含まれます。 （注）　いわゆる振替貸付けにより生命保険料等に充当した金額を後日返済しても、その返済した金額は支払った生命保険料等には該当しないことになります。（基通76－3⑵）
前納した生命保険料等	前納した生命保険料等（各払込期日が到来するごとに生命保険料等の払込みに充当するものとしてあらかじめ保険会社等に払い込んだ金額で、まだ充当されない残額があるうちに保険事故が生じたことなどにより生命保険料等の払込みを要しないことになった場合に、その残額に相当する金額が返還されることになっているものをいいます。）については、次の算式により計算した金額が本年中に支払った生命保険料等の金額となります。 前納した生命保険料等の総額（割引された場合には、割引後の金額） × 前納した生命保険料等に係る本年中に到来する払込期日の回数／前納した生命保険料等に係る払込期日の総回数 ＝ 支払った生命保険料等の金額 （基通76－3⑶）
団体扱いにより払い込んだ生命保険料等	いわゆる団体扱いにより生命保険料等を払い込んだ場合に、生命保険料等の額が減額されるときは、その減額後の額が支払った生命保険料等の金額となります。（基通76－3⑷）
給与の支払者が負担した生命保険料等	給与の支払者が役員又は使用人のために支払った生命保険料等で、その支払った金額が給与として課税されたものについては、その役員又は使用人が支払った生命保険料等となります。 （注）　給与の支払者が役員又は使用人のために負担した生命保険料等で給与として課税されないものは、生命保険料控除の対象になりません。（基通76－4）
据置配当	分配を受ける剰余金又は割戻しを受ける割戻金で保険約款等に定めるところにより保険会社等に積み立てている、いわゆる「据置配当」については、契約者からの申出により随時払い戻すことにしているものに限り、その積立てをした時に分配又は割戻しを受けたものとして、契約保険料等の金額から積み立てた金額を控除した残額が生命保険料控除の対象となります。（基通76－7） （注）　保険金等の支払とともに、又は保険金等の支払開始の日以後に支払を受ける剰余金は、その年分の雑所得又は一時所得の総収入金額とされますから、これに該当する剰余金は、契約保険料等から控除する必要はありません。
財形貯蓄保険契約等に係る生命保険料等	勤労者財産形成貯蓄契約、勤労者財産形成年金貯蓄契約及び勤労者財産形成住宅貯蓄契約に基づいて払い込んだ生命保険料等については、財産形成住宅貯蓄非課税制度及び財産形成年金貯蓄非課税制度の適用を受けているといないとにかかわらず、生命保険料控除の対象になりません。（措法4条の4　2項）

4 生命保険料の金額等を証する書類の添付等

旧生命保険料にあっては、本年中に支払った一契約の保険料の金額（本年において剰余金の分配や割戻金の割戻しを受けた場合又は分配を受ける剰余金や割戻しを受ける割戻金をもって生命保険料の払込みに充てた場合には、その剰余金や割戻金の額を差し引いた残額）が9,000円を超えるものについて、また、旧生命保険料以外の保険料にあっては、金額の多少にかかわらず全てのものについて、その保険料を支払ったことの証明書類又はその証明書類に記載すべき事項を記録した電子証明書等に係る電磁的記録印刷書面を「保険料控除申告書」に添付して提出又は提示する必要があります。（令319条3～7号）

（注）　保険料控除申告書を電磁的方法により提出する場合には、控除証明書も保険会社から交付された電子的控除証明書（データ）により提供することができます。

しかし、勤務先を対象とする団体特約により払い込んだ生命保険料・介護医療保険料・個人年金保険料又は確定給付企業年金規約・適格退職年金契約の掛金については、その勤務先の代表者又はその代理人が「保険料控除申告書」に記載された「あなたが本年中に支払った保険料等の金額（分配を受けた剰余金等の控除後の金額）」及び「保険等の契約者の氏名」などについて誤りがないことを確認すれば、証する書類の提出又は提示があったものとされます。（基通196－2）

なお、旧生命保険料の金額が9,000円を超えるかどうかは、一契約ごとに判定しますが、本年中に生命保険契約等に基づいて剰余金の分配又は割戻金の割戻しを受けたり、分配を受ける剰余金又は割戻しを受ける割戻金をもって生命保険料の払込みに充てた場合には、その剰余金又は割戻金の額を契約保険料等の金額から控除した残額により9,000円を超えるかどうかを判定します。（令319条4号）

（注1）　傷害、疾病等の特約が付されている個人年金保険契約等のその特約部分に係る保険料等についても上記と同様に取り扱われます。（基通196－5）

（注2）　本年中に支払った旧生命保険料を計算する場合の剰余金等の控除はその生命保険料グループの総体計算で行いますが、9,000円を超えるかどうかを判定する場合の剰余金等の控除は一契約ごとに行います。

5 生命保険料の金額等を証する書類

生命保険料の金額等を証する書類とは、保険会社等が、その年中に支払った生命保険料の金額、保険契約者の氏名などを証明するため特に発行した書類又はこれらの事項が記載されている保険料領収証書をいいますが、次のようなものについては、それぞれ次によっても差し支えありません。（基通196－3、196－4）

払込方法による生命保険料の区分	生命保険料の金額等を証する書類
(1)　契約時に払い込んだ第1回の生命保険料（月払契約のものを除きます。）	保険料仮領収証書

		イ　本年9月30日以前に契約されたもの	
（2）月払契約による生命保険料		（イ）　通常のもの	本年中に支払った保険料の金額の記載に代えて、次に掲げる事項を記載した書類 ㋑　1か月分の保険料の金額（1か月分の保険料の金額に異動があった場合には、その異動前及び異動後の1か月分の保険料の金額と異動のあった月） ㋺　本年中に分配を受けた剰余金又は割戻しを受けた割戻金の額
		（ロ）　本年中に新規に契約したもの （保険期間が毎年更改される契約で、旧契約の期間満了により更改された契約を除きます。）	上記㋑及び㋺のほか、契約締結月を付記したもの
		（ハ）　本年中に失効、解約又は契約期間の満了により払込みがなくなったもの （保険期間が毎年更改される契約で、旧契約の期間満了後契約が更改される場合を除きます。）	上記㋑及び㋺のほか、最終支払月を付記したもの
		ロ　本年10月1日以後に契約されたもの	第1回の保険料仮領収証書

6　生命保険料の金額等を証する書類の添付等のない申告書を受け取った場合の措置

　給与の支払者が、生命保険料、介護医療保険料及び個人年金保険料について、保険料等の金額等を証する書類の添付又は提示のない「保険料控除申告書」を受け取った場合には、翌年1月31日までにその書類を提出又は提示することを条件として、その生命保険料等については、とりあえず控除を行っておいても差し支えありません。

　この場合に、もし翌年1月31日までにその証する書類の提出又は提示がなかったときは、その控除を行わないところにより年末調整の再調整を行い、その不足税額は、2月1日以後に支払う給与から順次徴収することになります。（基通196-1）

7　生命保険料控除額の計算

　保険料控除申告書に記載されている生命保険料の控除額が、一般の生命保険料、介護医療保険料又は個人年金保険料の区分ごとに、それぞれ正しく計算されているかどうかを確かめます。

　生命保険料の控除額は、次の表により計算した一般の生命保険料の控除額（①、②、③のうち最も大きい金額）、介護医療保険料の控除額及び個人年金保険料の控除額（④、⑤、⑥のうち最も大きい金額）の合計額となります。

　なお、一般の生命保険料の控除額、介護医療保険料の控除額及び個人年金保険料の控除額の合計額が12万円を超える場合には、生命保険料の控除額は最高12万円が限度となります。

保険料の区分			控　除　額
一般の 生命保険料	(1)	支払った新生命保険料について控除の適用を受ける場合（(3)の場合を除く）	**計算式Ⅰに当てはめて計算した金額**　（①）
	(2)	支払った旧生命保険料について控除の適用を受ける場合（(3)の場合を除く）	**計算式Ⅱに当てはめて計算した金額**　（②）
	(3)	支払った新生命保険料及び旧生命保険料の両方について控除の適用を受ける場合	上記①及び②の金額の合計額（最高４万円）　（③）
介護医療保険料			**計算式Ⅰに当てはめて計算した金額**
個人年金 保険料	(1)	支払った新個人年金保険料について控除の適用を受ける場合（(3)の場合を除く）	**計算式Ⅰに当てはめて計算した金額**　（④）
	(2)	支払った旧個人年金保険料について控除の適用を受ける場合（(3)の場合を除く）	**計算式Ⅱに当てはめて計算した金額**　（⑤）
	(3)	支払った新個人年金保険料及び旧個人年金保険料の両方について控除の適用を受ける場合	上記④及び⑤の金額の合計額（最高４万円）　（⑥）

【計算式Ⅰ】新生命保険料、介護医療保険料又は新個人年金保険料を支払った場合

支払った保険料等の金額	控　除　額
20,000円以下	支払った保険料等の全額
20,001円から40,000円まで	$\left(\begin{array}{l}\text{支払った保険料等}\\\text{の金額の合計額}\end{array}\right) \times \dfrac{1}{2} + 10{,}000円$
40,001円から80,000円まで	$\left(\begin{array}{l}\text{支払った保険料等}\\\text{の金額の合計額}\end{array}\right) \times \dfrac{1}{4} + 20{,}000円$
80,001円以上	一律に40,000円

【計算式Ⅱ】旧生命保険料又は旧個人年金保険料を支払った場合

支払った保険料等の金額	控　除　額
25,000円以下	支払った保険料等の全額
25,001円から50,000円まで	$\left(\begin{array}{l}\text{支払った保険料等}\\\text{の金額の合計額}\end{array}\right) \times \dfrac{1}{2} + 12{,}500円$
50,001円から100,000円まで	$\left(\begin{array}{l}\text{支払った保険料等}\\\text{の金額の合計額}\end{array}\right) \times \dfrac{1}{4} + 25{,}000円$
100,001円以上	一律に50,000円

（注）　控除額の計算において算出した金額に１円未満の端数があるときは、その端数を切り上げます。

【記載例】　生命保険料控除の保険料控除申告書への記入

令和6年分　給与所得者の保険料控除申告書

所轄税務署長	給与の支払者の名称（氏名）	甲南海運株式会社	（フリガナ）あなたの氏名	ロッコウ　アキオ　六甲　秋男	記載のしかたはこちら	保
西宮税務署長	給与の支払者の法人番号	2 2 2 3 3 3 4 4 4 5 5 5 6			二次元コード	
	給与の支払者の所在地（住所）	西宮市江上町3-35	あなたの住所又は居所	芦屋市精道町7-6		

生命保険料控除

保険会社等の名称	保険等の種類	保険期間	保険料の支払開始日	保険等の契約者の氏名	保険金等の受取人の氏名	新・旧の区分	(a)	給与の支払者の確認
○○生命	養老	30年		六甲秋男	六甲章子	新・旧	13,500 円	
△△生命	養老	15年		六甲秋男	六甲　悟	新・旧	18,000	

一般の生命保険料

(a)のうち新保険料等の金額の合計額 A	31,500	計算式 I（新保険料等用）で計算した金額 ① 25,750
(a)のうち旧保険料等の金額の合計額 B		計算式 II（旧保険料等用）で計算した金額 ②

計（①+②）25,750　(最高40,000円)

(a)の金額の合計額 C

個人年金保険料

保険会社等の名称	保険等の種類	保険期間	契約者の氏名	受取人の氏名	区分	(a)	確認
××生命	年金	10年		六甲秋男	六甲章子	新・旧	35,000	

(a)のうち新保険料等の金額の合計額 D	35,000	計算式 I（新保険料等用）で計算した金額 ④ 27,500
(a)のうち旧保険料等の金額の合計額 E		計算式 II（旧保険料等用）で計算した金額 ⑤

計（④+⑤）27,500　(最高40,000円)

生命保険料控除額計（②+③+⑥）(最高120,000円)　53,250

計算式 I（新保険料等用）

A、C又はDの金額	控除額の計算式
20,000円以下	A、C又はDの全額
20,001円から40,000円まで	(A、C又はD)×1/2+10,000円
40,001円から80,000円まで	(A、C又はD)×1/4+20,000円
80,001円以上	一律に40,000円

計算式 II（旧保険料等用）

B又はEの金額	控除額の計算式
25,000円以下	B又はEの全額
25,001円から50,000円まで	(B又はE)×1/2+12,500円
50,001円から100,000円まで	(B又はE)×1/4+25,000円
100,001円以上	一律に50,000円

地震保険料控除

保険会社等の名称	保険等の種類（目的）	保険期間	契約者の氏名	保険等の対象となった家屋等に居住又は家財を利用している者等の氏名	地震・旧長期の区分	(A)	給与の支払者の確認

(A)のうち地震保険料の金額の合計額 (B)
(A)のうち旧長期損害保険料の金額の合計額 (C)

地震保険料控除額
(B)の金額 + (Cの金額（Cの金額が10,000円を超える場合は、(C)×1/2+5,000円）)(最高15,000円) (最高50,000円)

社会保険料控除

社会保険の種類	保険料支払先の名称	保険料を負担することになっている人の氏名	あなたが本年中に支払った保険料の金額

合計（控除額）

小規模企業共済等掛金控除

掛金の種類	あなたが本年中に支払った掛金の金額
独立行政法人中小企業基盤整備機構の共済契約の掛金	
確定拠出年金法に規定する企業型年金加入者掛金	
確定拠出年金法に規定する個人型年金加入者掛金	
心身障害者扶養共済制度に関する契約の掛金	
合計（控除額）	

※ 控除額の計算において算出した金額に1円未満の端数があるときは、その端数を切り上げます。

（注）この様式は、便宜上、令和6年9月5日現在国税庁ホームページ掲載の様式案を使用しています。

---

2 地震保険料控除についての検討

1 地震保険料の確認

　所得者が、本人又は生計を一にする配偶者その他の親族の所有する常時居住の用に供している家屋又はこれらの人が所有している生活に通常必要な家財を保険や共済の目的とし、かつ、地震等損害によりこれらの資産について生じた損失の額を填補する保険金又は共済金が支払われる損害保険契約等に係る地震保険料を支払った場合には、その人の申告によってその年中に支払った地震保険料の金額の合計額（最高５万円）がその人の本年分の所得の金額（給与所得者の場合は給与所得控除後の給与等の金額）から控除されます。(法77条)

　給与所得者がこの地震保険料控除を年末調整で受けるための申告は「保険料控除申告書」によって行うことになっていますので、給与の支払者は、給与所得者から提出された「保険料控除申告書」の該当欄の記載内容について検討しなければなりません。

> **● 確認のポイント ●**
>
> ①　控除の対象となる損害保険契約等かどうか。
>
> ②　保険の目的が住宅又は家財等所定のものとなっているかどうか。
>
> ③　申告された地震保険料が本年中に支払ったものであるかどうか。
>
> ④　分配を受けた剰余金や割戻しを受けた割戻金が、契約保険料等の金額から差し引かれているかどうか。
>
> ⑤　地震保険料の証明書類又はその証明書類に記載すべき事項を記録した電子証明書等に係る電磁的記録印刷書面が添付又は提示されているかどうか。
>
> ⑥　経過措置として控除対象となる長期損害保険契約等に係る保険料に該当するものはないか。
>
> ⑦　地震保険料控除額の計算は正しいかどうか。

2 控除の対象となる地震保険料の範囲

　地震保険料控除の対象となる地震保険料とは、本人又は生計を一にする配偶者その他の親族が所有する常時居住の用に供している家屋又はこれらの人が所有する生活に通常必要な家財を保険（共済）の目的とし、かつ地震等損害によりこれらの資産の損失を填補する保険金（共済金）が支払われる損害保険契約等に基づいて支払った地震等損害部分の保険料又は掛金をいいます。(法77条１項)

　したがって、これらの人が居住の用に供している家屋であっても、これらの人が所有しない家屋、例えば他人から賃借している家屋を保険の目的とする保険料や掛金は、地震保険料控除の対象になりません。

なお、ここでいう「居住の用に供している家屋」には、居住の用に供する家屋に附属する次のようなもので、その家屋と一体として居住の用に供されていると認められるものも含まれます。（基通77−2）

(1) 門、塀又は物置、納屋その他の附属建物

(2) 電気、ガス、暖房又は冷房の設備その他の建物附属設備

また、「生活に通常必要な家財」には、貴石、半貴石、貴金属、真珠及びこれらの製品等、書画、骨董、美術工芸品で、1個又は1組の価額が30万円を超えるものは含まれません。

(注) 「地震等損害」とは、地震若しくは噴火又はこれらによる津波を直接又は間接の原因とする火災、損壊、埋没又は流失による損害をいいます。（法77条1項）

控 除 の 対 象 と な る 損 害 保 険 契 約 等
次に掲げる契約に附帯して締結されるもの又はその契約と一体となって効力を有する一の保険契約もしくは共済に係る契約をいいます。（法77条2項、令214条） ① 損害保険会社又は外国損害保険会社等と締結した損害保険契約のうち、一定の偶然の事故によって生ずることのある損害を填補するもの（損害保険会社又は外国損害保険会社等と締結した身体の傷害又は疾病により保険金が支払われる一定の保険契約は除かれます。また、外国損害保険会社等については国内で締結したものに限ります。） ② 農業協同組合又は農業協同組合連合会と締結した建物更生共済契約又は火災共済契約 ③ 農業共済組合又は農業共済組合連合会と締結した火災共済契約又は建物共済契約 ④ 漁業協同組合、水産加工業協同組合又は共済水産業協同組合連合会と締結した建物若しくは動産の共済期間中の耐存を共済事故とする共済契約又は火災共済契約 ⑤ 火災等共済組合と締結した火災共済契約 ⑥ 消費生活協同組合連合会と締結した火災共済契約又は自然災害共済契約 ⑦ 消費生活協同組合法第10条第1項第4号の事業を行う次に掲げる法人と締結した自然災害共済契約 　(イ) 教職員共済生活共同組合　　　　　　　　(ロ) 全国交通運輸産業労働者共済生活協同組合 　(ハ) 電気通信産業労働者共済生活協同組合　　(ニ) 日本郵政グループ労働者共済生活協同組合

3 控除の対象とならない地震保険料

次に掲げる保険料又は掛金は地震保険料控除の対象となりません。（法77条1項、令213条）

(イ)	地震等損害により臨時に生ずる費用又は家屋等の資産の取壊しもしくは除去に係る費用その他これらに類する費用に対して支払われる保険金又は共済金に係る保険料又は掛金
(ロ)	一の損害保険契約等の契約内容につき、次の算式により計算した割合が100分の20未満であることとされている場合における地震等損害部分の保険料又は掛金（(イ)に掲げるものを除きます。） $$\dfrac{\text{地震等損害により家屋等について生じた損失を填補する保険金又は共済金の額}^{(\text{注}3)}}{\text{火災}^{(\text{注}1)}\text{による損害により家屋等について生じた損失を填補する保険金又は共済金の額}^{(\text{注}2)}} < \dfrac{20}{100}$$

(注1) 「火災」は地震もしくは噴火又はこれらによる津波を直接又は間接の原因とするものを除きます。

(注2) 損失の額を填補する保険金又は共済金の額の定めがない場合には、その火災により支払われることとされている保険金又は共済金の限度額とします。

(注3) 損失の額を填補する保険金又は共済金の額の定めがない場合には、その地震等損害により支払われることとされている保険金又は共済金の限度額とします。

　上記以外に、勤労者財産形成貯蓄契約、勤労者財産形成年金貯蓄契約及び勤労者財産形成住宅貯蓄契約に係る損害保険の保険料についても地震保険料控除は適用されません。（措法4条の4　2項）

4　「支払った地震保険料の金額」の計算

　「支払った地震保険料の金額」は、それぞれ次により計算することになっています。

割賦購入資産の損害保険料	賦払契約により購入した資産で、その賦払契約において代金完済後に所有権を移転する旨の特約が付されているものであっても、常時、居住の用又は日常の生活の用に供しているときは、地震保険料控除の対象になります。（基通77－1）
分配を受けた剰余金等	本年中に地震保険契約等に基づく剰余金の分配や割戻金の割戻しを受けた場合又は分配を受ける剰余金や割戻しを受ける割戻金をもって地震保険料の払込みに充てた場合には、その地震保険契約等の地震保険料の金額から、その剰余金又は割戻金を控除した残額を「支払った地震保険料の金額」とします。（法77条1項）また、団体扱いにより割引を受けた場合も同様です。（基通76－3、77－7） 　この場合、2口以上の地震保険契約等があるときは、支払った地震保険料の合計額から剰余金等の合計額を差し引いた残額が「支払った地震保険料の金額」になります。（基通76－6、77－7）
未払の地震保険料	保険契約等に基づく払込期日が到来したものであっても、現実に支払っていないものは、本年中に支払った地震保険料には含まれません。（基通76－3、77－7）
振替貸付けにより払い込んだ地震保険料	本年中にいわゆる振替貸付け（払込期日までに地震保険料の払込みがない契約を有効に継続させるため保険約款等の定めるところにより保険会社等が地震保険料の払込みに充当するために貸付けを行い、その地震保険料の払込みに充当する処理をいいます。）により地震保険料の払込みに充当された金額は、本年中に支払った地震保険料の金額に含まれます。 　(注)　いわゆる振替貸付けにより地震保険料に充当した金額を後日返済しても、その返済した金額は、支払った地震保険料には該当しないことになります。（基通76－3、77－7）
責任開始日前に支払われた地震保険料	保険契約等により責任開始日（保険会社等が地震について填補責任を生ずる日をいいます。）前に支払われた地震保険料については、現実の支払日に関係なく、その責任開始日において支払ったものとします。（基通77－3）
前納した地震保険料	前納した地震保険料（払込期日が到来するごとに地震保険料の払込みに充当するものとしてあらかじめ保険会社等に払い込んだ金額で、まだ充当されない残額があるうちに保険事故が生じたなどにより地震保険料の払込みを要しないことになった場合に、その残額に相当する金額が返還されることになっているものをいいます。）については、次の算式により計算した金額が本年中に支払った地震保険料の金額とされます。（基通76－3、77－7） 前納した地震保険料の総額(割引された場合には、割引後の金額) $\times \dfrac{\text{前納した地震保険料に係る本年中に到来する払込期日の回数}}{\text{前納した地震保険料に係る払込期日の総回数}} = $ 支払った地震保険料の金額
給与の支払者が負担した地震保険料	給与の支払者が役員又は使用人のために支払った地震保険料で、その支払った金額が役員又は使用人の給与として課税されたものについては、役員又は使用人が支払った地震保険料となります。（基通76－4、77－7）
居住用資産とそれ以外の資	2の家屋又は家財（ここでは「居住用資産」といいます。）と事業用の家屋、商品等が、一括して保険（共済）の目的となっている場合には、その契約に基づいて支払った地震保

産が一括して保険等の目的となっている場合の保険料等	料のうち居住用資産に係るものだけが控除の対象になります。 　この場合、保険の目的とされた資産ごとの地震保険料が保険証券等に明確に区分表示されていないときは、次の算式により計算した金額を居住用資産に係る地震保険料の金額とします。（基通77－5） ①　居住の用と事業等の用とに併用する資産が保険（共済）等の目的とされた資産に含まれていない場合 $$その契約に基づいて支払った地震保険料の金額 \times \frac{居住用資産に係る保険（共済）金額}{その契約に基づく保険（共済）金額の総額}$$ ②　居住の用と事業等の用とに併用する資産が保険（共済）の目的とされた資産に含まれている場合 $$\begin{pmatrix}居住用資産\\につき①に\\より計算し\\た金額\end{pmatrix} + \begin{bmatrix}\begin{pmatrix}その契約に基\\づいて支払っ\\た地震保険料\\の金額\end{pmatrix} \times \frac{居住の用と事業等の用とに併用する資産に係る保険（共済）金額}{その契約に基づく保険（共済）金額の総額} \times \begin{pmatrix}その資産を\\居住の用に\\供している\\割合\end{pmatrix}\end{bmatrix}$$ 　なお、保険（共済）の目的とされている家屋を店舗併用住宅のように居住用と事業用とに併用している場合でも、その家屋の全体のおおむね90％以上が居住用であるときは、その家屋について支払った地震保険料の全額を居住用資産に係る地震保険料として控除の対象とすることができます。（基通77－6）

5　地震保険料の金額等を証する書類の添付等

　地震保険料については、支払った保険料や掛金の金額の多少にかかわらず、すべてについてその地震保険料を支払った事実を証する書類又はその書類に記載すべき事項を記録した電子証明書等に係る電磁的記録印刷書面を、「保険料控除申告書」に添付して提出又は提示する必要があります。（法196条2項、令319条8号）

（注）　保険料控除申告書を電磁的方法により提出する場合には、控除証明書も損害保険会社等から交付された電子的控除証明書（データ）により提供することができます。

　しかし、勤務先を対象とする団体特約により払い込んだ地震保険料については、その勤務先の代表者又はその代理人が「保険料控除申告書」に記載された「あなたが本年中に支払った保険料等の金額（分配を受けた剰余金等の控除後の金額）」及び「保険等の契約者の氏名」などについて誤りがないことを確認すれば、証する書類の提出又は提示があったものとされます。（基通196－2）

6　地震保険料の金額等を証する書類

　地震保険料の金額等を証する書類とは、損害保険会社等が本年中に支払った地震保険料の金額、保険契約者の氏名、保険等の種類及びその目的を証明するため特に発行した証明書又はこれらの事項が記載されている保険料領収証書をいいますが、これらの証する書類には、その保険（共済）の目的とされた資産が住宅（店舗併用住宅を含みます。）又は生活用の家屋とそれ以外の資産とを含んでいる場合で、住宅又は生活用の家財に係る地震保険料とそれ以外の資産に係る地震保険料とを区分することが困難なときは、その契約に基づく保険（共済）金額の総額及び住宅又は生活用の家財に係る保険（共済）金額

を付記することになっています。（基通196－6、196－8）

なお、月払契約の地震保険料を証する書類には、本年中に支払った地震保険料の金額の記載に代えて、次に掲げる事項を記載することができます。（基通196－7）

イ　通常の場合	㋑　1か月分の地震保険料の金額（年の中途で1か月分の地震保険料の金額に異動があった場合は異動前及び異動後の1か月分の地震保険料の金額とその異動のあった月） ㋺　本年中に分配を受けた剰余金や割戻しを受けた割戻金の額又はこれらの金額を控除した後の本年中の実際払込金額の計算方法
ロ　本年中に新規契約したもの（旧契約の期間満了により更改された契約を除きます。）	上記㋑及び㋺のほか、契約を締結した月
ハ　本年中に失効、解約又は契約期間の満了により払込みを停止したもの（旧契約の期間満了により更改される契約を除きます。）	上記㋑及び㋺のほか、地震保険料の最終支払月

7　地震保険料の金額等を証する書類の添付等のない申告書を受け取った場合の措置

給与の支払者が、地震保険料の金額等を証する書類の添付又は提示のない「保険料控除申告書」を受け取った場合には、翌年1月31日までに証する書類を提出又は提示することを条件として、その地震保険料について、とりあえず控除を行っても差し支えありません。

この場合に、もし翌年1月31日までにその証する書類の提出又は提示がなかったときは、その控除を行わないところにより年末調整の再調整を行い、その不足額は、2月1日以後に支払う給与から順次徴収することになります。（基通196－1）

8　長期損害保険契約等に係る経過措置

平成18年度改正に伴って、平成19年分から従前の損害保険料控除は廃止されましたが、平成18年12月31日までに締結した一定の長期損害保険契約等に係る保険料等を平成19年以後の各年において支払った場合には、従前の損害保険料控除と同様の金額の控除（最高1万5千円）を適用できる経過措置が講じられています。（平18改法附10条）

長期損害保険契約等に係る保険料等と地震保険料の両方がある場合など、控除額の計算は9をご覧ください。

（注）　「一定の長期損害保険契約等」については260ページ【問100】を参照してください。

9 地震保険料控除額の計算

地震保険料控除額は、「保険料控除申告書」に記載された本年中に実際に支払った地震保険料の金額（本年中に受けた剰余金の分配や割戻金の割戻しがある場合又は分配を受ける剰余金や割戻しを受ける割戻金をもって保険料等の払込みに充てた場合は、それらを差し引いた残額）と、**8**の経過措置の適用がある長期損害保険契約等に係る保険料等の有無により次のように計算します。（法77条1項、平18改法附10条2項）

	支払った保険料等の区分	保険料等の金額		控除額
①	地震保険料等のすべてが地震保険料控除の対象となる損害保険契約等である場合	－	－	その年中に支払った地震保険料の金額の合計額（最高50,000円）
②	地震保険料等に係る契約のすべてが長期損害保険契約等に該当するものである場合	旧長期損害保険料の金額の合計額	10,000円以下	その合計額
			10,000円超 20,000円以下	$\left(\dfrac{\text{支払った保険料}}{\text{の金額の合計額}}\right) \times \dfrac{1}{2} + 5{,}000\text{円}$
			20,000円超	15,000円
③	①と②がある場合	①、②それぞれ計算した金額の合計額	50,000円以下	その合計額
			50,000円超	5万円

（注）　上表①～③により控除額を計算する場合において、一の損害保険契約等又は一の長期損害保険契約等が①又は②のいずれにも該当するときは、いずれか一の契約のみに該当するものとして上記の規定を適用します。

【記載例】　地震保険料控除の保険料控除申告書への記入

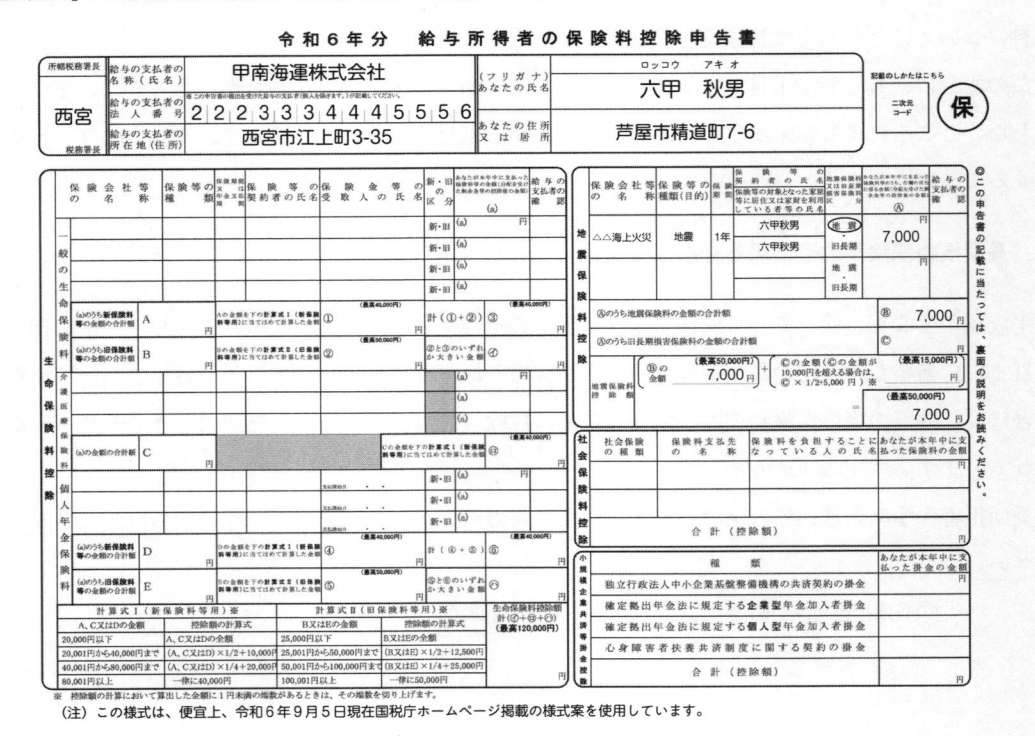

（注）この様式は、便宜上、令和6年9月5日現在国税庁ホームページ掲載の様式案を使用しています。

❸ 社会保険料控除についての検討

1 社会保険料の確認

所得者が、本人又は本人と生計を一にする配偶者その他の親族が負担すべき社会保険料を支払っている場合には、その支払った社会保険料の金額をその人の本年分の所得の金額（給与所得者の場合には給与所得控除後の給与等の金額）から控除することになっています。

社会保険料控除は、生命保険料控除や地震保険料控除とは異なりその控除額に限度がなく、実際に負担した保険料の全額が控除されます。（法74条）

なお、給与から控除された社会保険料については改めて申告する必要はありませんが、給与から控除された社会保険料以外の社会保険料については、「保険料控除申告書」により申告して年末調整で控除を受けることになっていますので、給与の支払者は、給与所得者から提出された「保険料控除申告書」の該当欄の記載内容について検討しなければなりません。

> **確認のポイント**
>
> ① 控除の対象となる社会保険料かどうか。
>
> ② 給与所得者が現実に支払ったものであるかどうか。
>
> ③ 申告された社会保険料が本年中に支払ったものであるかどうか。
>
> ④ 中途就職者について、前の勤務先で支払を受けた給与から控除された社会保険料も含めているかどうか。
>
> ⑤ 国民年金保険料等について、その証明書類が添付又は提示されているかどうか。

2 控除の対象となる社会保険料の範囲

控除の対象となる社会保険料は、本人又は本人と生計を一にする配偶者その他の親族が負担すべき次表に掲げる保険料又は掛金等に限られています。（法74条2項、令208条）

控 除 の 対 象 と な る 社 会 保 険 料
① 健康保険の保険料
② 国民健康保険の保険料又は国民健康保険税
③ 高齢者の医療の確保に関する法律の規定による保険料
④ 介護保険の保険料
⑤ 雇用保険に係る労働保険料
⑥ 国民年金の保険料及び国民年金基金の加入員の掛金
⑦ 農業者年金の保険料
⑧ 厚生年金保険の保険料及び厚生年金基金の加入員の掛金
⑨ 船員保険の保険料
⑩ 国家公務員共済組合の掛金

⑪　地方公務員等共済組合の掛金（特別掛金を含みます。）

⑫　私立学校教職員共済法の規定による加入者の掛金

⑬　恩給法等の規定による納金

⑭　労災保険の特別加入者の保険料

⑮　地方公共団体の職員が条例の規定により組織する互助会の行う職員の相互扶助に関する制度で一定の要件を備えているものとして所轄税務署長の承認を受けているものに基づき、その職員が負担する掛金

⑯　公庫等の復帰希望職員の掛金

（注）　全国健康保険協会管掌健康保険等の被保険者が付加的給付事業を行う承認法人等から支払を受ける付加的給付等については非課税とされ、一方、この給付に要する費用に充てるため承認法人等に対し被保険者が支払った負担金は、社会保険料控除の対象となる保険料とすることになっています。（措法41条の7　2項）

控 除 の 対 象 と は な ら な い 社 会 保 険 料

①　会社等において任意に組織した共済制度に基づく会費等

②　療養の給付を受けた人が負担する費用（告知書に基づき納付するものを含みます。）

③　給与の支払者が負担した保険料（法定割合を超えて負担するものをいいます。ただし、給与として課税されたものは控除されます。）

④　非課税の在外手当に対する社会保険料（在外手当を含めた給与の総額について計算される保険料の金額から在外手当を支払わないものとした場合に計算される保険料の金額を控除した金額に相当する保険料をいいます。）

3　申告を要する社会保険料

　次に掲げる社会保険料のように本人が直接支払ったものは、申告により控除されることになっています。（法190条2号ロ）

(1)　本人が負担すべき国民健康保険の保険料又は国民健康保険税、介護保険の保険料、国民年金の保険料及び国民年金基金の掛金

(2)　本人が負担すべき健康保険、厚生年金保険又は船員保険の任意継続被保険者としての保険料

(3)　本人と生計を一にする配偶者その他の親族の負担すべき社会保険料で、次に掲げる場合において給与所得者本人が支払った保険料

　①　国民健康保険の保険料又は国民健康保険税のように世帯主が負担することになっている場合において、その世帯主に支払能力がないなどのため、その負担すべき社会保険料をその世帯主と生計を一にする給与所得者が支払った場合

　②　介護保険の保険料で被保険者が負担することになっている場合又は被保険者と世帯主、被保険者とその配偶者が連帯して納付することになっている場合において、被保険者又はその連帯納付義務者に支払能力がないなどのため、その負担すべき社会保険料をこれらの人と生計を一にする給与所得者が支払った場合

　③　国民年金の保険料及び国民年金基金の掛金で被保険者が負担することになっている場合又は被保険者と世帯主、被保険者とその配偶者が連帯して納付することになっている場合において、被保険者又はその連帯納付義務者に支払能力がないなどのため、その負担すべき社会保険料をこれらの人

と生計を一にする給与所得者が支払った場合

④　旧健康保険法20条、旧厚生年金保険法15条又は旧船員保険法20条の規定による保険料で被保険者（任意継続被保険者）が負担することになっている場合において、その被保険者に支払能力がないなどのため、その負担すべき社会保険料をその被保険者と生計を一にする給与所得者が支払った場合

⑤　長寿医療制度の保険料を、生計を一にする被保険者の世帯主又は配偶者である給与所得者が、口座振替により支払った場合（264ページ【問109】参照）

4　「支払った保険料又は給与から控除された保険料」の計算

「支払った保険料又は給与から控除された保険料」の金額は、それぞれ次により計算します。

給与から控除される社会保険料	給与から控除される社会保険料は、その計算の基礎となった給与がいつの給与であるかを問わず、本年中に実際に控除された金額が社会保険料控除の対象になります。
未払の社会保険料	納付期日が到来した社会保険料であっても、現実に支払っていないものは、本年中に支払った社会保険料には含まれません。（基通74・75－1）
給与から控除した社会保険料に含まれるもの	健康保険、厚生年金保険又は雇用保険の保険料のように通常は給与から控除されることとなっているものは、たまたま給与の支払がないなどのため直接本人から徴収したり退職手当等から控除した場合や、労働基準法に規定する休業補償のような非課税所得から控除した場合であっても、給与から控除した社会保険料に含まれます。（基通74・75－3）
割引された社会保険料	国民年金の保険料又は掛金を前納したときは、保険料又は掛金の割引がありますが、支払った社会保険料となるのは、その割引後の実際に納付した保険料又は掛金です。
前納した社会保険料	前納保険料については、原則として下記の算式により計算した金額が本年中に支払った保険料の金額となります。ただし、①その前納の期間が1年以内のもの及び②法令に一定期間の前納をすることができる旨の規定があって、それに基づき前納したものについては、本人の申告により、それらの前納した金額の全額をその年に支払った保険料の金額として控除の対象とすることができます。（基通74・75－1、74・75－2） 前納した社会保険料の総額（割引がある場合には割引後の金額）× 前納した社会保険料に係るその年中に到来する納付期日の回数 ／ 前納した社会保険料に係る納付期日の総回数 ＝ 支払った保険料の金額 （注）　前納保険料とは、各納付期日が到来するごとに保険料又は掛金に充当するものとしてあらかじめ払い込んだ金額で、まだ充当されない残額があるうちに年金等の給付事由が生じたなどにより保険料の納付を要しないことになった場合に、その残額に相当する金額が返還されることになっているものをいいます。
給与の支払者が負担した社会保険料	給与の支払者が役員又は使用人のために法定又は認可の割合を超えて負担した社会保険料で、給与として課税されたものについては、役員又は使用人が支払った社会保険料になります。（基通74・75－4）

5　社会保険料の金額等を証する書類の添付等及び添付等のない申告書を受け取った場合の措置

　社会保険料については、原則としてその保険料を支払った事実を証する書類を「保険料控除申告書」に添付する必要はありませんが、社会保険料のうち国民年金の保険料及び国民年金基金の加入員の掛金で本人が直接支払ったものについては、その支払った保険料等の金額の多少にかかわらず、その保険料等を支払った事実を証する書類又はその書類に記載すべき事項を記録した電子証明書等に係る電磁的記録印刷書面を添付又は提示しなければなりません。

（注1）　この証する書類とは、日本年金機構又は各国民年金基金が発行した保険料等の領収書や証明書などをいいます。

（注2）　保険料控除申告書を電磁的方法により提出する場合には、控除証明書も日本年金機構又は国民年金基金から交付された電子的控除証明書（データ）により提供することができます。

　なお、給与の支払者が、国民年金保険料等の社会保険料の金額等を証する書類の添付又は提示のない「保険料控除申告書」を受け取った場合には、翌年1月31日までに証する書類を提出又は提示することを条件として、その社会保険料について、とりあえず控除を行っても差し支えありません。この場合に、もし翌年1月31日までにその証する書類の提出又は提示がなかったときは、その控除を行わないところにより年末調整の再調整を行い、その不足額は、2月1日以後に支払う給与から順次徴収することになります。（基通196−1）

４　小規模企業共済等掛金控除についての検討

1　小規模企業共済等掛金の確認

　所得者が、独立行政法人中小企業基盤整備機構（旧中小企業総合事業団）と契約した共済契約（旧第2種共済契約を除きます。）〔事業の廃止や解散に伴う役員等の退職の場合に限って共済金を支払うこととする契約〕に基づく掛金、確定拠出年金法に規定する企業型年金制度に基づく掛金若しくは個人型年金制度に基づく掛金又は地方公共団体が条例の規定により行ういわゆる心身障害者扶養共済制度に係る契約に基づく掛金（以下これらを「小規模企業共済等掛金」といいます。）を支払った場合には、その支払った掛金の額をその人の本年分の所得の金額（給与所得者の場合は給与所得控除後の給与等の金額）から控除することになっています。

　小規模企業共済等掛金控除は、社会保険料控除と同じく、生命保険料控除や地震保険料控除とは異なりその控除額に限度がなく、実際に負担した掛金の全額が控除されます。（法75条）

　なお、給与から控除された小規模企業共済等掛金以外の掛金については、「保険料控除申告書」により給与の支払者に申告して年末調整で控除を受けることになっていますので、給与の支払者は、給与所得者から提出された「保険料控除申告書」の該当欄の記載内容について検討しなければなりません。

> **確認のポイント**
>
> ① 申告された小規模企業共済等掛金が本年中に支払ったものであるかどうか。
>
> ② 旧第２種共済契約以外の掛金であるかどうか。
>
> ③ 証明書が添付又は提示されているかどうか。

2 控除の対象となる小規模企業共済等掛金の範囲

控除の対象となる掛金は、次に掲げる掛金に限られます。

控除の対象となる掛金	参　　　　考
① 独立行政法人中小企業基盤整備機構と締結した共済契約に基づく掛金	旧第２種共済契約に基づく掛金は生命保険料控除の対象になります。
② 確定拠出年金法に規定する企業型年金制度に基づく掛金	掛金の拠出月額については、企業型年金加入者の厚生年金基金の加入員の資格の有無等を勘案して定められた次の事業主拠出限度額以内であり、かつ、事業主拠出額、加入者拠出額合計で拠出限度額以内とされています。(確定拠出年金法20条、同施行令11条) イ 同法20条に規定する第１号加入者（厚生年金基金等の企業年金加入者でない者）　55,000円 ロ 同条に規定する第２号加入者（厚生年金基金等の企業年金加入者である者）　27,500円
③ 確定拠出年金法に規定する個人型年金制度に基づく掛金	掛金の拠出月額については、加入者の種別等を勘案して定められた次の限度額を超えてはならないこととされています（確定拠出年金法69条、同施行令36条）。 イ 同法69条に規定する第１号加入者　68,000円 ロ 同条に規定する第２号加入者　23,000円
④ 地方公共団体が条例の規定により実施する一定の心身障害者扶養共済制度に係る契約に基づく掛金	**心身障害者扶養共済制度**とは、地方公共団体の条例において心身障害者を扶養する人を加入者とし、その加入者が地方公共団体に掛金を納付し、その地方公共団体が心身障害者の扶養のための給付金を定期的に支給することを定めている制度（脱退一時金（加入者がこの制度から脱退する場合に支給される一時金をいいます。）の支給に係る部分を除きます。）で、次に掲げる要件を備えているものです。 イ 心身障害者の扶養のための給付金（その給付金の支給開始前に心身障害者が死亡した場合に加入者に対して支給される弔慰金を含みます。）のみを支給するものであること ロ イの給付金の額は、心身障害者の生活のために通常必要とされる費用を満たす金額（弔慰金にあっては、掛金の累積額に比して相当と認められる金額）を超えず、かつ、その額について、特定の者につき不当に差別的な取扱いをしないこと ハ イの給付金（弔慰金を除きます。ニにおいて同じ。）の支給は、加入者の死亡、重度の障害その他地方公共団体の長が認定した特別の事故を原因として開始されるものであること ニ イの給付金の受取人は心身障害者又はハの事故発生後において心

身障害者を扶養する人であること

ホ　イの給付金に関する経理は、他の経理と区分して行い、かつ、掛金その他の資金が銀行その他の金融機関に対する運用の委託、生命保険への加入その他これに準ずる方法を通じて確実に運用されるものであること

（令20条２項）

3　「支払った掛金」の計算

「支払った掛金」の金額は、それぞれ次により計算することになります。

未払の掛金	納付期日が到来したものであっても、現実に支払っていないものは、本年中に支払った小規模企業共済等掛金には含まれません。（基通74・75－1(1)）
給与から控除した掛金に含まれるもの	確定拠出年金法の規定による個人型年金加入者掛金のように通常は給与から控除されることとなっているものは、たまたま給与の支払がないなどのため直接本人から徴収したり退職手当等から控除した場合や、労働基準法に規定する休業補償のような非課税所得から控除した場合であっても、給与から控除した掛金に含まれます。（基通74・75－3）
前納した掛金	前納した掛金については、原則として下記の算式により計算した金額が本年中に支払った掛金となります。 　ただし、①その前納の期間が１年以内のもの及び②法令に一定期間の前納をすることができる旨の規定があって、それに基づき前納したものについては、本人の申告により、それらの前納した金額の全額をその年に支払った保険料の金額として控除の対象とすることができます。（基通74・75－1(2)、74・75－2） $$\text{前納した掛金の総額}\left(\begin{array}{l}\text{割引がある場合に}\\\text{は割引後の金額}\end{array}\right) \times \frac{\text{前納した掛金に係るその年中に到来する納付期日の回数}}{\text{前納した掛金に係る納付期日の総回数}} = \text{支払った掛金の金額}$$ （注）　前納した掛金とは、各納付期日が到来するごとに掛金に充当するものとしてあらかじめ納付した金額で、まだ充当されない残額があるうちに共済金等の給付事由が生じたなどにより掛金の納付をしないことになった場合に、その残額に相当する金額が返還されることになっているものをいいます。
給与の支払者が負担した掛金	給与の支払者が役員又は使用人のために支払った小規模企業共済等掛金は、すべて給与として課税されますので、控除の対象になります。（基通74・75－4）

4　小規模企業共済等掛金の金額等を証する書類の添付等及び添付等のない申告書を受け取った場合の措置

　小規模企業共済等掛金控除の申告に当たっては、「保険料控除申告書」に本年中に支払った掛金の金額を記載するとともに、掛金の金額の多少にかかわらず、掛金を支払ったことを証明する書類又はその書類に記載すべき事項を記録した電子証明書等に係る電磁的記録印刷書面をその申告書に添付して提出又は提示する必要があります。

（注１）　給与から差し引かれる小規模企業共済等掛金については、この証する書類を添付又は提示する必要はありません。

（注２）　保険料控除申告書を電磁的方法により提出する場合には、控除証明書も保険会社等から交付された電子的控除証明書（データ）により提供することができます。

　なお、給与の支払者が、小規模企業共済等掛金の金額等を証する書類の添付又は提示のない「保険料

控除申告書」を受け取った場合には、翌年1月31日までに証する書類を提出又は提示することを条件として、その小規模企業共済等掛金については、とりあえず控除を行っても差し支えありません。この場合に、もし翌年1月31日までにその証する書類の提出又は提示がなかったときは、その控除を行わないところにより年末調整の再調整を行い、その不足額は、2月1日以後に支払う給与から順次徴収することになります。（基通196-1）

5 保険料控除申告書と源泉徴収簿との照合

「保険料控除申告書」の記載内容について確認を終わった場合には、その申告書の記載に基づいて各人の「源泉徴収簿」の該当欄に社会保険料控除額、小規模企業共済等掛金の控除額、生命保険料・個人年金保険料の控除額及び地震保険料の控除額を記載します。

これらの関係を図示しますと次のようになります。

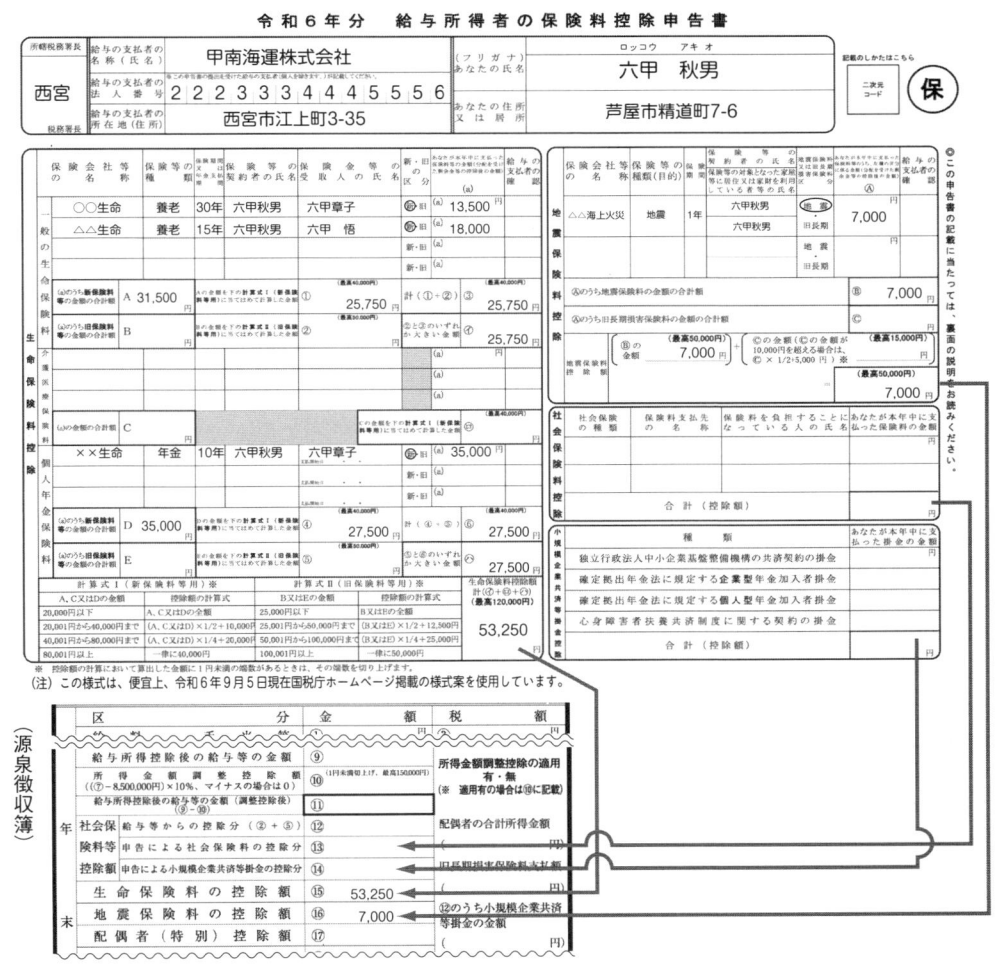

第六節　住宅借入金等特別控除申告書の受理と検討

 住宅借入金等特別控除は、控除１年目は確定申告で、控除２年目以降の控除を年末調整で受けることができます。

　（特定増改築等）住宅借入金等特別控除とは、個人が住宅借入金等を利用して居住用家屋の新築、取得又は増改築等（以下「取得等」といいます。）をした場合で、一定の要件を満たすときは、その取得等に係る住宅借入金等の年末残高の合計額を基として計算した金額を、居住の用に供した年分以後の各年分の所得税額から控除するというものです。

　（特定増改築等）住宅借入金等特別控除の対象となる住宅の取得等の要件及び控除限度額等については、後述の〔**参考**〕**控除限度額等の一覧表**をご確認ください。

■1　（特定増改築等）住宅借入金等特別控除申告書の受理

1　住宅借入金等特別控除申告書

　（特定増改築等）住宅借入金等特別控除(注1)を受けようとする最初の年分については、各人が確定申告により、控除の適用を受ける必要があります(注2、3)。しかし、その後の年分については、年末調整の際に、各人から提出された「給与所得者の（特定増改築等）住宅借入金等特別控除申告書」(注4)（以下**「住宅借入金等特別控除申告書」**といいます。）に基づいて控除を行うことができることになっていますから、この控除を受けようとする人に対しては、所要事項を記載した住宅借入金等特別控除申告書を年末調整のときまでに提出するよう指導してください。

(注1)　以下「（特定増改築等）住宅借入金等特別控除」は、住宅借入金等特別控除及び特定増改築等住宅借入金等特別控除を総称した用語として使用しています。

(注2)　住宅借入金等により住宅の新築・購入又は増改築等をして、自己の居住の用に供していた人が、勤務先からの転任の命令に伴う転居その他これに準ずるやむを得ない事由によりその住宅を居住の用に供しなくなった後に、再び居住の用に供し、（特定増改築等）住宅借入金等特別控除の適用を受ける最初の年分についても同じです。

(注3)　控除第１年目について確定申告によってのみ住宅借入金等特別控除を受けられることとされているのは、家屋等が住宅借入金等特別控除の適用要件を満たすかどうかの判定という複雑な事務を税務署が行うことにより、給与の支払者の手数を省くためです。

(注4)　以下「（特定増改築等）住宅借入金等特別控除申告書」は給与所得者の（特定増改築等）住宅借入金等特別控除申告書及び給与所得者の住宅借入金等特別控除申告書を総称した用語として使用しています。

2 控除証明書及び年末残高等証明書

住宅借入金等特別控除申告書には、次に掲げる証明書^(注1)の添付^(注2)が必要です。

① その人の住所地の税務署長が発行した「年末調整のための（特定増改築等）住宅借入金等特別控除証明書」（以下「控除証明書」といいます。）

② 借入れ等を行った金融機関等が発行した「住宅取得資金に係る借入金の年末残高等証明書」（以下「年末残高等証明書」といいます。）

（注1） これらの証明書に記載すべき事項を記録した電子証明書等に係る電磁的記録印刷書面を含みます。

（注2） 住宅借入金等特別控除申告書に記載すべき事項を電子データにより提供する場合、その住宅借入金等特別控除申告書に添付すべき証明書類等の提出に代えて、その証明書類等に記載されるべき事項が記録された情報で電子証明書等が付されたものを住宅借入金等特別控除申告書に記載すべき事項と併せて電子データにより給与の支払者に提供することを含みます。

なお、税務署から送付された令和6年分の住宅借入金等特別控除申告書（「平成36年分」と記載されたものを含みます。以下同じです。）の用紙の下の部分が控除証明書になっていますから、この控除の適用を受けようとする人は、令和6年分の住宅借入金等特別控除申告書に住所、氏名、控除を受けようとする金額など所要事項を記載した上、年末残高等証明書を添付して提出します。

また、税務署から送付された住宅借入金等特別控除申告書や控除証明書をこの控除の適用を受けようとする人が紛失したときなどには、本人から税務署にこれらの書類の再交付を申請するようにさせてください。

（特定増改築等）住宅借入金等特別控除の適用に係る手続（年末残高調書を用いた方式）について

令和4年度税制改正において、住宅借入金等特別控除の適用に係る手続について、これまでの年末残高証明書を用いる「証明書方式」から、年末残高調書を用いる「調書方式」とする改正が行われています。

・「証明書方式」……住宅借入金等特別控除の適用を受ける納税者が、住宅ローン債権者（以下「債権者」といいます。）である金融機関等から交付を受けた年末残高証明書を、確定申告又は年末調整の際に、税務署又は勤務先に提出する方式

・「調書方式」………債権者が税務署に「住宅取得資金に係る借入金等の年末残高等調書（以下「年末残高調書」といいます。）」を提出し、国税当局から納税者に住宅ローンの「年末残高情報」を提供する方式

ただし、「年末残高調書」を提出する債権者において、この改正に対応するためのシステム改修等への対応が困難な場合には、引き続き、従来の「証明書方式」とすることができる経過措置^(注)が設けられています。

（注） この経過措置は特段の手続を行うことなく、全ての債権者に適用されるものとして取り扱われています。

したがって、実務上は、この経過措置が適用されて、令和6年1月1日以後に居住を開始した納税者の令和6年分以降の所得税等の確定申告等（令和7年分以降の年末調整手続）について、システム対応が完了した債権者から順次、「調書方式」による手続に移行することになります。

「調書方式」に対応した金融機関からの借入れに係る住宅借入金等特別控除の確定申告・年末調整の手続については、「年末残高調書」の年末残高等の情報を、マイナポータル連携によって活用することにより、手続が簡便になります。

---

3 住宅借入金等特別控除申告書の受理と保管

　住宅借入金等特別控除申告書の受理等に当たっては、次のことに注意してください。

(イ)　住宅借入金等特別控除申告書は、控除を受けることとなる各年分のものを一括して税務署から所得者本人に送付されていますが、本年分の年末調整の際には、そのうち令和6年分の住宅借入金等特別控除申告書の提出を受けてください。

(ロ)　提出を受けた住宅借入金等特別控除申告書は、給与の支払者の下で保管することとされています。

② 　住宅借入金等特別控除申告書の記載内容の検討

　給与の支払者が給与所得者から住宅借入金等特別控除申告書の提出を受けたときは、その記載内容を検討し、誤りのあるものは補正させた上で年末調整を行います。

> **確認のポイント**
> ①　住宅の取得等をした人と申告者（給与所得者本人）とが同一人であるかどうか。
> ②　居住の用に供した後、本年12月31日まで引き続き申告者が居住しているかどうか。
> ③　借入れ等をしている人と申告者とが同一人であるかどうか。
> ④　控除額の計算に誤りはないかどうか。
> ⑤　申告者の本年の合計所得金額の見積額が一定金額以下（**2**参照）であるかどうか。

　住宅借入金等特別控除申告書の内容の確認に当たっての具体的な注意事項は、次のとおりです。

1　入居後、本年12月31日まで引き続き居住の用に供しているか

　その家屋に入居後、本年12月31日まで引き続き居住の用に供していない場合には、この制度の適用を受けることはできません。

　ただし、居住の用に供さなくなったことが死亡による場合には、死亡した日まで引き続いて自己の居住の用に供していれば、その年については死亡した日の住宅借入金等の残高を基に控除を受けることができます。

(注)　居住の用に供することができなくなったことが災害によって被害を受けたことによるものである場合において、その居住の用に供することができなくなった日の属する年以後の各年において住宅借入金等の金額を有するときは、その家屋の敷地を賃貸用として利用した場合などを除き、残りの適用期間についても引き続きこの制度の適用を受けることができます（以下この特例を「適用期間の特例（災害関係）」といいます。）。

　　また、災害により居住の用に供することができなくなった家屋が、被災者生活再建支援法が適用された市町村の区域内に所在する場合には、この適用期間の特例（災害関係）と、新たに住宅用家屋の再取得等をした場合の（特定増改築等）住宅借入金等特別控除の適用を重複して受けることができます。

　　なお、これらの適用は、災害により平成28年1月1日以後に、その家屋を居住の用に供することがで

きなくなった個人の平成29年分以後の所得税について適用されます。

2 合計所得金額の見積額は一定金額以下であるか

令和４年１月１日以後に居住の用に供した場合において、令和６年分の合計所得金額が2,000万円[注1、2、3]を超える人は、本年分の住宅借入金等特別控除は受けられませんので、特に、給与所得以外の所得がある人についてはご注意ください。

(注１)　令和３年12月31日（新型コロナウイルス感染症等の影響に対応するための国税関係法律の臨時特例に関する法律第６条の２第１項の適用を受ける場合は令和４年12月31日）以前に居住の用に供した場合は、3,000万円となります。

(注２)　特例居住用家屋（床面積が40㎡以上50㎡未満で令和５年12月31日以前に建築基準法第６条第１項の規定による建築確認を受けた居住用家屋をいいます。）又は特例認定住宅等（床面積が40㎡以上50㎡未満で令和６年12月31日以前に建築基準法第６条第１項の規定による建築確認を受けた認定住宅等をいいます。）の新築等に該当する場合は、1,000万円となります。

(注３)　特例特別特例取得（特別特例取得に該当する場合で、床面積が40㎡以上50㎡未満の住宅の取得等をいいます（令和３年１月１日から令和４年12月31日までの間に自己の居住の用に供した場合に適用されます。）。）に該当する場合は、1,000万円となります。

3 住宅借入金等の年末残高は証明書に記載された額と一致しているか

予定額による証明である旨を付記してある「年末残高等証明書」に基づき（特定増改築等）住宅借入金等特別控除の適用を受けた後、その住宅借入金等の返済が遅延したこと又は一部を繰上返済したことなどにより実際の住宅借入金等の年末残高がこの証明書に記載された額と異なることとなった場合には、改めて借入れ等を行っている金融機関等から実際の返済等の額による「年末残高等証明書」の交付を受け、これに基づいて正しい申告書を提出し直す必要があります。

4 連帯債務となっている住宅借入金等がある場合の調整計算は正しくなされているか

連帯債務となっている住宅借入金等がある場合には、各年12月31日現在のその住宅借入金等の残高に、その住宅に係る持分を取得するためにその住宅借入金等について負担すべきものとした割合を乗じて計算した金額に基づいて記載します（**7**の**イ**参照）。

5 住宅借入金等の借換えをした場合の住宅借入金等の年末残高は正しいか

（特定増改築等）住宅借入金等特別控除の適用を受けている人が、住宅借入金等の借換えをした場合において、借換えによる新たな住宅借入金等の当初金額が借換え直前の当初住宅借入金等残高を上回っている場合には、その借換えをした年以降の各年において次により計算した金額を住宅借入金等の年末残高として記載します。

$$本年の住宅借入金等の年末残高 \times \frac{借換え直前の当初住宅借入金等残高}{借換えによる新たな住宅借入金等の当初金額}$$

6 住宅取得等資金の贈与の特例の適用を受けた場合の住宅の取得等の対価の額は正しいか

　「住宅取得等資金の贈与税の非課税」又は「住宅取得資金の贈与を受けた場合の相続時精算課税選択の特例」（以下これらを「住宅取得等資金の贈与の特例」といいます。）の適用を受けた人は、住宅借入金等の年末残高の合計額がその住宅の取得等の対価の額又は費用の額を超えるかどうかの判定に当たり、その住宅の取得等の対価の額又は費用の額からこれらの特例の適用を受けた金額を差し引いた金額に基づいて記載します。

7 控除額の計算の基礎となる住宅借入金等の年末残高の合計額の調整は正しく行われているか

　控除額の計算をするに当たって、次のイからハまでに掲げる場合に該当するときは、それぞれ次により調整を行った金額を住宅借入金等の年末残高の合計額として、控除額の計算を行うこととされています。

　なお、イからハまでの2以上に該当するときは、イからハの順に計算（例えば、ロとハに該当するときは、ロにより計算した金額を基にしてハの金額を計算）します。

イ　連帯債務による住宅の取得等のための住宅借入金等の年末残高がある場合

　連帯債務による住宅の取得等のための住宅借入金等の年末残高がある場合には、次の算式により、控除を受ける人が負担すべき部分の年末残高を計算します。

連帯債務による住宅借入金等の年末残高	×	控除を受ける人が負担すべき割合（%）	=	連帯債務による住宅借入金等の年末残高のうち控除を受ける人が負担すべき部分の年末残高（円）

　「控除を受ける人が負担すべき割合」については、原則として、（特定増改築等）住宅借入金等特別控除の適用を受ける最初の年の確定申告の際に提出した「（特定増改築等）住宅借入金等特別控除額の計算の基礎となる住宅借入金等の年末残高の計算明細書」又は「（特定増改築等）住宅借入金等特別控除額の計算明細書」に記入した負担割合によります。

（注）　年末調整において（特定増改築等）住宅借入金等特別控除の適用を受ける人は、「住宅借入金等特別控除申告書」の「備考」欄に、他の連帯債務者から「私は連帯債務者として、住宅借入金等の残高○○○円のうち、○○○円を負担することとしています。」等の文言、住所及び氏名の記入を受けてください。

　　　なお、その人が給与所得者である場合には、その勤務先の所在地及び名称も併せて記入してください。

> 【記載例】（「住宅借入金等特別控除申告書」の「備考」欄）
> 私は、連帯債務者として、住宅借入金等の残高19,500,000円のうち9,750,000円を負担することとしています。
> 　大津市京町3−1−4−303　田中好美　　　勤務先：大阪市淀川区宮原3−4−5　　◇◇株式会社

　　　また、居住日の属する年分が平成31年分以後である個人に対し、令和2年10月1日以後に税務署から送付する控除証明書には、控除を受けるべき人が負担すべき割合が記載されています（この負担すべき割合が記載された控除証明書の添付をする場合には、「住宅借入金等特別控除申告書」の「備考」欄への連帯債務者に関する事項の記載は不要です。）。

ロ　住宅の取得等のための住宅借入金等の年末残高の合計額が家屋の取得対価等の額又は増改築等に要した費用の額を超える場合

　住宅の取得等のための住宅借入金等の年末残高の合計額が家屋の取得対価等の額又は増改築等に要した費用の額を超える場合には、それぞれその家屋の取得対価等の額又は増改築等に要した費用の額に相当する部分の金額だけが対象となります。

　また、家屋の取得対価等の額又は増改築等に要した費用の額は、その住宅の取得等又は増改築等に関し補助金等の交付を受ける場合は交付を受ける補助金等の額を差し引いた額となり、住宅取得等資金の贈与の特例を受けた場合は住宅取得等資金の贈与の特例の適用を受けた部分の金額を差し引いた額となります。

ハ　その取得した家屋又は増改築等をした部分に自己の居住用以外の用に供する部分がある場合

　その取得した家屋又は増改築等をした部分に自己の居住用以外の用に供する部分がある場合には、住宅の取得等のための住宅借入金等の年末残高の合計額に、その取得した家屋の床面積のうちに占める居住用部分の床面積の割合又はその増改築等に要した費用の総額のうちに占める居住用部分の増改築等に要した費用の額の割合をそれぞれ乗じて、居住用部分の住宅借入金等の年末残高の合計額を計算します。

1 住宅借入金等特別控除

(1) 令和3年12月31日まで(特別特例取得に係るものは令和4年12月31日まで)に住宅を居住の用に供した場合

住宅を居住の用に供した日	控除期間			住宅借入金等の年末残高に乗ずる控除率					各年の控除限度額
				2,000万円以下の部分の金額	2,000万円超2,500万円以下の部分の金額	2,500万円超3,000万円以下の部分の金額	3,000万円超4,000万円以下の部分の金額	4,000万円超5,000万円以下の部分の金額	
平成27年1月1日から令和3年12月31日まで(特別認定取得に係るものは令和元年10月1日から令和2年12月31日まで(注1))(特別特例取得に係るものは令和3年1月1日から令和4年12月31日まで)	本則(一般住宅)	特定取得	特別特例取得 1~10年目	1.0%				—	40万円
			特別特例取得以外 10年間	1.0%					40万円
		特定取得以外 10年間		1.0%	—				20万円
	認定住宅	特定取得	特別特例取得 1~10年目	1.0%					50万円
			特別特例取得以外 10年間	1.0%					50万円
		特定取得以外 10年間		1.0%			—		30万円

(2) 令和4年1月1日から令和5年12月31日までに住宅を居住の用に供した場合

住宅を居住の 用に供した日	控 除 期 間		住宅借入金等の年末残高に乗ずる控除率等		各年の 控 除 限度額
			借入限度額	控除率	
令和4年1月1日から 令和5年12月31日まで	本則(一般住宅)	13年間 (注2)	3,000万円 (注2)	0.7%	21万円 (注2)
	認定住宅	13年間 (注3)	5,000万円 (注3)		35万円 (注3)
	特定エネルギー 消費性能向上住宅		4,500万円 (注3)		31.5万円 (注3)
	エネルギー消費 性能向上住宅		4,000万円 (注3)		28万円 (注3)

（注1） 住宅の取得等で特例取得（特別特定取得のうち、一定の期日までに契約が締結されているものをいいます。）に該当する家屋について、新型コロナウイルス感染症及びそのまん延防止の措置の影響により令和2年12月31日までに居住の用に供することができなかった場合は令和3年12月31日までとなります。

（注2） 住宅の取得等が居住用家屋の新築又は居住用家屋で建築後使用されたことのないもの若しくは買取再販住宅（既存住宅のうち宅地建物取引業者により一定の増改築等が行われたものをいいます。）の取得以外の場合（買取再販住宅以外の既存住宅の取得又は住宅の増改築）においては、借入限度額は2,000万円、控除期間は10年、各年の控除限度額は14万円となります。

（注3） 住宅の取得等が認定住宅等の新築又は認定住宅等で建築後使用されたことのないもの若しくは買取再販認定住宅等（認定住宅等である既存住宅のうち宅地建物取引業者により一定の増改築等が行われたものをいいます。）の取得以外の場合においては、借入限度額は3,000万円、控除期間は10年、各年の控除限度額は21万円となります。

（注4） 控除額の100円未満の端数は切り捨てます。

（注5） 最初の年分については、確定申告により控除の適用を受ける必要がありますので、ご注意ください。

（注6） 住宅の取得等を行った人が、その居住用家屋を居住の用に供した年の前々年からその居住の用に供した年までの間に、居住用財産の譲渡所得の課税の特例や中高層耐火建築物等の建設のための買換え（交換）の場合の譲渡所得の課税の特例などの適用を受けている場合には、この住宅借入金等特別控除を受けることはできません。また、この住宅借入金等特別控除を受けた人が、その居住の用に供した年の翌年以後3年以内の各年にその居住用家屋やその敷地の用に供されている土地以外の所定の資産を譲渡して、これらの課税の特例の適用を受けることとなったときは、住宅借入金等特別控除の適用を受けた年分の所得税について修正申告書又は期限後申告書を提出し、既に受けた住宅借入金等特別控除額に相当する税額を納付することになります。

2 特定増改築等住宅借入金等特別控除

住宅を居住の用に供した日	区 分		増改築等住宅借入金等の年末残高の限度額	控除率	控除期間	各年の控除限度額
平成31年1月1日から令和3年12月31日まで	① バリアフリー改修工事等に係る費用		1,000万円 (注1)	1.0%	5年	12.5万円 (注3)
		② うち高齢者等居住改修工事等、特定断熱改修工事等、特定多世帯同居改修工事等及び特定耐久性向上改修工事等に係る費用	250万円 (注2)	2.0%		
	③ 省エネ改修工事等に係る費用		1,000万円 (注4)	1.0%	5年	12.5万円 (注3)
		④ うち特定断熱改修工事等、特定多世帯同居改修工事等及び特定耐久性向上改修工事等に係る費用	250万円 (注2)	2.0%		
	⑤ 多世帯同居対応改修工事等に係る費用		1,000万円 (注5)	1.0%	5年	12.5万円
		⑥ うち特定多世帯同居改修工事等に係る費用	250万円	2.0%		

(注1) 増改築等住宅借入金等の年末残高の限度額は、①と②の合計で1,000万円となります。
(注2) 特定取得以外の場合は200万円となります。
(注3) 特定取得以外の場合は12万円となります。
(注4) 増改築等住宅借入金等の年末残高の限度額は、③と④の合計で1,000万円となります。
(注5) 増改築等住宅借入金等の年末残高の限度額は、⑤と⑥の合計で1,000万円となります。
(注6) 令和4年1月1日以後に住宅借入金等を利用し、特定の増改築等を行い居住の用に供した場合には、特定増改築等住宅借入金等特別控除を受けることはできません。

3 主な用語の説明

用 語	説 明
認定住宅	次のいずれかに該当する住宅をいいます。 ① 長期優良住宅の普及の促進に関する法律に規定する認定長期優良住宅 ② 都市の低炭素化の促進に関する法律に規定する低炭素建築物又は低炭素建築物とみなされる特定建築物
特定取得	住宅の取得等に係る対価の額又は費用の額に含まれる消費税額等（消費税額及び地方消費税額の合計額に相当する額をいいます。以下同じです。）が、8％又は10％の税率により課されるべき消費税額等である場合の住宅の取得等をいいます。
特別特定取得	住宅の取得等に係る対価の額又は費用の額に含まれる消費税額等が、10％の税率により課されるべき消費税額等である場合の住宅の取得等をいいます。
特別特例取得	特別特定取得のうち、特別特定取得に係る契約が次の住宅の取得等の区分に応じそれぞれ次に定める期間内に締結されているものをいいます。 ① 居住用家屋の新築又は認定住宅の新築の場合……令和2年10月1日から令和3年9月30日までの期間 ② 居住用家屋で建築後使用されたことのないもの（新築住宅）若しくは既存住宅の取得、居住の用に供する家屋の増改築等又は認定住宅で建築後使用されたことのないものの取得の場合……令和2年12月1日から令和3年11月30日までの期間
特定エネルギー消費性能向上住宅	認定住宅以外の家屋でエネルギーの使用の合理化に著しく資する住宅の用に供する家屋（断熱等性能等級5以上及び一次エネルギー消費量等級6以上の家屋）に該当するものとして証明がされたものをいいます。

エネルギー消費性能向上住宅	認定住宅及び特定エネルギー消費性能向上住宅以外の家屋でエネルギーの使用の合理化に資する住宅の用に供する家屋（断熱等性能等級４以上及び一次エネルギー消費量等級４以上の家屋）に該当するものとして証明がされたものをいいます。
バリアフリー改修工事等	高齢者等が自立した日常生活を営むのに必要な構造及び設備の基準に適合させるための増改築、修繕又は模様替えで一定の工事をいいます。
省エネ改修工事等	次の「断熱改修工事等」又は「特定断熱改修工事等」をいいます。 ①　「断熱改修工事等」とは、家屋について行うエネルギーの使用の合理化に相当程度資する増改築、修繕又は模様替えで一定の工事をいいます。 ②　「特定断熱改修工事等」とは、家屋について行うエネルギーの使用の合理化に著しく資する増改築、修繕又は模様替えで一定の工事をいいます。
多世帯同居対応改修工事等	次の「特定多世帯同居改修工事等」を含む増改築等をいいます。 　特定多世帯同居改修工事等とは、家屋について行う他の世帯との同居をするのに必要な設備の数を増加させるための増改築、修繕又は模様替えで①調理室を増設する工事、②浴室を増設する工事、③便所を増設する工事又は④玄関を増設する工事のいずれかに該当する工事をいいます。 ※　自己の居住の用に供する部分に調理室、浴室、便所又は玄関のうちいずれか二以上の室がそれぞれ複数になる場合に限ります。

（参考）　住民税の住宅借入金等特別税額控除（地方税法附則第５条の４の２）

　控除額は、所得税額から控除しきれなかった住宅借入金等特別控除額（前年の所得税における住宅借入金等特別控除額から、前年の住宅借入金等特別控除前の所得税額を控除した額）ですが、その年分の所得税の課税総所得金額等の５％が限度で、最高97,500円とされています（平成26年４月から令和７年12月までの間に居住の用に供し、かつ、その住宅の取得等に係る対価等に含まれる消費税等の税率が８％又は10％である場合、控除限度額はその年分の所得税の課税総所得金額等の７％が限度で、最高136,500円とされています。）。

　適用を受ける人による市区町村への申告は不要です。給与所得の源泉徴収票に、居住年ごとの「居住開始年月日」、「住宅借入金等の金額」等が記載されています。

（注）　所得税の住宅借入金等特別控除の適用を受けていることが、住民税の住宅借入金等特別税額控除等の適用の要件です。

【住宅借入金等特別控除申告書の記載例(1)】 ……住宅の取得等に関し平成29年分について確定申告で控除を受けた人が、同一の勤務先において、引き続き令和6年分も年末調整で控除を受ける場合

●住宅借入金等の年末残高の合計額　24,000,000円（株式会社北和銀行　16,000,000円 / 関西航空株式会社　8,000,000円）

平成36年分　**給与所得者の（特定増改築等）住宅借入金等特別控除申告書**　給与の支払者受付印

（この申告書は、年間所得の見積額が3,000万円を超える方は提出できません。）

年末調整の際に、次のとおり（特定増改築等）住宅借入金等特別控除を受けたいので、申告します。

東 税務署長	給与の支払者の名称（氏名）	関西航空株式会社	（フリガナ）あなたの氏名	カトウ マサル 加藤 優 ㊞
	給与の支払者の法人（個人）番号	×|×|×|×|×|×|×|×|×|×|×|×|×	あなたの住所又は居所	奈良市法華寺町1-1
	給与の支払者の所在地（住所）	大阪市中央区内本町2		

	新築又は購入に係る借入金等の計算			増改築等に係る借入金等の計算	
住宅借入金等	Ⓐ 住宅のみ	Ⓑ 土地等のみ	Ⓒ住宅及び土地等	項目	金額等
① 新築又は購入に係る借入金等の年末残高	円	円	24,000,000円	⑥ 増改築等に係る借入金等の年末残高	円
② 家屋又は土地等の取得対価の額	10,000,000	20,000,000	30,000,000	⑦ 増改築等の費用の額	円
③ 家屋の総床面積又は土地等の総面積のうち居住用部分の床面積又は面積の占める割合	100㎡/100㎡=100%	120㎡/120㎡=100%	（備考の（注）参照）100%	⑧ 増改築等の費用の額のうち居住用部分の費用の額の占める割合	㎡/㎡%
④ 取得対価の額に係る借入金等の年末残高（①と②の少ない方）	8,000,000	16,000,000	24,000,000	⑨ 増改築等の費用の額に係る借入金等の年末残高（⑥と⑦の少ない方）	円
⑤ 居住用部分の家屋又は土地等に係る借入金等の年末残高（④×③）	8,000,000	16,000,000	24,000,000	⑩ 居住用部分の増改築等に係る借入金等の年末残高（⑨×⑧）	円
⑪（特定借入金等特別控除の対象となる借入金等の年末残高（⑤＋⑩）	（最高 4,000万円）24,000,000	年間所得の見積額	6,000,000	連帯債務による住宅借入金等の年末残高	円
⑫ 特定増改築等の費用の額（備考の（注2）参照）	（下の⑰）	備考			
⑬ 特定増改築等の費用の額に係る借入金等の年末残高（⑩と⑫の少ない方）	（最高 200万円）				
⑭（特定増改築等）住宅借入金等特別控除額（⑬×1%）	（100円未満の端数切捨て）240,000				

◎ この申告書の記載に当たっては、同封の「年末調整で住宅借入金等控除を受ける方へ」をお読みください。
◎ この申告書の提出に当たっては、金融機関等が発行する「住宅取得資金に係る借入金の年末残高等証明書」の添付が必要です。
◎ 下の証明書は、切り離さないでください。

平成36年分　**年末調整のための（特定増改築等）住宅借入金等特別控除証明書**

630-8001

奈良市法華寺町1-1

加藤 優 様

左記の方が、平成29年分の所得税について次のとおり（特定増改築等）住宅借入金等特別控除の適用を受けていることを証明します。

平成30年 10月 ○日

奈良 税務署長 □□□□□

（証明事項）

新築又は購入した家屋に係る事項			増改築等をした部分に係る事項	
項目	家屋	土地等	項目	増改築等
居住開始年月日	平成29年3月10日（特定）		居住開始年月日	平成29年　月　日
家屋又は土地等の取得対価の額	10,000,000円	20,000,000円	増改築等の費用の額	円
家屋又は土地等の総床面積又は総面積	100㎡	120㎡	⑦のうち居住用部分の費用の額	円
ⓔ又はⓕのうち居住用部分の床面積又は面積	100㎡	120㎡	特定増改築等の費用の額	円
			（特定増改築等）住宅借入金等特別控除額	290,000円

（平成29年中居住者用）

（源泉徴収簿）

区分	金額 ①	税額
給料・手当等（⑬＋⑭＋⑮＋⑯＋⑰＋⑱＋⑲）	円	
差引課税給与所得金額（⑪－⑳）及び算出所得税額	㉑（1,000円未満切捨て）	㉒
（特定増改築等）住宅借入金等特別控除額	㉓	240,000
年調所得税額（㉒－㉓、マイナスの場合は0）	㉔	
年調年税額（㉔×102.1%）	㉕（100円未満切捨て）	

住宅取得資金に係る借入金の年末残高等証明書

住宅取得資金の借入れ等をしている者	住 所	奈良市法華寺町1－1		
	氏 名	加 藤 優		
住 宅 借 入 金 等 の 内 訳		1 住宅のみ　　2 土地等のみ　　③ 住宅及び土地等		
住宅借入金等の金額	年末残高	予 定 額	16,000,000	円
	当初金額	平成 29 年 2 月 1 日	20,000,000	円
償還期間又は賦払期間		平成 29 年 3 月から 令和 19 年 2 月まで	の 20 年	月間
居住用家屋の取得の対価等の額又は増改築等に要した費用の額				円
（摘要）				

合計額

租税特別措置法施行令第26条の3第1項の規定により、令和 6 年 12 月 31 日における租税特別措置法第
41条第1項に規定する住宅借入金等の金額、同法第41条の3の2第3項又は第6項に規定する増改築等住宅
借入金等の金額等について、上記のとおり証明します。

　　　令和 6 年 11 月 21 日

　　　　　　　　　（住宅借入金等に係る債権者等）
　　　　　　　所 在 地　奈良市登大路町81
　　　　　　　名　　称　株式会社 北和銀行
　　　　　　　　　（事業免許番号等）

株式会社北和銀行印

住宅取得資金に係る借入金の年末残高等証明書

住宅取得資金の借入れ等をしている者	住 所	奈良市法華寺町1－1		
	氏 名	加 藤 優		
住 宅 借 入 金 等 の 内 訳		1 住宅のみ　　2 土地等のみ　　③ 住宅及び土地等		
住宅借入金等の金額	年末残高	予 定 額	8,000,000	円
	当初金額	平成 29 年 2 月 1 日	10,000,000	円
償還期間又は賦払期間		平成 29 年 3 月から 令和 19 年 2 月まで	の 20 年	月間
居住用家屋の取得の対価等の額又は増改築等に要した費用の額				円
（摘要）				

租税特別措置法施行令第26条の3第1項の規定により、令和 6 年 12 月 31 日における租税特別措置法第
41条第1項に規定する住宅借入金等の金額、同法第41条の3の2第3項又は第6項に規定する増改築等住宅
借入金等の金額等について、上記のとおり証明します。

　　　令和 6 年 12 月 3 日

　　　　　　　　　（住宅借入金等に係る債権者等）
　　　　　　　所 在 地　大阪市中央区内本町2
　　　　　　　名　　称　関西航空 株式会社
　　　　　　　　　（事業免許番号等）

関西航空株式会社印

【住宅借入金等特別控除申告書の記載例(2)】 ……エネルギー消費性能向上住宅の取得等に関し令和4年分について確定申告で控除を受けた人が、令和6年分の年末調整で控除を受ける場合

●住宅借入金等の年末残高の合計額　24,000,000円（年末残高等証明書の掲載省略）

令和6年分　給与所得者の住宅借入金等特別控除申告書
兼住宅借入金等特別控除計算明細書

○○
この申告書及び証明書は、この用紙を計算明細書として使用し、令和6年分の年末調整を受ける際に必要です。年末調整を受ける時まで保存し、給与の支払者に提出してください。

なお、この申告書及び証明書は、令和6年分の年末調整を受ける時まで保存し、給与の支払者に提出してください。

西　税務署長	給与の支払者の名称（氏名）	阿波座食品株式会社	（フリガナ）あなたの氏名　アキヤマ　ヒトシ　秋山　均　世帯主の氏名及びあなたとの続柄（秋山　均・本人）
	給与の支払者の法人番号	×│×│×│×│×│×│×│×│×│×│×│×│×	あなたの住所又は居所　東大阪市友井2-7-2
	給与の支払者の所在地（住所）	大阪市西区川口2-7	

年末調整の際に、次のとおり住宅借入金等特別控除を受けたいので、申告します。

項　目	新築又は購入に係る借入金等の計算			⑩ 増改築等に係る借入金等の計算（注1）
	Ⓐ 住宅のみ	Ⓑ 土地等のみ	Ⓒ 住宅及び土地等	
① 新築、購入及び増改築等に係る住宅借入金等の年末残高（内、連帯債務による借入金の額）	円（　　　　）	円（　　　　）	24,000,000 円（　　　　）	円（　　　　）
② 住宅借入金等の年末残高（①のうち単独債務の額＋①のうち連帯債務の額×「連帯債務割合」）	％　　　　円	％　　　　円	24,000,000 円	％　　　　円
③ ②と証明事項の取得対価の額又は増改築等の費用の額のいずれか少ない方の金額	②と少ない方　円	②と少ない方　円	②と(⑩+②+⑩)の少ない方（注2）24,000,000 円	②と⑩の少ない方　円
④ ③ ×「居住用割合」	％　　　　円	％　　　　円	100 ％（注3）24,000,000 円	％　　　　円
⑤ 住宅借入金等の年末残高等（④の欄の合計額）	（最高4,000万円）24,000,000 円	年間所得の見積額（2,000万円を超える場合は控除の適用がありません。）8,000,000 円		
⑥ 住宅借入金等特別控除額⑤ × 0.7％	（100円未満の端数切捨て）（最高 280,000円）168,000 円	重複適用（の特例）を受ける場合の（特定増改築等）住宅借入金等特別控除額　　円	（100円未満の端数切捨て）（最高　　円）0000	

（備考）

（注1）増改築等に係る借入金等の区分が「住宅及び土地等」の場合は、Ⓒ欄で計算します。
（注2）Ⓒの区分に該当する住宅借入金等の年末残高と⑩、Ⓐ又はⒷに該当する住宅借入金等の年末残高を共に有する場合には、最寄りの税務署にお尋ねください。
（注3）Ⓒ欄の③の居住用割合については、Ⓐ欄の④の居住用割合と⑩欄の④の居住用割合や、⑩欄の④の居住用割合とⒷ欄の④の居住用割合）が異なる場合は、「同封の説明書」をお読みいただいて記入してください。

令和6年分　年末調整のための住宅借入金等特別控除証明書

577-0816
東大阪市友井2-7-2

秋山　均様

左記の方が、　令和4年分の所得税について次のとおり住宅借入金等特別控除の適用を受けていることを証明します。

令和5年　10月　○日

東大阪　税務署長　△△　△△　（東大阪税務署長之印）

（証明事項）（令和4年中居住者用）

㋑居住開始年月日	家屋に関する事項			土地等に関する事項		
	㋺取得対価の額	㋩居住用割合	㋥連帯債務割合	㋭取得対価の額	㋬居住用割合	㋣連帯債務割合
令和4年8月1日	16,500,000 円	100 ％	％	20,000,000 円	100 ％	％

㋠居住開始年月日	増改築等に関する事項			㋟住宅の区分等	㋞備考
	㋷増改築等の費用の額	㋦居住用割合	㋧連帯債務割合		
年　月　日	円	％	％		

（参考）適用初年分の控除額	171,500 円	各年分の控除額の計算の結果、この金額を上回ることはありません。表各年分の控除額ではありませんのでご注意ください。

（源泉徴収簿）

区　分	金　額	税　額
差引課税給与所得金額（⑪-⑳）及び算出所得税額　㉑	（1,000円未満切捨て）	㉒
（特定増改築等）住宅借入金等特別控除額　㉓		168,000
年調所得税額（㉒-㉓、マイナスの場合は0）　㉔		
年　調　年　税　額　（㉔ × 102.1％）　㉕	（100円未満切捨て）	

【住宅借入金等特別控除申告書の記載例(3)】 ……住宅の増改築等に関し令和５年分について確定申告で控除を受けた人が、令和６年分の年末調整で控除を受ける場合

●住宅借入金等の年末残高の合計額　4,000,000円（年末残高等証明書の掲載省略）

令和６年分　給与所得者の住宅借入金等特別控除申告書
兼住宅借入金等特別控除計算明細書

南 税務署長	給与の支払者 の名称（氏名）	難波興業株式会社	（フリガナ）あなたの氏名 / 世帯主の氏名及びあなたとの続柄（石川 栄・本人） イシカワ サカエ　石川 栄
	給与の支払者 の法人番号	×××××××××××××	あなたの住所 又は居所　高槻市緑町3-20
	給与の支払者 の所在地（住所）	大阪市中央区谷町7-5	

年末調整の際に、次のとおり住宅借入金等特別控除を受けたいので、申告します。

項目	Ⓐ 住宅のみ	Ⓑ 土地等のみ	Ⓒ 住宅及び土地等	Ⓓ 増改築等に係る借入金等の計算（注1）
① 新築、購入及び増改築等に係る住宅借入金等の年末残高（内、連帯債務による借入金の額）	円（　）	円（　）	円（　）	4,000,000 円（　）
② 住宅借入金等の年末残高（①のうち単独債務の額＋①のうち連帯債務の額×「連帯債務割合」）	（　%）円	（　%）円	（　%）円	（　%）円 4,000,000
③ ②と証明事項の取得対価の額又は増改築等の費用の額のいずれか少ない方の金額	②と⑧の少ない方 円	②と⑧の少ない方	②と（⑤+⑥+⑦）の少ない方（注2）	②と⑨少ない方 4,000,000
④ ③ ×「居住用割合」	（　%）円	（　%）		80 %（注3） 3,200,000
⑤ 住宅借入金等の年末残高等〔④の欄の合計額〕	（最高2,000万円）3,200,000	年間所得の見積額（2,000万円を超える場合は控除の適用がありません。）7,000,000		円
⑥ 住宅借入金等特別控除額（　⑤　× 0.7%）	（100円未満切捨て）（最高140,000円）22,4 00	重複適用（の特例）を受ける場合の（特定増改築等）住宅借入金等特別控除額	（100円未満切捨て）（最高 円）	円

（備考）

（注1）増改築等に係る借入金等の区分が「住宅及び土地等」の場合は、Ⓒ欄で計算します。
（注2）Ⓒの区分に該当する住宅借入金等とⒶ、Ⓑ又は⑧の区分に該当する住宅借入金等の年末残高を共に有する場合には、最寄りの税務署にお尋ねください。
（注3）Ⓒ欄のⒾの居住用割合については、「Ⓐ欄のⒾの居住用割合とⒷ欄のⒾの居住用割合」や「Ⓓ欄のⒾの居住用割合とⒸ欄のⒾの居住用割合」が異なる場合は、「計算の明細書」をお読みいただいて記入してください。

令和６年分　年末調整のための住宅借入金等特別控除証明書

5 6 9 － 0 0 9 4	左記の方が、令和 5 年分の所得税について次のとおり住宅借入金等特別控除の適用を受けていることを証明します。
高槻市緑町3－20 石川 栄 様	令和 6 年 10 月 ○ 日 茨木 税務署長　□□ □□　茨木税務署長之印

（証明事項）（令和5年中居住者用）

家屋に関する事項			土地等に関する事項		
㋑居住開始年月日 / ㋺取得対価の額	㋩居住用割合	㋥連帯債務割合	㋭取得対価等の額	㋬居住用割合	㋛連帯債務割合
年 月 日 / 円	%	%	円	%	%

増改築等に関する事項			㋣住宅の区分等	㋠備考
㋦居住開始年月日 / ㋧増改築等の費用の額	㋨居住用割合	連帯債務割合		
令和5年8月1日 / 6,600,000 円	80 %			

（参考）適用初年分の控除額	24,500 円	本年分の控除額の計算の結果、この金額となることはありません。係る分の控除額で計れませんのでご注意ください。

（源泉徴収簿）

区　分	金　額	税　額
	⑦ 円	⑨ 円
㉑ 差引課税給与所得金額（⑲−⑳）及び算出所得税額	（1,000円未満切捨て）	㉒
㉓ （特定増改築等）住宅借入金等特別控除額		22,400
㉔ 年調所得税額（㉒−㉓、マイナスの場合は0）		
㉕ 年調年税額（㉔ × 102.1%）		（100円未満切捨て）

— 113 —

【住宅借入金等特別控除申告書の記載例⑷】……認定住宅の新築等に関し令和5年分について確定申告で控除を受けた人が、令和6年分の年末調整で控除を受ける場合

●住宅借入金等の年末残高の合計額　30,000,000円（年末残高等証明書の掲載省略）

令和6年分　給与所得者の住宅借入金等特別控除申告書
兼住宅借入金等特別控除計算明細書

	給与の支払者の名称（氏名）	中崎電工株式会社	（フリガナ）あなたの氏名	アサイ　コウイチ 浅井　孝一	世帯主の氏名及びあなたとの続柄（浅井　孝一・本人）
北 税務署長	給与の支払者の法人番号	×××××××××××××	あなたの住所又は居所	池田市旭丘4-3-8	
	給与の支払者の所在地（住所）	大阪市北区浮田3-1			

年末調整の際に、次のとおり住宅借入金等特別控除を受けたいので、申告します。

項　目	新築又は購入に係る借入金等の計算			増改築等に係る借入金等の計算（注1）
	Ⓐ 住 宅 の み	Ⓑ 土 地 等 の み	Ⓒ 住 宅 及 び 土 地 等	
新築、購入及び増改築等に係る住宅借入金等の年末残高①（内、連帯債務による借入金の額）①	円	円	30,000,000 円	円
住宅借入金等の年末残高②（①のうち単独債務の額＋①のうち連帯債務の額×「連帯債務割合」）②	（　　%）円	（　　%）円	（　　%）30,000,000 円	（　　%）円
②と証明事項の取得対価の額又は増改築等の費用の額のいずれか少ない方の金額③	②とⒸの少ない方 円	②とⒸの少ない方 円	②と（Ⓐ+Ⓑ+Ⓒ）の少ない方（注2）30,000,000 円	②とⒸの少ない方 円
③ × 「居住用割合」④	（　　%）円	（　　%）円	（100 %）（注3）30,000,000 円	（　　%）円
住宅借入金等の年末残高等（④の欄の合計額）⑤	（最高5,000万円）30,000,000 円	年間所得の見積額（2,000万円を超える場合は控除の適用がありません。）9,000,000 円		
住宅借入金等特別控除額（ ⑤ × 0.7%）⑥	（100円未満切捨て）（最高 350,000 円）210,0 00 円	重複適用（の特例）を受ける場合の（特定増改築等）住宅借入金等特別控除額	（100円未満切捨て）（最高 円）00	（100円未満切捨て）円

（備考）

（注1）増改築等に係る借入金等の区分が「住宅及び土地等」の場合は、Ⓒ欄で計算します。
（注2）Ⓒの区分に該当する住宅借入金等の年末残高とⒶ、又はⒷの区分に該当する住宅借入金等の年末残高を共に有する場合には、最寄りの税務署にお尋ねください。
（注3）Ⓒ欄の④の居住用割合については、「Ⓐ欄の④の居住用割合とⒷ欄の④の居住用割合」や「Ⓒ欄の④の居住用割合とⒷ欄の④の居住用割合」が異なる場合は、「別紙の説明書」をお読みいただいて記入してください。

令和6年分　年末調整のための住宅借入金等特別控除証明書

563-0022 池田市旭丘4-3-8 浅井　孝一 様	左記の方が、令和 5 年分の所得税について次のとおり住宅借入金等特別控除の適用を受けていることを証明します。 令和 6 年 10 月 ○ 日 豊能 税務署長　○○　○○　印

（証明事項）（令和5年中居住者用）

	家屋に関する事項				土地等に関する事項		
⑦居住開始年月日	ⓐ取得対価の額	ⓑ居住用割合	ⓒ連帯債務割合		ⓓ取得対価等の額	ⓔ居住用割合	ⓕ連帯債務割合
令和5年8月1日	29,700,000 円	100 %	%		18,000,000 円	100 %	%
	増改築等に関する事項			⑧ 住宅の区分等		⑨ 備　考	
⑦居住開始年月日	ⓐ増改築等の費用の額	ⓑ居住用割合	ⓒ連帯債務割合				
年　月　日	円	%	%				
（参考）適用初年分の控除額	220,500						

（源泉徴収簿）

区　　分	金　額	税　額
差引課税給与所得金額（⑪-⑳）及び算出所得税額㉑（1,000円未満切捨て）		㉒
（特定増改築等）住宅借入金等特別控除額㉓		210,000
年調所得税額（㉒-㉓、マイナスの場合は0）㉔		
年調年税額（㉔×102.1%）㉕（100円未満切捨て）		

【住宅借入金等特別控除申告書の記載例(5)】……住宅の特定増改築等に関し令和3年分について確定申告で控除を受けた人が、令和6年分の年末調整で控除を受ける場合

●住宅借入金等の年末残高の合計額　3,200,000円（年末残高等証明書の掲載省略）

令和6年分　給与所得者の(特定増改築等)住宅借入金等特別控除申告書
兼（特定増改築等）住宅借入金等特別控除計算明細書

茨木 税務署長	給与の支払者 の名称（氏名）	鈴木建設株式会社	（フリガナ） あなたの氏名	世帯主の氏名及びあなたとの続柄（ 田口 佑一・本人 ） タグチ　ユウイチ 田口　佑一
	給与の支払者 の法人番号	××××××××××××××	あなたの住所 又は居所	吹田市片山町1-2-6
	給与の支払者 の所在地（住所）	大阪府茨木市駅前3-2		

年末調整の際に、次のとおり（特定増改築等）住宅借入金等特別控除を受けたいので、申告します。

項　目	新築又は購入に係る借入金等の計算				⑪ 増改築等に係る借入金等の計算（注1）
	Ⓐ 住宅のみ	Ⓑ 土地等のみ	Ⓒ 住宅及び土地等		
① 新築、購入及び増改築等に係る住宅借入金等の年末残高（内、連帯債務による借入金の額）	円 （　　　）	円 （　　　）	円 （　　　）	3,200,000 円	円
② 住宅借入金等の年末残高（①のうち単独債務の額＋①のうち連帯債務の額×連帯債務割合）	％	％	％	3,200,000	円
③ ②と証明事項の取得対価の額又は増改築等の費用の額のいずれか少ない方の金額	②と⑤の少ない方	②と⑥の少ない方	②と(⑤+⑥)の少ない方	②との少ない方 3,200,000	②との少ない方 円
④ ③ × 「居住用割合」	％	％	％ （注2）	100％ 3,200,000	円
⑤ 住宅借入金等の年末残高等（④の横の合計額）	（最高1,000万円）円 3,200,000	年間所得の見積額 （3,000万円を超える場合は控除の適用がありません。（※））	5,000,000	税特特別控除特例に該当する場合、1,000万円を超える場合は控除の適用がありません。	
⑥ 特定増改築等の費用の額（注3）	円 2,500,000	（備考）			
⑦ 特定増改築等の費用の額に係る住宅借入金等の年末残高（⑤と⑥の少ない方）（注3）	（最高250万円）円 2,500,000	（注1）増改築等に係る借入金の区分が「住宅及び土地等」の場合は、Ⓒ欄で計算します。 （注2）Ⓒ欄Ⓐの居住用割合については、Ⓐ欄のⒶの居住用割合とⒷ欄のⒷの居住用割合でⒸ欄のⒸの居住用割合と⑪欄のⒹの居住用割合が異なる場合には、いずれか小さい割合を記入してください。 （注3）特定増改築等住宅借入金等特別控除を受けない場合は、⑥欄及び⑦欄の記入は必要ありません。			
⑧ （特定増改築等）住宅借入金等特別控除額（⑦×2%＋（⑤−⑦）×1%）	（100円未満の端数切捨て）円 （最高 125,000） 57,0 00	重複適用を受ける場合の （特定増改築等）住宅借入金等特別控除額 （※）に該当するときは、同様の箇所を省略してください。	（最高 円 ） 円		

令和6年分　年末調整のための（特定増改築等）住宅借入金等特別控除証明書

⑤⑥④—⑧⑧② 吹田市片山町1-2-3 田口　佑一 様 （証明事項）（令和3年中居住者用）	左記の方が、令和3年分の所得税について次のとおり（特定増改築等）住宅借入金等特別控除の適用を受けていることを証明します。 令和4年 10月 ○日 吹田 税務署長 □□ □□　　吹田税務署長之印

	家屋に関する事項				土地等に関する事項			
⑥居住開始年月日	⑥取得対価の額	⑥居住用割合	⑥連帯債務割合		⑥取得対価の額	⑥居住用割合	⑥連帯債務割合	
年 月 日	円	％	％		円	％	％	

	増改築等に関する事項				⑨特例期間（11年目～13年目）（※）における控除限度額	
⑦居住開始年月日（特定）	⑦増改築等の費用の額	⑦特定増改築等の費用の額	⑦居住用割合	⑦連帯債務割合		
令和3年 7月13日	4,000,000円	2,500,000円	100％	％	（※）　　　年分～　　　年分 円	

（参考）適用初年分の控除額	65,000円　各年分の控除額の計算の結果、この金額を上回ることはありません。各年分の控除額はありませんのでご注意ください。

（源泉徴収簿）

区　分	金　額	税　額	
差引課税給与所得金額（⑪−⑳）及び算出所得税額	㉑ （1,000円未満切捨て）	㉒	
（特定増改築等）住宅借入金等特別控除額	㉓	57,000	
年調所得税額（㉒−㉓、マイナスの場合は0）	㉔		
年調年税額（㉔×102.1％）	㉕ （100円未満切捨て）		

第七節 給与の金額、社会保険料等の金額及び徴収税額の集計

> 👉 集計は、年末調整を正しく行うための基礎となる事務です。

　給与所得者に支払った毎月の通常の給与及び賞与等の支給金額、給与等から差し引いた社会保険料・小規模企業共済等掛金の金額及び徴収税額は、その都度「源泉徴収簿」に記録されています。

　この「源泉徴収簿」に記録された給与の支給金額及び税額等の記載事項の確認と、これらの集計を行うことが、年末調整の最初の事務であり、年末調整を誤りなく行うための重要な事務です。

　なお、集計する際には、未払であっても支払うことが確定している給与や源泉徴収すべき所得税及び復興特別所得税を徴収していなかったためにその税額を強制徴収された臨時の給与、認定賞与（法人税の調査によって役員などに対する臨時的な給与と認定されたもの）等も含めることになっていますので、これらが記載漏れになっていないか等を再確認する必要があります。

■1 給与の金額の集計

1 通常の場合

　年末調整は、本年中の給与の金額の合計額を基にして年税額を求めて行いますので、まず本年中の給与を源泉徴収簿によって集計します。この集計は給料・手当等と賞与等とを区分して行い、それぞれの合計金額を源泉徴収簿の「計」欄の①欄と④欄に記載し、これを「年末調整」欄の①欄と④欄に移記した上、その合計金額を「計」欄の⑦欄に記載します。

> **集計上の注意**
>
> イ　毎月決まって支給する給与以外の臨時に支給した給与、現物給与（経済的利益）、認定賞与等についても集計漏れのないようにします。特にコンピュータにより給与計算を行っている場合には、入力漏れがないかチェックします。
>
> ロ　未払の給与や、未払の役員に対する賞与であっても、本年中に支払の確定したものはすべて給与の金額に含めて集計します。
>
> ハ　前年中に支払の確定した給与で未払となっていたものを本年に繰り越して支払った場合には、その給与は除いて集計します。
>
> ニ　課税されない現物給与（経済的利益）や通勤手当などは除いて集計します。

（注）　この設例では月額１万円の非課税通勤手当が支給されているものとして社会保険料等控除後の給与等の金額を計算しています。

2　特別な場合

　給与の金額の集計は、通常は、給与の支払者が本年中に支払う給与の金額を源泉徴収簿に基づいて集計すればよいのですが、その給与所得者が本年の中途で就職した人であるなど特別な場合には、それぞれ次により集計することになります。

①　本年中途で就職した人の給与の集計 （折込み26ページの計算例、45ページの図解参照）	本年中途で就職した人については、就職前に他の給与の支払者から甲欄給与（47ページ参照）の支払を受けていたかどうかを確かめ、その支払を受けている場合には、前の給与の支払者が支払った甲欄給与（前の給与の支払者が本年１月１日以降「扶養控除等申告書」の提出を受ける前に乙欄給与又は丙欄給与（47ページ参照）の支払をしているときは、これらの給与を含みます。）を自己が支払う甲欄給与（本年中にその人に対して乙欄給与又は丙欄給与の支払があるときは、これらの給与を含みます。）に加算して集計します。 　この場合、前の給与の支払者が支払った甲欄給与の金額は、その支払者から退職の際に交付された「給与所得の源泉徴収票」により確認します。この「給与所得の源泉徴収票」は、就職後に提出される「扶養控除等申告書」に添付することになっていますので、添付されていない場合は、それを提出するよう指導してください。
②　本年中途で「扶養控除等申告書」を提	本年の中途まで丙欄給与の支払を受けていた人が、雇用期間の延長等により日額表丙欄適用者でなくなり、「扶養控除等申告書」を提出して甲欄給与の支払を受

出した人の給与の集計 （45ページの図解参照）	けるようになった場合には、その年最後に給与を支払う日以前にその申告書が提出されている限り、その申告書の提出を受けている給与の支払者がその年中に支払う甲欄給与と丙欄給与とを通算して集計します。
③　本年中途で主たる給与の支払者と従たる給与の支払者が入れ替わった人の給与の集計 （45ページの図解参照）	本年の中途で主たる給与の支払者（「扶養控除等申告書」の提出先）と従たる給与の支払者が入れ替わった場合には、本年最後の給与の支払をする主たる給与の支払者が年末調整を行いますが、その際に集計すべき「給与の金額」は、本年最後の給与の支払をする主たる給与の支払者が支払った甲欄給与の金額（従たる給与の支払者として支払った乙欄給与又は丙欄給与があるときは、これらの給与を含みます。）に、前の給与の支払者が支払った甲欄給与の金額（前の給与の支払者が本年1月1日以降「扶養控除等申告書」の提出を受ける時までにその人に対して乙欄給与又は丙欄給与の支払をしているときは、これらの給与を含みます。）を加算します。

❷　給与から差し引いた社会保険料等の集計

　給与の金額の集計が終わりますと、次に月々の給与から差し引いた社会保険料・小規模企業共済等掛金（以下「社会保険料等」といいます。）の集計を行います。この集計は、給料・手当等から差し引いたものと賞与等から差し引いたものとをそれぞれ区分して集計し、その金額を源泉徴収簿の「計」欄の②欄と⑤欄に記載した上、その合計額を「年末調整」欄の「社会保険料等控除額」欄の「給与等からの控除分（②＋⑤）」欄（⑫）に記載します。（前ページの記載例参照）

集計上の注意

イ　本年中途で就職した人の社会保険料等の集計に当たっては、就職前に他の主たる給与の支払者のもとで給与から差し引かれた社会保険料等があれば、その金額も含めて集計します。

ロ　給与から差し引いた社会保険料等は、本年中に実際に差し引いたものであれば、その計算の基礎となる給与がいつの給与であるかを問いません。

ハ　健康保険、介護保険、厚生年金保険、雇用保険等の保険料又は確定拠出年金法の規定による個人型年金加入者掛金は通常は給与から差し引かれますが、たまたま給与の支払がない等のため直接本人から徴収し又は労働基準法に規定する休業補償のような非課税所得から控除したりしているような場合でも、その保険料は給与から差し引いたものとして集計します。

---

❸ 徴収税額の集計

1 集計上の留意事項

　年末調整の時までに徴収した税額の集計は、その徴収した税額と本年分の給与の金額の合計額に対する年税額とを対比し、過納額や不足額を算出し精算するための準備として行うものです。

　この税額（令和6年6月1日以後の税額は定額減税の月次減税額控除後の実際に源泉徴収した税額となります。）の集計は、源泉徴収簿の「給料・手当等」と「賞与等」とに区分して行い、それぞれの「計」の「③」欄と「⑥」欄に合計額を記載し、その金額を「年末調整」の「税額」の「③」欄と「⑥」欄にそれぞれ転記し、更にその合計額を「⑧」欄に記載します。

> **集計上の注意**
>
> イ　本年中途で就職した人の徴収税額の集計に当たっては、就職前に他の主たる給与の支払者から受けた給与があれば、それに対する徴収税額も含めて集計します。
>
> ロ　昨年の年末調整による不足額を本年分の給与の支払の際に徴収した場合には、その不足額を除いて集計します。
>
> ハ　未払給与や未払の役員に対する賞与のある人の徴収税額の集計に当たっては、その未払給与などから徴収すべき税額も含めて集計します。
>
> 　この未徴収税額がある場合には、年末調整の結果の過納額又は不足額についての精算を誤りなく行うため、特に源泉徴収簿の記載方法に注意する必要があります。（147ページの記載例参照）

2 本年最後に支払う給与等に対する税額計算の省略

　年末調整を行う本年最後に支払う給与等については、それが通常の給与であっても、また、賞与であっても、月額表等による源泉徴収税額を計算し、その税額も徴収税額の合計額に含めて集計するのが建前で、これによって年末調整を行えば、本来の過納額や不足額が算出されることになります。

　しかし、この方法によりますと手数がかかりますし、本年最後に支払う給与に対する税額及び年末調整による不足額は、ともに本年最後に支払う給与等から徴収することになりますので、本年最後に支払う給与について月額表等による源泉徴収税額の計算を省略して（徴収税額はないものとします。）徴収税額を集計し、年末調整を行っても差し支えないことになっています。（基通190-3）

（注）　年末調整による不足額の徴収繰延べを受けようとする人については、本年最後の給与についても、通常の源泉徴収税額を計算しなければなりません。これは年末調整により生じた本来の不足額だけが徴収繰延べされ、本年最後の給与に対する税額まで繰延べされないからです。

第八節　年調減税事務に関する申告書の検討

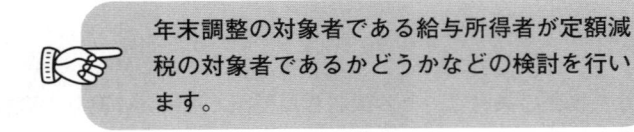

> 年末調整の対象者である給与所得者が定額減税の対象者であるかどうかなどの検討を行います。

　令和6年の年末調整事務においては、年末調整の対象者である給与所得者が年調減税事務の対象者であるかどうか、対象者であるならば年調減税額の計算の基礎となる同一生計配偶者の有無及び扶養親族の人数について、給与所得者から提出を受けた「基礎控除申告書」、「扶養控除等申告書」及び「配偶者控除等申告書 兼 年末調整に係る定額減税のための申告書」などの内容を検討しなければなりません。

1　合計所得金額の検討〜年調減税事務の対象者であるか

　年末調整の対象となる人のうち、給与所得以外の所得を含めた合計所得金額が1,805万円以下であると見込まれる人が、年調所得税額から年調減税額を控除する対象者となります。年末調整において、合計所得金額が1,805万円を超えるかどうかを勘案する際には、「基礎控除申告書」により把握した合計所得金額を用います。

　給与の支払者は、給与所得者から提出された「基礎控除申告書」の該当欄の記載内容について検討します。

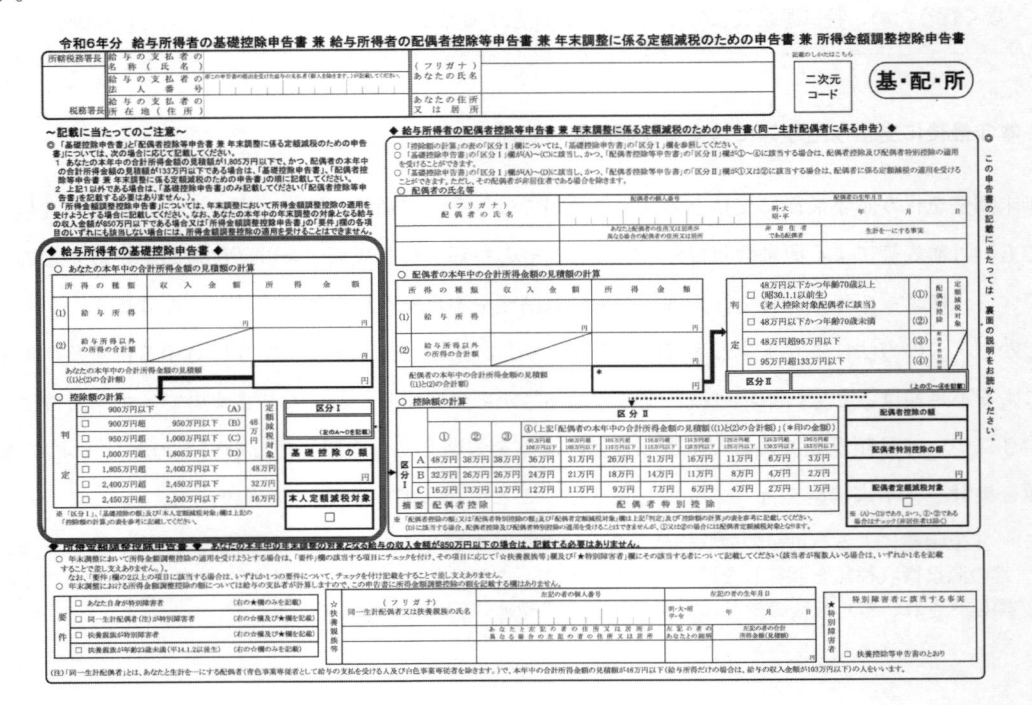

❷ 年末調整時における同一生計配偶者の有無及び扶養親族の人数の検討

　提出を受けた扶養控除等申告書等により、次の**1**から**3**までの確認を行い、年末調整時における同一生計配偶者の有無及び扶養親族（いずれも居住者に限ります。）の人数を把握します。

　なお、確認に当たっては、非居住者である同一生計配偶者及び非居住者である扶養親族を、年調減税額の計算のための人数に含めないでください。

1　居住者である同一生計配偶者の確認

　「配偶者控除等申告書 兼 年末調整に係る定額減税のための申告書」に記載された配偶者のうち、合計所得金額が48万円以下の人は、同一生計配偶者に該当しますので、「配偶者控除等申告書 兼 年末調整に係る定額減税のための申告書」に記載された配偶者が居住者であり、かつ、「合計所得金額の見積額」が48万円以下であるかどうかを確認し、それらに該当する場合には、年調減税額の計算のための人数に含めてください。

　なお、同一生計配偶者について、源泉控除対象配偶者として記載した「扶養控除等申告書」の提出を受けている場合も、年末調整の際に、「配偶者控除等申告書 兼 年末調整に係る定額減税のための申告書」の提出を受ける必要があります。

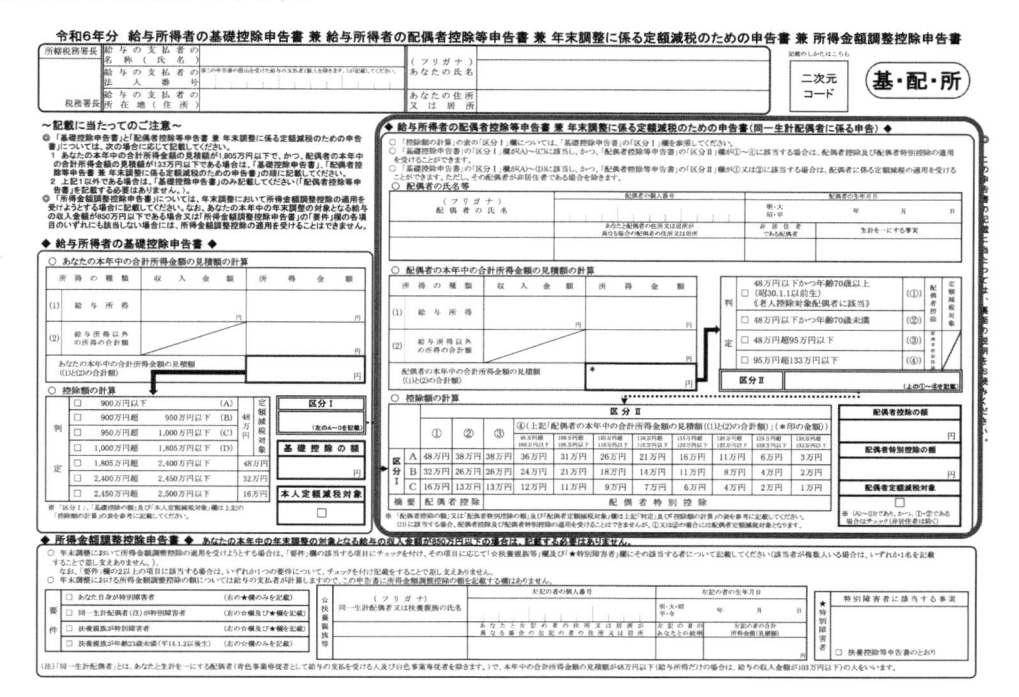

2 居住者である扶養親族の確認

「扶養控除等申告書」に記載された控除対象扶養親族及び16歳未満の扶養親族（住民税に関する事項として記載されています。）のうち、居住者である人の人数を確認し、年調減税額の計算のための人数に含めてください。

(注) 年調減税額を控除する対象者（「年調減税額控除対象者」といいます。）と他の人とが、同一の人について重複して定額減税を受けることはできません。重複して定額減税を受けることのないよう、年調減税額控除対象者に周知してください。

3 扶養控除等申告書等に記載していない同一生計配偶者等に係る申告

「扶養控除等申告書」や「配偶者控除等申告書 兼 年末調整に係る定額減税のための申告書」に記載していない16歳未満の扶養親族や同一生計配偶者（以下「同一生計配偶者等」）といいます。）については、年調減税額控除対象者から「年末調整に係る定額減税のための申告書」の提出を受けることで年調減税額の計算のための人数に含めることができます。

「扶養控除等申告書」や「配偶者控除等申告書 兼 年末調整に係る定額減税のための申告書」に記載していない同一生計配偶者等を、年調減税額の計算に含める場合には、年末調整を行うときまでに「年末調整に係る定額減税のための申告書」を勤務先へ提出するよう指導してください。

年調減税額控除対象者から「年末調整に係る定額減税のための申告書」の提出を受けた場合には、その記載内容から同一生計配偶者等の合計所得金額の見積額が48万円以下であるか、居住者であるか及び扶養控除等申告書等との重複がないかを検討し、年調減税額の計算のための人数に含めてください。

令和6年分 源泉徴収に係る定額減税のための申告書 兼 年末調整に係る定額減税のための申告書

記載のしかたはこちら
源泉徴収に　年末調整に
係る申告書　係る申告書

所轄税務署長	給与の支払者の名称（氏名）	○○○○株式会社	（フリガナ）あなたの氏名	ヤマカワ　タロウ　山川　太郎
○○ 税務署長	給与の支払者の法人番号 ※この申告書の提出を受けた給与の支払者が記載してください。	1 1 2 2 3 3 4 4 5 5 6 6 7		
	給与の支払者の所在地（住所）	△△市○○町2-3	あなたの住所又は居所	△△市○○町1-2-3

～記載に当たってのご注意～

◎ この申告書は、同一生計配偶者や扶養親族につき定額減税額を加算して控除を受けようとする場合に提出するものです。ただし、「給与所得者の扶養控除等（異動）申告書」（住民税に関する事項を含みます。以下同じです。）に記載した源泉控除対象配偶者や扶養親族及び「給与所得者の配偶者控除等申告書」に記載した控除対象配偶者については、この申告書への記載は不要です。
◎ この申告書は、あなたが「給与所得者の扶養控除等（異動）申告書」を提出した給与の支払者にしか提出することはできません。

☐	【源泉徴収に係る申告書として使用】・・・令和6年6月1日以後最初に支払を受ける給与（賞与を含みます。）の支払日までに、この申告書を給与の支払者に提出してください。 **令和6年6月1日以後最初に支払を受ける給与（賞与を含みます。）の源泉徴収から、以下に記載した者について定額減税額を加算して控除を受けます。** ※「給与所得者の扶養控除等（異動）申告書」に記載した源泉控除対象配偶者、控除対象扶養親族又は16歳未満の扶養親族については、既に定額減税額の加算の対象に含まれていますので、この申告書に記載して提出する必要はありません。 ※ この申告書に同一生計配偶者又は扶養親族を記載して提出した場合であっても、年末調整において定額減税額を加算して控除を受ける際には、同一生計配偶者については「給与所得者の配偶者控除等申告書 兼 年末調整に係る定額減税のための申告書」に、扶養親族については「年末調整に係る定額減税のための申告書」に記載して提出する必要があります。
☑	【年末調整に係る申告書として使用】・・・年末調整を行うときまでに、この申告書を給与の支払者に提出してください。 **年末調整において、以下に記載した者について定額減税額を加算して控除を受けます。** ※「給与所得者の扶養控除等（異動）申告書」に記載した源泉控除対象配偶者、控除対象扶養親族又は16歳未満の扶養親族については、既に定額減税額の加算の対象に含まれていますので、この申告書に記載して提出する必要はありません。 ※「給与所得者の扶養控除等（異動）申告書」又は「源泉徴収に係る定額減税のための申告書」に配偶者の氏名等を記載して提出した場合であっても、年末調整の際には、同一生計配偶者の氏名等を記載した申告書を提出する必要があります。この場合、「給与所得者の配偶者控除等申告書」を提出する人は、この申告書への記載は不要となりますので、「給与所得者の配偶者控除等申告書 兼 年末調整に係る定額減税のための申告書」（兼用様式）を使用して提出してください。 ※「源泉徴収に係る定額減税のための申告書」に扶養親族を記載して提出した場合であっても、「給与所得者の扶養控除等（異動）申告書」に記載していない扶養親族については、この申告書の「扶養親族の氏名等」に記載してください（この扶養親族について「給与所得者の扶養控除等（異動）申告書」に記載して提出する場合は、この申告書を提出する必要はありません。）。

（注）　使用する目的に応じて、いずれかの□にチェックを付けてください。

○ 同一生計配偶者の氏名等

※ 記載しようとする配偶者の本年中の合計所得金額の見積額が48万円を超える場合には、控除を受けることはできません。

（フリガナ）氏　名	個　人　番　号	生年月日	配偶者の住所又は居所	居住者に該当	本年中の合計所得金額の見積額
ヤマカワ　ハナコ　山川　花子	2 2 3 3 4 4 5 5 6 6 7 7	明・大・昭・平 56・10・5	△△市○○町1-2-3	☑	200,000 円

○ 扶養親族の氏名等

※ 記載しようとする親族の本年中の合計所得金額の見積額が48万円を超える場合には、控除を受けることはできません。

	（フリガナ）氏　名	個　人　番　号	続柄	生年月日	扶養親族の住所又は居所	居住者に該当	本年中の合計所得金額の見積額
1	ヤマカワ　サブロウ　山川　三郎	5 5 6 6 7 7 8 8 9 9 0 0	子	明・大・昭・平・令 23・7・5	△△市○○町1-2-3	☑	0 円
2				明・大・昭・平・令 ・・		☐	円
3				明・大・昭・平・令 ・・		☐	円

（注1）　配偶者の氏名等の記載がある「扶養控除等申告書」又は「源泉徴収に係る定額減税のための申告書」の提出を受けた場合であっても、年末調整においてその同一生計配偶者を定額減税額の計算に含める場合には、同一生計配偶者の氏名等を記載した「配偶者控除等申告書 兼 年末調整に係る定額減税のための申告書」又は「年末調整に係る定額減税のための申告書」のいずれかの提出を受ける必要がありますので、別途「配偶者控除等申告書 兼 年末調整に係る定額減税のための申告書」又は「年末調整に係る定額減税のための申告書」の提出を受けてください。

（注2）　扶養親族の氏名等の記載がある「源泉徴収に係る定額減税のための申告書」の提出を受けた場合であっても、「扶養控除等申告書」に記載していない扶養親族を年末調整において定額減税額の計算に含める場合には、この「年末調整に係る定額減税のための申告書」の提出を受けてください。

第三章　年税額の計算

第一節　年税額の求め方

 年税額の計算は、年末調整の決算ともいえるものですから、計算の順序に十分注意してください。

　給与所得者各人の本年分の給与の総額、徴収税額、控除対象配偶者や扶養親族、障害者等の数、保険料控除額などが明らかになれば、次に、各人ごとの令和6年分の給与の総額について納付しなければならない年税額（以下「**年調年税額**」といいます。）を計算することになります。

　年調年税額の計算は、次の順序で行います。

　なお、年調年税額（年末調整による年税額（復興特別所得税を含みます。））は、算出所得税額から住宅借入金等特別控除額を控除した後の年調所得税額から令和6年の定額減税額（年調減税額）を控除した後の年調所得税額に102.1％を乗じた金額（100円未満の端数は切り捨てます。）となります。

【令和6年分の年税額の計算の流れ】

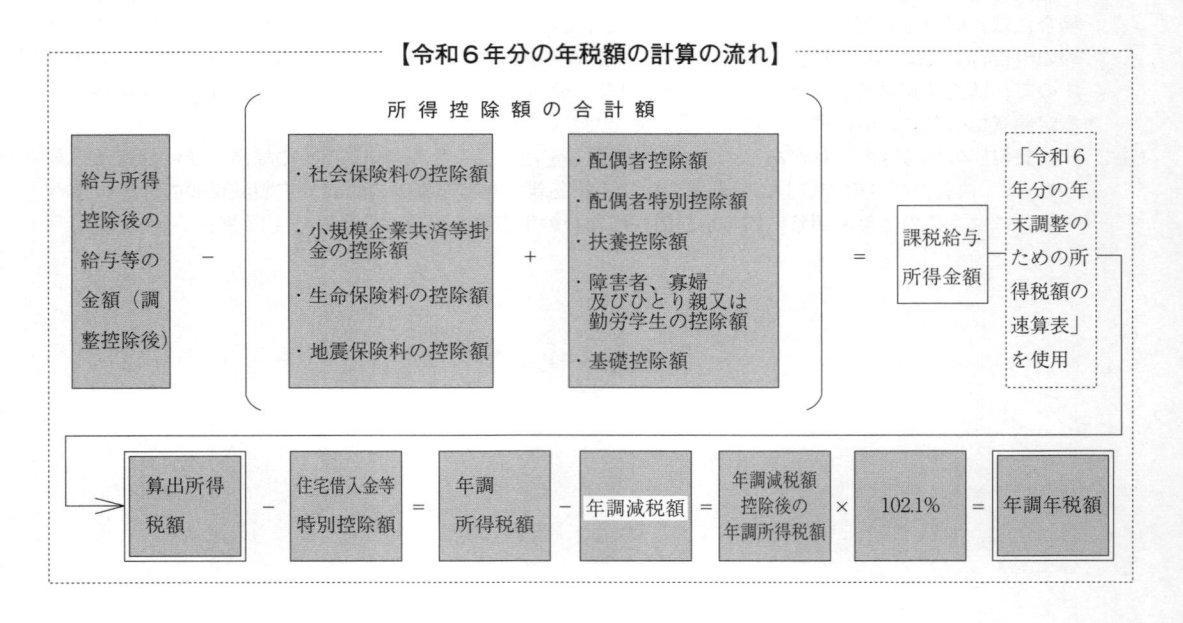

　この年調年税額を計算するときに使用する税額表等は次の①②です。

なお、年調年税額の計算は電子計算機等の事務機械によって行うこともできます。（130ページ参照）

① **令和６年分　年末調整等のための給与所得控除後の給与等の金額の表**（11～19ページ収録）

　年調年税額を求めるには、まず「給与所得控除後の給与等の金額」を求めなければなりませんが、この「給与所得控除後の給与等の金額」を求めるために使用するのがこの表（以下「給与所得表」といいます。）です。

② **令和６年分　年末調整のための所得税額の速算表**（24ページ収録）

　「給与所得控除後の給与等の金額」から扶養控除等の各種の所得控除額を差し引いた後の課税給与所得金額に応ずる「算出所得税額」を求めるために使用するのがこの「速算表」です。

1 令和６年分年税額の計算の手順

1　「給与所得控除後の給与等の金額」の計算

　年税額を計算するには、まず、本年中に支払うべき給与の総額から給与所得控除額を控除しなければなりませんが、この「給与所得控除後の給与等の金額」は、給与の総額について給与所得表（11～19ページ収録）を適用して求めます。

【「給与所得控除後の給与等の金額」の記載例】

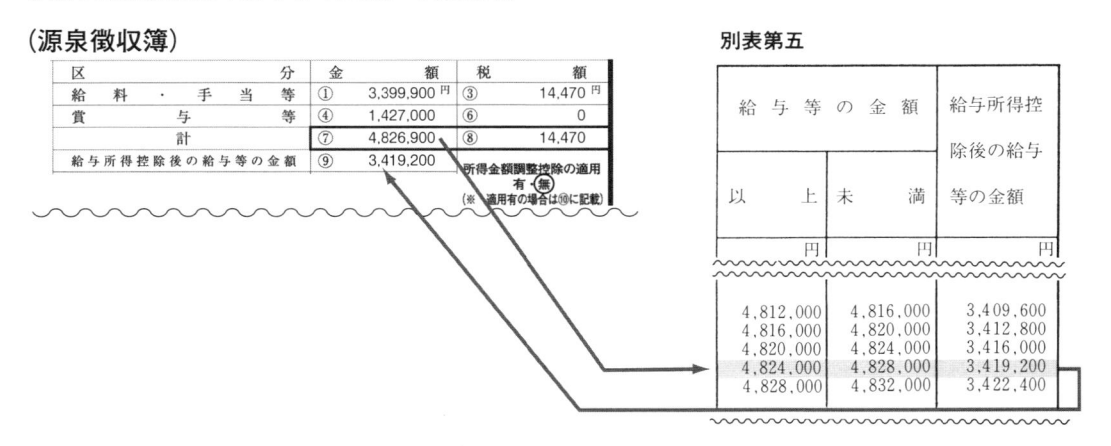

なお、本年中に支払った給与の総額が660万円以上の人については、給与所得表に掲げる一定の算式に従って給与所得控除後の給与等の金額を計算します。この場合、求めた給与所得控除後の給与等の金額に１円未満の端数があるときは、これを切り捨てます。

【給与の総額が660万円以上の場合の計算例】

〇給与の総額　　　　6,936,123円

〇給与所得控除後の給与等の金額を求める算式

6,936,123円×90％－1,100,000円　＝5,142,510.7円

〇給与所得控除後の給与等の金額………5,142,510円

（1円未満切捨て）

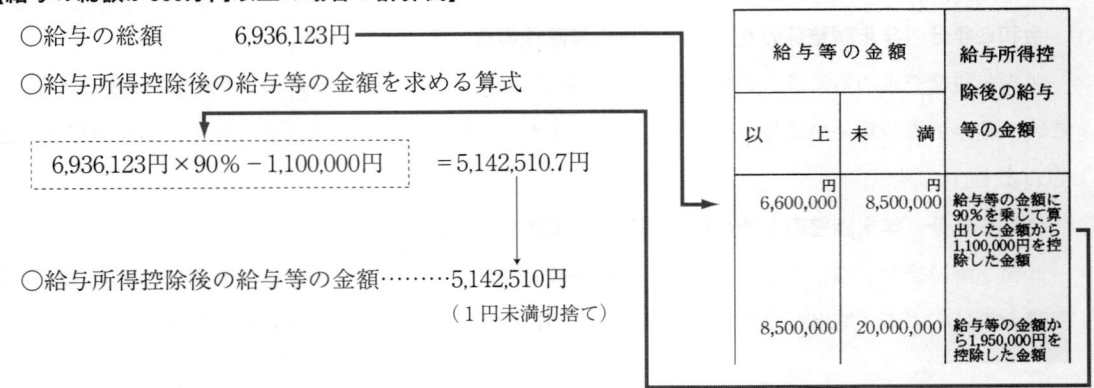

給与等の金額		給与所得控除後の給与等の金額
以　上	未　満	
円 6,600,000	円 8,500,000	給与等の金額に90％を乗じて算出した金額から1,100,000円を控除した金額
8,500,000	20,000,000	給与等の金額から1,950,000円を控除した金額

2　「給与所得控除後の給与等の金額（調整控除後）」の計算

　1により求めた「給与所得控除後の給与等の金額」から次に掲げる金額を控除して計算します。

　「所得金額調整控除申告書」により申告された内容に基づいて、下記の算式で所得金額調整控除額を計算します。この場合、1円未満の端数があるときは、これを切り上げます。

　（⑦欄－8,500,000円）×10％（マイナスの場合は0円、最高150,000円）

3　「課税給与所得金額」の計算

　2により求めた「給与所得控除後の給与等の金額（調整控除後）」から次に掲げる金額を控除して計算します。この場合、計算した金額に1,000円未満の端数があるときは、これを切り捨てます。

(1)　その年中の給与から控除された社会保険料・小規模企業共済等掛金及び「保険料控除申告書」により申告された社会保険料・小規模企業共済等掛金がある場合には、それらの金額

(2)　「保険料控除申告書」により申告された生命保険料、介護医療保険料、個人年金保険料及び地震保険料の金額がある場合には、それらの金額に係る生命保険料控除額及び地震保険料控除額

(3)　「配偶者控除等申告書」により申告された配偶者控除額又は配偶者特別控除額

(4)　「扶養控除等申告書」により申告された控除対象扶養親族（又は特定扶養親族、同居老親等、その他の老人扶養親族）及び障害者等の有無とそれらの数に応じ「令和6年分　扶養控除額及び障害者等の控除額の合計額の早見表」（22ページ参照）を適用して求めた金額

(5)　「基礎控除申告書」により申告された基礎控除額

4　「算出所得税額」の計算

　「算出所得税額」は、3により求めた「課税給与所得金額」について、「令和6年分　年末調整のための所得税額の速算表」（24ページ参照）を使用して求めます。

【課税給与所得金額と算出所得税額の記載例】

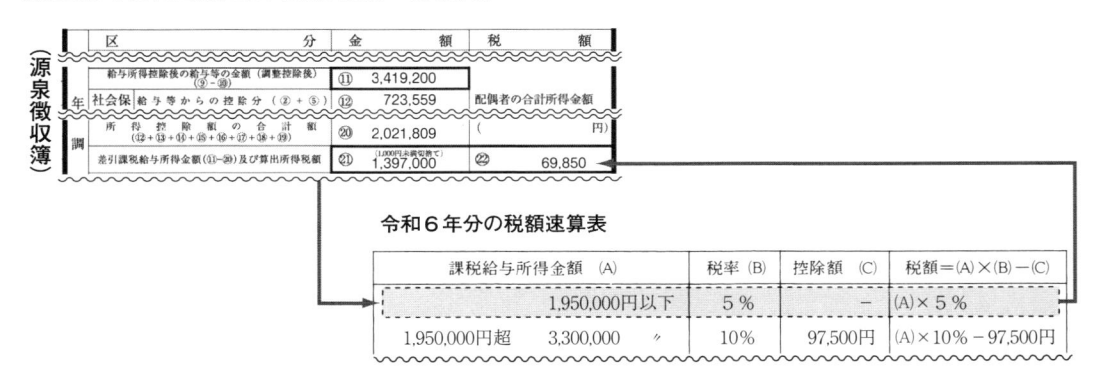

○源泉徴収簿の「差引課税給与所得金額」欄（㉑）の金額

　　1,397,000円（3,419,200円－2,021,809円）……1,000円未満切捨て

○「令和6年分の年末調整のための所得税額の速算表」の計算式

　　1,397,000円×5％＝<u>69,850円</u>……「算出所得税額」欄（㉒）に記載します。

5　「年調所得税額」の計算

(1)　住宅借入金等特別控除額の計算

　　住宅借入金等特別控除を受ける人については、既に住宅借入金等特別控除申告書の提出を受け、内容の確認を終わっていますので、この申告書に基づいて、その控除額を「（特定増改築等）住宅借入金等特別控除額」欄（㉓）に記載します。

(2)　年調所得税額の計算

　　「算出所得税額」欄の金額から「（特定増改築等）住宅借入金等特別控除額」欄の金額を控除し、その求めた金額を「年調所得税額」欄（㉔）に記載します。

　　この場合、住宅借入金等特別控除額が「算出所得税額」欄の金額より多いため控除しきれないときは、「年調所得税額」欄に「0」と記載し、控除しきれない部分の金額は切り捨てます。

　　なお、住宅借入金等特別控除の適用を受けない人については、算出所得税額が年調所得税額となります。

6　「年調減税額控除後の年調所得税額」の計算

(1)　年調減税額の計算

　　年調減税額の計算は「扶養控除等申告書」や「配偶者控除等申告書 兼 年末調整に係る定額減税のための申告書」、「年末調整に係る定額減税のための申告書」から、年末調整を行う時の現況における同一生計配偶者の有無及び扶養親族（いずれも居住者に限ります。）の人数を確認（第二章第八節参照）し、「本人30,000円」と「同一生計配偶者と扶養親族1人につき30,000円」との合計額を求めます。

　　なお、年調減税額の計算のための人数に含まれる「同一生計配偶者」は、次のいずれかに該当する

配偶者（居住者に限ります。）となります。

①　「配偶者控除等申告書 兼 年末調整に係る定額減税のための申告書」に記載された控除対象配偶者

②　合計所得金額が48万円以下の配偶者のうち、年調減税額の計算に含める配偶者として「年末調整に係る定額減税のための申告書」に記載された配偶者

(2)　年調減税額控除後の年調所得税額の計算

年末調整における年調減税額の控除は、住宅借入金等特別控除後の所得税額（＝年調所得税額）から行います。なお、住宅借入金等特別控除後の所得税額が控除の限度となります。

具体的には「年調所得税額」欄（㉔）から(1)で求めた年調減税額を控除することとなります。

源泉徴収簿への記載は次のように行います。

①　(1)で求めた年調減税額を、令和6年分源泉徴収簿の余白に「㉔－2　×××円」と記載します。

②　「年調所得税額」欄（㉔）の金額から「㉔－2　×××円」（年調減税額）を控除し、その控除後の残額を令和6年分源泉徴収簿の余白に「㉔－3　△△△円」と記載します。なお、年調減税額を控除しきれない場合は「㉔－3　0円」と記載し、年調減税額のうち控除しきれなかった金額を余白に「㉔－4　◇◇◇円」（控除外額）と記載します。

これ（㉔－3）が年調減税額控除後の年調所得税額となります。

7　「年調年税額」の計算

年末調整は、所得税（令和6年定額減税額控除後の所得税）及び復興特別所得税の合計額により行わなければなりません。

6で求めた年調減税額控除後の年調所得税額（㉔－3　△△△円）の金額は復興特別所得税額を含んでいませんので、この年調減税額控除後の年調所得税額（㉔－3　△△△円）の金額に102.1％を乗じた金額を求め、「年調年税額」欄（㉕）に記載します（100円未満の端数は切り捨てます。）。

【年調税減税額控除後の年調所得税額と年調年税額の記載例】

区　　　　　　分	金　　額		税　　額	
給　料　・　手　当　等	①	5,970,000 円	③	111,810 円
賞　　　　与　　　　等	④	1,800,000	⑥	93,000
計	⑦	7,770,000	⑧	204,810
給与所得控除後の給与等の金額	⑨	5,893,000	所得金額調整控除の適用 有・無 (※ 適用有の場合は⑩に記載)	
所 得 金 額 調 整 控 除 額 ((⑦−8,500,000円)×10%、マイナスの場合は0)	⑩	(1円未満切上げ、最高150,000円)		
給与所得控除後の給与等の金額（調整控除後）(⑨−⑩)	⑪	5,893,000		
社会保 給与等からの控除 (⑫＋…)	⑫		配偶者の合計所得金額	

差引課税給与所得金額(⑪−⑳)及び算出所得税額	㉑	(1,000円未満切捨て) 3,011,000	㉒	203,600
（特定増改築等）住宅借入金等特別控除額			㉓	40,000
年 調 所 得 税 額 （ ㉒−㉓ 、マイナスの場合は0）			㉔	163,600
年 調 年 税 額 （ ㉔ × 1 0 2 . 1 ％ ）			㉕	(100円未満切捨て) 44,500
差 引 超 過 額 又 は 不 足 額 （ ㉕−⑧ ）			㉖	
超過額の精算	本年最後の給与から徴収する税額に充当する金額		㉗	
	未払給与に係る未徴収の税額に充当する金額		㉘	
	差 引 還 付 す る 金 額 （ ㉖−㉗−㉘ ）		㉙	
	同上のうち	本 年 中 に 還 付 す る 金 額	㉚	
		翌 年 に お い て 還 付 す る 金 額	㉛	
不足額の精算	本 年 最 後 の 給 与 か ら 徴 収 す る 金 額		㉜	
	翌 年 に 繰 り 越 し て 徴 収 す る 金 額		㉝	

㉔-2　120,000円　　㉔-3　43,600円　　㉔-4　0円

> (3) 「㉔-3」に102.1%を乗じた金額を「年調年税額㉕」欄に記載します。

> (1) 余白に「㉔-2」として、年調減税額を記載します。
> (2) 余白に「㉔-3」として、「年調所得税額㉔」欄の金額から「㉔-2」を控除した残額を記載します。
> ※ 「年調所得税額㉔」欄の金額から「㉔-2」の金額を控除して、控除しきれない金額がある場合には、余白に「㉔-2」（控除外額）として記載します。

② 電子計算機等による令和6年分年税額の計算の手順

　令和6年分の年末調整を電子計算機等によって行う場合には、「令和6年分　年末調整等のための給与所得控除後の給与等の金額の表」を電子計算機等に組み込まなければなりませんが、この場合、次に掲げるような方法によりプログラムを作成すると便利です。

1　「給与所得控除後の給与等の金額」の計算

(1)　年税額の計算をするには、まず、次の整理区分に応じ、給与の総額を「**年調給与額**」に置き換える必要があります。この「年調給与額」は、給与の総額が161万9,000円以上660万円未満の場合、「年末調整等のための給与所得控除後の給与等の金額の表」（以下「給与所得表」といいます。）の「給与等の金額」欄の各階級の最低金額に当たるものです。

表1　「年調給与額」の整理区分

給与の総額（ⓐ）	階差（ⓑ）	同一階差の最小値（ⓒ）	年　調　給　与　額
1,618,999円まで			給与の総額をそのまま年調給与額とします。
1,619,000円から1,619,999円まで	1,000円	1,619,000円	下記の【算式】に、左の階差（ⓑ）及び同一階差の最小値（ⓒ）を当てはめて計算した金額を年調給与額とします。
1,620,000円から1,623,999円まで	2,000円	1,620,000円	
1,624,000円から6,599,999円まで	4,000円	1,624,000円	
6,600,000円から			給与の総額をそのまま年調給与額とします。

（注）　給与の総額が1,031,000円未満の場合には、その給与の総額に対する給与所得控除後の給与等の金額は381,000円未満となり、その金額から基礎控除額（48万円）を差し引くと他の所得控除額がなくても、課税給与所得金額は1,000円未満となり、その税額は0となりますから、この計算をする必要はありません。

【算式】

①……$\dfrac{給与の総額ⓐ－同一階差の最小値ⓒ}{階差ⓑ}$ ＝ 商…余りⓓ

②……給与の総額ⓐ － ①の余りⓓ ＝ 年調給与額ⓔ

（注1）　算式中の「階差」は、「給与所得表」に定める各階級の属する給与等の金額の階差です。

（注2）　「商」の値は、自然数又は0とします。

(2)　(1)により求めた「年調給与額」を基にして、次の算式によって「給与所得控除後の給与等の金額」
　　を計算しますが、「年調給与額」が660万円以上であって、次の算式により求めた金額に1円未満の端
　　数があるときは、その端数を切り捨てます。

【算式】

年調給与額ⓔ　×　ⓔに応ずる
表2の率　－　ⓔに応ずる
表2の控除額　＝　給与所得控除後
の給与等の金額　ⓕ

表2　「給与所得控除後の給与等の金額」計算上の率及び控除額

| 年調給与額（ⓔ） | | 率 | 加 算 額 又 は 控 除 額 |
以　　　　上	以　　　　下		
1 円	550,999円	－	（全　額）
551,000	1,618,999	100%	△550,000円
1,619,000	1,619,999	60	＋97,600
1,620,000	1,621,999	60	＋98,000
1,622,000	1,623,999	60	＋98,800
1,624,000	1,627,999	60	＋99,600
1,628,000	1,799,999	60	＋100,000
1,800,000	3,599,999	70	△80,000
3,600,000	6,599,999	80	△440,000
6,600,000	8,499,999	90	△1,100,000
8,500,000	20,000,000	－	△1,950,000
20,000,001	－	（年末調整しない）	

　　所得金額調整控除申告書の提出がある場合は、ⓕから所得金額調整控除額を控除して「給与所得控除
後の給与等の金額（調整控除後）」を計算します。

2　課税給与所得金額の計算

　　1により求めた「給与所得控除後の給与等の金額」から、**表3**の社会保険料控除額、小規模企業共済
等掛金控除額、生命保険料控除額、地震保険料控除額、配偶者控除額、配偶者特別控除額、扶養控除額、
障害者控除額、寡婦控除額、ひとり親控除額、勤労学生控除額及び基礎控除額の合計額を控除して「課
税給与所得金額」を計算します。

【算式】

給与所得控除後
の給与等の金額　－（社会保険
料控除額　＋　小規模企業共済
等掛金控除額　＋　生命保険
料控除額　＋　地震保険
料控除額

＋　配偶者
控除額　＋　配偶者特
別控除額　＋　扶　養
控除額　＋　障害者
控除額　＋　寡　婦
控除額　＋　ひとり親
控　除　額　＋　勤労学生
控　除　額　＋　基　礎
控除額）＝　課税給与
所得金額　ⓖ

表3 令和6年分の「各種所得控除額」

生 命 保 険 料 控 除	次の(1)、(2)又は(3)により求めた金額の合計額（適用限度額12万円） (1) 平成24年1月1日以後に締結した保険契約等（新契約）に係るもの （新契約のうち一般の生命保険料の金額を次の①から③に当てはめて計算した金額（一般生命保険料控除額）（最高40,000円)） ＋ （新契約のうち介護医療保険料の金額を次の①から③に当てはめて計算した金額（介護医療保険料控除額）（最高40,000円)） ＋ （新契約のうち個人年金保険料の金額を次の①から③に当てはめて計算した金額（個人年金保険料控除額）（最高40,000円)） ① 20,000円までの場合…………………………支払保険料の全額 ② 20,000円を超え40,000円までの場合…… 支払保険料×½＋10,000円 ③ 40,000円を超える場合……………………支払保険料×¼＋20,000円 (2) 平成23年12月31日以前に締結した保険契約等（旧契約）に係るもの （旧契約のうち一般の生命保険料の金額を次の①から③に当てはめて計算した金額（一般生命保険料控除額）（最高50,000円)） ＋ （旧契約のうち個人年金保険料の金額を次の①から③に当てはめて計算した金額（個人年金保険料控除額）（最高50,000円)） ① 25,000円までの場合…………………………支払保険料の全額 ② 25,000円を超え50,000円までの場合…… 支払保険料×½＋12,500円 ③ 50,000円を超える場合……………………支払保険料×¼＋25,000円 (3) 新契約と旧契約の双方の保険契約等に係るもの 　　一般生命保険料控除額及び個人年金保険料控除額は、それぞれ次の金額の合計額 ① 新契約の支払保険料につき、(1)により計算した金額 ② 旧契約の支払保険料につき、(2)により計算した金額 (注) 一般生命保険料控除額及び個人年金保険料控除額それぞれにつき最高4万円
地 震 保 険 料 控 除	(1) 地震保険料だけの場合……支払保険料の全額（最高50,000円） (2) 旧長期損害保険料だけの場合…①から③に当てはめて計算した金額 ① 支払った保険料が10,000円までの場合　→支払った保険料の全額 ② 支払った保険料が10,000円を超え20,000円までの場合　→支払保険料×½＋5,000円 ③ 支払った保険料が20,000円を超える場合　→15,000円 (3) (1)と(2)の両方がある場合……(1)と(2)を合計した金額（最高50,000円）

配 偶 者 控 除 額	次の区分に応じた金額が所得から控除されます。

配偶者の合計所得金額 ＼ 所得者の合計所得金額	900万円以下	900万円超950万円以下	950万円超1,000万円以下
48万円以下	38万円	26万円	13万円
老人控除対象配偶者	48万円	32万円	16万円

配 偶 者 特 別 控 除 額	次の区分に応じた金額が所得から控除されます。			
	配偶者の 合計所得金額 ＼ 所得者の 合計所得金額	900万円以下	900万円超 950万円以下	950万円超 1,000万円以下
	48万円超　95万円以下	38万円	26万円	13万円
	95万円超　100万円以下	36万円	24万円	12万円
	100万円超　105万円以下	31万円	21万円	11万円
	105万円超　110万円以下	26万円	18万円	9万円
	110万円超　115万円以下	21万円	14万円	7万円
	115万円超　120万円以下	16万円	11万円	6万円
	120万円超　125万円以下	11万円	8万円	4万円
	125万円超　130万円以下	6万円	4万円	2万円
	130万円超　133万円以下	3万円	2万円	1万円
	133万円超	0	0	0

扶 養 控 除 額	① ②③以外の控除対象扶養親族		380,000円
	② 特定扶養親族		630,000円
	③ 老人扶養親族	同居老親等	580,000円
		そ の 他	480,000円

障 害 者 控 除 額	一 般 の 障 害 者	270,000円
	特 別 障 害 者	400,000円
	同 居 特 別 障 害 者	750,000円

寡 婦 控 除 額	270,000円
ひ と り 親 控 除 額	350,000円
勤 労 学 生 控 除 額	270,000円
社 会 保 険 料 控 除	支払った保険料の全額
小規模企業共済等掛金控除	支払った掛金の全額

基 礎 控 除 額	次の区分に応じた金額が所得から控除されます。	
	所 得 者 の 合 計 所 得 金 額	基 礎 控 除 額
	2,400万円以下	48万円
	2,400万円超 2,450万円以下	32万円
	2,450万円超 2,500万円以下	16万円
	2,500万円超	0円

3 算出所得税額・年調所得税額の計算

　2により求めた「課税給与所得金額」から次に掲げるところにより算出所得税額を求めます。この場合、課税給与所得金額に1,000円未満の端数があるときは、その端数を切り捨てます。

【算式】

課税給与所得金額 × 次表の税率(A) － 次表の控除額(B) ＝ 算出所得税額

課 税 給 与 所 得 金 額		税　率　(A)	控　除　額　(B)
	1,950,000円以下	5 %	－
1,950,000円超	3,300,000 〃	10%	97,500円
3,300,000 〃	6,950,000 〃	20%	427,500円
6,950,000 〃	9,000,000 〃	23%	636,000円
9,000,000 〃	18,000,000 〃	33%	1,536,000円
18,000,000 〃	18,050,000 〃	40%	2,796,000円

（注）　年末調整の対象となる人の課税給与所得金額は、最高額で1,805万円となります。

　なお、住宅借入金等特別控除の適用がある場合には、上記により計算した算出所得税額から年末調整に係る住宅借入金等特別控除額を控除した残額が「年調所得税額」になります。また、上記により計算した算出所得税額より住宅借入金等特別控除額の方が多いときは、その算出所得税額の範囲にとどめ、控除しきれない部分の金額は切り捨てます。

（注）　年調所得税額の100円未満の金額については、端数処理は行いません。

4　「年調減税額控除後の年調所得税額」の計算

(1)　年調減税額の計算

　年調減税額の計算は「扶養控除等申告書」や「配偶者控除等申告書 兼 年末調整に係る定額減税のための申告書」などから、年末調整を行う時の現況における同一生計配偶者の有無及び扶養親族（いずれも居住者に限ります。）の人数を確認（第二章第八節参照）し、「本人30,000円」と「同一生計配偶者と扶養親族1人につき30,000円」との合計額を求めます。

　なお、年調減税額の計算のための人数に含まれる「同一生計配偶者」は、次のいずれかに該当する配偶者（居住者に限ります。）となります。

①　「配偶者控除等申告書 兼 年末調整に係る定額減税のための申告書」に記載された控除対象配偶者

②　合計所得金額が48万円以下の配偶者のうち、年調減税額の計算に含める配偶者として「年末調整に係る定額減税のための申告書」に記載された配偶者

(2)　年調減税額控除後の年調所得税額の計算

　年末調整における年調減税額の控除は、3で求めた住宅借入金等特別控除後の所得税額（＝年調所

得税額）から行います。なお、住宅借入金等特別控除後の所得税額が控除の限度となります。

　具体的には**3**により求めた「年調所得税額」から(1)で求めた年調減税額を控除することで、「年調減税額控除後の年調所得税額」を求めます。「年調所得税額」から年調減税額を控除しきれなかった場合は、その控除しきれなかった金額も求めます。

5　「年調年税額」の計算

　年末調整は、所得税（令和6年定額減税額控除後の所得税）及び復興特別所得税の合計額により行うこととされています。**4**で求めた年調減税額控除後の年調所得税額の金額は復興特別所得税額を含んでいませんので、この年調減税額控除後の年調所得税額の金額に102.1％を乗じて「年調年税額」を求めます（100円未満の端数は切り捨てます。）。

6　電子計算機等による年税額の計算例

　月々の給与について、電子計算機等で算出した税額を徴収している人で、年末調整の年税額の計算も電子計算機等で行っている人の計算方法を具体例で示すと、次のとおりです。

> **【設　例】**
>
> 給与の総額　　　　　6,413,860円
>
> 所得控除の明細
>
> 　社会保険料等の額　　985,824円
>
> 　新生命保険料の額　　100,000円　（平成24年1月1日以後生命保険契約締結）
>
> 　控除対象配偶者　　　あり……所得なし。一般の控除対象配偶者に該当
>
> 　控除対象扶養親族の数　1人……特定扶養親族に該当
>
> 　年調減税額　　　　　90,000円

(1)　まず、給与の総額6,413,860円を**1**の(1)の算式を用いて「年調給与額」に置き換えます。

　①　$\dfrac{6,413,860円-1,624,000円}{4,000円}=1,197$（商）…1,860円（余り）

　②　6,413,860円－1,860円（余り）＝**6,412,000円**（**年調給与額**）

(2)　次に、(1)により求めた「年調給与額」に基づいて、**1**の(2)の算式により、「給与所得控除後の給与等の金額」を求めます。なお、給与の総額が850万円以下なので、所得金額調整控除の適用はありません。

　　6,412,000円×80％－440,000円＝**4,689,600円**（**給与所得控除後の給与等の金額（調整控除後）**）

(3)　(2)で求めた給与所得控除後の給与等の金額（調整控除後）4,689,600円から**2**の算式により各種所得控除額を控除して、「課税給与所得金額」（1,000円未満切捨て）を求めます。

(社会保険料等控除) (生命保険料控除) (配偶者控除) (扶養控除) (基礎控除)

4,689,600円 － （985,824円 ＋ 40,000円 ＋380,000円＋630,000円＋480,000円）

＝2,173,000円 （課税給与所得金額）
（1,000円未満切捨て）

(注) 新生命保険料の支払金額が80,001円以上の場合、最高限度額の40,000円が生命保険料控除額となります。

(4) 課税給与所得金額2,173,000円を基にして、**3**の算式により算出所得税額を計算します。

2,173,000円 ×10％ －97,500円 ＝**119,800円 （算出所得税額）**
（1,000円未満切捨て）

年末調整に係る住宅借入金等特別控除額がある場合は、その金額を控除した残額が年調所得税額となります。

(5) 年調所得税額から年調減税額90,000円を控除して年調減税額控除後の年調所得税額を求めます。控除しきれない場合は、その控除しきれない金額を求めます。

119,800円 － 90,000円 ＝ **29,800円 （年調減税額控除後の年調所得税額）**

(6) 年調減税額控除後の年調所得税額29,800円に102.1％を乗じて、復興特別所得税を含む年調年税額を求めます（100円未満の端数は切り捨てます。）。

29,800円 × 102.1％ ＝ **30,400円 （年調年税額）**
（100円未満切捨て）

第二節　年末調整の計算例

 年末調整を正しく行うために、まずこれらの
具体例によって実際に計算をしてみましょう。

各計算例のポイント

1　同居特別障害者がいる人の場合（138ページ）

　本人又は扶養親族等のうちに障害者がいる場合には、毎月の源泉徴収に当たっては、一般の障害者又は特別障害者の別を問わず、扶養親族等の数を1人増やしたところで税額を計算しています。扶養親族等が同居特別障害者に該当する場合には、扶養親族等の数を更に1人増やして計算します。しかし、年末調整においては、控除額に差があります（一般の障害者27万円、特別障害者40万円、同居特別障害者75万円）ので、その人が一般の障害者又は特別障害者のいずれに該当するか、また、同居特別障害者に該当するかどうかを源泉徴収簿の「扶養控除等の申告」欄によって確認してください。

2　老人控除対象配偶者又は老人扶養親族がいる人の場合（140ページ）

　控除対象配偶者又は控除対象扶養親族が年齢70歳以上の場合は、老人控除対象配偶者又は老人扶養親族となり、配偶者控除額又は扶養控除額は10万円割増しになります。また、障害者に該当する場合は、障害者控除の対象となります。

3　源泉控除対象配偶者がなく控除対象扶養親族がいる人の場合（142ページ）

　一定額以上の収入がある配偶者を源泉控除対象配偶者とすることはできません。例えば、給与所得となるパートタイムなどの収入が年間150万円を超える配偶者は、源泉控除対象配偶者となりません。年末調整において配偶者控除又は配偶者特別控除を受ける場合には、「配偶者控除等申告書」の提出を受けます。

4　給与等の収入金額が1,000万円を超える人の場合（144ページ）

　本人の合計所得金額が1,000万円を超える場合は、配偶者控除及び配偶者特別控除を受けることができず、給与等の収入金額が850万円を超える場合は、給与所得控除額が195万円の定額となります。

●一般的な人の場合（控除対象配偶者と控除対象扶養親族がある人）の計算例は、折込み25ページを参照してください。

（注）　本年（令和6年）は、年調所得税額から年調減税額を差し引きする年調減税事務がありますので、ご注意ください。なお、本節の設例では、記載されている給与の金額以外に所得はないものとします。

1 同居特別障害者がいる人の場合

【設例】

給与の総額[※1]	8,172,100円
社会保険料等の額	1,282,629円
生命保険料の額[※2]	40,000円
個人年金保険料の額[※2]	46,000円
地震保険料の額	9,000円
源泉控除対象配偶者（所得なし）	あり
控除対象扶養親族の数（特定扶養親族かつ同居特別障害者に該当）	1 人

※1　非課税通勤手当を含みません。
※2　平成24年1月1日以後に締結した保険契約等。

> 本節の計算例においては、すべて、月額1万円の非課税通勤手当が支給されているものとして、社会保険料等控除後の給与等の金額を計算しています。

この例は、月々の給与について月額表の甲欄を適用している人で扶養親族（特定扶養親族）に同居特別障害者がいる人の場合です。

この場合、特定扶養親族の扶養控除額63万円に同居特別障害者の障害者控除額75万円を加算した138万円を控除できることとなります。

この場合、源泉徴収簿の「障害者等」欄の該当するものを○で囲むことになっています。

源泉徴収簿

所属：販売促進課　職名：係長　住所：（郵便番号 590 - 0078）堺市堺区南瓦町2-20
甲欄乙欄

令和6年分　給与所得に対する源泉徴収簿

区分	月区分	支給日	総支給金額	社会保険料等の控除額	社会保険料等控除後の給与等の金額	扶養親族等の数	算出税額	年末調整による過不足税額	差引徴収税額
給料・手当等	1	1 25	469,100	74,340	394,760	4	5,690		5,690
	2	2 22	469,100	74,340	394,760	4	5,690		5,690
	3	3 25	469,100	74,340	394,760	4	5,690		5,690
	4	4 25	483,200	74,023	409,177	4	6,300		6,300
	5	5 24	483,200	74,023	409,177	4	6,300		6,300
	6	6 25	483,200	74,023	409,177	4	6,300 ▲6,300		0
	7	7 25	483,200	74,023	409,177	4	6,300 ▲6,300		0
	8	8 23	483,200	74,023	409,177	4	6,300 ▲6,300		0
	9	9 25	483,200	74,023	409,177	4	6,300 ▲6,300		0
	10	10 25	483,200	78,559	404,641	4	6,180 ▲6,180		0
	11	11 25	483,200	78,559	404,641	4	6,180 ▲3,738		2,442
	12	12 25	483,200	78,559	404,641	4	6,180		6,180
	計		① 5,756,100	② 902,835	4,853,265		③ 38,292		
賞与等	6	6 25	1,063,000	167,103	895,897	4	（税率 6.126%）54,882 ▲54,882		0
	12	12 25	1,353,000	212,691	1,140,309	4	（税率 ——）41,908		41,908
							（税率 ％）		
							（税率 ％）		
	計		④ 2,416,000	⑤ 379,794	2,036,206		⑥ 0		41,908	41,908

【年税額の計算】　給与の総額……8,172,100円

$$\binom{給与所得控除後の給与等の金額}{} - \left\{ \binom{社会保険料等控除額}{} + \binom{生命保険料控除額}{} + \binom{地震保険料控除額}{} + \binom{配偶者控除額}{} + \binom{扶養控除額、障害者等の控除額の合計額}{} + \binom{基礎控除額}{} \right\} = \binom{課税給与所得金額}{}$$

6,254,890円 － (1,282,629円 ＋ 61,500円 ＋ 9,000円 ＋ 380,000円 ＋ 1,380,000円 ＋ 480,000円) ＝ 2,661,000円
（1,000円未満切捨て）

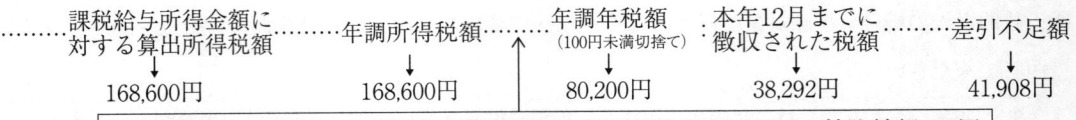

課税給与所得金額に対する算出所得税額	年調所得税額	年調年税額（100円未満切捨て）	本年12月までに徴収された税額	差引不足額
168,600円	168,600円	80,200円	38,292円	41,908円

年調減税額 90,000円　年調減税額控除後の年調所得税額 78,600円　控除外額　0円

(1) まず、本年中に支払われた給与の「総支給金額」と、それについて徴収された「税額（算出税額）」とをそれぞれ集計し、「年末調整」欄の該当欄に記載します。この例では、本年最後に支払う賞与において年末調整を行いますから、12月分の普通給与483,200円に対する税額は通常どおり6,180円を算出し、12月支給の賞与に対する税額計算は省略します。

(2) 次に、本年中の給与総額8,172,100円について給与所得控除後の給与等の金額を求めます。この金額は8,172,100円×90％－1,100,000円＝6,254,890円となり、これを⑨欄に記載し、所得金額調整控除額がないので⑨欄の金額を⑪欄に転記します。

(3) 普通給与及び賞与から毎月控除された社会保険料等の金額を集計し、この金額1,282,629円を⑫欄に記載します。

(4) 申告された生命保険料、個人年金保険料の支払金額はそれぞれ40,000円と46,000円ですから、控除額は61,500円〔（40,000円×$\frac{1}{2}$＋10,000円）＋（46,000円×$\frac{1}{4}$＋20,000円）〕となり、この金額を⑮欄に記載します。

(5) 申告された地震保険料の支払金額9,000円（≦50,000円）は全額控除可能なので、この金額を⑯欄に記載します。

(6) 配偶者控除等申告書により申告された配偶者控除の金額380,000円を⑰欄に記載します。

(7) 扶養控除、障害者控除の金額については、「早見表」の「①控除対象扶養親族の数に応じた控除額」の「人数」の「1人」欄の金額380,000円に、「②障害者等がいる場合の控除の加算額」の「イ」欄の同居特別障害者に当たる人がいる場合の750,000円及び「ヘ」欄の特定扶養親族に当たる人がいる場合の250,000円を加算した1,380,000円を⑱欄に記載します。

(8) この人の基礎控除額は480,000円となり、⑲欄に記載します。

(9) (3)～(8)により求めた⑫欄から⑲欄までの金額の合計額3,593,129円を⑳欄に記載し、(2)で求めた給与所得控除後の給与等の金額6,254,890円から所得控除額の合計額を差し引いた課税給与所得金額2,661,000円（1,000円未満切捨て）を㉑欄に記載します。

(10) 課税給与所得金額2,661,000円について「令和6年分の税額速算表」により求めた算出所得税額168,600円を㉒欄に記載し、住宅借入金等特別控除額がないので年調所得税額168,600円を㉔欄に記載します。

(11) 年調減税額90,000円（本人30,000円＋同一生計配偶者30,000円＋扶養親族30,000円×1人）を、余白に「㉔－2 90,000円」と記載します。年調所得税額168,600円から年調減税額90,000円を差し引いて求めた年調減税額控除後の年調所得税額78,600円を、余白に「㉔－3 78,600円」と記載します。年調所得税額から引ききれなかった年調減税額は0円ですので、余白に「㉔－4 0円」と記載します。

(12) 年調減税額控除後の年調所得税額78,600円に102.1％を乗じて求めた年調年税額80,200円（100円未満切捨て）を、㉕欄に記載します。

(13) 年調年税額80,200円と月々徴収した税額38,292円との差額が不足額ですから「差引超過額又は不足額（㉕－⑧）」欄の「不足額」を◯で囲み、㉖欄にその額41,908円を記載します。

(14) 不足額41,908円については、㉜欄に記載し、本年最後に支払う賞与1,353,000円から徴収します。

❷ 老人控除対象配偶者又は老人扶養親族がいる人の場合

【設　例】

給 与 の 総 額※1　　4,818,900円

社会保険料等の額　　　763,179円

生命保険料の額※2　　　49,000円

源泉控除対象配偶者　　　あり
（給与所得の金額30万円）

控除対象扶養親族の数　1　人
（同居老親等に該当）

※1　非課税通勤手当を含みません。
※2　平成24年1月1日以後に締結した
　　　保険契約等。

　この例は、同居老親等に該当する老人扶養親族がいる人の場合です。

　「同居老親等」とは、老人扶養親族（扶養親族のうち年齢70歳以上の人をいいます。）のうち、本人又はその配偶者の直系尊属（父母、祖父母など）で本人又はその配偶者のいずれかとの同居を常況としている人をいい、その扶養控除額は58万円です。

| 所属 | 庶務課 | 職名 | | 住所 | （郵便番号 537 - 0024）大阪市東成区東小橋2-1-17 |

甲欄乙欄

令和6年分　給与所得に対する源泉徴収簿

区分	月区分	支日	給	総支給金額	社会保険料等の控除額	社会保険料等控除後の給与等の金額	扶養親族等の数	算出税額	年末調整による過不足税額	差引徴収税額
給料	1	18		276,600円	44,294円	232,306円	2人	2,650円	円	2,650円
	2	20		276,600	44,294	232,306	2	2,650		2,650
	3	19		276,600	44,294	232,306	2	2,650		2,650
	4	19		284,900	44,105	240,795	2	2,980		2,980
	5	20		284,900	44,105	240,795	2	2,980		2,980
手当等	6			284,900	44,105	240,795	2	2,980 ▲2,980		0
	7	19		284,900	44,105	240,795	2	2,980 ▲2,980		0
	8	20		284,900	44,105	240,795	2	2,980 ▲2,980		0
	9	20		284,900	44,105	240,795	2	2,980 ▲2,980		0
	10	18		284,900	47,129	237,771	2	2,870 ▲2,870		0
	11	20		284,900	47,129	237,771	2	2,870 ▲2,870		0
	12	20		284,900	47,129	237,771	2	2,870 ▲2,870		0
	計			① 3,393,900	② 538,899	2,855,001		③ 13,910		
賞与等	6	25		627,000	98,834	528,166	2	（税率 2.042%）10,785 ▲10,785		0
	12	25		798,000	125,446	672,554	2	（税率 ―）	▲13,910	▲13,910
								（税率 %）		
								（税率 %）		
	計			④ 1,425,000	⑤ 224,280	1,200,720		⑥ 0	▲13,910	

【年税額の計算】　給与の総額……4,818,900円

$$\left(\begin{array}{c}\text{給与所得控除後}\\\text{の給与等の金額}\end{array}\right) - \left\{\left(\begin{array}{c}\text{社会保険料}\\\text{等控除額}\end{array}\right) + \left(\begin{array}{c}\text{生命保険}\\\text{料控除額}\end{array}\right) + \left(\begin{array}{c}\text{配偶者}\\\text{控除額}\end{array}\right) + \left(\begin{array}{c}\text{扶 養}\\\text{控除額}\end{array}\right) + \left(\begin{array}{c}\text{基 礎}\\\text{控除額}\end{array}\right)\right\} = \left(\begin{array}{c}\text{課税給}\\\text{与所得}\\\text{金 額}\end{array}\right)$$

3,412,800円 － （763,179円 ＋ 32,250円 ＋ 380,000円 ＋ 580,000円 ＋ 480,000円）＝1,177,000円

（1,000円未満切捨て）

………課税給与所得金額に対する算出所得税額……→年調所得税額………→年調年税額（100円未満切捨て）　本年12月までに徴収された税額………→差引超過額

58,850円 → 58,850円 → 0円 　13,910円 → 13,910円

| 年調減税額 90,000円　年調減税額控除後の年調所得税額 0円　控除外額 31,150円 |

(1) まず、本年中に支払われた給与の「総支給金額」と、それについて徴収された「税額（算出税額）」とをそれぞれ集計し、「年末調整」欄の該当欄に記載します。この例では、本年最後に支払う賞与において年末調整を行いますから、12月分の普通給与284,900円に対する税額は通常どおり2,870円を算出（ただし、定額減税により徴収税額は0円）し、12月支給の賞与に対する税額計算は省略します。

(2) 次に、本年中の給与総額4,818,900円について給与所得控除後の給与等の金額を求めます。この金額は3,412,800円となり、これを⑨欄に記載し、所得金額調整控除額がないので⑨欄の金額を⑪欄に転記します。

(3) 普通給与及び賞与から毎月控除された社会保険料等の金額を集計し、この金額763,179円を「年末調整」欄の⑫欄に記載します。

(4) 申告された生命保険料の支払金額は49,000円ですから、控除額は32,250円（49,000円×$\frac{1}{4}$＋20,000円）となり、この金額を⑮欄に記載します。

(5) 配偶者控除等申告書により申告された配偶者控除の金額380,000円を⑰欄に記載します。

(6) 扶養控除の金額については、「早見表」の「①控除対象扶養親族の数に応じた控除額」の「人数」の「1人」欄の金額380,000円に、「②障害者等がいる場合の控除の加算額」の「ホ」欄の同居老親等に当たる人がいる場合の200,000円を加算した580,000円を⑱欄に記載します。

(7) この人の基礎控除額は480,000円となり、⑲欄に記載します。

(8) (3)〜(7)により求めた⑫欄から⑲欄までの金額の合計額2,235,429円を⑳欄に記載し、(2)で求めた給与所得控除後の給与等の金額3,412,800円から所得控除額の合計額を差し引いた課税給与所得金額1,177,000円（1,000円未満切捨て）を㉑欄に記載します。

(9) 課税給与所得金額1,177,000円について「令和6年分の税額速算表」により求めた算出所得税額58,850円を㉒欄に記載し、住宅借入金等特別控除額がないので年調所得税額58,850円を㉔欄に記載します。

(10) 年調減税額90,000円（本人30,000円＋同一生計配偶者30,000円＋扶養親族30,000円×1人）を、余白に「㉔−2　90,000円」と記載します。年調所得税額58,850円から年調減税額90,000円を差し引いて求めた年調減税額控除後の年調所得税額0円（年調所得税額から年調減税額を引ききれないため0円となります。）を、余白に「㉔−3　0円」と記載します。年調所得税額から引ききれなかった年調減税額（控除外額）31,150円は、余白に「㉔−4　31,150円」と記載します。

(11) 年調減税額控除後の年調所得税額は0円ですので年調年税額も0円となり、これを㉕欄に記載します。

(12) 年調年税額0円と月々徴収した税額13,910円との差額が超過額ですから「差引超過額又は不足額（㉕−⑧）」欄の「超過額」を◯で囲み、㉖欄にその額13,910円を記載します。

(13) 超過額13,910円については、まず㉙欄に記載し、更に㉚欄に記載してその金額を本年最後の給与（12月支給の賞与）の支給の際に還付します。

— 141 —

❸ 源泉控除対象配偶者がなく控除対象扶養親族がいる人の場合

【設 例】

給 与 の 総 額※1	6,230,700円
社会保険料等の額	924,059円
生命保険料の額※2	42,000円
地震保険料の額	11,000円
配 偶 者	あり
（給与所得の金額100万円）	
控除対象扶養親族の数	1 人

※1 非課税通勤手当を含みません。
※2 平成24年1月1日以後に締結した
保険契約等。

この例は、配偶者が給与所得を100万円有するため源泉控除対象配偶者には該当しませんが、「配偶者控除等申告書」を提出することにより配偶者特別控除を受けることができ、控除対象扶養親族を有する人の場合の計算例です。

（甲欄 乙欄）

令和6年分 給与所得に対する源泉徴収簿

所属	管理課	職名	主任	住所	（郵便番号 664-0898） 伊丹市千僧1-43-3

区分	月区分	支給月日	総支給金額	社会保険料等の控除額	社会保険料等控除後の給与等の金額	扶養親族等の数	算出税額	年末調整による過不足税額	差引徴収税額
給料・手当等	1	1 31	357,700	53,452	304,248	1	6,860		6,860
	2	2 29	357,700	53,452	304,248	1	6,860		6,860
	3	3 29	357,700	53,452	304,248	1	6,860		6,860
	4	4 30	368,400	53,534	314,866	1	7,350		7,350
	5	5 31	368,400	53,534	314,866	1	7,350		7,350
	6	6 28	368,400	53,534	314,866	1	7,350 ▲7,350		0
	7	7 31	368,400	53,534	314,866	1	7,350 ▲7,350		
	8	8 30	368,400	53,534	314,866	1	7,350 ▲3,044		4,306
	9	9 30	368,400	53,534	314,866	1	7,350		7,350
	10	10 31	368,400	56,382	312,018	1	7,230		7,230
	11	11 29	368,400	56,382	312,018	1	7,230		7,230
	12	12 27	368,400	56,382	312,018	1	7,230		7,230
	計	①	4,388,700	650,706	3,737,994		③ 68,626		
賞与等		7 7 10	810,000	120,204	689,796		（税率 6.126%）42,256 ▲42,256		0
		12 12 10	1,032,000	153,149	878,851	1	（税率 %）	11,074	11,074
							（税率 %）		
							（税率 %）		
	計	④	1,842,000	⑤ 273,353	1,568,647		⑥	0	11,074	11,074

なお、この例では、12月支給の賞与において、後に支払う12月分の普通給与の見積額及びこれに対応する見積税額（通常の税額）を含めて年末調整を行います。

【年税額の計算】 給与の総額……6,230,700円

$$\left(\begin{array}{c}給与所得控\\除後の給与\\等の金額\end{array}\right) - \left\{\left(\begin{array}{c}社会保険料\\等控除額\end{array}\right) + \left(\begin{array}{c}生命保険\\料控除額\end{array}\right) + \left(\begin{array}{c}地震保険料\\控除額\end{array}\right) + \left(\begin{array}{c}配偶者特\\別控除額\end{array}\right) + \left(\begin{array}{c}扶　養\\控除額\end{array}\right) + \left(\begin{array}{c}基　礎\\控除額\end{array}\right)\right\} = \left(\begin{array}{c}課税給\\与所得\\金額\end{array}\right)$$

4,542,400円 － （924,059円 ＋ 30,500円 ＋ 11,000円 ＋ 360,000円 ＋ 380,000円 ＋ 480,000円） ＝ 2,356,000円

（1,000円未満切捨て）

課税給与所得金額に対する算出所得税額	年調所得税額	年調年税額（100円未満切捨て）	本年12月までに徴収された税額	差引不足額
138,100円	138,100円	79,700円	68,626円	11,074円

年調減税額60,000円　年調減税額控除後の年調所得税額 78,100円　控除外額 0円

(1) まず、本年中に支払われた給与の「総支給金額」と、それについて徴収された「税額（算出税額）」とをそれぞれ集計し、「年末調整」欄の該当欄に記載します。この例では、12月支給の賞与において年末調整を行いますから、12月分の普通給与の見積額368,400円に対する税額（見積税額）は通常どおり7,230円を算出し、12月支給の賞与に対する税額計算は省略します。

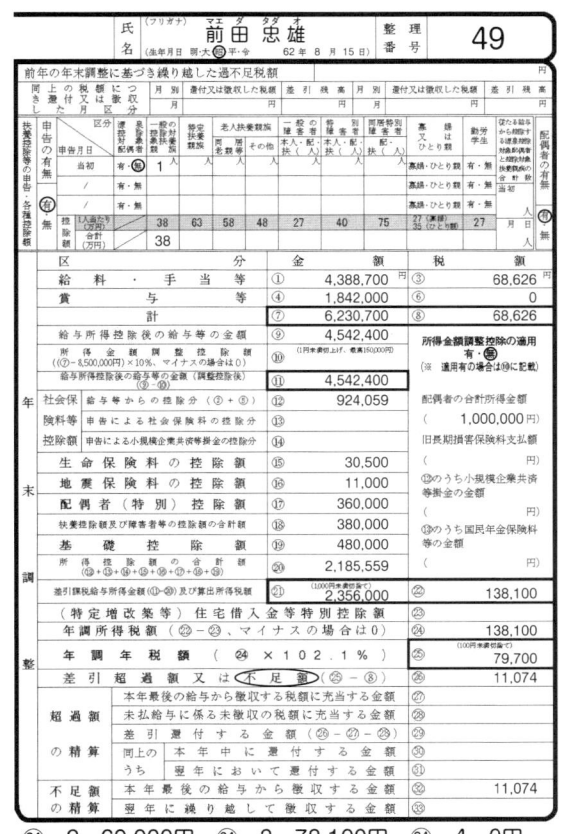

(2) 次に、本年中の給与総額6,230,700円について給与所得控除後の給与等の金額を「給与所得表」によって求めます。この金額は4,542,400円となり、これを⑨欄に記載し、所得金額調整控除額がないので⑨欄の金額を⑪欄に転記します。

(3) 普通給与及び賞与から毎月控除された社会保険料等の金額を集計し、この金額924,059円を⑫欄に記載します。

(4) 申告された生命保険料の支払金額は42,000円ですから、控除額は30,500円（42,000円×$\frac{1}{4}$＋20,000円）となり、この金額を⑮欄に記載します。

(5) 申告された地震保険料の支払金額11,000円は全額控除可能なので、この金額を⑯欄に記載します。

(6) 配偶者控除等申告書により申告された配偶者特別控除の金額360,000円を⑰欄に記載します。

(7) 扶養控除額は「早見表」の「①控除対象扶養親族の数に応じた控除額」の「人数」の「1人」欄の金額380,000円となり、この金額を⑱欄に記載します。

(8) この人の基礎控除額は480,000円となり、⑲欄に記載します。

(9) (3)～(8)により求めた⑫欄から⑲欄までの金額の合計額2,185,559円を⑳欄に記載し、(2)で求めた給与所得控除後の給与等の金額4,542,400円から所得控除額の合計額を差し引いた課税給与所得金額2,356,000円（1,000円未満切捨て）を㉑欄に記載します。

(10) 課税給与所得金額2,356,000円について「令和6年分の税額速算表」により求めた算出所得税額138,100円を㉒欄に記載し、住宅借入金等特別控除額がないので年調所得税額138,100円を㉔欄に記載します。

(11) 年調減税額60,000円（本人30,000円＋扶養親族30,000円×1人）を、余白に「㉔－2　60,000円」と記載します。年調所得税額138,100円から年調減税額60,000円を差し引いて求めた年調減税額控除後の年調所得税額78,100円を、余白に「㉔－3　78,100円」と記載します。年調所得税額から引ききれなかった年調減税額は0円ですので、余白に「㉔－4　0円」と記載します。

(12) 年調減税額控除後の年調所得税額78,100円に102.1%を乗じて求めた年調年税額79,700円（100円未満切捨て）を、㉕欄に記載します。

(13) 年調年税額79,700円と月々徴収した税額68,626円との差額が不足額ですから「差引超過額又は不足額（㉕－⑧）」欄の「不足額」を◯で囲み、㉖欄にその額11,074円を記載します。

(14) 不足額11,074円については、㉜欄に記載し、12月支給の賞与1,032,000円から徴収します。

4 給与等の収入金額が1,000万円を超える人の場合

【設 例】

給 与 の 総 額※1	16,775,000円
社会保険料等の額	1,810,038円
生命保険料の額※2	110,000円
個人年金保険料の額※2	80,000円
地震保険料の額	23,000円
配偶者（給与所得の金額60万円）	あり
控除対象扶養親族の数　3　人（うち1人は特定扶養親族に該当）	

※1　非課税通勤手当を含みません。
※2　平成24年1月1日以後に締結した保険契約等。

　この例は、給与の金額が2,000万円以下であり、年末調整の対象となりますが、合計所得金額が1,000万円を超えるため、配偶者控除、配偶者特別控除を受けるこ

令和6年分　給与所得に対する源泉徴収簿

| 所属 | | | 職名 | 代表取締役 | 住所 | （郵便番号 615 - 0007）京都市右京区西院上花田町10-1 |

甲欄乙欄

区分	月区分	支月	給日	総 支 給 金 額	社会保険料等の控除額	社会保険料等控除後の給与等の金額	扶養親族等の数	算 出 税 額	年末調整による過不足税額	差 引 徴収税額
給料		1	25	943,000	114,856	828,144	3人	73,455		73,455
		2	23	943,000	114,856	828,144	3	73,455		73,455
		3	25	943,000	114,856	828,144	3	73,455		73,455
		4	25	994,000	114,019	879,981	3	85,609		85,609
		5	24	994,000	114,019	879,981	3	85,609		85,609
手当		6		994,000	114,019	879,981	3	85,609 ▲85,609		0
		7	25	994,000	114,019	879,981	3	85,609 ▲34,391		51,218
		8	23	994,000	114,019	879,981	3	85,609		85,609
		9	25	994,000	114,019	879,981	3	85,609		85,609
		10	25	994,000	116,952	877,048	3	84,928		84,928
		11	25	994,000	116,952	877,048	3	84,928		84,928
		12	25	994,000	116,952	877,048	3	——	▲111,503	▲111,503
	計			① 11,775,000	② 1,379,538	10,395,462		③ 783,875	▲111,503	
賞与等	5	5	24	5,000,000	430,500	4,569,500	3	（税率 28.588 %）1,306,328		1,306,328
								（税率 %）		
								（税率 %）		
	計			④ 5,000,000	⑤ 430,500	4,569,500		⑥ 1,306,328		

とはできず、給与等の収入金額が1,000万円を超えるため、給与所得控除額が195万円の上限額となる人の場合です。また、控除対象扶養親族を3人（うち1人は特定扶養親族に該当）有しています。

　なお、給与等の収入金額が850万円を超え、年齢23歳未満の扶養親族を有するので、所得金額調整控除の適用を受けることができます。

【年税額の計算】　給与の総額……16,775,000円

$$\binom{給与所得控除後}{の給与等の金額} - \binom{所得金額}{調整控除額} = \binom{給与所得控除後の給与等の金額（調整控除後）} - \left\{ \binom{社会保険料等控除額} + \binom{生命保険料控除額} + \binom{地震保険料控除額} + \binom{扶養控除額} + \binom{基礎控除額} \right\} = \binom{課税給与所得金額}$$

14,825,000円 － 150,000円 ＝ 14,675,000円 － （1,810,038円 ＋ 80,000円 ＋ 23,000円 ＋ 1,390,000円 ＋ 480,000円）＝ 10,891,000円
（1,000円未満切捨て）

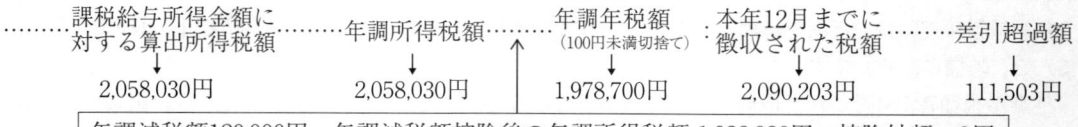

課税給与所得金額に対する算出所得税額……　年調所得税額……　年調年税額（100円未満切捨て）……　本年12月までに徴収された税額……　差引超過額

2,058,030円　　　2,058,030円　　　1,978,700円　　　2,090,203円　　　111,503円

年調減税額120,000円　年調減税額控除後の年調所得税額 1,938,030円　控除外額　0円

(1) まず、本年中に支払われた給与の「総支給金額」と、それについて徴収された「税額（算出税額）」とをそれぞれ集計し、「年末調整」欄の該当欄に記載します。この例では、本年最後の給与（12月分の普通給与）において年末調整を行いますから、12月分の普通給与に対する税額計算は省略します。

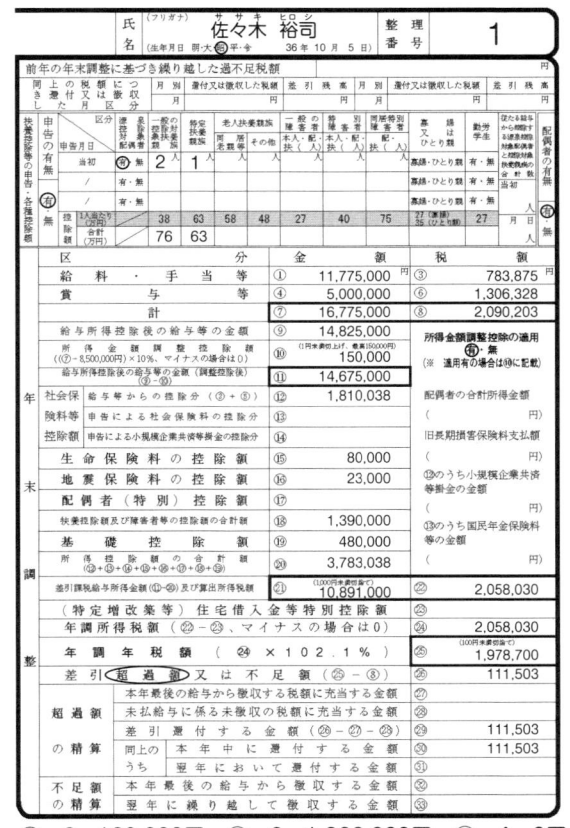

(2) 次に、本年中の給与総額16,775,000円について給与所得控除後の給与等の金額を求めます。この金額は16,775,000円－1,950,000円＝14,825,000円となり、これを⑨欄に記載します。所得金額調整控除額150,000円（最高額）を⑩欄へ記載し、給与所得控除後の給与等の金額（調整控除額）14,825,000円－150,000円＝14,675,000円を⑪欄へ記載します。

(3) 普通給与及び賞与から毎月控除された社会保険料等の金額を集計し、この金額1,810,038円を⑫欄に記載します。

(4) 申告された生命保険料の支払金額は110,000円、個人年金保険料の支払金額は80,000円ですから、控除額は80,000円〔生命保険料に係る控除額の最高限度額40,000円と個人年金保険料に係る控除額の最高限度額40,000円との合計額〕となり、この金額を⑮欄に記載します。

(5) 申告された地震保険料の支払金額23,000円（≦50,000円）は全額控除可能なので、この金額を⑯欄に記載します。

(6) 扶養控除の合計額については、「早見表」の「①控除対象扶養親族の数に応じた控除額」の「人数」の「３人」欄の金額1,140,000円に、「②障害者等がいる場合の控除の加算額」の「ヘ」欄の特定扶養親族に当たる人がいる場合の250,000円を加算した1,390,000円となり、この金額を⑱欄に記載します。

(7) この人の基礎控除額は480,000円となり、⑲欄に記載します。

(8) (3)～(7)により求めた⑫欄から⑲欄までの金額の合計額3,783,038円を⑳欄に記載し、(2)で求めた給与所得控除後の給与等の金額（調整控除後）14,675,000円から所得控除額の合計額を差し引いた課税給与所得金額10,891,000円（1,000円未満切捨て）を㉑欄に記載します。

(9) 課税給与所得金額10,891,000円について「令和６年分の税額速算表」により求めた算出所得税額2,058,030円を㉒欄に記載し、住宅借入金等特別控除額がないので年調所得税額2,058,030円を㉔欄に記載します。

(10) 年調減税額120,000円（本人30,000円＋扶養親族30,000円×３人）を、余白に「㉔－２　120,000円」と記載します。年調所得税額2,058,030円から年調減税額120,000円を差し引いて求めた年調減税額控除後の年調所得税額1,938,030円を、余白に「㉔－３　1,938,030円」と記載します。年調所得税額から引ききれなかった年調減税額は０円ですので、余白に「㉔－４　０円」と記載します。

(11) 年調減税額控除後の年調所得税額1,938,030円に102.1％を乗じて求めた年調年税額1,978,700円（100円未満切捨て）を、㉕欄に記載します。

(12) 年調年税額1,978,700円と月々徴収した税額2,090,203円との差額が超過額ですから「差引超過額又は不足額（㉕－⑧）」欄の「超過額」を◯で囲み、㉖欄にその額111,503円を記載します。

(13) 超過額111,503円については、まず㉙欄に記載し、更に㉚欄に記載してその金額を本年最後の給与（12月分の普通給与）の支給の際に還付します。

第三節　特殊な場合の年税額の求め方

 中途就職者などの場合は、一般の場合の計算と異なるところがありますから、特に注意してください。

　年調年税額の計算には、今までの説明に当てはまらない特殊な場合が出てきます。これには、給与所得者の転職によるもの、給与の支払方法の特殊性によるもの、年末調整後に給与の金額や諸控除額が異動したことにより再調整が必要となったことによるものなど種々の場合があります。ここでは、そういった特殊な場合の年末調整について説明します。

１　中途就職者の場合

1　前職のない中途就職者の場合

　今春、学校卒業後直ちに就職した人のように、その就職前に他から給与の支払を受けたことがないことの明らかな人については、就職後の給与の合計額について一般の場合と同様に年末調整を行います。（45ページの図解②ハ参照）

　これらの人については、就職が遅ければ遅いほど過納額が多くなるのが通常で、場合によっては、徴収済税額の全額が過納となることもあります。これは、障害者控除額、寡婦控除額、ひとり親控除額、勤労学生控除額、配偶者控除額、配偶者特別控除額、扶養控除額、基礎控除額が１年間の所得について定められたものであり、勤務した月数で月割計算して控除額を計算するものではないからです。

2　前職のある中途就職者の場合

　本年の中途で転職してきた人については、その人が本年中に他の主たる給与の支払者から支払を受けた給与等を加算して年末調整を行うことになっています。（45ページの図解④参照）この場合には、その人が新たに就職した時に提出する「扶養控除等申告書」の裏面に他の主たる給与の支払者のもとを退職した時に交付を受けた「給与所得の源泉徴収票」を添付することになっていますから、この「給与所得の源泉徴収票」に記載されている給与等の金額を加算して行えばよいわけです。申告書にこの「給与所得の源泉徴収票」の添付がないため、その給与等の金額が明らかでない人については、それが明らかになるまで年末調整を保留することになっており、転職後の支払者が支払った給与のみで年末調整を行うこ

とはできません。

（注）前職のある中途就職者の場合の計算例は、折込み26ページを参照してください。

❷　給与の支払方法の特殊性による場合

1　本年分の給与に未払がある場合

　本年分の給与の一部が未払となり翌年に繰り越される場合であっても、その給与はすべて本年分の給与に含め、また、その未払給与から徴収すべき税額も本年分の給与から徴収した税額に含めて、本年最後に給与を支払う際に年末調整を行います。

　しかし、このように未払給与額と、それについて源泉徴収すべき税額を含めて年末調整を行った場合に超過額として計算される金額は、現実に源泉徴収されていない未払給与に対する税額を含んだものですので、このような場合は、算出された超過額から未払給与に係る未徴収税額を控除した残額が差引還付する税額となります。

　なお、算出された超過額よりも未払給与に係る未徴収税額が多額であるときは、算出された超過額を未徴収税額に充当することになり、差引還付する税額はないことになります。

（注）　未払給与に係る未徴収税額で年末調整による超過額によって充当しきれなかった税額は、その未払給与を実際に支払う際に徴収することになります。

—— 本年分の未払給与がある場合の源泉徴収簿の記載例 ——

未払給与（賞与）	1,353,000円
同上の未徴収税額	69,855円

㉔-2　90,000円　㉔-3　0円　㉔-4　21,400円

(1)　この例では、本年最後に支払う12月支給の賞与が未払となるため、12月分の普通給与において年末調整を行います。したがって、12月分の普通給与に対する徴収税額の計算は省略します。

(2)　算出された超過額101,967円は、未払賞与の未徴収税額（69,855円）に充当し、「賞与等」欄の「年末調整による過不足税額」欄に69,855円を（　　　）書し、「差引徴収税額」欄には０円を（　　　）書します。

(3)　(2)により精算しても、なお、32,112円が過納額として残りますので、その金額を㉙欄及び㉚欄に記載し、12月分の普通給与の支給の際に、この過納額を還付します。

2　年末の賞与が12月分の通常の給与より先に支払われる場合

年末の賞与が12月分の通常の給与より先に支払われる場合には、次により年末調整を行うこともできます。

(1)　その賞与がその年最後に支払われたものとみなして、その賞与を支払う際に年末調整を行います。

この場合、その年分の給与の金額及びその給与に対する徴収税額の合計額の計算に当たっては、その賞与の支払後その年中に支払われるべき通常の給与の見積額及びその給与に対する徴収税額の見積額を含めたところで行います。

(2)　その賞与の支払後その年中に支払う通常の給与から徴収する税額は、その通常の給与の額が(1)の給与の見積額に比し増減したかどうかに応じ、それぞれ次によります。

イ　増減がなかった場合には、(1)の給与の見積額に対する徴収税額とします。

ロ　増減があった場合には、(1)の給与の見積額に対する徴収税額に次のように加減算します。

　(イ)　増加した場合には、その増加した部分の金額を追加支給する給与とみなして年末調整の再調整を行うことにより生ずる年調年税額の増加額を加算します。

　(ロ)　減少した場合には、その減少後の状況により再計算をした結果生ずる年調年税額の減少額を控除します。

❸　年末調整の再調整を行う場合

1　給与の追加払があった場合

　年末調整を行った後に本年分の給与の追加支給を行うことになった場合には、先に年末調整を行った給与の総額に、その追加支給する給与の金額を加えて年税額を再計算し、その額と先に行った年末調整による年税額との差額を精算することになります。(基通190−4)

　この場合の税額の精算は、当初の年末調整で過納額が生じていたか、不足額が生じていたかによって異なってきますが、この精算方法を図解しますと次のようになります。

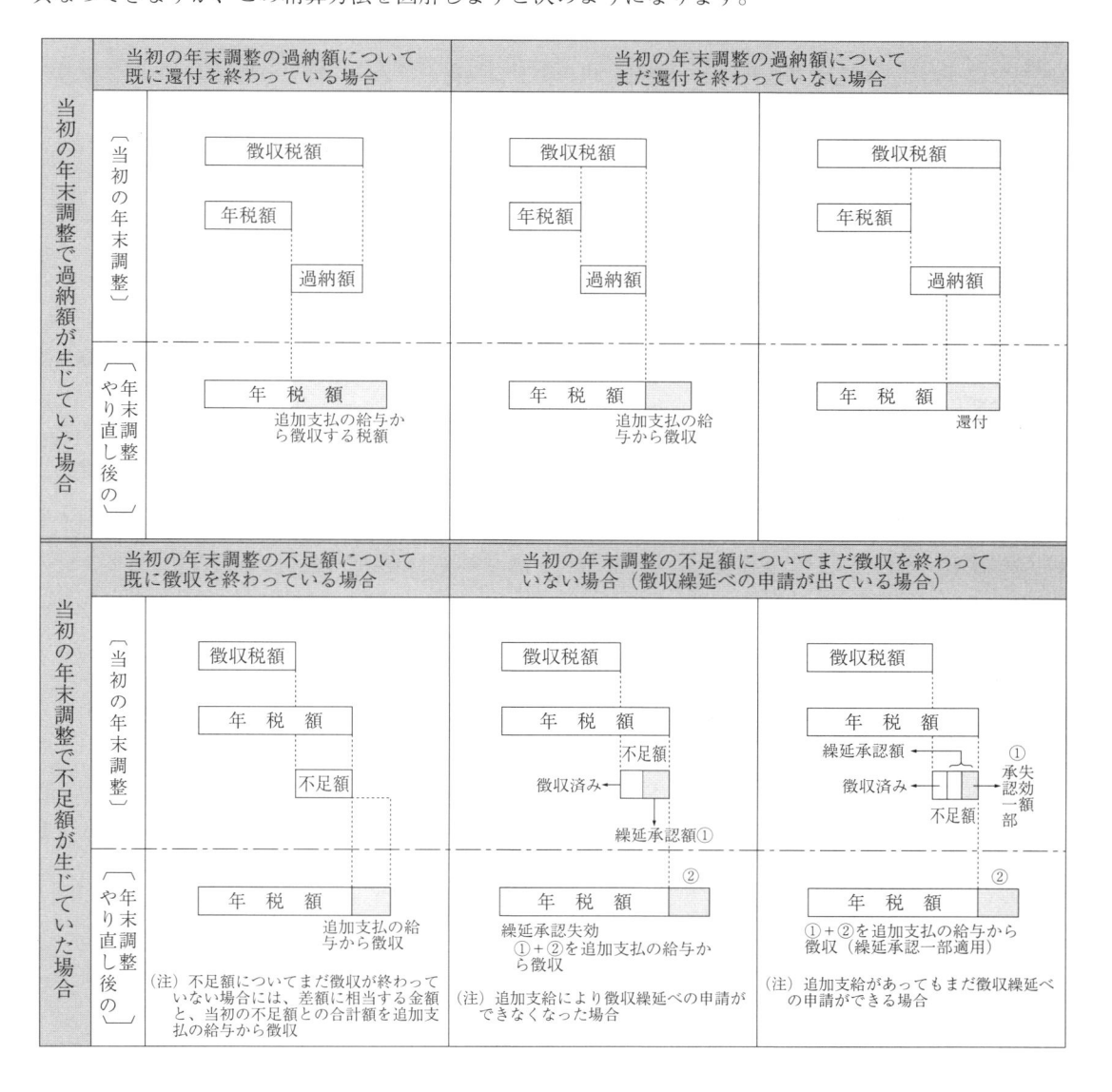

なお、翌年になってから給与の改訂が行われ、本年にまでさかのぼって支給されることになった場合の新旧給与の差額は、その給与の改訂が行われた年分の所得となりますから、本年分の年末調整の再調整を行う必要はありません。

2　扶養親族等の数に異動があった場合

　障害者、寡婦、ひとり親、勤労学生、控除対象配偶者又は控除対象扶養親族に該当するかどうかは、本年12月31日（年の中途において死亡した場合には、その死亡の時）の現況によることになっています。

　年末調整を終えてから12月31日までの間に、婚姻等により新たに控除対象配偶者や控除対象扶養親族等となる人が生じた場合又は婚姻、就職等により控除対象扶養親族に該当しなくなった人が生じた場合には、これらの異動により年税額が変わりますので、その年分の「給与所得の源泉徴収票」が作成される時までに「給与所得者の扶養控除等（異動）申告書」の提出を求め、異動後の現況により年末調整の再調整をすることになります。（基通190－5）

> 　年末調整後に異動した所得控除については、上記によらないで別途確定申告により精算することができます。（法120条((確定所得申告))、122条((還付等を受けるための申告))及び123条((確定損失申告))参照）

（注）　この場合、定額減税額の再計算が必要になることがあります。

3　社会保険料、小規模企業共済等掛金、生命保険料・介護医療保険料・個人年金保険料及び地震保険料の金額に異動があった場合

　「保険料控除申告書」は、本年最後の給与の支払を受ける日の前日までに提出することになっていますので、その申告書に記載する社会保険料、小規模企業共済等掛金、生命保険料・介護医療保険料・個人年金保険料、地震保険料の金額などはその申告書を提出する日の現況によることになりますが、その後、12月31日までの間において、これらの金額に異動を生じた場合には、前記2と同様に再調整を行います。

4　年末調整後に住宅借入金等特別控除申告書の提出があった場合

　「住宅借入金等特別控除申告書」は、本年最後の給与の支払を受ける日の前日までに提出しなければなりませんが、その日までに何らかの都合でその申告書を提出することができなかった場合において、その後その年分の「給与所得の源泉徴収票」が作成される時までにその申告書が提出されたときは、年末調整の再調整をすることになっています。

（注）　住宅借入金等特別控除は、確定申告によって控除を受けることもできます。通常は、控除第1年目は確定申告により、控除第2年目以降は年末調整により控除を受けることができます。

4 その他の場合

1 年の中途で日本に住所又は1年以上の居所を有することになった人の場合

　本年の中途で日本に住所又は1年以上の居所を有することになった人の年末調整は、その人が日本に住所又は1年以上の居所を有する居住者となった日以後に支給期の到来する本年中の給与と、それについて徴収すべき税額について行い、非居住者であった期間に支払われた給与がある場合でも、この給与の金額等は年末調整の対象には含めません。（46ページの図解⑤参照）

2 年の中途で日本に住所又は1年以上の居所を有しなくなった人の場合

　本年の中途までは居住者であった人が、その後海外支店への転勤等により非居住者となったときは、居住者であった日までに支給期の到来した給与について年末調整を行うことになります。したがって、非居住者となった日以後に支給期の到来する給与のうちに居住者であった期間に対応する部分が含まれていても、その対応する部分の給与は年末調整の対象とはなりません。その対応する部分の給与は非居住者の給与として、20.42％の税率により所得税及び復興特別所得税を源泉徴収しなければなりません。もっとも、非居住者となった日以後に支給期の到来する給与等のうち、月給などのように月以下の期間を基にして支給されるものについては、その給与の全額がその人の国内において行った勤務に対応するものである場合を除き、源泉徴収をしなくてもよいことになっています。（46ページの図解⑥ロ参照）

3 年の中途で死亡した人又は障害により退職した人の場合

　本年の中途で死亡した人、又は心身の障害により退職し、かつ、本年中に他に再就職することはあり得ないと認められる人については、「扶養控除等申告書」の提出先である給与の支払者において、本年中における死亡時までの給与又は退職時までの給与について年末調整を行わなければなりません。（46ページの図解⑥ハ、ニ参照）

(注)　死亡退職の場合で、死亡時にまだ支給期が到来していなかったため死亡後に遺族へ支払われた給与は、相続税法の規定により相続税の課税価格計算の基礎に算入されますので、年末調整の対象とする必要はありません。

4 年の中途で「扶養控除等申告書」の提出先を変えた人の場合

　本年の中途において、給与所得者が「扶養控除等申告書」の提出先を変えた場合、例えば主たる給与の支払者と従たる給与の支払者が入れ替わった場合は、本年最後に主たる給与の支払をする支払者のもとで年末調整を行うことになります。（45ページの図解③参照）

第四章　過不足額の精算

第一節　過不足額が生ずる理由

 ほとんどの人に過納額か不足額が生じますから、きちんと精算してください。

　年末調整の結果、過納額が出るか不足額が出るかは、給与所得者にとって非常に関心のあるところですが、これまで支給されてきた月々の給与とか賞与については、月額表等によって扶養親族等の数に応じた税額を徴収していますので、通常であれば特に多額の過納額や不足額は生じないものと考えられます。

　年末調整による過不足額は、給与所得者の個々の事情、例えば、その人の給与の金額、扶養親族等の状況、保険料控除額の有無及び多寡などによって変わってきますので一概にいえませんが、一般的には次に掲げるような理由により過納額や不足額が生じます。

　なお、通常の年末調整では、本年最後に支払う給与に対する税額の計算を省略します（137ページ以降参照）ので、過納額より不足額の生ずる場合が多いといえます。

1　過納額が生ずる主な理由

　年末調整による過納額は、次に掲げるような場合に生ずることになります。

(1)　年の中途で源泉控除対象配偶者、控除対象扶養親族又は障害者に該当する親族等の数が増加した場合

(2)　年の中途で本人が障害者、寡婦、ひとり親又は勤労学生に該当することとなった場合

(3)　源泉控除対象配偶者以外の配偶者について、配偶者控除又は配偶者特別控除の適用が受けられる場合

(4)　住宅借入金等特別控除の適用が受けられる場合

(5)　賞与の年間合計額が通常の給与の金額の5か月分より少なかった場合

(6)　賞与支給月の前月の普通給与の金額が通常の月に比べて特に高額であった場合

(7)　年の中途で就職し、就職前に他から受けた給与がない場合

(8)　年の中途から給与の金額が特に低額となった場合

(9)　年の中途で令和6年定額減税の対象者の数が増加し、月次減税額よりも年調減税額のほうが多くなった場合

2　不足額の生ずる主な理由

年末調整による不足額は、次に掲げるような場合に生ずることになります。

(1)　年の中途で源泉控除対象配偶者、控除対象扶養親族又は障害者に該当する親族等の数が減少した場合（死亡の場合を除きます。）

(2)　年の中途で本人が障害者、寡婦、ひとり親又は勤労学生に該当しなくなった場合

(3)　賞与の年間合計額が通常の給与の金額の5か月分を超えて支給された場合

(4)　賞与支給月の前月の通常の給与の金額が通常の月に比べて特に低額であった場合

(5)　年の中途から給与の金額が特に高額となった場合

(6)　年の中途で令和6年定額減税の対象者の数が減少し、月次減税額よりも年調減税額のほうが少なくなった場合

第二節　過不足額の精算

過納額は、12月分として納付する給与等の源泉徴収税額から控除して還付し、不足額は年末調整をする給与から徴収します。

年調年税額の計算ができますと、次にこの年調年税額と月々の給与について源泉徴収した税額の合計額とを比較し、過納額又は不足額があるときは、次により精算します。

ここにいう過納額とは、月々の給与について源泉徴収した税額の合計額が年調年税額より多い場合の差額、つまり納め過ぎとなっている税額のことをいい、逆に年調年税額より少ない場合の差額、つまり納め足りない税額のことを不足額といいます。

■　過納額の精算方法

1　徴収義務者による還付

過納額は本年最後の給与に対する税額に充当（本年最後の給与に対する税額の計算を省略したときは、自動的に充当されたことになります。）し、なお過納額がある場合には、給与の支払者が12月分（納期

の特例の承認を受けている場合には、本年7月から12月までの分。以下同じ。）として納付する給与及び退職手当等や弁護士、税理士、司法書士等の一定の報酬・料金（以下これらを「還付可能所得」といいます。）に対する源泉徴収税額から控除して還付します。

　もし、12月分として納付する還付可能所得に対する源泉徴収税額のみではその過納額の全部を還付することができない場合には、翌年1月以降の還付可能所得について源泉徴収して納付する税額から差し引き順次還付します。

　なお、この場合、過納額のうちに給与が未払であるため、まだ徴収していない部分の税額が含まれているときは、その未徴収の税額を控除した残りの過納額について還付することとし、未徴収税額に相当する部分の過納額は還付できません。

（注1）　未払給与に対する未徴収税額のうち過納額から控除した税額については、これによって"差引き"（相殺）したことになりますから、その後未払給与を支払う際に税額を徴収する必要はありません。

（注2）　上記の「一定の報酬・料金」とは、弁護士、司法書士、公認会計士、税理士、社会保険労務士など所得税法204条1項2号に掲げる報酬、料金をいいます。

2　税務署長からの直接還付

(1) 徴収義務者への一括還付	イ　その年の年末調整において過納額の精算を行った結果、なお精算しきれない過納額がある場合で次のようなときには、給与の支払者から「源泉所得税及び復興特別所得税の年末調整過納額還付請求書兼残存過納額明細書」の提出を受けて、税務署長からその過納額を一括してその給与の支払者に還付することになっています。 （イ）　徴収義務者が解散、廃業等により給与の支払者でなくなった場合 （ロ）　徴収義務者が徴収して納付すべき税額が全くなくなった場合 （ハ）　翌年2月末日を経過しても、なお還付しきれない場合 （ニ）　過納額を還付すべきことになった日の現況において、翌年2月末日までの間にその過納額を還付することができないと認められる場合 ロ　還付手続としては、次の①〜③に掲げる用紙（複写式になっています。）に必要な事項を記載し、これに各人の源泉徴収簿の写し等を添付して給与の支払者の所轄税務署長に提出します。 ①　源泉所得税及び復興特別所得税の年末調整過納額還付請求書兼残存過納額明細書 ②　国税還付金支払内訳書 ③　過納額の請求及び受領に関する「委任状」（連記式）
(2) 給与所得者への直接還付	(1)の場合に残存過納額のある人が既に退職している等のため、徴収義務者が還付金の請求及び受領の権限の委任を受けられない場合は、税務署から直接本人に還付されることになります。この場合の還付手続としては、次の①及び②の用紙（複写式になっています。）に必要事項を記載し、これに各人の源泉徴収簿の写し等を添付して給与の支払者の所轄税務署長に提出します。 ①　源泉所得税及び復興特別所得税の年末調整過納額還付請求書兼残存過納額明細書 ②　国税還付金支払内訳書

3　源泉所得税及び復興特別所得税の年末調整過納額還付請求書兼残存過納額明細書及び委任状の記載例

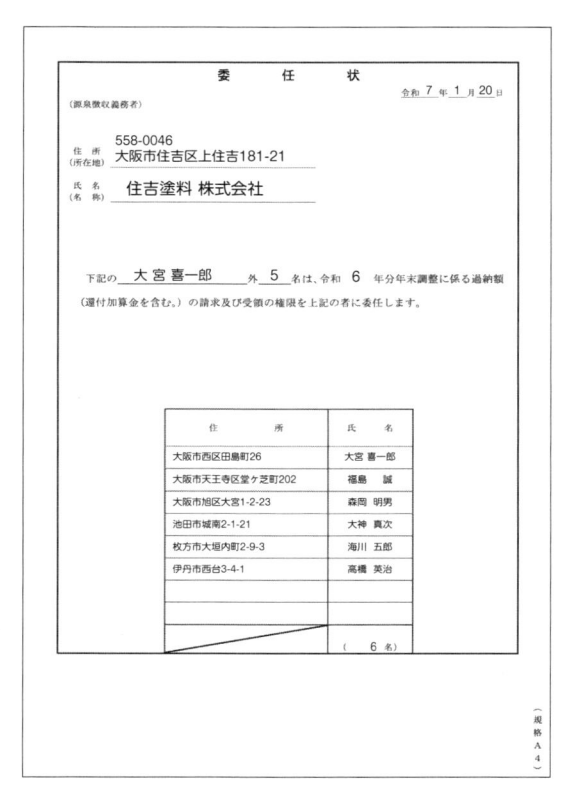

(1)　この明細書は、前記2で述べたような場合に徴収義務者が一括して税務署長から直接還付を受けるときに必要な手続の様式で、徴収義務者の手もとに備え付けている源泉徴収簿に基づいて作成するものです。

(2)　この記載例は、2月を経過しても、なお還付しきれない場合で、年末調整の結果、過納となった税額を徴収義務者が還付できない場合を仮定したものです。

2　不足額の精算方法

1　通常の場合の不足額の徴収

　不足額は、まず本年最後に支払う給与からその全額を徴収し、なお不足額が残る場合には、翌年において給与を支払う際に順次徴収することになっています。

2 不足額が多額な場合の徴収繰延べ

(1) 徴収繰延べが認められる場合

　不足額は、原則として本年最後に支払う給与からその全額を徴収することになっています。

　しかし、不足額が特に多額でその全額を本年最後の給与から徴収すれば、12月中に支払を受ける給与の税引手取額が、1月から11月までの税引手取額の月割平均額の70％未満となる場合には、税務署長の承認を受けて不足額の徴収を繰り延べることができます。

　この不足額の徴収繰延べは、12月中に支払を受ける給与の税引手取額と1月から11月までの間に支払を受けた給与の税引手取額の月割平均額の70％に相当する金額との差額に相当する不足額について認められます。

　次に、徴収繰延べが認められた場合の不足額は、その2分の1ずつを翌年の1月と2月の給与の支払をする時に、それぞれ徴収することになっています。

（注）　給与の税引手取額とは、給与の総額からその給与について徴収された税額を控除した金額をいいます。

(2) 徴収繰延べについての注意事項

　徴収繰延べを行う場合には、次の事項に注意してください。

イ　徴収繰延べは、年末調整による不足額のみについて認められるもので、12月分の給与に対する通常の税額については、徴収繰延べはできません。したがって、徴収繰延べを行う人については、その年最後の給与に対する税額の算出を省略せずに年末調整を行います。

ロ　12月中に支払を受ける給与の税引手取額及び本年1月から11月までの間に支払を受けた給与の税引手取額の月割平均額の計算の基礎となる給与の金額には、それぞれ賞与等の臨時の給与を含めます。

ハ　本年1月から11月までの間に支払を受けた給与の税引手取額の月割平均額の計算については、その人が年の中途で就職した人である場合には、その就職の日の属する月から11月までの月数とその間に支払を受けた給与の税引手取額により計算し、また、その人が就職前に他の主たる給与の支払者から給与の支払を受けていた場合には、その期間（月数）とその間に支払を受けた給与の税引手取額とをそれぞれ通算して計算します。

ニ　徴収繰延べの承認を受けようとする人は、「年末調整による不足額徴収繰延承認申請書」を作成の上、本年最後に給与の支払を受ける日の前日までに、給与の支払者を経由して給与の支払者の所轄税務署長に提出し、その承認を受けることになっています。

ホ　繰延承認額の2分の1に相当する金額（月別徴収額）に1円未満の端数を生じたときは、その端数の金額はすべて1月徴収分とし、翌年1月に給与を支払う際に徴収します。

ヘ　徴収繰延べを行う場合において、その後退職等によって給与の支払がなくなる場合は、その最後に支払われる給与（退職手当等を含みます。）から残存不足額の全額を徴収します。

```
┌─ 徴収繰延べの計算例 ──────────────────────────┐
│                                                        │
│   1月～11月の税引手取給与の平均月割額        364,593円  │
│                                                        │
│   12月中の給与の額                            414,200円  │
│                                                        │
│   同上の徴収税額                               17,730円  │
│                                                        │
│   年末調整による不足額                        202,620円  │
│                                                        │
└────────────────────────────────────────┘
```

　上記の設例の場合、12月中の税引手取額は、414,200円－（17,730円＋202,620円）＝193,850円となり、1月～11月間の税引手取給与の平均月割額364,593円の70％である255,215円を61,365円下回ります。

　そこで、年末調整による不足額202,620円のうち61,365円は、翌年の1月と2月とに繰り延べて、その2分の1として30,683円を1月に、残りの30,682円を2月にそれぞれ徴収することになります。

　したがって、この場合、12月分給与から徴収される税額は、17,730円＋（202,620円－61,365円）＝158,985円となります。

　この設例による申請書の記載例は次のとおりです。

令和 6 年分年末調整による不足額徴収繰延承認申請書

令和 6 年12月19日提出

税務署受付用		

西　税務署長殿	給与等の支払者	住所又は所在地	〒550-0021　大阪市西区川口2-7-6
		氏名又は名称	新関西商事 株式会社
		個人番号又は法人番号	1 1 1 1 2 2 2 3 3 4 4 4

所得税法第192条第2項の規定により年末調整による不足額の徴収繰延承認を申請します。

徴収繰延承認申請者	所属部課名	常務取締役	申請年月日	令和6年12月13日
	住　所	岸和田市土生町2026-2		
	氏　名	宮島　健一		

繰延承認を受けようとする額	給与の最終支払月中に支払われる給与 A	Aに対する源泉徴収税額 B	年末調整による不足額 C	給与の最終支払月中に支払われる税引手取額 (A-B-C) D	給与の最終支払月の前月までの税引手取月割額 E	平均月割額の7割相当額 (E×70%) F	平均月割額の7割と最終支払月の手取額との差額 (F-D) G	年末調整による不足額のうちその年徴収すべき不足額 (C-G) H	徴収繰延を受けようとする額とその月別徴収額 C又は (C-H) の1/2	備考
	414,200	17,730	202,620	193,850	364,593	255,215	61,365	141,255	承認額 61,365 円	
									1月 30,683 円	
									2月 30,682 円	

税理士署名	

※税務処理署欄	起案	・　・	決裁	署長	副署長	統括官	担当者	（却下の理由）	既未済欄	整理簿	通知書
	決裁	・　・									
	施行	・　・									
	処理	承認　却下									
	番号確認	身元確認 □ 済 □ 未済	確認書類 個人番号カード／通知カード・運転免許証 その他（　　　）								

3 不足額の納付

　年末調整の結果生じた不足額を徴収したときは、12月中に支払った給与に対する源泉徴収税額とともに、翌年1月10日（納期の特例の適用者の場合は、7月から12月までに支払った給与に対する源泉徴収税額とともに1月20日）までに徴収高計算書（納付書）を添えて納付します。

　なお、この徴収高計算書（納付書）は、過納額の還付により本年12月分として納付する税額がない場合及び翌年1月以降の各月においても同様に納付する税額がない場合でも、納付税額がない旨を記載して、所轄税務署に翌月10日までに提出しなければならないことになっていますので注意してください。

【徴収高計算書（納付書）の記載例】

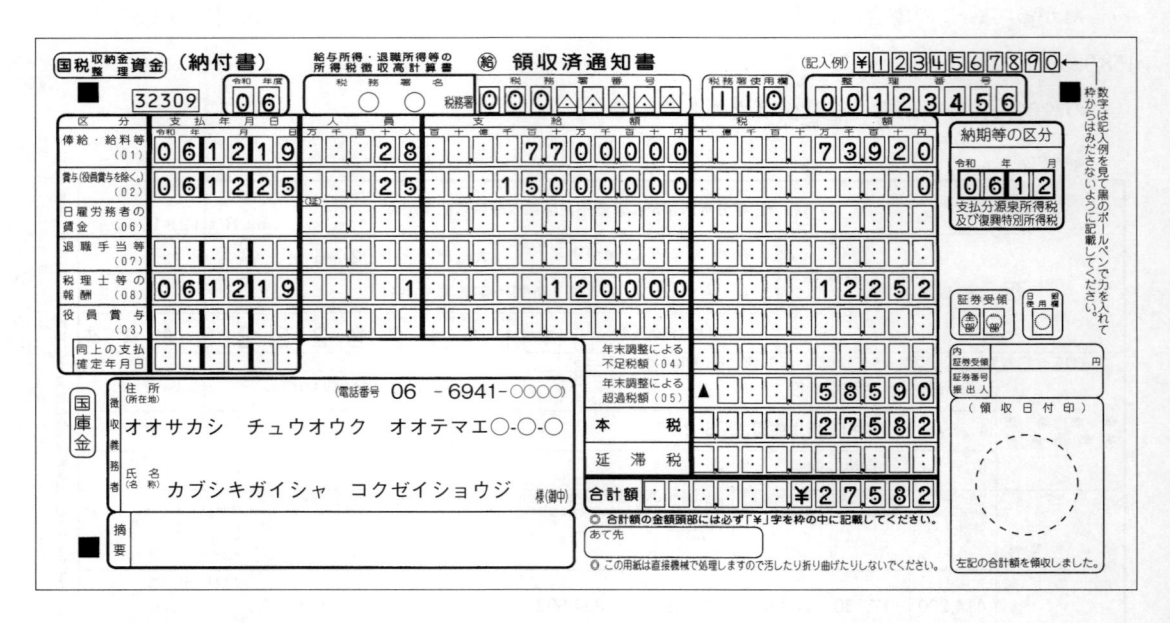

(1)　この徴収高計算書（納付書）は、賞与を支給する際に年末調整を行った場合のものです。
(2)　過納額を充当又は還付したときは、「年末調整による超過税額」欄に、その金額を記載します。
(3)　不足額を徴収したときは、「年末調整による不足税額」欄に、その金額を記載します。
　　　この場合、「年末調整による不足税額」欄及び「年末調整による超過税額」欄には、実際にその月に精算をした金額を記載することになっていますから、12月中に精算しきれないで、翌年1月又は2月に繰り越して精算するような場合には、翌年1月又は2月の徴収高計算書（納付書）に、その事績を記載することになります。

第五章　１月の源泉徴収事務

　所得税及び復興特別所得税の源泉徴収事務は、１月に始まり12月の年末調整で締めくくるという仕組みになっています。

　したがって、新しい年の源泉徴収事務のスタートとして行う１月の最初の事務は、今後１年間の源泉徴収事務の適否を左右することになりますので、正確に行う必要があります。

最初の事務

① 令和７年分の「給与所得者の扶養控除等申告書」の取りまとめ

② 令和７年分の「源泉徴収簿」の作成

1　扶養控除等申告書の受理と検討

 扶養控除等申告書は、源泉徴収税額の計算の基礎資料です。

　扶養控除等申告書は、給与所得者が、配偶者控除、扶養控除又は障害者控除等を受けようとする場合に、給与の支払者に提出するものです。

　給与の支払者は、この申告書に記載されたところに従って、月々（日々）の源泉徴収税額を計算することになります。

　給与の支払者は、令和７年分の源泉徴収事務を開始するに当たっては、まず、「令和７年分給与所得者の扶養控除等申告書」の用紙を各人に配付し、必要事項の記載を求めた上で回収し、新しい年の源泉徴収事務に備えておくことが必要です。

1　扶養控除等申告書の受理

　給与の支払者は、毎年最初の給与を支払う日の前日までに、給与所得者各人から、その人が控除を受けようとする源泉控除対象配偶者、控除対象扶養親族、障害者等の有無やこれらに該当する事実を記載した扶養控除等申告書の提出を受けなければなりません。

　この申告書の提出がない場合には、たとえ源泉控除対象配偶者や控除対象扶養親族などがある人の場合でも、また、本人が障害者、寡婦、ひとり親又は勤労学生に該当する場合でも、これらの控除が受け

られないことになるばかりでなく、税額表の「乙」欄の税額を徴収することになり、年末調整も受けられないこととなりますから、必ず提出するように指導してください。

（注）　この申告書は、給与の支払者のもとで保管します。

> **受理のポイント**
>
> ①　この申告書は、源泉控除対象配偶者や控除対象扶養親族のない人なども提出しなければなりません。
>
> ②　２か所以上から給与の支払を受けている人は、いずれか一の支払者にのみ提出できます。
>
> ③　いわゆる日雇労働者は、この申告書を提出する必要はありません。
>
> ④　申告書を提出した後、控除対象扶養親族等が増減したことなどにより、申告の内容に異動が生じた場合には、その異動があった後、最初に給与の支払を受ける日の前日までに異動申告書を提出させます。

【源泉徴収関係書類の電磁的方法による提出について】

　給与等の支払を受ける人（以下「受給者」といいます。）は、一定の要件を満たす場合には、その給与支払者等に対し、次のイからヌに掲げる申告書（以下「源泉徴収関係書類」といいます。）の書面による提出に代えて、源泉徴収関係書類に記載すべき事項を電磁的方法により提供することができます。（法198条２項、203条４項、措法41条の３の７　７項、41条の３の８　６項）^(注1、2)

イ　給与所得者の扶養控除等申告書

ロ　従たる給与についての扶養控除等申告書

ハ　給与所得者の配偶者控除等申告書

ニ　給与所得者の基礎控除申告書

ホ　給与所得者の保険料控除申告書

ヘ　給与所得者の住宅借入金等を有する場合の所得税額の特別控除申告書

ト　所得金額調整控除申告書

チ　退職所得の受給に関する申告書

リ　源泉徴収に係る定額減税のための申告書

ヌ　年末調整に係る定額減税のための申告書

（注１）　申告書に記載すべき事項の電磁的提供に当たっては、①給与支払者等が発行した個々の受給者の識別ができるＩＤ及びパスワード又は②受給者の電子署名及びその電子署名に係る電子証明書をもって、源泉徴収関係書類にすべき氏名の記載に代えることができます。

（注２）　源泉徴収関係書類に添付すべき証明書類については、書面による提出又は提示が必要となるものもあります。

2　従たる給与についての扶養控除等申告書

　給与の支払者は、2か所以上から給与の支払を受けている人で、主たる給与（扶養控除等申告書の提出先から受ける給与）からだけでは、源泉控除対象配偶者について控除を受ける配偶者（特別）控除、扶養控除、障害者控除等の全額が控除できないと見込まれる人から、「令和7年分　従たる給与についての扶養控除等申告書」が提出された場合には、これを受理します。

（注）　「従たる給与についての扶養控除等申告書」により申告できる控除は、源泉控除対象配偶者について控除を受ける配偶者（特別）控除及び扶養控除に限られます。

3　マイナンバーの記載

　給与所得者から提出を受ける「給与所得者の扶養控除等（異動）申告書」には、給与所得者本人、源泉控除対象配偶者及び控除対象扶養親族等の個人番号を記載してもらう必要があります。

　また、その際には、源泉徴収義務者は、給与所得者の本人確認を行うこととされています。

（注1）　源泉控除対象配偶者及び控除対象扶養親族等の本人確認は、給与所得者本人が行うこととされています。

（注2）　源泉徴収義務者は、提出を受けた「給与所得者の扶養控除等（異動）申告書」に自らのマイナンバー（個人番号又は法人番号）を記載する必要があります。

（注3）　「従たる給与についての扶養控除等（異動）申告書」についても「給与所得者の扶養控除等（異動）申告書」の場合と同様です。ただし「給与所得者の扶養控除等（異動）申告書」については、給与支払者が従業員等のマイナンバー等を記載した一定の帳簿を備えている場合には、その帳簿に記載されている人のマイナンバーの記載を省略することができます。

4　扶養控除等申告書の検討

　給与の支払者は、「給与所得者の扶養控除等申告書」の提出の有無によって、自分が「主たる給与の支払者」であるかどうか、また、申告者の源泉控除対象配偶者や控除対象扶養親族の有無など及び税額表の適用区分を知り、それによって月々（日々）の源泉徴収を行うことになりますから、その記載内容をよく検討し、正しくない点や不十分な箇所があったときは、事前に直させておくことが必要です。また、「従たる給与についての扶養控除等申告書」を取りまとめたときにも、同様にその記載内容を検討することが必要です。

> **検討のポイント**
>
> ①　2以上の給与の支払者から給与の支払を受ける人が、それぞれの支払者に「給与所得者の扶養控除等申告書」を提出していないか。
> ②　他の親族が申告した控除対象扶養親族などを重複して申告していないか。
> ③　源泉控除対象配偶者や控除対象扶養親族がいない人などの申告書も提出されているか。
> ④　見積所得金額が限度額を超える源泉控除対象配偶者や控除対象扶養親族はいないか。

⑤　控除対象扶養親族、障害者等の申告漏れはないか。

⑥　老人扶養親族などについて表示漏れはないか。

⑦　同一生計配偶者のうち、控除対象配偶者以外の人については配偶者控除を受けることはできませんが、その人が障害者（特別障害者を含む。）に該当する場合には、障害者控除（特別障害者控除、同居特別障害者控除）を受けることができます。

⑧　扶養親族のうち、年齢が16歳未満の人（年少扶養親族）については扶養控除を受けることはできませんが、その人が障害者（特別障害者を含む。）に該当する場合には、障害者控除（特別障害者控除、同居特別障害者控除）を受けることができます。

② 源泉徴収簿の作成

 源泉徴収簿は、月々の所得税及び復興特別所得税の徴収状況などを記録する大切な帳簿です。

　源泉徴収簿は、その年中の給与の支払状況、所得税及び復興特別所得税の徴収状況その他を明記しておく大切な帳簿の一つであり、支払をする各人ごとに作成しておく必要があります。

　そのため、源泉徴収義務者の便宜を考慮して作成された源泉徴収簿の用紙が税務署に用意されています。なお、源泉徴収簿は、必ずしもこれによらないで、給与の支払者が使用している給与台帳等であっても、毎月の源泉徴収の記録などが分かり、年末調整のためにも使用できるものであれば、それを利用しても差し支えありません。

───給与所得の「源泉徴収簿」作成当初に記載する事項───

　給与の支払を受ける各人ごとに、次の各欄の記載を行います。

①　「所属」「職名」「住所」「氏名」の各欄

②　「扶養控除等の申告・各種控除額」欄又は「従たる給与から控除する源泉控除対象配偶者と控除対象扶養親族の合計数」欄

③　「前年の年末調整に基づき繰り越した過不足税額」欄

④　税額表の適用区分（左肩の「甲」欄、「乙」欄の表示）

（注）「前年の年末調整に基づき繰り越した過不足税額」欄は、令和６年分の源泉徴収簿の「翌年において還付する金額㉛」欄又は「翌年に繰り越して徴収する金額㉝」欄の金額を転記します。

3 年末調整の再調整

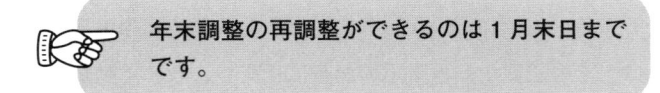

年末調整の再調整ができるのは１月末日までです。

　年末調整は、その年最後の給与を支払う時の現況により行いますので、年末調整後その年の12月31日までの間において控除額が異動し年末調整による年税額が異動する場合には、その年分の給与所得の源泉徴収票を作成して交付するまでの間であれば、年末調整の再調整ができます。具体的には、給与所得の源泉徴収票の交付期限が１月末日ですので、原則として、１月末日までなら年末調整の再調整ができることになります。

令和７年分以後の扶養控除等申告書の見直し（簡易な扶養控除等申告書）について

令和５年度税制改正により、源泉徴収手続の簡素化を図り納税者利便を向上させる観点から、給与等の支払者へ提出する扶養控除等申告書及び「従たる給与についての扶養控除等申告書」に記載すべき次の事項がその年の前年にその支払者に提出した扶養控除等申告書等に記載した事項から異動がない場合には、その記載すべき事項の記載に代えて、その異動がない旨の記載によることができることとされました。この前年から異動がない旨を記載した申告書を「簡易な申告書」といいます。

簡易な申告書は、令和７年１月１日以後に支払を受けるべき給与等について提出する扶養控除等申告書から提出することができます。

(1) 給与所得者の扶養控除等申告書の記載事項

イ　給与等の支払者の氏名又は名称

ロ　所得者が特別障害者若しくはその他の障害者又は勤労学生に該当する場合にはその旨及びその該当する事実並びに寡婦又はひとり親に該当する場合にはその旨

ハ　同一生計配偶者又は扶養親族のうちに同居特別障害者若しくはその他の特別障害者又は特別障害者以外の障害者がある場合には、その同一生計配偶者又は扶養親族に関する事項

ニ　源泉控除対象配偶者に関する事項

ホ　控除対象扶養親族に関する事項

ヘ　２以上の給与等の支払者から給与等の支払を受ける場合には、源泉控除対象配偶者又は控除対象扶養親族のうち、主たる給与等の支払者から支払を受ける給与等について徴収される所得税の額の計算の基礎としようとするものの氏名

ト　上記ハの同居特別障害者若しくはその他の特別障害者若しくは特別障害者以外の障害者又はニの源泉控除対象配偶者（上記ヘの場合に該当するときは、上記ヘの源泉控除対象配偶者に限ります。）が非居住者である場合にはその旨及び控除対象扶養親族に該当する事実

チ　その他の事項

(2) 従たる給与についての扶養控除等申告書の記載事項

イ　従たる給与等の支払者の氏名又は名称

ロ　源泉控除対象配偶者又は控除対象扶養親族に関する事項

ハ　源泉控除対象配偶者又は控除対象扶養親族のうち、その従たる給与等の支払者から支払を受ける給与等について徴収される所得税の額の計算の基礎としようとするものの氏名

ニ　上記ハの源泉控除対象配偶者が非居住者である親族である場合にはその旨並びに上記ハの控除対象扶養親族が非居住者である場合にはその旨及び控除対象扶養親族に該当する事実

ホ　その他の事項

【参考】令和７年分給与所得者の扶養控除等（異動）申告書

令和７年分　給与所得者の扶養控除等（異動）申告書

扶

所轄税務署長等	給与の支払者の名称（氏名）	（フリガナ）あなたの氏名	あなたの生年月日 明・大・昭 平・令　年　月　日	従たる給与についての扶養控除等申告書の提出
税務署長	給与の支払者の法人（個人）番号	あなたの個人番号	世帯主の氏名／あなたとの続柄	
市区町村長	給与の支払者の所在地（住所）	あなたの住所又は居所 郵便番号　－	配偶者の有無　有・無	

あなたに源泉控除対象配偶者、障害者に該当する同一生計配偶者及び扶養親族がなく、かつ、あなた自身が障害者、寡婦、ひとり親又は勤労学生のいずれにも該当しない場合には、以下の各欄に記入する必要はありません。

区分等	（フリガナ）氏名／あなたとの続柄	個人番号／生年月日	老人扶養親族等	令和７年中の所得の見積額	非居住者である親族／生計を一にする事実	住所又は居所	異動月日及び事由
A 源泉控除対象配偶者（注1）		明・大・昭・平		円	□16歳以上30歳未満又は70歳以上 □留学 □障害者 □38万円以上の支払		
B 控除対象扶養親族（16歳以上）（平22.1.1以前生）		明・大・昭・平	□同居老親等 □その他 □特定扶養親族	円	□16歳以上30歳未満又は70歳以上 □留学 □障害者 □38万円以上の支払		
		明・大・昭・平	□同居老親等 □その他 □特定扶養親族	円	□16歳以上30歳未満又は70歳以上 □留学 □障害者 □38万円以上の支払		
C 障害者、寡婦、ひとり親又は勤労学生							異動月日及び事由

| D 他の所得者が控除を受ける扶養親族等 | 氏名／あなたとの続柄 | 生年月日 | 住所又は居所 | 控除を受ける他の所得者 氏名／あなたとの続柄／住所又は居所 | 異動月日及び事由 |

○住民税に関する事項（この欄は、地方税法第45条の3の2及び第317条の3の2に基づき、給与の支払者を経由して市区町村長に提出する給与所得者の扶養親族等申告書の記載欄を兼ねています。）

16歳未満の扶養親族（平22.1.2以後生）	（フリガナ）氏名	個人番号	あなたとの続柄	生年月日	住所又は居所	控除対象外国外扶養親族	令和７年中の所得の見積額	異動月日及び事由
	1			平・令			円	
	2			平・令			円	
退職手当等を有する配偶者・扶養親族	（フリガナ）氏名	個人番号	あなたとの続柄	生年月日	住所又は居所	非居住者である親族／障害区分	令和７年中の所得の見積額	異動月日及び事由

1　申告についてのご注意

2　記載についてのご注意

3　添付書類

4　扶養親族等の範囲

【同一生計配偶者】　所得者（この申告書を提出する人をいいます。）と生計を一にする配偶者（青色事業専従者として給与の支払を受ける人及び白色事業専従者を除きます。）で、令和７年中の所得の見積額が48万円以下（給与所得だけの場合は、給与の収入金額が103万円以下）の人

【源泉控除対象配偶者】　①同一生計配偶者のうち、令和７年中の所得の見積額が1,000万円以下である所得者の配偶者

【控除対象配偶者】　同一生計配偶者のうち、令和７年中の所得の見積額が900万円以下である所得者の配偶者

【扶養親族】　所得者と生計を一にする親族（配偶者、青色事業専従者として給与の支払を受ける人及び白色事業専従者を除きます。）、児童福祉法の規定による里子及び老人福祉法の規定による養護老人で、令和７年中の所得の見積額が48万円以下の人

【控除対象扶養親族】　④扶養親族のうち、次の場合の区分に応じ、それぞれ次に該当する人

【特定扶養親族】　⑤の控除対象扶養親族のうち、所得者19歳以上23歳未満の人

【老人扶養親族】　⑤の控除対象扶養親族のうち、所得者70歳以上の人

【同居老親等】　⑦の老人扶養親族のうち、所得者又はその配偶者の直系尊属で、所得者又はその配偶者のいずれかとの同居を常況としている人

【障害者（特別障害者）】　所得者本人又は①の同一生計配偶者・④の扶養親族で、次のいずれかに該当する人

【同居特別障害者】　①の同一生計配偶者又は④の扶養親族のうち特別障害者で、所得者、その配偶者又は所得者と生計を一にするその他の親族のいずれかとの同居を常況としている人

【寡婦】　所得者本人で、次のいずれかに該当する人

【ひとり親】　所得者本人で、次の全てに該当する人

【勤労学生】　所得者本人で、次の全てに該当する人

第二編 法定調書作成の実務

第一章 法定調書の概要

 一定の支払又は契約等をした場合には、「法定調書」を提出しなければなりません。

　給与所得の源泉徴収事務の締めくくりである年末調整が終わりますと、次は「法定調書」を作成しなければなりません。

　法定調書とは、所得税法、相続税法及び租税特別措置法等の規定により一定の支払等をした際にその内容について所定の調書を作成し、所轄税務署に提出するよう義務づけているものを総称しています。

　例えば、被雇用者に対して給与を支払ったり、特定の者に対して報酬等を支払った場合には、「給与所得の源泉徴収票」や「報酬、料金、契約金及び賞金の支払調書」の提出が必要ですし、また、不動産の買入代金を支払ったり、地代や家賃を支払った場合のように**源泉徴収の対象**とされていないものについても「不動産等の譲受けの対価の支払調書」や「不動産の使用料等の支払調書」の提出が必要です。

　提出していただく法定調書は、所得税、復興特別所得税、法人税、相続税及び贈与税に関する各納税義務者の正確な所得金額又は財産価額を把握するために必要なものであり、租税負担の公平の面からみても極めて重要な役割を担っています。このため、虚偽の調書を提出したり、調書を提出しなかった場合には、罰則規定が設けられていますので、十分に注意していただいて正確な調書を作成し、それぞれ定められた提出期限内に提出してください。

　しかし、「法定調書」を作成し提出するという事務が提出義務者にとって相当の負担となっていることも無視できませんので、課税の公平を害さない範囲内において、その提出についての提出不要限度を設けたり、「給与所得の源泉徴収票」と市区町村に提出する「給与支払報告書（個人別明細書）」の様式とを統合した上、電算処理による連続用紙を作成する等できる限りその負担を軽減する措置が講じられています。

　法定調書は、前述のとおり所得税法、相続税法及び租税特別措置法等に定められていますが、その数は63種類と多く、そのすべてについて説明を加えることは紙幅の関係上できませんので、皆さん方に特に関係が深い支払内容と提出する調書を次のとおり取りまとめましたから、これを参考にしていただいて作成漏れ等のないようにしてください。

（支払の内容）	（提出する調書）
俸給、給料、賞与等の支払……………………………	**給与所得の源泉徴収票** （給与支払報告書）
退職手当、一時恩給等の支払……………………………	**退職所得の源泉徴収票** （特別徴収票）
原稿料、印税、講演料等の支払、弁護士、 司法書士、税理士、弁理士、社会保険労務 士、建築士等への報酬、料金の支払 外交員、集金人、電力量計の検針人、モデ ル、職業野球の選手、プロボクサー、騎手 等への報酬、料金、契約金の支払 芸能人への出演料等の支払 バー、キャバレーのホステス等への報酬、 料金の支払 広告宣伝のための賞金、馬主への競馬の賞 金の支払	**報酬、料金、契約金及び賞金の支払調書**
地代、家賃、権利金、更新料、承諾料、 名義書換料等の支払……………………………	**不動産の使用料等の支払調書**
土地、建物等の譲受けの代金の支払…………………………… **不動産等の譲受けの対価の支払調書** （注）　譲受けの代金には、土地の上にある資産の移転に伴い生じた各種の損失の補償金も含まれますから 　　　ご注意ください。	
土地、建物等の売買や貸付けの あっせん手数料の支払……………………………	**不動産等の売買又は貸付けのあっせん手数料の支払調書**

（参考）　上の表に示していない法定調書については、218ページの「その他の法定調書の一覧表」にそれらの
　　　　法定調書の提出を要する場合、名称、提出期限、提出範囲を示しています。

《ご留意》　令和6年度税制改正により、令和6年分の所得税について定額による所得税額の特別控除（定額
　　減税）が実施されることになりました。令和6年分の「給与所得の源泉徴収票」の作成に当たっては、
　　その「（摘要）」欄に定額減税に関する記載事項を記載しなければなりません（177ページ参照）。ご留意く
　　ださい。

● **e-Tax・光ディスク等による法定調書の提出**

　法定調書は、決められた様式に記載して提出することになっていますが、インターネットを利用したe-Tax（国税電子申告・納税システム）のほか、光ディスク等（CD、DVDなどをいいます。以下同じ。）により提出することもできます。

　これまで、e-Tax又は光ディスク等による法定調書の提出が義務付けられていない方が、法定調書を光ディスク等で提出する場合は「支払調書等の光ディスク等による提出承認申請書」の提出が必要でしたが、令和5年4月1日以降は提出が不要になりました。

● **e-Tax又は光ディスク等による法定調書の提出義務**

　令和3年1月1日以後提出分より、法定調書の種類ごとに、前々年の提出すべきであった当該法定調書の提出枚数が「100枚以上」（令和2年12月31日以前提出分は前々年の提出枚数が1,000枚以上）[注]であるものについては、インターネットを利用したe-Taxを使用して送付する方法又は光ディスク等を使用して提出する方法によらなければなりません。

　例えば、令和5年1月に提出した「給与所得の源泉徴収票」の枚数が「100枚以上」であった場合には、令和7年1月に提出する「給与所得の源泉徴収票」はe-Tax又は光ディスク等により提出する必要があります。

（注）　令和6年度税制改正により、令和9年1月1日以後提出分より、前々年の提出枚数が「30枚以上」となります。

● **給与所得の源泉徴収票（給与支払報告書）のeLTAXでの一括作成・提出**

　給与の支払をする事業者の方は、給与支払報告書を市区町村に、給与所得の源泉徴収票を税務署にそれぞれ提出する必要があります。

　地方税ポータルシステム（eLTAX）をご利用いただくことで、給与支払報告書の電子申告（eLTAX）用のデータと、給与所得の源泉徴収票の電子申告（e-Tax）用のデータを同時に作成するとともに、給与支払報告書を各市区町村に、給与所得の源泉徴収票を所轄税務署にそれぞれ提出することができます。

（注）　詳しくは、eLTAXホームページ又は国税庁ホームページを参照ください。

第二章　主な法定調書と同合計表の記載要領

 法定調書は正確に記載し、令和7年1月31日までに提出してください。

1　給与所得の源泉徴収票と給与支払報告書

1　提出しなければならない者

　令和6年中に俸給、給料、賃金、歳費、賞与、その他これらの性質を有する給与（以下「給与等」といいます。）を支払った者です。

【給与所得の源泉徴収票の提出範囲】

受 給 者 の 区 分			提 出 範 囲
年末調整をしたもの	(1)	法人（人格のない社団や財団を含みます。）の役員（取締役、執行役、会計参与、監査役、理事、監事、清算人、相談役、顧問等である者）及び現に役員をしていなくても令和6年中に役員であった者	令和6年中の給与等の支払金額が**150万円**を超えるもの
	(2)	弁護士、司法書士、土地家屋調査士、公認会計士、税理士、弁理士、海事代理士、建築士等（所得税法第204条第1項第2号に規定する者）	令和6年中の給与等の支払金額が**250万円**を超えるもの
	(3)	上記(1)及び(2)以外の者	令和6年中の給与等の支払金額が**500万円**を超えるもの
年末調整をしなかったもの	(4)　「給与所得者の扶養控除等申告書」を提出した者	イ　令和6年中に退職した者、災害により被害を受けたため、令和6年中の給与所得に対する源泉所得税額及び復興特別所得税額の徴収の猶予又は還付を受けた者	令和6年中の給与等の支払金額が**250万円**を超えるものただし、法人の役員の場合には**50万円**を超えるもの
		ロ　主たる給与等の金額が2,000万円を超えるため、年末調整をしなかった者	全部
	(5)　「給与所得者の扶養控除等（異動）申告書」を提出しなかった者（月額表又は日額表の乙欄若しくは丙欄適用者等）		令和6年中の給与等の支払金額が**50万円**を超えるもの

(注)　令和9年1月1日以後に提出する給与所得の源泉徴収票については、市区町村長に給与支払報告書を提出した場合には、所轄税務署へ提出したものとみなされます。

（令和６年分の源泉徴収票（税務署提出用））

令和　　年分　　給与所得の源泉徴収票

支払を受ける者	住所又は居所		（受給者番号）		
			（個人番号）		
			（役職名）		
			氏名	（フリガナ）	

種　　別	支　払　金　額	給与所得控除後の金額 （調整控除後）	所得控除の額の合計額	源泉徴収税額
	内　　　千　　　円	内　　　千　　　円	千　　　円	内　　　千　　　円

（源泉）控除対象配偶者 の有無等		配偶者（特別） 控除の額	控除対象扶養親族の数 （配偶者を除く。）						16歳未満 扶養親族 の数	障害者の数 （本人を除く。）		非居住者 である 親族の数
有	従有	老人	特　定		老　人		その他			特　別	その他	
		千　　円	人	従人	内　　人	従人	内　　人	従人	人	内　　人	人	人

社会保険料等の金額	生命保険料の控除額	地震保険料の控除額	住宅借入金等特別控除の額
内　　　千　　　円	千　　　円	千　　　円	千　　　円

（摘要）

生命保険料の 金額の内訳	新生命保険料 の金額	円	旧生命保険料 の金額	円	介護医療保 険料の金額	円	新個人年金 保険料の金額	円	旧個人年金 保険料の金額	円
住宅借入金等 特別控除の額 の内訳	住宅借入金等 特別控除適用数		居住開始年月日 （1回目）	年　月　日	住宅借入金等特別 控除区分(1回目)		住宅借入金等 年末残高(1回目)	円		
	住宅借入金等 特別控除可能額	円	居住開始年月日 （2回目）	年　月　日	住宅借入金等特別 控除区分(2回目)		住宅借入金等 年末残高(2回目)	円		

（源泉・特別） 控除対象 配偶者	（フリガナ）		区分		配偶者の 合計所得		国民年金保険 料等の金額	円	旧長期損害 保険料の金額	円
	氏名									
	個人番号						基礎控除の額	円	所得金額 調整控除額	円

控除対象扶養親族	1	（フリガナ）		区分	16歳未満の扶養親族	1	（フリガナ）		区分	（備考）
		氏名					氏名			
		個人番号								
	2	（フリガナ）		区分		2	（フリガナ）		区分	
		氏名					氏名			
		個人番号								
	3	（フリガナ）		区分		3	（フリガナ）		区分	
		氏名					氏名			
		個人番号								
	4	（フリガナ）		区分		4	（フリガナ）		区分	
		氏名					氏名			
		個人番号								

未成年者	外国人	死亡退職	災害者	乙欄	本人が障害者		寡婦	ひとり親	勤労学生	中途就・退職				受給者生年月日			
					特別	その他				就職	退職	年	月	日	元号	年	月	日

税務署提出用	支払者	個人番号又は 法人番号		（右詰で記載してください。）
		住所（居所） 又は所在地		
		氏名又は名称		（電話）

整　理　欄		

375

— 171 —

2　各欄の記載要領

記　載　欄　名	記　載　す　べ　き　事　項
(1)　支払を受ける者	①「住所又は居所」欄 　受給者の令和7年1月1日（中途退職者は、退職時）現在の住所又は居所を確認して記載してください。なお、同居又はアパートなどに住んでいる者については、「○○方」、「××荘△号」等と付記してください。 （注）　租税条約に基づいて源泉所得税及び復興特別所得税の免税を受けている者については、「租税条約に関する届出書」に記載された外国の住所を記載してください。 ②「個人番号」欄 　受給者の個人番号を記載してください。 （注）　受給者に交付する源泉徴収票には、個人番号は記載しません。 ③「氏名」欄 　必ずフリガナをふり、受給者が法人の役員である場合には、その役職名（例えば、社長、専務、常務、取締役工場長等）を、役員でない場合にはその職務の名称（経理課長、営業係等）を併記してください。 （注）　電子計算機等で事務処理をしている事務所、事業所等において受給者番号を必要とする場合には、「受給者番号」欄を使用してください。
(2)　種別	俸給、給料、歳費、賞与、財形給付金、財形基金給付金などのように給与等の種別を記載してください。
(3)　支払金額	令和6年中に支払の確定した給与等（中途就職者について、その就職前に他の支払者が支払った給与等を通算して年末調整を行った場合には、その給与等の金額を含みます。）の総額を記載してください。この場合、源泉徴収票の作成日現在で未払のものがあるときは、その未払額を内書きしてください。ただし、賃金の支払の確保等に関する法律第7条の規定に基づき未払給与等の弁済を受けた退職勤労者については、その弁済を受けた金額を含めないで記載してください。 （注）　租税条約に基づいて源泉所得税及び復興特別所得税の免除を受ける方は、免除の対象となる支払金額も含めて記載してください。
(4)　給与所得控除後の金額（調整控除後）	年末調整を行った受給者だけについて、「令和6年分の年末調整等のための給与所得控除後の給与等の金額の表」によって求めた「給与所得控除後の給与等の金額」を記載してください。 　なお、所得金額調整控除の適用がある場合には、所得金額調整控除の額を控除した後の金額を記載してください。
(5)　所得控除の額の合計額	年末調整を行った受給者だけについて、給与所得控除後の給与等の金額から控除した、①社会保険料控除、②小規模企業共済等掛金控除、③生命保険料控除、④地震保険料控除、⑤障害者控除、⑥寡婦控除、⑦ひとり親控除、⑧勤労学生控除、⑨配偶者控除、⑩配偶者特別控除、⑪扶養控除、⑫基礎控除の額の合計額を記載してください。 （注）　「⑨配偶者控除」と「⑩配偶者特別控除」は、重複して適用を受けることができません。
(6)　源泉徴収税額	①**年末調整をした給与等**：年末調整をした後の源泉所得税及び復興特別所得税の合計額 ②**年末調整をしない給与等**：令和6年中に源泉徴収すべき所得税及び復興特別所得税の合計額 　ただし、災害により被害を受けたため給与等に対する源泉所得税及び復興特別所得税の徴収の猶予を受けた税額は含めません。 （注1）　源泉徴収票の作成日現在で未払の給与等があるため源泉徴収すべき所得税及び復興特別所得税を徴収していないときは、その未徴収税額を内書きしてください。 （注2）　年末調整をしない給与等であっても、月次減税を実施した場合には、月次減税額を差し引いた、実際に源泉徴収した税額を記載してください。

(7)	（源泉）控除対象配偶者の有無等	①「有」欄 　主たる給与等において、受給者が年末調整を受けている場合で、控除対象配偶者を有しているときは「有」欄に○印をつけてください。受給者が年末調整を受けていない場合は、源泉控除対象配偶者を有しているときは「有」欄に○印をつけてください。 ②「従有」欄 　従たる給与等において、源泉控除対象配偶者を有している場合には「従有」欄に○印をつけてください。 ③「老人」欄 　控除対象配偶者（受給者が年末調整を受けていない場合は、源泉控除対象配偶者）が老人控除対象配偶者である場合に○印をつけてください。
(8)	配偶者（特別）控除の額	年末調整を行った受給者だけについて、「給与所得者の配偶者控除等申告書」に基づいて控除した配偶者控除額又は配偶者特別控除額を記載してください。 （注）　受給者本人の合計所得金額が1,000万円を超える場合には、配偶者控除及び配偶者特別控除は受けられません。 　　　　また、配偶者の合計所得金額が48万円以下の場合又は133万円を超える場合は、配偶者特別控除の適用を受けることはできません。
(9)	控除対象扶養親族の数（配偶者を除く。）	①「特定」欄 　特定扶養親族がいる場合には、次により記載してください。 　左の欄には、主たる給与等の支払者が、自己が支払う給与等から控除した特定扶養親族の数を、右の欄には、従たる給与等の支払者が、自己が支払う給与等から控除した特定扶養親族の数を記載してください。 ②「老人」欄 　老人扶養親族がいる場合には、次により記載してください。 　左の欄の点線の右側には、主たる給与等の支払者が、自己が支払う給与等から控除した老人扶養親族の数を、点線の左側には、そのうち受給者又は受給者の配偶者の直系尊属で同居している者の数を記載し、右の欄には、従たる給与等の支払者が、自己が支払う給与等から控除した老人扶養親族の数を記載してください。 ③「その他」欄 　特定扶養親族又は老人扶養親族以外の控除対象扶養親族がいる場合には、次により記載してください。 　左の欄には、主たる給与等の支払者が、自己が支払う給与等から控除した特定扶養親族又は老人扶養親族以外の控除対象扶養親族の数を、右の欄には、従たる給与等の支払者が、自己が支払う給与等から控除した特定扶養親族又は老人扶養親族以外の控除対象扶養親族の数を記載してください。
(10)	16歳未満扶養親族の数	扶養親族のうち、16歳未満の扶養親族の人数を記載してください。 （注１）　16歳未満の扶養親族とは、平成21年１月２日以後に生まれた者をいいます。 （注２）　扶養親族のうち、16歳未満の扶養親族については、扶養控除の適用はありません。
(11)	障害者の数（本人を除く。）	①「特別」欄 　点線の右側には、同一生計配偶者や扶養親族が特別障害者である場合のその人数を、点線の左側には、そのうち同居を常としている者の人数を記載してください。 ②「その他」欄 　特別障害者以外の障害者の人数を記載してください。
(12)	非居住者である親族の数	源泉控除対象配偶者、控除対象配偶者、配偶者特別控除の対象となる配偶者及び扶養控除の対象となる扶養親族のうちに非居住者がいる場合及び16歳未満の扶養親族のうちに国内に住所を有しない者がいる場合には、その人数を記載してください。

(13)	社会保険料等の金額	給与等を支払う際にその給与等から控除した社会保険料の金額、「給与所得者の保険料控除申告書」に基づいて控除した社会保険料の金額及び小規模企業共済等掛金の額の合計額を記載してください。 (注1) 中途就職者について、その就職前に他の支払者が支払った給与等を通算して年末調整を行った場合には、その給与等の金額から控除した社会保険料等の金額を含みます。 (注2) 小規模企業共済等掛金の額については、これを内書きしてください。小規模企業共済等掛金には、確定拠出年金法の企業型年金加入者掛金及び個人型年金加入者掛金並びに地方公共団体が行ういわゆる心身障害者扶養共済制度に基づく掛金を含みます。
(14)	生命保険料の控除額、地震保険料の控除額	年末調整を行った受給者だけについて、「給与所得者の保険料控除申告書」に基づいて控除した金額をそれぞれ記載してください。
(15)	住宅借入金等特別控除の額	年末調整を行った受給者だけについて、年末調整の際に「給与所得者の（特定増改築等）住宅借入金等特別控除申告書」に基づいて計算した金額を記載してください。 (注) 「給与所得者の（特定増改築等）住宅借入金等特別控除申告書」により計算した（特定増改築等）住宅借入金等特別控除額が、算出所得税額を超える場合には、算出所得税額を限度に記載します。
(16)	生命保険料の金額の内訳	年末調整を行った受給者だけについて、記載してください。 ①「新生命保険料の金額」「旧生命保険料の金額」欄 　令和6年中に支払った一般の生命保険料のうち、平成24年1月1日以後に締結した契約に基づいて支払った金額を「新生命保険料の金額」欄へ、平成23年12月31日以前に締結した契約に基づいて支払った金額を「旧生命保険料の金額」欄へ記載してください。 ②「介護医療保険料の金額」欄 　令和6年中に支払った介護医療保険料の金額を記載してください。 ③「新個人年金保険料の金額」「旧個人年金保険料の金額」欄 　令和6年中に支払った個人年金保険料のうち、平成24年1月1日以後に締結した契約に基づいて支払った金額を「新個人年金保険料の金額」欄へ、平成23年12月31日以前に締結した契約に基づいて支払った金額を「旧個人年金保険料の金額」欄へ記載してください。
(17)	住宅借入金等特別控除の額の内訳	年末調整を行った受給者だけについて、記載してください。 ①「住宅借入金等特別控除適用数」欄 　年末調整の際に（特定増改築等）住宅借入金等特別控除の適用がある場合、その控除の適用数を記載してください。 ②「住宅借入金等特別控除可能額」欄 　（特定増改築等）住宅借入金等特別控除額が算出所得税額を超えるため、年末調整で控除しきれない控除額がある場合には、「住宅借入金等特別控除可能額」を記載してください。 ③「居住開始年月日（1回目、2回目）」欄 　居住開始年月日は、和暦で年、月、日を分けて記載してください。 ④「住宅借入金等特別控除区分（1回目、2回目）」欄 　適用を受けている（特定増改築等）住宅借入金等特別控除の区分を次のように記載してください。 　住……一般の住宅借入金等特別控除の場合（増改築等を含みます。） 　住（特家）……一般の住宅借入金等特別控除の場合（増改築等を含みます。）で住宅が特例居住用家屋に該当するとき 　認……認定住宅（等）の新築（取得）等に係る住宅借入金等特別控除の場合 　認（特家）……認定住宅等の新築等に係る住宅借入金等特別控除の場合で住宅が特例認定住宅等に該当するとき

増……特定増改築等住宅借入金等特別控除の場合

震……東日本大震災によって自己の居住の用に供していた家屋が居住の用に供することができなくなった場合で、平成23年から令和7年12月31日までの間に新築や購入、増改築等をした家屋に係る住宅借入金等について震災特例法第13条の2第1項「住宅の再取得等に係る住宅借入金等特別控除」の規定（以下「震災再取得等」といいます。）の適用を選択した場合

震（特家）……震災再取得等の適用を選択した場合で住宅が特例居住用家屋に該当するとき

上記の区分のほか、この控除に係る住宅の新築、取得又は増改築等が
・「特定取得」（特別特定取得以外）に該当する場合には「（特）」、
・「特別特定取得」に該当する場合（「特例取得」及び「特別特例取得」を含みます。）には「（特特）」と、
・「特例特別特例取得」に該当する場合には「（特特特）」、
と併記してください。

なお、居住開始が令和5年1月1日以後の場合は、「（特）」、「（特特）」及び「（特特特）」の区分の対象となりませんので併記は不要です。控除証明書への表示もありませんのでご留意ください。

⑤「住宅借入金等年末残高（1回目、2回目）」欄

年末調整の際に2以上の（特定増改築等）住宅借入金等特別控除の適用がある場合又は適用を受けている住宅の取得等が特定増改築等に該当する場合には、その住宅の取得等ごとに、「住宅借入金等年末残高」を記載してください。

(18)	（源泉・特別）控除対象配偶者	年末調整を行った受給者については、控除対象配偶者又は配偶者特別控除の対象となる配偶者の氏名、フリガナ及び個人番号を記載してください（フリガナについては、分かる場合に記載してください。）。年末調整を行っていない受給者については、源泉控除対象配偶者の氏名、フリガナ及び個人番号を記載してください。また、これらの配偶者が非居住者である場合には、区分の欄に「○」を記載してください。 （注1）　受給者に交付する源泉徴収票には、個人番号は記載しません。 （注2）　「給与所得者の扶養控除等（異動）申告書」又は「従たる給与についての扶養控除等（異動）申告書」の記載に応じ、年の中途で退職した受給者に交付する源泉徴収票にも記載する必要があります。
(19)	配偶者の合計所得	年末調整を行った受給者が、配偶者控除又は配偶者特別控除の適用を受けた場合は、令和6年中の配偶者の合計所得金額を記載してください。年末調整を行っていない受給者が源泉控除対象配偶者を有している場合は、「給与所得者の扶養控除等（異動）申告書」に記載された源泉控除対象配偶者の「所得の見積額」を記載してください。
(20)	国民年金保険料等の金額	年末調整を行った受給者だけについて、記載してください。 　社会保険料控除の適用を受けた国民年金保険料等(注)の金額について、令和6年中に支払った金額を記載してください。 （注）　国民年金保険料等とは、国民年金法の規定により被保険者として負担する国民年金の保険料及び国民年金基金の加入員として負担する掛金をいいます。
(21)	旧長期損害保険料の金額	年末調整を行った受給者だけについて、記載してください。 　地震保険料の控除額のうち平成18年12月31日までに締結した「長期損害保険契約等」に係る控除額が含まれている場合には、令和6年中に支払った長期損害保険料の金額を記載してください。

⑵	基礎控除の額	年末調整を行った受給者だけについて、記載してください。 　基礎控除の額は、「給与所得者の基礎控除申告書」から転記してください。ただし、基礎控除の額が48万円の場合には、転記する必要はありません。

給与所得者の基礎控除申告書		記載方法
合計所得金額の見積額	基礎控除の額	
2,400万円以下	48万円	記載不要
2,400万円超　2,450万円以下	32万円	320,000
2,450万円超　2,500万円以下	16万円	160,000
2,500万円超	なし	0

⑵	所得金額調整控除額	年末調整を行った受給者だけについて、記載してください。 　所得金額調整控除の適用がある場合には、所得金額調整控除の額を記載してください。
⑵	控除対象扶養親族	扶養控除の対象となる扶養親族の氏名、フリガナ及び個人番号を記載してください（フリガナについては、分かる場合に記載してください。）。 　また、控除対象扶養親族が非居住者である場合には、次の控除対象扶養親族の区分の表に応じて、記載してください。

控除対象扶養親族の区分	記載方法
居住者	空欄※1
非居住者（30歳未満又は70歳以上）	01
非居住者（30歳以上70歳未満、留学生※2）	02
非居住者（30歳以上70歳未満、障害者）	03
非居住者（30歳以上70歳未満、38万円以上送金※3）	04

※1　源泉徴収票をe-Tax等で税務署へ提出する場合は、「00」と記録してください。
※2　「留学生」とは、留学により国内に住所及び居所を有しなくなった者をいいます。
※3　「38万円以上送金」とは、扶養控除の適用を受けようとする居住者からその年において生活費又は教育費に充てるための支払を38万円以上受けている者をいいます。
※4　30歳以上70歳未満の非居住者が上記「02」～「04」の要件に複数該当する場合は、いずれかひとつを記載してください。
（注1）　受給者に交付する源泉徴収票には、個人番号は記載しません。
（注2）　「給与所得者の扶養控除等（異動）申告書」又は「従たる給与についての扶養控除等（異動）申告書」の記載に応じ、年の中途で退職した受給者に交付する源泉徴収票にも記載する必要があります。

⑵	16歳未満の扶養親族	16歳未満の扶養親族の氏名及びフリガナを記載してください（フリガナについては、分かる場合に記載してください。）。また、16歳未満の扶養親族が国内に住所を有しない者である場合には、区分の欄に「○」を記載してください。 （注1）　「給与所得者の扶養控除等（異動）申告書」の記載に応じ、年の中途で退職した受給者に交付する源泉徴収票にも記載する必要があります。 （注2）　「給与所得者の扶養控除等（異動）申告書」の「16歳未満の扶養親族」欄と「退職手当等を有する配偶者・扶養親族」欄の双方に記載のある16歳未満の扶養親族については、受給者にその16歳未満の扶養親族の退職所得を含めた令和6年中の合計所得金額を確認し、合計所得金額が48万円を超える場合には、源泉徴収票の「16歳未満の扶養親族」欄に記載しませんので、ご注意ください。 （注3）　市区町村に提出する給与支払報告書には、16歳未満の扶養親族の個人番号も記載することとなっていますので、ご注意ください。

(26)	(摘要)	

令和6年定額減税に関する事項の記載

【年末調整済みの源泉徴収票】

　年末調整終了後に作成する「給与所得の源泉徴収票」には、その「(摘要)」欄に、実際に控除した年調年税額を「源泉徴収時所得税減税控除済額×××円」と記載してください。

　記載する金額は次のとおりです。

・年調所得税額（源泉徴収簿の㉔欄の金額）≧ 年調減税額（源泉徴収簿の余白の㉔−2の金額）の場合……年調減税額（源泉徴収簿の余白の㉔−2の金額）を「源泉徴収時所得税減税控除済額×××円」として記載してください。

・年調所得税額（源泉徴収簿の㉔欄の金額）< 年調減税額（源泉徴収簿の余白の㉔−2の金額）の場合……年調所得税額（源泉徴収簿の㉔欄の金額）を「源泉徴収時所得税減税控除済額×××円」として記載してください。

　また、年調減税額のうち年調所得税額から差し引ききれなかった金額（源泉徴収簿の余白の㉔−4の金額）を「控除外額×××円」（差し引ききれなかった金額がない場合は「控除外額0円」）と記載してください。

　さらに、合計所得金額が1,000万円超である居住者の同一生計配偶者（以下「非控除対象配偶者」といいます。）分を年調減税額の計算に含めた場合には、上記に加えて「非控除対象配偶者減税有」と記載してください。

　なお、「(摘要)」欄への記載に当たっては、この定額減税に関する事項を最初に記載するなど、書ききれないことがないようご留意ください。

（注1）　令和6年6月1日以後の退職・国外転出・死亡等で、年末調整を了した後に作成する源泉徴収票においても同様となります。

（注2）　非控除対象配偶者を有する者で、その同一生計配偶者が障害者、特別障害者又は同居特別障害者に該当する場合、「給与所得の源泉徴収票」の「(摘要)」欄には、同一生計配偶者の氏名及び同一生計配偶者である旨を記載することとされていますが、この場合にその非控除対象配偶者分を年調減税額の計算に含めた場合には、「減税有」の追記で差し支えありません。

【年末調整を行っていない源泉徴収票】

　年末調整を行わずに退職し再就職しない場合や、令和6年分の給与の収入金額が2,000万円を超えるなどの理由により年末調整の対象とならなかった給与所得者については、「(摘要)」欄に定額減税額等を記載する必要はありません。

① 所得金額調整控除の適用がある場合は、該当する要件に応じて、次のように記載してください。

要　件	記載方法
本人が特別障害者	記載不要※
同一生計配偶者が特別障害者	同一生計配偶者の氏名（同配） 例）国税花子（同配）
扶養親族が特別障害者	扶養親族の氏名（調整）
扶養親族が年齢23歳未満	例）国税一郎（調整）

※「本人が障害者」の「特別」欄に「○」を付してください。

ただし、上記「同一生計配偶者」又は「扶養親族」の氏名が
・「(源泉・特別)控除対象配偶者」欄
・「控除対象扶養親族」欄
・「16歳未満の扶養親族」欄
に記載されている場合は、記載を省略できます。

(26)	(摘要)	② 控除対象扶養親族又は16歳未満の扶養親族が５人以上いる場合には、５人目以降の控除対象扶養親族又は16歳未満の扶養親族の氏名を記載してください。この場合、氏名の前には括弧書きの数字を付し、「(備考)」欄に記載する個人番号との対応関係が分かるようにしてください。また、この欄に記載される控除対象扶養親族又は16歳未満の扶養親族が次に該当する場合には、それぞれ次の内容を記載してください。 イ　16歳未満の扶養親族の場合……氏名の後に、「(年少)」と記載してください。 ロ　控除対象扶養親族が非居住者である場合……氏名の後に「(01)」のように、(24)の控除対象扶養親族の区分の表の記載に対応する数字を記載してください。 ハ　16歳未満の扶養親族が国内に住所を有しない者である場合……氏名の後に「(非居住者)」と記載してください。 (注)　控除対象扶養親族の個人番号については、「(備考)」欄に記載してください。 ③ 同一生計配偶者（控除対象配偶者を除く。）が、障害者、特別障害者又は同居特別障害者に該当する場合には、同一生計配偶者の氏名及び同一生計配偶者である旨「(同配)」を記載してください。 ④ 年末調整の際に３以上の（特定増改築等）住宅借入金等特別控除の適用がある場合には、３回目以降の住宅の取得等について、その住宅の取得等ごとに、「居住開始年月日」、「住宅借入金等特別控除区分」及び「住宅借入金等年末残高」を記載してください。 ⑤ 年の中途で就職した者について、その就職前に他の支払者が支払った給与等を通算して年末調整を行った場合には、（イ）他の支払者の住所（居所）又は所在地、氏名又は名称、（ロ）他の支払者のもとを退職した年月日、（ハ）他の支払者が支払った給与等の金額、徴収した所得税及び復興特別所得税の合計額、給与等から控除した社会保険料の金額、を記載してください。 ⑥ 「賃金の支払の確保等に関する法律」第７条の規定に基づき未払給与等の弁済を受けた退職勤労者については、同条の規定により弁済を受けた旨及びその弁済を受けた金額を記載してください。 ⑦ 災害により被害を受けたため給与所得に対する源泉所得税及び復興特別所得税の徴収の猶予を受けた場合には、(28)の「災害者」欄に「○」を付けるとともに、徴収猶予税額を記載してください。 ⑧ 租税条約に基づいて源泉所得税及び復興特別所得税の免除を受ける者については、免税対象額及び該当条項「○○条約○○条該当」を赤書きしてください。
(27)	(備考)	控除対象扶養親族が５人以上いる場合には、５人目以降の控除対象扶養親族の個人番号を記載してください。この場合、個人番号の前には「(摘要)」欄において氏名の前に記載した括弧書きの数字を付し、「(摘要)」欄に記載した氏名との対応関係が分かるようにしてください。 (注１)　受給者に交付する源泉徴収票には、個人番号は記載しません。 (注２)　源泉徴収票には、16歳未満の扶養親族の個人番号を記載しませんが、市区町村に提出する給与支払報告書には記載することとなっていますので、ご注意ください。 (注３)　市区町村に提出する給与支払報告書には、退職手当等の支払を受ける一定の配偶者又は扶養親族の個人番号も記載することとなっています。
(28)	未成年者から勤労学生までの各欄	各欄について、その受給者について該当する事項がある場合に「○」を付してください。 (注)　「未成年者」とは、平成19年１月３日以後に生まれた者をいいます。
(29)	中途就・退職	年の中途で就職や退職（死亡退職を含みます。）した者については、「中途就・退職」の該当欄に「○」を付し、その年月日を記載してください。

⑶0	元号	受給者の生年月日の元号を漢字（「明治」、「大正」、「昭和」、「平成」又は「令和」）で記載してください。
⑶1	支払者	給与等の支払者の住所（居所）又は所在地、氏名又は名称、電話番号及び個人番号又は法人番号を記載してください（個人番号を記載する場合は、左端を空白にし、右詰で記載してください。）。 （注）　受給者に交付する源泉徴収票には、個人番号及び法人番号は記載しません。

3　その他の注意事項

(1)　1の【給与所得の源泉徴収票の提出範囲】の(2)に掲げる提出範囲は、弁護士等に給与等として支払っている場合の提出範囲であり、これらの者に報酬等として支払う場合には、「報酬、料金、契約金及び賞金の支払調書」の提出対象となります。

(2)　税務署へ提出する「給与所得の源泉徴収票」のうち、日本と情報交換の規定を有する租税条約を締結している各国（181ページ【自動的情報交換を行うことができる国・地域の一覧】参照）に住所（居所）がある者の「給与所得の源泉徴収票」については同じものを2枚提出してください。

(3)　「給与支払報告書」は、「給与所得の源泉徴収票」と異なり、令和7年1月1日現在において給与等の支給を受けているすべての受給者のものを関係市区町村（原則として受給者の令和7年1月1日現在の住所地の市区町村）に提出してください。なお、年の中途で退職した者については、令和7年1月31日までに、退職時の住所地の市区町村に給与支払報告書を提出してください（その者に対する給与等の支払金額が30万円以下の場合は、提出を省略することができます。）。

(4)　「給与所得の源泉徴収票」と「給与支払報告書」の作成枚数

　　税務署へ提出を要する受給者分については、「給与所得の源泉徴収票」を税務署提出用と受給者交付用として各1枚、「給与支払報告書」を市区町村提出用として1枚の計3枚、税務署へ提出を要しない受給者分については、「給与所得の源泉徴収票」を受給者交付用として1枚、「給与支払報告書」を市区町村提出用として1枚の計2枚を作成してください。

(5)　「給与所得の源泉徴収票」は、【給与所得の源泉徴収票の提出範囲】に掲げる提出範囲にかかわらず、全ての受給者について作成の上、令和7年1月31日まで（年の中途で退職した者の場合は、退職の日以後1か月以内）に受給者に交付しなければなりません。

　　なお、「全ての受給者」には、国内に住所又は1年以上居所を有する外国人従業員も含まれますので、その外国人従業員にも必ず「給与所得の源泉徴収票」を交付するよう留意してください。

【給与所得の源泉徴収票・退職所得の源泉徴収票の電磁的方法による提供について】

　給与や退職金（以下「給与等」といいます。）の支払をする者は、給与等の支払を受ける者から事前に承諾を得る(注)等一定の要件の下、書面による給与所得の源泉徴収票や退職所得の源泉徴収票（以下これらを総称して「源泉徴収票」といいます。）の交付に代えて、源泉徴収票に記載すべき事項を電磁的方法により提供することができます。この提供により、給与等の支払をする者は、源泉徴収票を交付したものとみなされます。ただし、給与等の支払を受ける者の請求があるときは、給与等の支払をする者は書面により源泉徴収票を交付する必要があります。

　また、e-Tax（国税電子申告・納税システム）を利用して、所得税及び復興特別所得税の確定申告書の提出を行う場合には、源泉徴収票の添付に代えて、その記載内容を入力して送信できることとされていますが、税務署から提示又は提出を求められたときは、源泉徴収票を提示又は提出する必要があります。

　（注）　給与等の支払者が定める期限までに承諾に係る回答がない場合には、承諾があったものとみなされます。

【自動的情報交換を行うことができる国・地域の一覧】 (令和6年7月1日現在)

アイスランド	エジプト	ジョージア	ドイツ	ベラルーシ
アイルランド	エストニア	シンガポール	トルクメニスタン	ペルー
アゼルバイジャン	オーストラリア	スイス	トルコ	ベルギー
アメリカ合衆国	オーストリア	スウェーデン	ニュージーランド	ポーランド
アラブ首長国連邦	オマーン	スペイン	ノルウェー	ポルトガル
アルジェリア	オランダ	スリランカ	パキスタン	香港
アルメニア	カザフスタン	スロバキア	ハンガリー	マレーシア
イスラエル	カタール	スロベニア	バングラデシュ	南アフリカ共和国
イタリア	カナダ	セルビア	フィジー	メキシコ
インド	キルギス	タイ	フィリピン	モルドバ
インドネシア	クウェート	大韓民国	フィンランド	モロッコ
ウクライナ	クロアチア	タジキスタン	ブラジル	ラトビア
ウズベキスタン	コロンビア	チェコ	フランス	リトアニア
ウルグアイ	サウジアラビア	中華人民共和国(注)	ブルガリア	ルーマニア
英国	ザンビア	チリ	ブルネイ・ダルサラーム	ルクセンブルク
エクアドル	ジャマイカ	デンマーク	ベトナム	ロシア

（注）　マカオを除きます。

【法定調書の提出範囲の金額基準の判定及び記載方法について（消費税及び地方消費税の取扱い）】

1　提出範囲の金額基準の判定に当たっては、原則として消費税及び地方消費税（以下「消費税等」といいます。）の額を含めてください。ただし、消費税等の額が明確に区分されている場合には、その額を含めないで判定しても差し支えありません。

2　支払金額の記載に当たっては、原則として消費税等の額を含めて記載してください。ただし、消費税等の額が明確に区分されている場合には、その額を含めないで記載しても構いませんが、その場合には、「（摘要）」欄にその消費税等の額を記載してください。

4 記載例

【記載例1】 年末調整を行った一般の受給者の場合

○令和6年分給与所得に対する源泉徴収簿

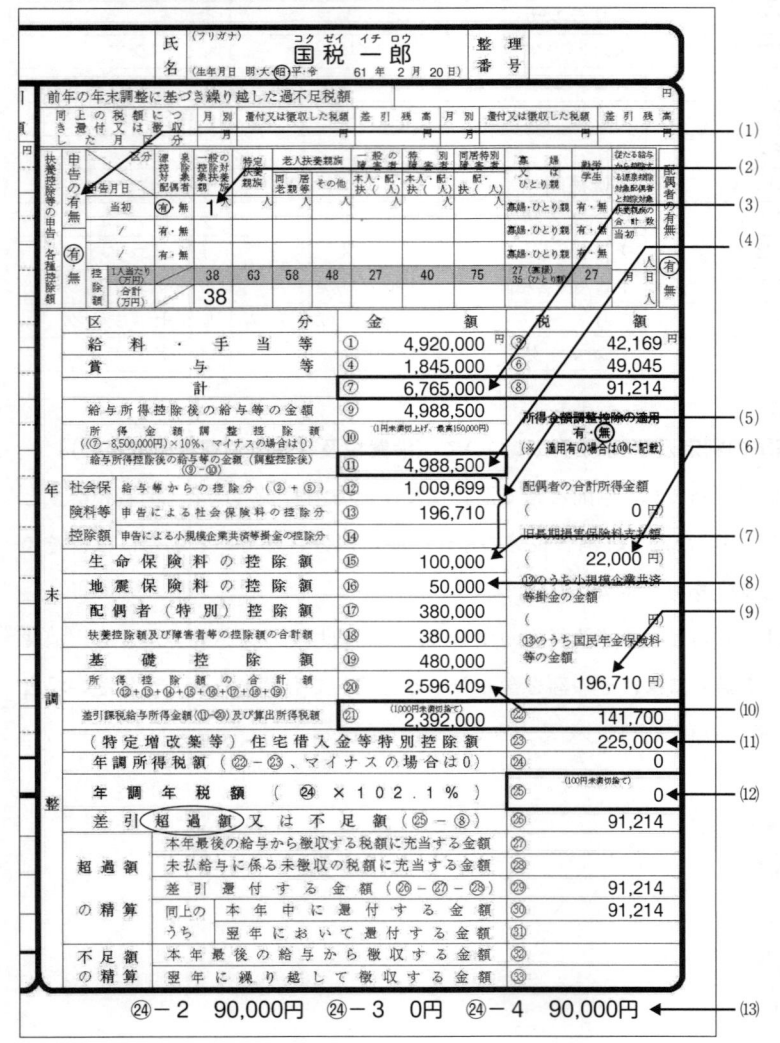

———(1)～(13)

（注）
1 この記載例は、年末調整を行った受給者で、○○産業株式会社以外からは年末調整の対象となる給与等の支払を受けておらず、年末調整において、社会保険料控除の適用を受けた国民年金保険料の金額がある者の例です。

2 この「給与所得の源泉徴収票」の記載に当たっては、「令和6年分給与所得に対する源泉徴収簿」の「年末調整」欄を基にして必要な事項を転記します。

(5) 社会保険料等控除額（⑫＋⑬＋⑭）
1,009,699円＋196,710円＋0円
＝1,206,409円

【定額減税に関する記載事項】
実際に控除した年調減税額（源泉徴収簿の㉔欄又は余白に「㉔－2」として記載した年調減税額）や、「㉔－4」として記載した控除外額（⒀）については、必ず源泉徴収票の「（摘要）」欄へ転記するようにしてください。

上に示した源泉徴収簿の（ ）付数字の欄の金額等を次ページに示すとおり、源泉徴収票の同番号の欄に転記してください。

○令和6年分　給与所得の源泉徴収票（給与支払報告書）

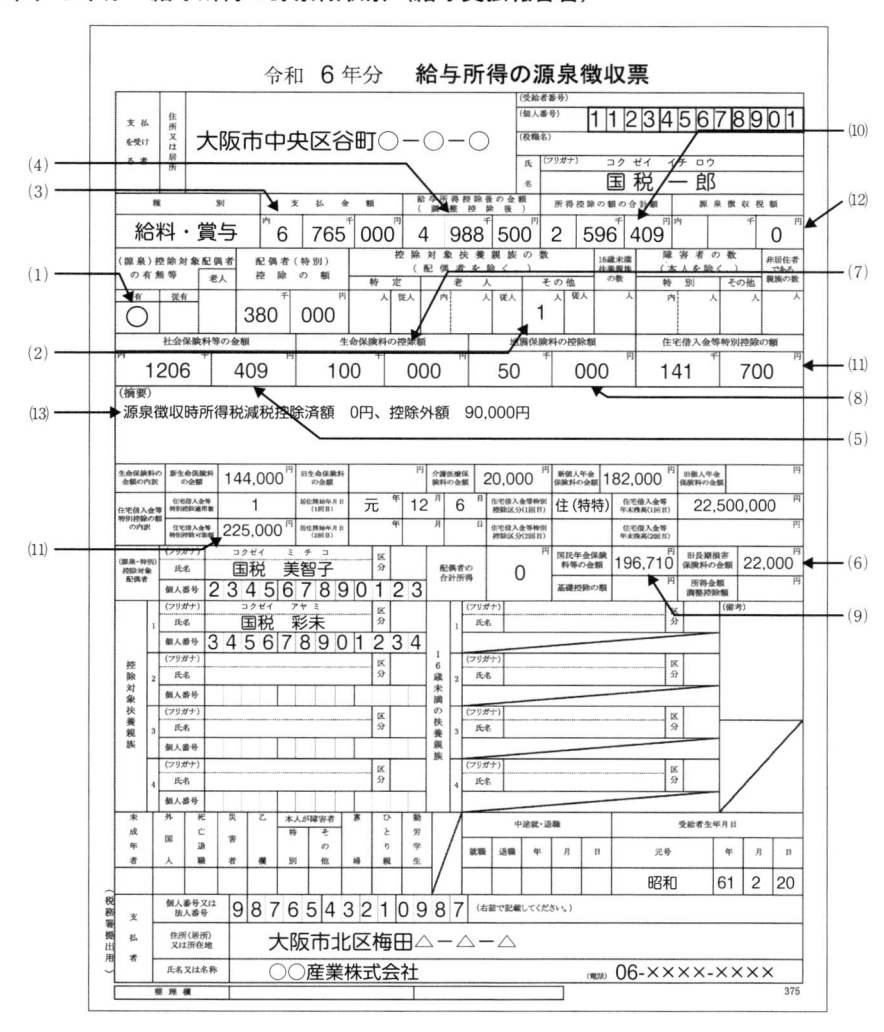

（注）
⑪欄：㉒欄＜㉓欄
㉓（特定増改築等）住宅借入金等特別控除額が㉒算出所得税額よりも多い場合は、算出所得税額を限度に記載します。
なお、この場合には㉓（特定増改築等）住宅借入金等特別控除額を摘要欄の「住宅借入金等特別控除可能額」に転記します。

【記載例２】 就職前に他の支払者から受けた給与等を通算して年末調整を行った受給者の場合

○令和６年分給与所得に対する源泉徴収簿

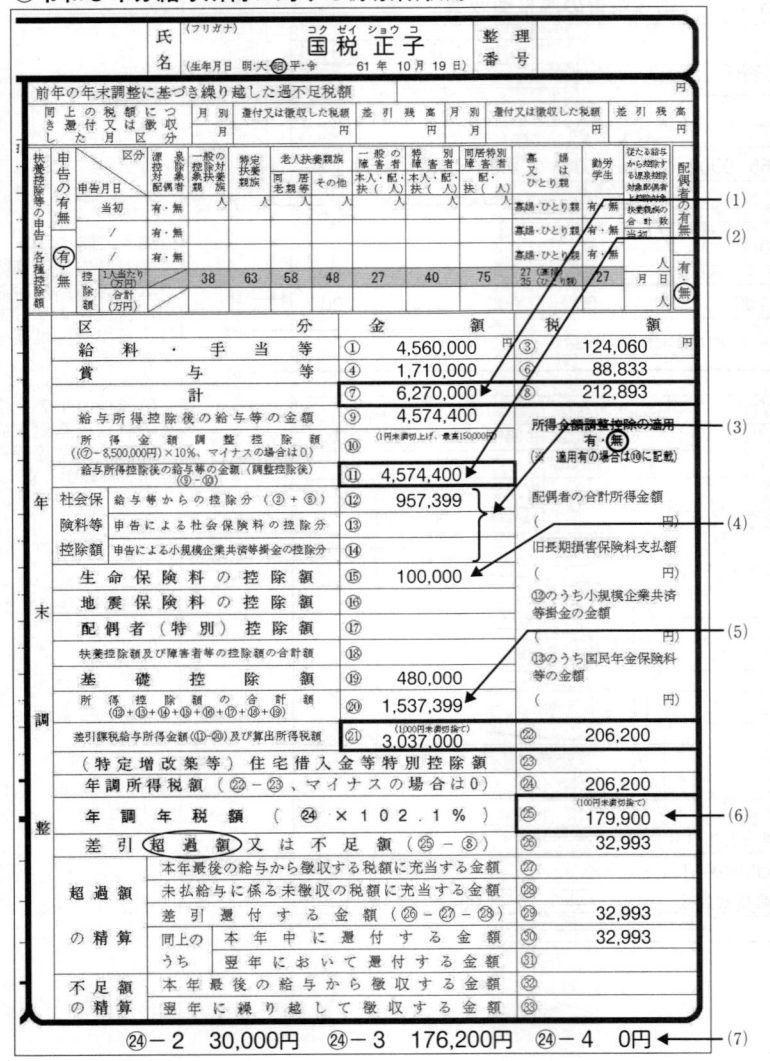

（注）
1 この記載例は、令和６年７月１日に就職した者で、その就職前に勤めていた株式会社神戸商店からの給与等を通算して年末調整を行ったものの例です。

> 株式会社神戸商店が退職時に発行した源泉徴収票を基に次の金額を含めて年末調整をしています。
> ① 支払金額　　　3,040,000 円
> ② 源泉徴収税額　　81,509 円
> ③ 社会保険料等
> 　控除額　　　520,947 円

2 この「給与所得の源泉徴収票」の記載に当たっては、「令和６年分給与所得に対する源泉徴収簿」の「年末調整」欄を基にして必要な事項を転記します。

【定額減税に関する記載事項】
　実際に控除した年調減税額（源泉徴収簿の㉔欄又は余白に「㉔－2」として記載した年調減税額）や、「㉔－4」として記載した控除外額（(7)）については、必ず源泉徴収票の「（摘要）」欄へ転記するようにしてください。

　上に示した源泉徴収簿の（　）付数字の欄の金額等を次ページに示すとおり、源泉徴収票の同番号の欄に転記してください。

○令和6年分　給与所得の源泉徴収票（給与支払報告書）

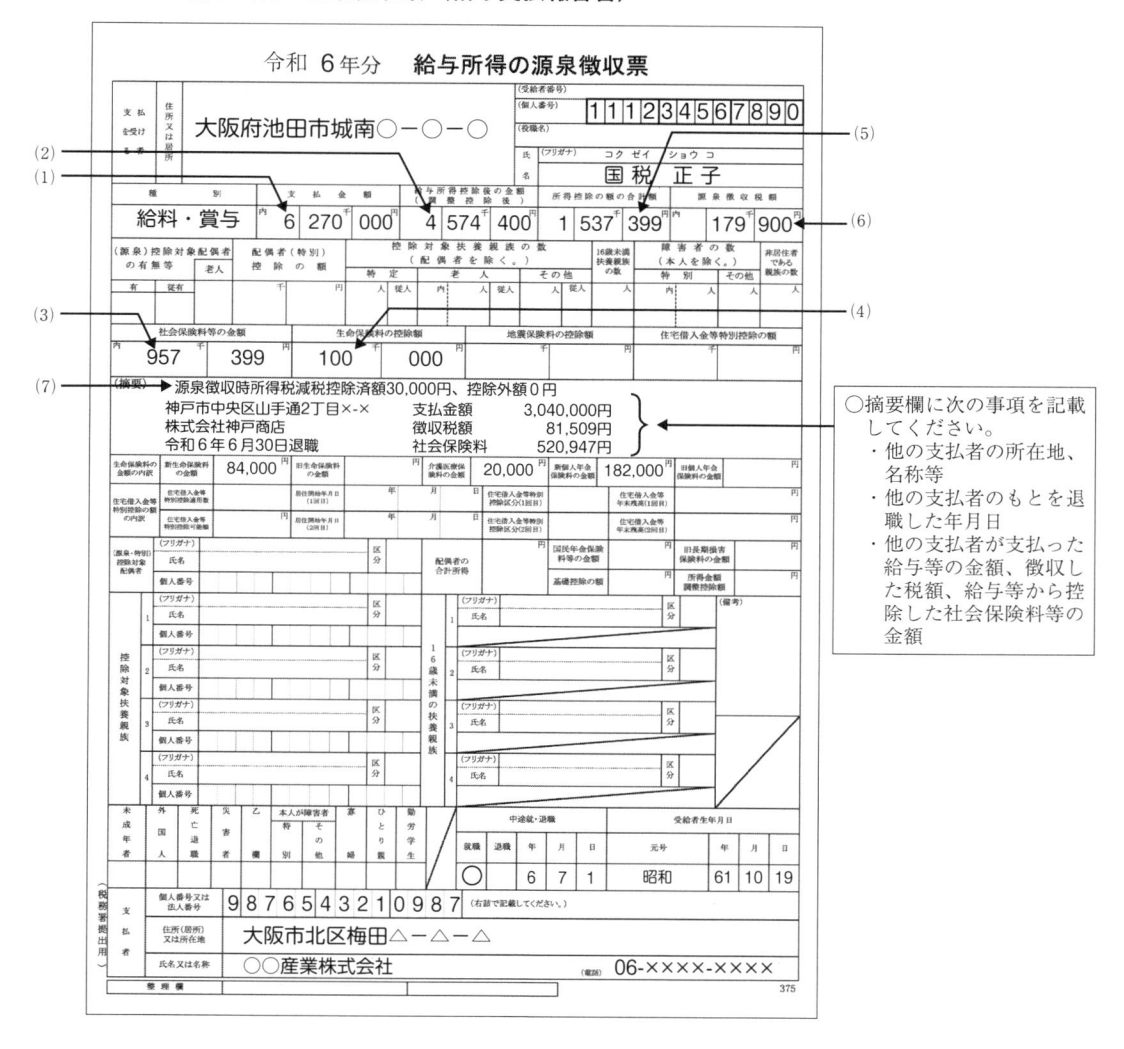

○摘要欄に次の事項を記載してください。
・他の支払者の所在地、名称等
・他の支払者のもとを退職した年月日
・他の支払者が支払った給与等の金額、徴収した税額、給与等から控除した社会保険料等の金額

【記載例3】 年末調整において複数の住宅借入金等特別控除の適用を受けた場合

　この記載例は、年末調整において家屋の取得と増改築等をした部分の両方について住宅借入金等特別控除の適用を受けており、当該控除額が算出所得税額を超えている受給者の例です。

　年末調整の際、控除しきれない住宅借入金等特別控除の金額がある場合には、「給与所得の源泉徴収票」の「住宅借入金等特別控除の額の内訳」欄に、「住宅借入金等特別控除可能額」を記載します。

　また、適用を受ける当該控除が、複数の居住年に係る控除の適用を受ける場合又は租税特別措置法41条の3の2「特定増改築住宅借入金等特別控除」に係るものである場合には、居住年月日ごとに当該適用を受けている「住宅借入金等特別控除区分」及び「住宅借入金等年末残高」を記載します。

○令和6年分　給与所得者の（特定増改築等）住宅借入金等特別控除申告書

（証明事項）

平成30年3月1日

○令和6年分　給与所得者の（特定増改築等）住宅借入金等特別控除申告書

（証明事項）

令和5年11月20日

○令和６年給与所得に対する源泉徴収簿

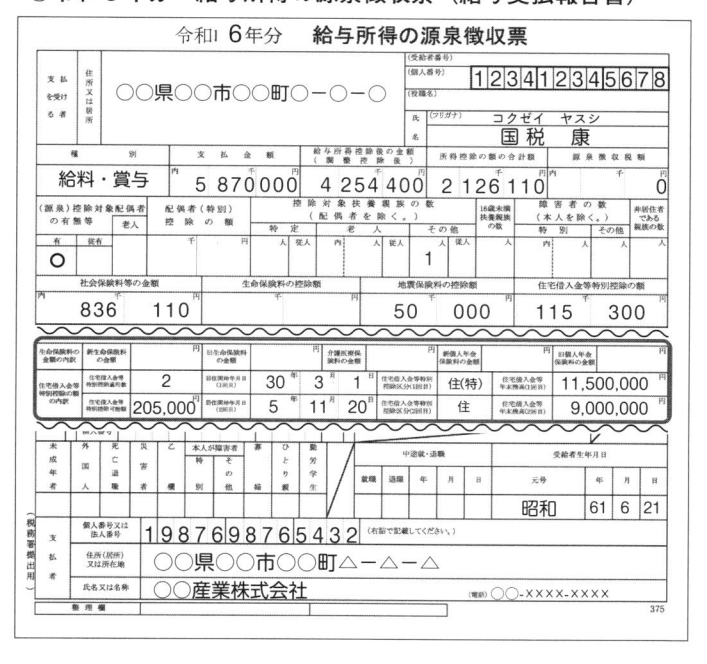

２以上の（特定増改築等）住宅借入金等特別控除の適用を受けている場合

⇒源泉徴収票の「住宅借入金等特別控除額の内訳」欄に、居住開始年月日ごとに「居住開始年月日」、「住宅借入金等特別控除区分」、「住宅借入金等年末残高」を記載します。

（注）年末調整において３以上の（特定増改築等）住宅借入金等特別控除の適用を受けている場合は、３回目以降の住宅の取得等についての記載事項は「（摘要）」欄に記載します（178ページの表内(26)の④を参照してください。）。

○令和６年分　給与所得の源泉徴収票（給与支払報告書）

令和Ｉ６年分　給与所得の源泉徴収票

【記載例４】　５人以上の控除対象扶養親族及び16歳未満の扶養親族がいる場合

この記載例は、５人以上の控除対象扶養親族及び16歳未満の扶養親族がいる場合の受給者の例です。

受給者の方は、○○商会株式会社のみから給与の支払を受けており、年末調整を行っています。

受給者の方の控除対象配偶者及び扶養親族は次のとおりです。

・控除対象配偶者：国税陽子

・控除対象扶養親族：国税賢一、国税拳二、国税春香、国税夏希、国税謙三、国税節子

・16歳未満の扶養親族：国税秋絵、国税研四、国税健五、国税兼六、国税冬美

控除対象扶養親族のうち、国税賢一及び国税節子は非居住者です。

○令和６年分　給与所得の源泉徴収票（給与支払報告書）

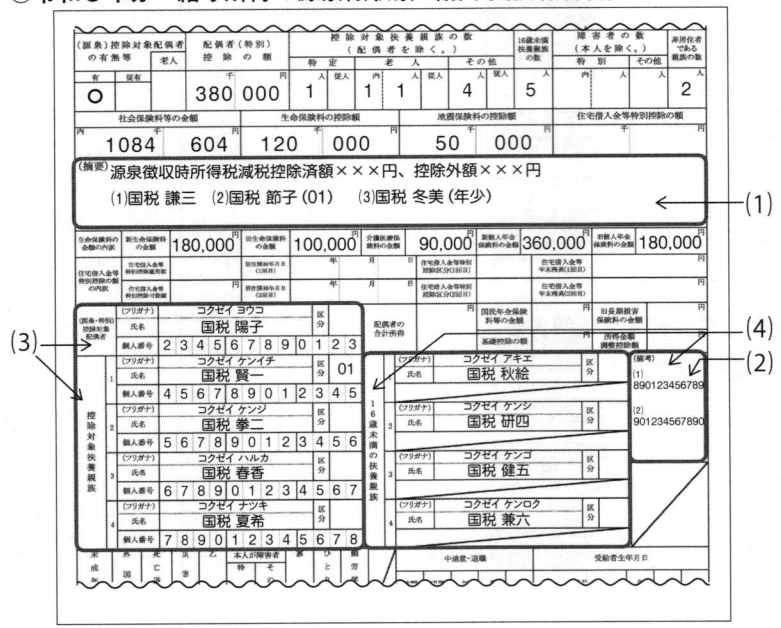

(1)　「(摘要)」欄の記載について

　控除対象扶養親族又は16歳未満の扶養親族が５人以上いる場合には、５人目以降の控除対象扶養親族又は16歳未満の扶養親族の氏名を「(摘要)」欄に記載します。この場合、氏名の前には、括弧書きの数字を付し、「(備考)」欄に記載する個人番号との対応関係が分かるようにしてください。16歳未満の扶養親族である場合には、氏名の後に「(年少)」と記載します。また、控除対象扶養親族が非居住者である場合には氏名の後に176ページの㉔の控除対象扶養親族の区分の表から該当する区分を記載し、16歳未満の扶養親族が国内に住所を有しない場合には、氏名の後に「(非居住者)」と記載します（178ページの㉖の②参照）。

(2)　「(備考)」欄の記載について

　控除対象扶養親族が５人以上いる場合には、５人目以降の控除対象扶養親族の個人番号を記載します。この場合、個人番号の前には、括弧書きの数字を付し、「(摘要)」欄に記載した氏名との対応関係が

分かるようにしてください。この記載例では、国税謙三の氏名と個人番号に「(1)」を、国税節子の氏名と個人番号に「(2)」を付しています。

(注) 控除対象扶養親族が非居住者でも、個人番号が交付されている者については、個人番号を記載してください。

(3) 「(源泉・特別)控除対象配偶者」欄及び「控除対象扶養親族」欄の記載について

控除対象扶養親族である国税賢一は非居住者(30歳未満又は70歳以上)であるため、「区分」欄に「01」を付しています。

(注) この記載例では、国税賢一は非居住者ですが、個人番号が交付されているため、「個人番号」欄に個人番号を記載しています。

(4) 「16歳未満の扶養親族」欄及び「(備考)」欄の記載について

税務署提出用及び本人交付用の源泉徴収票には、16歳未満の扶養親族の個人番号は記載しません。

(注) 市区町村に提出する給与支払報告書には、16歳未満の扶養親族の個人番号も記載することとなっていますので、ご注意ください。

【記載例5】 年末調整において「配偶者控除」及び「所得金額調整控除」を受けた場合並びに「基礎控除」の額が48万円であった場合

この記載例は、年末調整において「配偶者控除」及び「所得金額調整控除」を受けた場合並びに「基礎控除」の額が48万円であった場合の受給者の例です。

受給者の方は、○○商会株式会社のみから給与の支払を受けており、年末調整を行っています。

イ 受給者の方は年末調整の際に、控除対象配偶者である国税光子に係る「配偶者控除」の適用を受けています。

ロ 給与等の収入金額が850万円を超えており、かつ年齢23歳未満の扶養親族である国税一太がいるため、年末調整において「所得金額調整控除」の適用を受けています。

ハ 年末調整において「基礎控除の額」が48万円でした。

○令和6年分　給与所得者の基礎控除申告書 兼 給与所得者の配偶者控除等申告書 兼 年末調整に係る定額減税のための申告書 兼 所得金額調整控除申告書

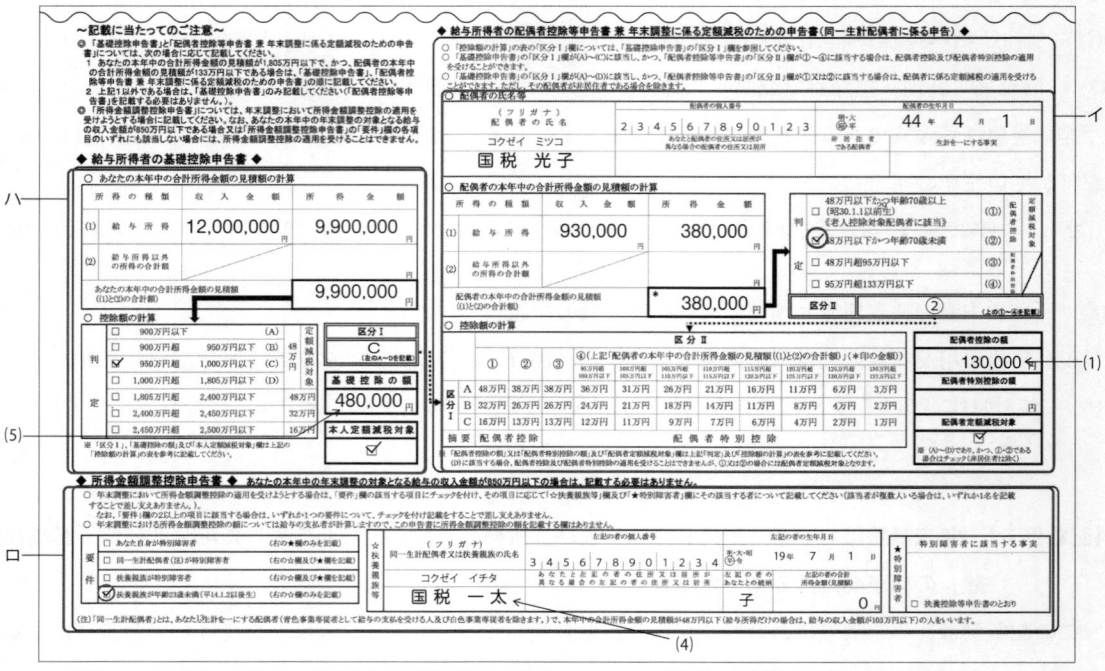

（注）この様式は、便宜上、令和6年9月5日現在国税庁ホームページ掲載の様式案を使用しています。

○令和6年給与所得に対する源泉徴収簿

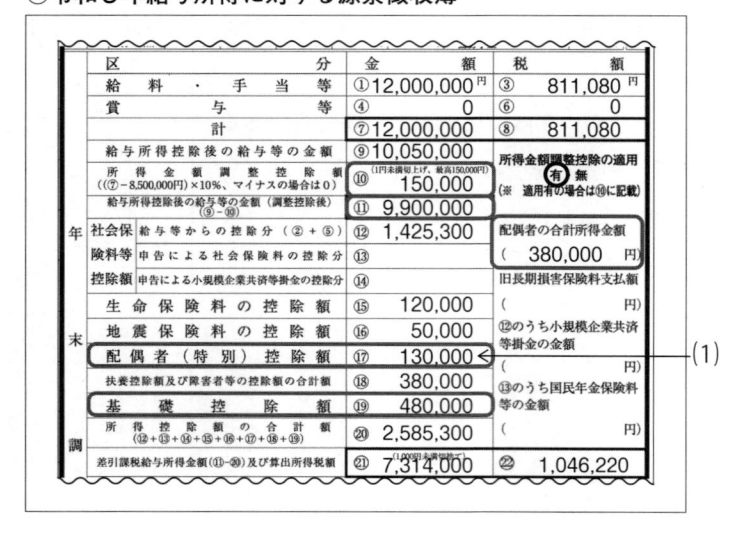

区　分	金　額	税　額
給　料　・　手　当　等	① 12,000,000	③ 811,080
賞　与　等	④ 0	⑥ 0
計	⑦ 12,000,000	⑧ 811,080
給与所得控除後の給与等の金額	⑨ 10,050,000	所得金額調整控除の適用
所得金額調整控除額（（⑦−8,500,000円）×10%、マイナスの場合は0）	⑩ 150,000	有　無（※ 適用有の場合は⑩に記載）
給与所得控除後の給与等の金額（調整控除後）（⑨−⑩）	⑪ 9,900,000	
社会保険料等控除額 社会保等からの控除分（② + ⑤）	⑫ 1,425,300	配偶者の合計所得金額（　380,000　円）
申告による社会保険料の控除分	⑬	
申告による小規模企業共済等掛金の控除分	⑭	旧長期損害保険料支払額
生命保険料の控除額	⑮ 120,000	
地震保険料の控除額	⑯ 50,000	⑫のうち小規模企業共済等掛金の金額
配偶者（特別）控除額	⑰ 130,000	
扶養控除額及び障害者等の控除額の合計額	⑱ 380,000	⑬のうち国民年金保険料等の金額
基　礎　控　除　額	⑲ 480,000	（　　　　円）
所得控除額の合計額（⑫+⑬+⑭+⑮+⑯+⑰+⑱+⑲）	⑳ 2,585,300	
差引課税給与所得金額（⑪−⑳）及び算出所得税額	㉑ 7,314,000	㉒ 1,046,220

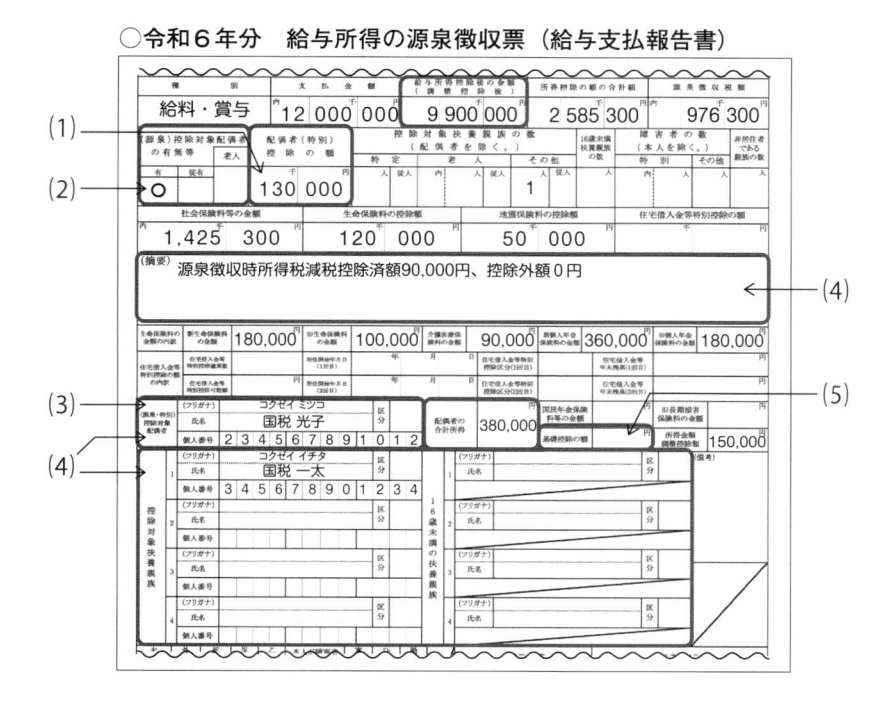

○令和6年分　給与所得の源泉徴収票（給与支払報告書）

(1) 「配偶者（特別）控除の額」欄の記載について

　「給与所得者の配偶者控除等申告書」に基づき計算した配偶者控除の額を記載します。

(2) 「（源泉）控除対象配偶者の有無等」欄の記載について

　年末調整の適用を受けており、控除対象配偶者を有しているため、「有」に「○」を付します。

(注) 配偶者特別控除の対象となる配偶者は控除対象配偶者に該当しませんので記載は不要です。

(3) 「（源泉・特別）控除対象配偶者」欄の記載について

　配偶者特別控除の適用を受ける場合も氏名及び個人番号等を記載しますのでご注意ください。

(4) 「（摘要）」欄の記載について

　所得金額調整控除の適用がある場合は、該当する要件に応じて177ページ⑳の記載をしますが、「所得金額調整控除申告書」の「扶養親族等」の欄に記載された者の氏名が、

・「（源泉・特別）控除対象配偶者」欄

・「控除対象扶養親族」欄

・「16歳未満の扶養親族」欄

に記載されている場合には、記載を省略できます。

(5) 「基礎控除の額」欄の記載について

　「給与所得者の基礎控除申告書」に記載された「基礎控除の額」が、「48万円」の場合には、「給与所得の源泉徴収票」の「基礎控除の額」欄に転記する必要はありません。

(注) 32万円又は16万円の場合は、その金額を「基礎控除の額」欄に転記します。また、「給与所得者の基礎控除申告書」の「基礎控除の額」欄に記載がないなど、基礎控除の適用がない場合には「0」と記載します。

【記載例6】 定額減税に関する記載事項の「(摘要)」欄への記載例

① 非控除対象配偶者分の定額減税の適用を受けた場合

令和 **6** 年分　　給与所得の源泉徴収票

支払を受ける者	住所又は居所	△△市○○町1－2－3						

（受給者番号）
（個人番号）1 1 2 2 3 3 4 4 5 5 6 6
（役職名）
氏名 （フリガナ）ヤマカワ　タロウ　　山川　太郎

種　別	支　払　金　額	給与所得控除後の金額（調整控除後）	所得控除の額の合計額	源泉徴収税額
給料	内 14 400 000	12 300 000	2 849 930	1 283 900

(源泉)控除対象配偶者の有無等		配偶者(特別)控除の額	控除対象扶養親族の数（配偶者を除く。）			16歳未満扶養親族の数	障害者の数（本人を除く。）		非居住者である親族の数
有	従有 老人	千　　　円	特定	老人	その他		特別	その他	
			人 従人	内　人 従人	人 従人		内　人	人	人
			1		1				

社会保険料等の金額	生命保険料の控除額	地震保険料の控除額	住宅借入金等特別控除の額
内 1569 930	120 000	50 000	205 000

(摘要) 源泉徴収時所得税減税控除済額120,000円、控除外額０円
　　　 非控除対象配偶者減税有

② 非控除対象配偶者が障害者に該当する場合

令和 **6** 年分　　給与所得の源泉徴収票

支払を受ける者	住所又は居所	△△市○○町1－2－3						

（受給者番号）
（個人番号）1 1 2 2 3 3 4 4 5 5 6 6
（役職名）
氏名 （フリガナ）ヤマカワ　タロウ　　山川　太郎

種　別	支　払　金　額	給与所得控除後の金額（調整控除後）	所得控除の額の合計額	源泉徴収税額
給料	内 14 400 000	12 300 000	3 599 930	1 061 800

(源泉)控除対象配偶者の有無等		配偶者(特別)控除の額	控除対象扶養親族の数（配偶者を除く。）			16歳未満扶養親族の数	障害者の数（本人を除く。）		非居住者である親族の数
有	従有 老人	千　　　円	特定	老人	その他		特別	その他	
			人 従人	内　人 従人	人 従人		内　人	人	人
			1		1	1	1		

社会保険料等の金額	生命保険料の控除額	地震保険料の控除額	住宅借入金等特別控除の額
内 1569 930	120 000	50 000	205 000

(摘要) 源泉徴収時所得税減税控除済額120,000円、控除外額０円
　　　 減税有　山川花子（同配）

2 退職所得の源泉徴収票・特別徴収票

1 提出しなければならない者

令和6年中に退職手当、一時恩給、その他これらの性質を有する給与（社会保険制度に基づく退職一時金やいわゆる企業年金制度に基づく一時金で退職所得とみなされるものも含みます。以下「退職手当等」といいます。）を支払った者です。

ただし、死亡退職により退職手当等を支払った場合は、相続税法の規定による「退職手当金等受給者別支払調書」を提出することになりますので、この「退職所得の源泉徴収票・特別徴収票」は提出する必要はありません。

【退職所得の源泉徴収票・特別徴収票の提出範囲】

令和6年中に支払が確定した、法人（人格のない社団や財団を含みます。）の役員（取締役、執行役、会計参与、監査役、理事、監事、清算人、相談役、顧問等）であった者に対して支払う退職手当等

（注）　特定役員（「用語の解説」（195ページ）を参照ください。）に該当する場合であっても、上記の「法人の役員」に該当しない場合は、「退職所得の源泉徴収票・特別徴収票」を税務署や市区町村に提出する必要はありません。

---

2 各欄の記載要領

記 載 欄 名		記 載 す べ き 事 項
(1)	支払を受ける者	①「個人番号」欄 　受給者の個人番号を記載してください。 （注）　受給者に交付する源泉徴収票には、個人番号は記載しません。 ②「住所又は居所」欄 　源泉徴収票を作成する日の現況による住所又は居所を記載してください。 ③「令和6年1月1日の住所」欄 　令和6年1月1日現在の住所を記載してください。 ④「氏名」欄 　役職名は、退職時の役職名を記載してください。
(2)	区分	①上段 　受給者が提出した「退職所得の受給に関する申告書」に、令和6年中に受けた他の退職手当等がない旨の記載がある場合に使用します。 ②中段 　受給者が提出した「退職所得の受給に関する申告書」に、令和6年中に受けた他の退職手当等がある旨の記載がある場合に使用します。 ③下段 　受給者から「退職所得の受給に関する申告書」の提出がないため、100分の20.42の税率を適用して所得税及び復興特別所得税を源泉徴収する場合に使用します。
(3)	支払金額	令和6年中に支払の確定した退職手当等の金額を記載してください。 　この場合、源泉徴収票の作成日現在で未払のものがあるときは、その未払額を内書きしてください。

(4)	**源泉徴収税額**	令和6年中に源泉徴収すべき所得税及び復興特別所得税の合計額（上の(3)に対する税額）を記載してください。
(5)	**特別徴収税額**	令和6年中に特別徴収すべき地方税の税額（上の(3)に対する税額）を記載してください。
(6)	**退職所得控除額**	退職手当等に対する源泉徴収税額の計算に当たり控除した金額を記載してください。
(7)	**勤続年数**	退職手当等に対する源泉徴収税額の計算の基礎となった勤続年数を記載してください。 (注) 勤続年数に1年未満の端数が生じたときは、これを1年として計算します。
(8)	**(摘要)**	① (7)に記入した勤続年数の計算の基礎を記載してください。 ② 自己が支払う退職手当等又は下記③の他の退職手当等の金額に、短期退職手当等又は特定役員退職手当等の金額が含まれる場合には、短期退職手当等又は特定役員退職手当等の金額、短期勤続年数及びその計算の基礎又は特定役員等勤続年数及びその計算の基礎を記載してください。 (注) 一般退職手当等、短期退職手当等又は特定役員退職手当等のいずれか2以上が支給され、かつ、それぞれの勤務期間に重複する期間がある場合は、その重複勤続年数又は全重複勤続年数も記載してください。 ③ 受給者が提出した「退職所得の受給に関する申告書」に令和6年中に支払を受けた他の退職手当等がある旨の記載がある場合には、その支払を受けた他の退職手当等の支払者の氏名又は名称並びにその支払を受けた他の退職手当等に係る支払金額、勤続年数、源泉徴収税額（所得税及び復興特別所得税の合計額）及び特別徴収税額を記載してください。 ④ 次の(イ)又は(ロ)に該当するときは、これらの期間を今回の退職手当等の計算の基礎に含めた旨、含めた期間、退職所得控除額の計算上控除した金額の計算の基礎を記載してください。 (イ) 令和5年以前に、支払者のもとにおいて勤務しなかった期間に他の支払者のもとに勤務したことがあり、かつ、その者から前に退職手当等の支払を受けている場合において、当該前の退職手当等の支払者のもとに勤務した期間を今回の退職手当等の計算の基礎とした期間に含めたとき (ロ) 令和5年以前に、受給者に退職手当等を支給している場合において、当該前の退職手当等の計算の基礎とした期間を今回の退職手当等の計算の基礎とした期間に含めたとき (注1) ④の(イ)又は(ロ)の「前に支払を受けた退職手当等」に短期退職手当等が含まれる場合は、前の退職手当等に係る勤続期間のうち短期勤続期間、短期退職所得控除額の計算上控除した金額の計算の基礎を記載してください。 (注2) ④の(イ)又は(ロ)の「前に支払を受けた退職手当等」に特定役員退職手当等が含まれる場合は、前の退職手当等に係る勤続期間等のうち特定役員等勤続期間、特定役員退職所得控除額の計算上控除した金額の計算の基礎を記載してください。 ⑤ 令和6年中に支払を受けた退職手当等に係る勤続期間等の一部が、令和2年から令和5年までの間に支払を受けた退職手当等に係る勤続期間等と重複している場合（前記④に該当するときを除きます。）には、勤続期間等が重複している旨、重複している部分の期間、その期間内に支払を受けた退職手当等の収入金額、退職所得控除額の計算上控除した金額の計算の基礎を記載してください。 (注) 令和6年中に支払を受けた退職手当等に短期退職手当等又は特定役員退職手当等が含まれる場合で、その短期勤続期間又は特定役員等勤続期間が令和2年から令和5年までの間に支払を受けた退職手当等に係る勤続期間等と重複している場合には、その重複している期間、短期退職所得控除額又は特定役員等退職所得控除額の計算上控除した金額の計算の基礎を記載してください。

		⑥　障害者となったため退職したことにより100万円を加算した額の控除を受けた者については、㋺の表示をしてください。
(9)	支払者	退職手当等を支払った者の住所（居所）又は所在地、氏名又は名称、電話番号及び個人番号又は法人番号を記載してください（個人番号を記載する場合は、左端を空白にし、右詰で記載してください。）。 （注）　受給者に交付する源泉徴収票には、個人番号及び法人番号は記載しません。

※　「特定役員退職手当等」の意味については、下記「用語の解説」を参照ください。

【用語の解説】

用　　語	解　　説
特定役員退職手当等	役員等勤続年数が5年以下である人が、その役員等勤続年数に対応する退職手当等として支払を受けるものをいいます。
役員等勤続期間	所得税法施行令第69条第1項第1号の規定に基づき算出した退職手当等に係る勤続期間のうち、役員等として勤務した期間をいいます。
役員等勤続年数	役員等勤続期間の年数（1年未満の端数がある場合はその端数を1年に切り上げたもの）をいいます。
特定役員	役員等勤続年数が5年以下である人をいいます。
役員等	次に掲げる人をいいます。 ①　法人の取締役、執行役、会計参与、監査役、理事、監事及び清算人並びにこれら以外の者で法人の経営に従事している一定の者 ②　国会議員及び地方公共団体の議会の議員 ③　国家公務員及び地方公務員
特定役員等勤続期間	特定役員退職手当等につき所得税法施行令第69条第1項第1号及び第3号の規定により計算した期間をいいます。
特定役員等勤続年数	特定役員等勤続期間の年数（1年未満の端数がある場合はその端数を1年に切り上げたもの）をいいます。
特定役員退職所得控除額	特定役員退職手当等に係る退職所得控除額をいいます。
一般退職手当等	短期退職手当等と特定役員退職手当等のいずれにも該当しない退職手当等をいいます。
一般勤続期間	一般退職手当等につき所得税法施行令第69条第1項各号の規定により計算した期間をいいます。
一般退職所得控除額	一般退職手当等に係る退職所得控除額をいいます。
短期退職手当等	短期勤続年数に対応する退職手当等として支払を受けるもので、特定役員退職手当等に該当しないものをいいます。
短期勤続年数	所得税法施行令第69条第1項第1号の規定により計算した退職手当等に係る勤続期間（調整後勤続期間）のうち、「役員等以外の者として勤務した期間」により計算した勤続年数（1年未満の端数がある場合はその端数を1年に切り上げたもの）が5年以下であるものをいいます。
短期勤続期間	短期退職手当等につき所得税法施行令第69条第1項各号の規定により計算した期間をいいます。
短期退職所得控除額	短期退職手当等に係る退職所得控除額をいいます。
重複勤続年数	特定役員等勤続期間、短期勤続期間及び一般勤続期間のうち、いずれか2つの期間が重複している期間の年数（1年未満の端数がある場合はその端数を1年に切り上げたもの）をいいます。

全重複期間	特定役員等勤続期間、短期勤続期間及び一般勤続期間が重複している期間をいいます。
全重複勤続年数	全重複期間により計算した年数（1年未満の端数がある場合はその端数を1年に切り上げたもの）をいいます。

3　その他の注意事項

(1)　税務署へ提出する「退職所得の源泉徴収票」のうち、日本と情報交換の規定を有する租税条約を締結している各国（181ページの【自動的情報交換を行うことができる国・地域の一覧】を参照）に住所（居所）がある者の「退職所得の源泉徴収票」については、同じものを<u>2枚</u>提出してください。

(2)　「特別徴収票」の提出先は、受給者の令和6年1月1日現在の住所地の市区町村です。

(3)　「退職所得の源泉徴収票」の税務署への提出期限は退職後1か月以内ですが、令和6年中に退職した受給者分を取りまとめて、令和7年1月31日までに提出しても差し支えありません。

　　なお、「退職所得の特別徴収票」の市区町村への提出期限は、退職後1か月以内です。

(4)　「退職所得の源泉徴収票・特別徴収票」は同じ様式ですので、税務署や市区町村に提出しなければならない受給者分については、同じものを<u>3枚</u>作成してください。

　　また、税務署や市区町村に提出する必要のない受給者分については、1枚だけ作成し受給者に交付してください。

(5)　「退職所得の源泉徴収票」は、提出範囲にかかわらず、退職後1か月以内にすべての受給者に交付しなければなりません。「退職所得の特別徴収票」を「退職所得の源泉徴収票」とは別途に作成している場合、「退職所得の特別徴収票」については、特別徴収税額が課されない受給者には、その方からの請求がなければ、交付することを要しません。

(注)　「退職所得の源泉徴収票」は、書面による交付のほか、電磁的方法による提供をすることができます。詳しくは、180ページ「給与所得の源泉徴収票・退職所得の源泉徴収票の電磁的方法による提供について」をご覧ください。

4　記載例

【記載例１】　他から退職手当等の支払を受けていない場合（特定役員退職手当等がない場合）

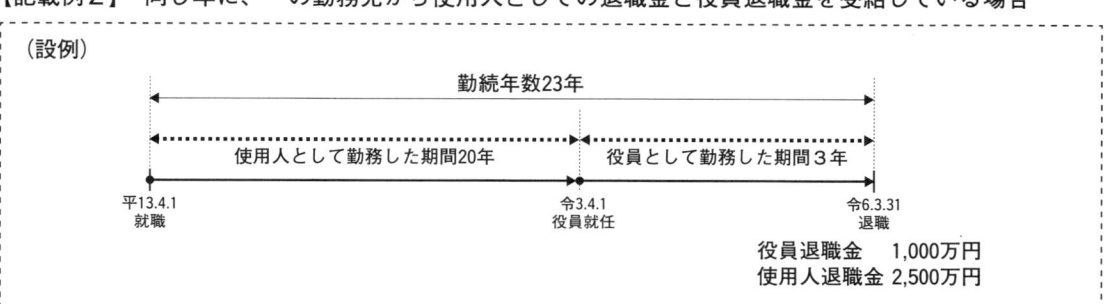

令和　６　年分　退職所得の源泉徴収票・特別徴収票

支払を受ける者	個人番号	1 1 1 1 2 2 3 3 4 4			
	住所又は居所	京都府京都市中京区柳馬場通二条下ル等持寺町○○○			
	令和６年1月1日の住所	同　上			
	フリガナ 氏名	（役職名）　専務　国 税 二 郎 コクゼイ ジロウ			

区　　　　分	支払金額	源泉徴収税額	特別徴収税額 市町村民税	道府県民税
所得税法第201条第1項第1号並びに地方税法第50条の6第1項第1号及び第328条の6第1項第1号適用分	10 000 000	51 050	60 000	40 000
所得税法第201条第1項第2号並びに地方税法第50条の6第1項第2号及び第328条の6第1項第2号適用分				
所得税法第201条第3項並びに地方税法第50条の6第2項及び第328条の6第2項適用分				

退職所得控除額	勤続年数	就職年月日	退職年月日
800 万円	20 年	平成17年4月1日	令和6年12月20日

（摘要）

支払者	個人番号又は法人番号	9 9 8 8 7 7 6 6 5 5 4 4 1 （右詰で記載してください。）
	住所（居所）又は所在地	京都市下京区間之町五条下ル大津町△△
	氏名又は名称	○○商事株式会社　（電話）075-×××-××××

整理欄	①	②

316

（注）

1　この記載例は、他から退職手当等の支払を受けていない旨の記載がある「退職所得の受給に関する申告書」の提出を受けている場合の例です。

2　この「退職所得の源泉徴収票・特別徴収票」の記載に当たっては、「令和6年分退職所得に対する源泉徴収簿」などを基にして必要な事項を記載します。

【記載例２】　同じ年に、一の勤務先から使用人としての退職金と役員退職金を受給している場合

（設例）

勤続年数23年

使用人として勤務した期間20年　　　役員として勤務した期間３年

平13.4.1 就職　　　　令3.4.1 役員就任　　　　令6.3.31 退職

役員退職金　　1,000万円
使用人退職金　2,500万円

（ポイント）

・役員として勤務した期間は令和３.４.１から令６.３.31までの３年間であるため、役員等勤続年数は５年以下となります。したがって、この期間に対応する役員退職金（1,000万円）は特定役員退職手当等に該当します。

・使用人退職金（2,500万円）は一般退職手当等に該当します。

（退職所得控除額等の金額）

退職手当等　　　　3,500万円（一般退職手当等　2,500万円、特定役員退職手当等　1,000万円）

勤続年数　　　　　23年（平成13年４月１日～令和６年３月31日）

　内特定役員等勤続年数　３年（令和３年４月１日～令和６年３月31日）

退職所得控除額　　1,010万円（一般退職所得控除額　890万円、特定役員退職所得控除額　120万円）

源泉徴収税額　　　4,109,014円

特別徴収税額　　　（市町村民税　1,011,000円、道府県民税　674,000円）

支払を受ける者	個人番号	2 2 2 3 3 3 4 4 4 5 5 5		
	住所又は居所	京都府京都市中京区柳馬場通二条下ル等持寺町○○○		
	令和6年1月1日の住所	同　上		
	フリガナ 氏名	（役職名）　専務　国税　実		

区　　　　　　分	支 払 金 額	源泉徴収税額	特 別 徴 収 税 額	
			市町村民税	道府県民税
所得税法第201条第1項第1号並びに地方税法第50条の6第1項第1号及び第328条の6第1項第1号適用分	千　　　円 35 000 000	千　　　円 4 109 014	千　　　円 1 011 000	千　　　円 674 000
所得税法第201条第1項第2号並びに地方税法第50条の6第1項第2号及び第328条の6第1項第2号適用分				
所得税法第201条第3項並びに地方税法第50条の6第2項及び第328条の6第2項適用分				

退職所得控除額	勤 続 年 数	就 職 年 月 日	退 職 年 月 日
万円 1,010	年 23	平成13年　4月　1日	令和6年　3月　31日

（摘要）　特定　支払金額 10,000,000円　勤続年数3年（令3.4.1〜令6.3.31）

支払者	個人番号又は法人番号	9 9 8 8 7 7 6 6 5 5 4 4 1	（右詰で記載してください。）
	住所（居所）又は所在地	京都市下京区間之町五条下ル大津町△△	
	氏名又は名称	○○商事株式会社	（電話）075-×××-××××

（税務署提出用）

整　理　欄	①	②

316

○個人番号又は法人番号欄に個人番号（12桁）を記載する場合には、右詰で記載します。

（注）
1　この記載例は、他から退職手当等の支払を受けていない旨の記載がある「退職所得の受給に関する申告書」の提出を受けている場合の例です。

2　この「退職所得の源泉徴収票・特別徴収票」の記載に当たっては、「令和6年分退職所得に対する源泉徴収簿」などを基にして必要な事項を記載します。

【記載例3】 同じ年に、一の勤務先から使用人としての退職金と役員退職金を受給する場合で、使用人としての勤続期間と役員としての勤続期間に重複する期間がある場合

（設例）

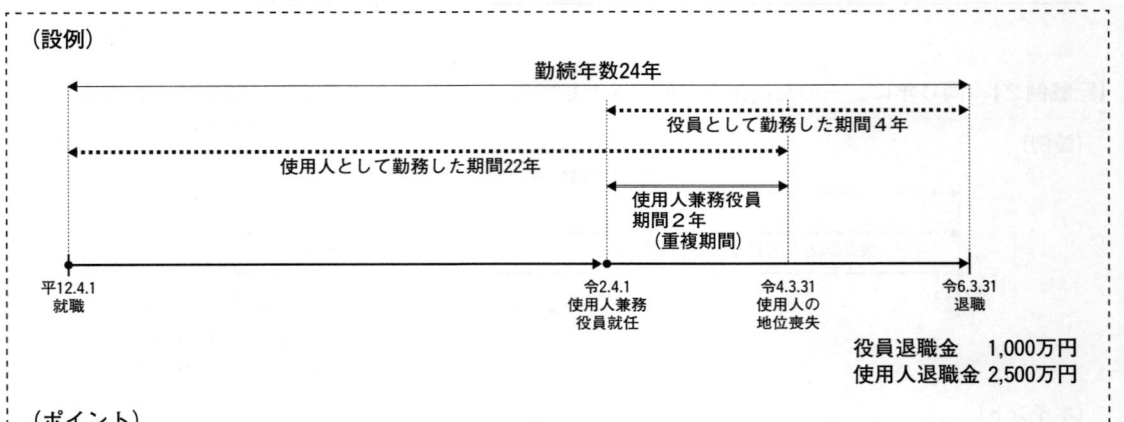

役員退職金　1,000万円
使用人退職金　2,500万円

（ポイント）
・役員として勤務した期間は令2.4.1から令6.3.31までの4年間であるため、役員等勤続年数は5年以下となります。したがって、この期間に対応する役員退職金（1,000万円）は特定役員退職手当等に該当します。
・令2.4.1に使用人兼務役員に就任しましたが、令4.3.31に使用人としての地位を喪失し、令4.4.1から専任の役員となっていますので、特定役員等勤続期間（令2.4.1〜令6.3.31）と一般勤続期間（平12.4.1〜令4.3.31）とが重複している期間は、使用人兼務役員期間であった令2.4.1から令4.3.31までの期間となり、重複勤続年数は2年となります。
・使用人退職金（2,500万円）は一般退職手当等です。

（退職所得控除額等の金額）

退職手当等　　　3,500万円（一般退職手当等　2,500万円、特定役員退職手当等　1,000万円）

勤続年数　　　　24年（平成12年4月1日～令和6年3月31日）

内特定役員等勤続年数　4年（令和2年4月1日～令和6年3月31日）

重複勤続年数　2年（令和2年4月1日～令和4年3月31日）

退職所得控除額　1,080万円（一般退職所得控除額　960万円、特定役員退職所得控除額　120万円）

源泉徴収税額　3,991,089円

特別徴収税額　（市町村民税　990,000円、道府県民税　660,000円）

令和　6　年分　退職所得の源泉徴収票・特別徴収票

支払を受ける者	個人番号	2 2 2 3 3 3 4 4 4 5 5 5			
	住所又は居所	京都府京都市中京区柳馬場通二条下ル等持寺町○○○			
	令和6年1月1日の住所	同　上			
	フリガナ　氏名	（役職名）　専務　国税 悟　コクゼイ　サトル			

区　　　　　　　分	支払金額	源泉徴収税額	特別徴収税額	
			市町村民税	道府県民税
所得税法第201条第1項第1号並びに地方税法第50条の6第1項第1号及び第328条の6第1項第1号適用分	35 000 000	3 991 089	990 000	660 000
所得税法第201条第1項第2号並びに地方税法第50条の6第1項第2号及び第328条の6第1項第2号適用分				
所得税法第201条第3項並びに地方税法第50条の6第2項及び第328条の6第2項適用分				

退職所得控除額	勤続年数	就職年月日	退職年月日
1,080 万円	24 年	平成12年4月1日	令和6年3月31日

（摘要）特定　支払金額 10,000,000円　勤続年数4年（令2.4.1～令6.3.31）
重複勤続年数2年（令2.4.1～令4.3.31）

支払者	個人番号又は法人番号	9 9 8 8 7 7 6 6 5 5 4 4 1 （右詰で記載してください。）
	住所（居所）又は所在地	京都市下京区間之町五条下ル大津町△△
	氏名又は名称	○○商事株式会社　（電話）075-×××-××××

整理欄	①	②

（税務署提出用）

○個人番号又は法人番号欄に個人番号（12桁）を記載する場合には、右詰で記載します。

316

（注）

1　この記載例は、他から退職手当等の支払を受けていない旨の記載がある「退職所得の受給に関する申告書」の提出を受けている場合の例です。

2　この「退職所得の源泉徴収票・特別徴収票」の記載に当たっては、「令和6年分退職所得に対する源泉徴収簿」などを基にして必要な事項を記載します。

【記載例４】　使用人に短期退職手当等を支給する場合

（設例）

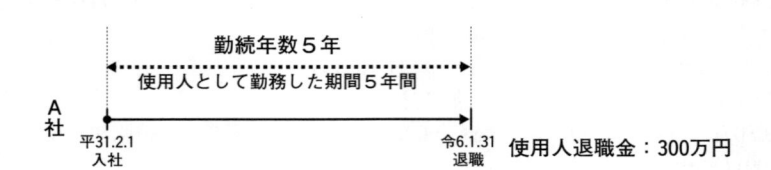

（ポイント）

・使用人として勤務した期間は平31.2.1から令6.1.31までの５年間であるため、役員等以外の者としての勤続年数が５年以下となり、この勤続年数は短期勤続年数となります。したがって、この短期勤続年数に対応する退職金（300万円）は短期退職手当等に該当します。

（退職所得控除額等の金額）

① 短期退職手当等　　300万円
② 勤続年数　　　　　５年
③ 退職所得控除額　　200万円
④ 源泉徴収税額　　　25,525円
　　特別徴収税額　　　（市町村民税　30,000円、道府県民税　20,000円）

令和　6　年分　退職所得の源泉徴収票・特別徴収票

				個人番号	1 2 3 4 5 6 7 8 9 0 1 2				

支払を受ける者

住所又は居所	大阪府大阪市福島区王川４－×－〇
令和6年1月1日の住所	同　上
フリガナ　氏名	（役職名）コクゼイ　ハジメ　国税　一

区　　分	支払金額	源泉徴収税額	特別徴収税額	
			市町村民税	道府県民税
所得税法第 201 条第1項第1号並びに地方税法第 50 条の6第1項第1号及び第 328 条の6第1項第1号適用分	3 000 000	25 525	30 000	20 000
所得税法第 201 条第1項第2号並びに地方税法第 50 条の6第1項第2号及び第 328 条の6第1項第2号適用分				
所得税法第 201 条第3項並びに地方税法第 50 条の6第2項及び第 328 条の6第2項適用分				

退職所得控除額	勤続年数	就職年月日	退職年月日
200 万円	5 年	平成31年 2月 1日	令和6年 1月 31日

（摘要）	短期　支払金額 3,000,000円　勤続年数５年（平31.2.1～令6.1.31）

（支払者）

個人番号又は法人番号	2 3 4 5 6 7 8 9 0 1 2 3 4　（右詰で記載してください。）
住所（居所）又は所在地	大阪府大阪市北区南扇町７－×
氏名又は名称	A社　　　　　　　　　　　　（電話）06-××××-××××

（税務署提出用）

○ 個人番号又は法人番号の記載に当たっては、左端を空欄にし、右詰で記載します。

（注）本設例は、法人の役員に対して支払う退職手当等ではないため、税務署・市区町村への提出は不要です（本人交付のみ）。

❸ 報酬、料金、契約金及び賞金の支払調書

1 提出しなければならない者

　令和6年中に所得税法第204条第1項各号並びに所得税法第174条第10号及び租税特別措置法第41条の20第1項に規定されている報酬、料金、契約金及び賞金（以下「報酬、料金等」といいます。）を支払った者です。

【報酬、料金、契約金及び賞金の支払調書の提出範囲】

区　　　　分	提 出 範 囲
(1)　外交員、集金人、電力量計の検針人及びプロボクサーの報酬、料金	同一人に対する令和6年中の支払金額の合計が**50万円**を超えるもの
(2)　バー、キャバレー等のホステス、バンケットホステス、コンパニオン等の報酬、料金	
(3)　広告宣伝のための賞金	
(4)　社会保険診療報酬支払基金が支払う診療報酬	同一人に対する令和6年中の支払金額の合計が**50万円**を超えるもの 　ただし、国立病院、公立病院、その他の公共法人等に支払うものは提出する必要はありません。
(5)　馬主が受ける競馬の賞金	令和6年中の1回の支払賞金額が**75万円**を超える支払を受けた者に係るその年中の全ての支払金額
(6)　プロ野球の選手などが受ける報酬及び契約金	同一人に対する令和6年中の支払金額の合計が**5万円**を超えるもの
(7)　(1)から(6)以外の報酬、料金等	

2 各欄の記載要領

記 載 欄 名	記 載 す べ き 事 項
(1)　支払を受ける者	支払調書を作成する日の現況による受給者の住所（居所）又は所在地、氏名（個人名）又は名称（法人名など）を契約書等で確認して記載し、単に屋号のみを記載することがないようにしてください。 　「個人番号又は法人番号」欄には、受給者の個人番号又は法人番号を記載してください（個人番号を記載する場合は、左端を空白にし、右詰で記載してください。）。 (注)　受給者に支払調書の写しを交付する場合には、個人番号を記載して交付することはできませんので、ご注意ください。
(2)　区分	報酬、料金等の名称を、例えば、原稿料、印税、さし絵料、翻訳料、通訳料、脚本料、作曲料、講演料、教授料、著作権や工業所有権の使用料、放送謝金、映画・演劇の出演料、弁護士報酬、税理士報酬、社会保険労務士報酬、外交員報酬、ホステス等の報酬、契約金、広告宣伝のための賞金、競馬の賞金、診療報酬のように記載してください。 　なお、印税については、「書き下ろし初版印税」と「その他の印税」との区分を記載してください。

(3)	細目	次の区分により記載してください。 ① 印税………………………………………………書籍名 ② 原稿料、さし絵料………………………………支払回数 ③ 放送謝金、映画・演劇の俳優等の出演料………出演した映画、演劇の題名等 ④ 弁護士等の報酬、料金…………………………関与した事件名等 ⑤ 広告宣伝のための賞金…………………………賞金の名称等 ⑥ 教授・指導料……………………………………講義名等
(4)	支払金額	令和6年中に支払の確定したものを記載してください。 　この場合、控除額以下であるなどのため源泉徴収されなかった報酬、料金等や未払の報酬、料金等についても記載漏れのないように注意してください。 　なお、支払調書の作成日現在で未払の金額があるときは、各欄の上段にその未払額を内書きしてください。
(5)	源泉徴収税額	令和6年中に源泉徴収すべき所得税及び復興特別所得税の合計額を記載してください。 　この場合、支払調書の作成日現在で未払のものがあるため源泉徴収すべき所得税及び復興特別所得税を徴収していないときは、その未徴収税額を内書きしてください。 　なお、災害により被害を受けたため、報酬、料金等に対する源泉所得税及び復興特別所得税の徴収の猶予を受けた税額があるときは、その税額を含めないで記載してください。
(6)	(摘要)	① 診療報酬のうち、家族診療分についてはその金額を記載するとともに、金額の頭部に家族と記載してください。 ② 診療報酬のうち、感染症の予防及び感染症の患者に対する医療に関する法律第36条の9第1項に規定する流行初期医療の確保に要する費用が含まれている場合には、その金額を記載するとともに、金額の頭部に流行と記載してください。 ③ 災害により被害を受けたため、報酬、料金等に対する源泉所得税及び復興特別所得税の徴収の猶予を受けた税額がある場合には、その税額を記載するとともに、金額の頭部に㊛と記載してください。 ④ 広告宣伝のための賞金が金銭以外のものである場合には、その旨とその種類等の明細を記載してください。 ⑤ 支払を受ける者が「源泉徴収の免除証明書」を提出した者である場合、その他法律上源泉徴収を要しない者である場合には、その旨を記載してください。
(7)	支払者	報酬、料金等を支払った者の住所（居所）又は所在地、氏名又は名称、電話番号及び個人番号又は法人番号を記載してください（個人番号を記載する場合は、左端を空白にし、右詰で記載してください。）。 (注) 受給者に支払調書の写しを交付する場合には、個人番号を記載して交付することはできませんので、ご注意ください。

3　その他の注意事項

(1) ①法人（人格のない社団等を含みます。）に支払われる報酬、料金等で源泉徴収の対象とならないもの、②支払金額が源泉徴収の限度額以下であるため源泉徴収をしていない報酬、料金等についても、提出範囲に該当するものはこの支払調書を提出することになっていますからご注意ください。

(2) 支払調書の作成日現在で未払のものがある場合には、源泉徴収すべき所得税及び復興特別所得税の合計額を見積りによって記載します。

　なお、その後現実に徴収した所得税及び復興特別所得税の合計額がその見積税額と異なることとなったときは、当初提出した支払調書と同一内容のものを作成し、右上部余白に「無効分」と赤書きします。また、正当税額を記入した支払調書を作成し、右上部余白に「訂正分」と赤書きし、「無効分」のものと併せて提出してください（212ページ**7**参照）。

(3)　消費税及び地方消費税の取扱いについては、181ページの【法定調書の提出範囲の金額基準の判定及び記載方法について】を参照してください。

(4)　税務署へ提出するこの支払調書は、通常の受給者のものについては１枚ですが、日本と情報交換の規定を有する租税条約を締結している各国（181ページの【自動的情報交換を行うことができる国・地域の一覧】を参照）に住所（居所）がある者の支払調書については、同じものを２枚提出してください。

4　記載例

令和6年分　報酬、料金、契約金及び賞金の支払調書

支払を受ける者	住所(居所)又は所在地	兵庫県神戸市東灘区御影本町○-○-○				
	氏名又は名称	国税 三郎		個人番号又は法人番号	4 5 5 6 6 7 7 8 8 9 9 1	
区　分	細　目		支　払　金　額		源泉徴収税額	
外交員報酬			内 2 200 400 千 000 000 円		内 8 98 千 168 016 円	
(摘要)						
支払者	住所(居所)又は所在地	神戸市中央区海岸通○-○-○				
	氏名又は名称	株式会社○○販売　(電話)078-×××-××××		個人番号又は法人番号	8 8 9 9 0 0 1 1 2 2 3 3 4	
整　理　欄	①			②		

○「個人番号又は法人番号」欄に個人番号（12桁）を記載する場合には、右詰で記載します。

(注)
　この記載例は、外交員報酬を次のように支払っている場合の例です。

1　1月から12月までの報酬の支払総額2,400,000円（給与等の支払金額なし）

2　1のうち、支払調書作成日現在において未払のものの合計金額200,000円

309

4 不動産の使用料等の支払調書

1 提出しなければならない者

令和6年中に不動産、不動産の上に存する権利、船舶（総トン数20トン以上のものに限ります。）、航空機の借受けの対価や不動産の上に存する権利の設定の対価（以下これらの対価を「不動産の使用料等」といいます。）を支払った法人（国、都道府県等の公法人や人格のない社団を含みます。）と不動産業者である個人です。不動産業者である個人のうち、建物の賃貸借の代理や仲介を主な事業目的とする者は提出義務がありません。法人に支払われる不動産の使用料等については、賃借料を除く、権利金、更新料等のみを提出してください。

(注1) 権利金、更新料等の種類については、次の3(1)を参照してください。

(注2) 不動産の管理会社を通じて、個人に対し不動産の使用料等の支払をする場合、その支払は個人に支払う不動産の使用料等となります。

【不動産の使用料等の支払調書の提出範囲】
同一人に対する令和6年中の支払金額の合計が15万円を超えるもの

2 各欄の記載要領

記 載 欄 名		記 載 す べ き 事 項
(1)	支払を受ける者	支払調書を作成する日の現況における不動産の所有者又は転貸人の住所（居所）、本店又は主たる事務所の所在地、氏名（個人名）又は名称（法人名など）を契約書等で確認して記載し、単に屋号のみを記載することがないようにしてください。 (注) 賃貸物件の賃料等を不動産の管理会社に支払っている場合、支払を受ける者には管理会社ではなく物件の所有者を記載してください。 「個人番号又は法人番号」欄には、支払を受ける者の個人番号又は法人番号を記載してください（個人番号を記載する場合は、左端を空白にし、右詰で記載してください。）。 (注) 支払を受ける者等に支払調書の写しを交付する場合には、個人番号を記載して交付することはできませんので、ご注意ください。
(2)	区分	支払の内容等に応じ、地代、家賃、権利金、更新料、承諾料、名義書換料、船舶の使用料のように記載してください。
(3)	物件の所在地	その地代、家賃等の支払の基礎となった物件の所在地を記載してください。船舶又は航空機については、船籍又は航空機の登録をした機関の所在地を記載してください。
(4)	細目	土地の地目（宅地、田畑、山林等）、建物の構造、用途等を記載してください。
(5)	計算の基礎	令和6年中の賃借期間、単位（月、週、日、㎡等）当たり賃借料、戸数、面積等を記載してください。
(6)	支払金額	令和6年中に支払の確定した金額（未払の金額を含みます。）を「区分」欄の支払内容ごとに記載してください。

(7)	(摘要)	① 不動産の使用料等が地上権、賃借権、その他土地の上に存する権利の設定による対価である場合は、その設定した権利の存続期間（自〜至）を記載してください。 ② 不動産等の借受けについて令和6年中にあっせん手数料を支払っている場合で、「不動産等の売買又は貸付けのあっせん手数料の支払調書」の作成・提出を省略する場合には、「あっせんをした者」欄にあっせんをした者の住所（居所）、本店又は主たる事務所の所在地、氏名又は名称、個人番号又は法人番号、あっせん手数料の「支払確定年月日」、「支払金額」を記載してください（個人番号を記載する場合は、左端を空白にし、右詰で記載してください。）。 （注） 支払を受ける者等に支払調書の写しを交付する場合には、個人番号を記載して交付することはできませんので、ご注意ください。
(8)	支払者	不動産の使用料等を支払った者の住所（居所）又は所在地、氏名又は名称、電話番号及び個人番号又は法人番号を記載してください（個人番号を記載する場合は、左端を空白にし、右詰で記載してください。）。 （注） 支払を受ける者等に支払調書の写しを交付する場合には、個人番号を記載して交付することはできませんので、ご注意ください。

3 その他の注意事項

(1) 不動産の使用料等には土地、建物の賃借料だけでなく、次のようなものも含まれます。

イ 地上権、地役権の設定あるいは不動産の賃借に伴って支払われるいわゆる権利金（保証金、敷金等の名目のものであっても返還を要しない部分の金額及び月又は年の経過により返還を要しないこととなる部分の金額を含みます。）、礼金

ロ 契約期間の満了に伴い、又は借地の上にある建物の増改築に伴って支払われるいわゆる更新料、承諾料

ハ 借地権や借家権を譲り受けた場合に地主や家主に支払われるいわゆる名義書換料

(2) 催物の会場を賃借する場合のような一時的な賃借料、陳列ケースの賃借料、広告等のための塀や壁面等のように土地、建物の一部を使用する場合の賃借料についても、この支払調書を提出しなければなりません。

(3) 消費税及び地方消費税の取扱いについては、181ページの【法定調書の提出範囲の金額基準の判定及び記載方法について】を参照してください。

(4) 不動産の所有者が共有持分等により複数名存在する場合には、共有者ごとの作成が必要になります。

なお、共有持分が不明である場合は共有者ごとに支払総額を記載し、「摘要」欄に①共有者持分不明につき総額で記載、②他の共有者の数、③他の共有者の氏名（名称）及び個人番号又は法人番号を記載します。

4 記載例

令和 6 年分　不動産の使用料等の支払調書

（注）
この記載例は、同一人に対して家賃、地代、更新料を支払っている場合の例です。
○「個人番号又は法人番号」欄に個人番号（12桁）を記載する場合には、右詰で記載します。

支払を受ける者	住所（居所）又は所在地	奈良市高畑町○－○－○						
	氏名又は名称	国税　四郎			個人番号又は法人番号		5 6 6 7 7 8 8 9 9 0 0 1	

区分	物件の所在地	細目	計算の基礎	支払金額
家賃	○○市△△町1－1	鉄骨造2階建店舗	120㎡（一戸）1～12月 月200,000	2 400 000
地代	○○市××町1－1	宅地	300㎡（一戸）1～12月 月50,000	600 000
更新料	同　上	同　上	300㎡（他）1㎡ 15,000	4 500 000

（摘要）借地権の存続期間　令和6.1.1～令和35.12.31

をあっせんした者	住所（居所）又は所在地		支払確定年月日	あっせん手数料
	氏名又は名称		年　月　日	千　　　円
	個人番号又は法人番号		・　・	

支払者	住所（居所）又は所在地	奈良市高天町△－△				
	氏名又は名称	○○興業株式会社 （電話）0742-××-××××	個人番号又は法人番号		7 7 8 8 9 9 0 0 1 1 2 2 3	

整　理　欄	①	②

313

5 不動産等の譲受けの対価の支払調書

1 提出しなければならない者

　令和6年中に譲り受けた不動産、不動産の上に存する権利、船舶（総トン数20トン以上のものに限ります。）、航空機（以下これらの資産を「不動産等」といいます。）の対価を支払った法人（国、都道府県等の公法人や人格のない社団等を含みます。）と不動産業者である個人です。

　ただし、不動産業者である個人のうち、建物の賃貸借の代理や仲介を主な事業目的とする者は提出義務がありません。

【不動産等の譲受けの対価の支払調書の提出範囲】

同一人に対する令和6年中の支払金額の合計が100万円を超えるもの

2 各欄の記載要領

記 載 欄 名		記 載 す べ き 事 項
(1)	支払を受ける者	支払調書を作成する日の現況における不動産等の譲渡者の住所（居所）、本店又は主たる事務所の所在地、氏名（個人名）又は名称（法人名など）を契約書等で確認して記載してください。 （注）　競売により不動産を取得した場合、支払を受ける者には裁判所ではなく、取得した不動産の前所有者を記載してください。 　「個人番号又は法人番号」欄には、支払を受ける者の個人番号又は法人番号を記載してください（個人番号を記載する場合は、左端を空白にし、右詰で記載してください。）。 （注）　支払を受ける者等に支払調書の写しを交付する場合には、個人番号を記載して交付することはできませんので、ご注意ください。
(2)	物件の種類	その譲り受けた不動産等の種類に応じ、土地、借地権、建物、船舶、航空機のように記載してください。
(3)	物件の所在地	その譲受けの対価の支払の基礎となった物件の所在地を記載してください。この場合、船舶又は航空機については、船籍又は航空機の登録をした機関の所在地を記載してください。
(4)	細目	土地の地目（宅地、田畑、山林等）、建物の構造、用途等を記載してください。
(5)	数量	土地の面積、建物の戸数、建物の延べ面積等を記載してください。
(6)	取得年月日	不動産等の所有権、その他の財産権の移転のあった年月日を記載してください。
(7)	支払金額	令和6年中に支払の確定した金額（未払の金額を含みます。）を記載してください。 　なお、不動産等の移転に伴い、各種の損失の補償金（次の(8)のニ参照）を支払った場合には、「物件の所在地」欄の最初の行に「支払総額」と記載した上、これらの損失の補償金を含めた支払総額を記載してください（【記載例2】）。
(8)	(摘要)	イ　譲受けの態様（売買、競売、公売、交換、収用、現物出資等の別）を記載してください。 ロ　譲受けの態様が売買である場合には、その代金の支払年月日、支払年月日ごとの支払方法（現金、小切手、手形等の別）及び支払金額を記載してください。

		ハ 譲受けの態様が交換である場合には、相手方に交付した資産の種類、所在地、数量等その資産の内容を記載してください。 ニ 不動産等の譲受けの対価のほかに支払われる補償金については、次の区分による補償金の種類と金額を記載してください。 ①建物等移転費用補償金　②動産移転費用補償金　③立木移転費用補償金 ④仮住居費用補償金　⑤土地建物等使用補償金　⑥収益補償金 ⑦経費補償金　⑧残地等工事費補償金　⑨その他の補償金 ホ 不動産等の譲受けに当たって令和6年中にあっせん手数料を支払っている場合で、「不動産等の売買又は貸付けのあっせん手数料の支払調書」の作成及び提出を省略する場合には、「あっせんをした者」欄にあっせんをした者の住所（居所）、本店又は主たる事務所の所在地、氏名又は名称、個人番号又は法人番号、あっせん手数料の「支払確定年月日」、「支払金額」を記載してください（個人番号を記載する場合は、左端を空白にし、右詰で記載してください。）。 (注) 支払を受ける者等に支払調書の写しを交付する場合には、個人番号を記載して交付することはできませんので、ご注意ください。
(9)	支払者	不動産等の譲受けの対価を支払った者の住所（居所）又は所在地、氏名又は名称、電話番号及び個人番号又は法人番号を記載してください（個人番号を記載する場合は、左端を空白にし、右詰で記載してください。）。 (注) 支払を受ける者等に支払調書の写しを交付する場合には、個人番号を記載して交付することはできませんので、ご注意ください。

3 その他の注意事項

(1) 「不動産等の譲受け」には、売買のほか、交換、競売、公売、収用、現物出資等による取得も含まれます。

(2) 公共事業施行者等が、法律の規定に基づいて行う買取り等の対価を支払う場合は、その全てのものを、四半期に1回提出（提出期限は、各四半期末の翌月末日）することになっています。

(3) 消費税及び地方消費税の取扱いについては、181ページの【法定調書の提出範囲の金額基準の判定及び記載方法について】を参照してください。

(4) 不動産の所有者が共有持分等により複数名存在する場合には、共有者ごとの作成が必要になります。

　なお、共有持分が不明である場合は共有者ごとに支払総額を記載し、「摘要」欄に①共有者持分不明につき総額で記載、②他の共有者の数、③他の共有者の氏名（名称）及び個人番号又は法人番号を記載します。

4 記載例

【記載例1】

令和 6 年分　不動産等の譲受けの対価の支払調書

支払を受ける者	住所（居所）又は所在地	大阪府吹田市桃山台〇－〇－〇						
	氏名又は名称	国税　五郎				個人番号又は法人番号　6 7 7 8 8 9 9 0 0 1 1 2		
物件の種類	物件の所在地		細目	数量	取得年月日	支払金額		
土　地	〇〇市△△町1－1		宅地	165㎡	6・12・6	25 000 000		
					・　・			
					・　・			

（摘要）　6.11.10　　　現金　　2,500,000
　　　　　6.12.6　　　小切手　22,500,000

あっせんした者	住所（居所）又は所在地	吹田市豊津町△－△－△		支払確定年月日	あっせん手数料
	氏名又は名称	納税　太郎		6・12・6	874 800
	個人番号又は法人番号	6 7 8 9 0 1 2 3 4 5 6 7			
支払者	住所（居所）又は所在地	大阪市中央区今橋×－×－×			
	氏名又は名称	株式会社〇〇書店　（電話）06-××××-××××		個人番号又は法人番号　6 7 8 9 0 1 2 3 4 5 6 7 8	
整　理　欄	①		②		376

〇 個人番号又は法人番号「欄に個人番号（12桁）を記載する場合には、右詰で記載します。

（注）
　この記載例は、土地の対価と土地の譲受けに伴って支払ったあっせん手数料とを併記した場合の支払調書の例です。

【記載例2】

令和 6 年分　不動産等の譲受けの対価の支払調書

支払を受ける者	住所（居所）又は所在地	大阪府東大阪市足代新町〇－〇－〇						
	氏名又は名称	国税　六郎				個人番号又は法人番号　7 8 8 9 9 0 0 1 1 2 2 3		
物件の種類	物件の所在地		細目	数量	取得年月日	支払金額		
	支払総額				・　・	22 600 000		
土　地	〇〇市△△町1－2		宅地	160㎡	6・12・6	20 000 000		

（摘要）　売買　6.5.10　　小切手 10,000,000　　建物等移転費用補償金 2,500,000
　　　　　　　6.12.6　　小切手 12,600,000　　仮住居費用補償金　　　　100,000

あっせんした者	住所（居所）又は所在地			支払確定年月日	あっせん手数料
	氏名又は名称			・　・	
	個人番号又は法人番号				
支払者	住所（居所）又は所在地	大阪市中央区難波△－△－△			
	氏名又は名称	〇〇工業株式会社　（電話）06-××××-××××		個人番号又は法人番号　8 9 0 1 2 3 4 5 6 7 8 9 0	
整　理　欄	①		②		376

〇 個人番号又は法人番号「欄に個人番号（12桁）を記載する場合には、右詰で記載します。

（注）
1　この記載例は、土地の対価2,000万円と土地の譲受けに伴って損失補償金260万円を支払った場合の支払調書の例です。

2　取得した資産の対価以外に損失の補償金を支払う場合には、それらの補償金を含めた支払総額を「支払金額」欄の最初の行に記載します。

6 不動産等の売買又は貸付けのあっせん手数料の支払調書

1 提出しなければならない者

　令和6年中に不動産、不動産の上に存する権利、船舶（総トン数20トン以上のものに限ります。）、航空機の売買又は貸付けのあっせん手数料（以下これらの手数料を「不動産売買等のあっせん手数料」といいます。）を支払った法人（国、都道府県等の公法人や人格のない社団等を含みます。）と不動産業者である個人です。

　ただし、不動産業者である個人のうち、建物の賃貸借の代理や仲介を主な事業目的とする者は提出義務がありません。

【不動産等の売買又は貸付けのあっせん手数料の支払調書の提出範囲】

同一の者に対する令和6年中の支払金額の合計が15万円を超えるもの

2 各欄の記載要領

記 載 欄 名		記 載 す べ き 事 項
(1)	支払を受ける者	支払調書を作成する日の現況における不動産等の売買又は貸付けのあっせんをした者の住所（居所）、本店又は主たる事務所の所在地、氏名（個人名）又は名称（法人名など）を契約書等で確認して記載してください。 　「個人番号又は法人番号」欄には、支払を受ける者の個人番号又は法人番号を記載してください（個人番号を記載する場合は、左端を空白にし、右詰で記載してください。）。 (注)　支払を受ける者に支払調書の写しを交付する場合には、個人番号を記載して交付することはできませんので、ご注意ください。
(2)	区分	譲渡、譲受け、貸付け、借受けのように記載してください。
(3)	支払金額	令和6年中に支払の確定した金額（未払の金額を含みます。）を「区分」欄の支払内容ごとに記載してください。
(4)	あっせんに係る不動産等	イ　「物件の種類」欄：土地、借地権、地役権、建物等 ロ　「数量」欄　　　：土地の面積、建物の戸数、延べ面積等 ハ　「取引金額」欄　：売買や貸付けの対価の額（賃貸借の場合には単位（月、週、日、㎡等）当たりの賃貸借料）
(5)	支払者	不動産売買等のあっせん手数料を支払った者の住所（居所）又は所在地、氏名又は名称、電話番号及び個人番号又は法人番号を記載してください（個人番号を記載する場合は、左端を空白にし、右詰で記載してください。）。 (注)　支払を受ける者に支払調書の写しを交付する場合には、個人番号を記載して交付することはできませんので、ご注意ください。

3 その他の注意事項

(1)　「不動産の使用料等の支払調書」や「不動産等の譲受けの対価の支払調書」の「(摘要)」欄の「あ

っせんをした者」欄に、あっせんをした者の「住所（所在地）」、「氏名（名称）」、個人番号又は法人番号、あっせん手数料の「支払確定年月日」、「支払金額」を記載して提出する場合には、この支払調書の作成・提出を省略することができます。

⑵　消費税及び地方消費税の取扱いについては、181ページの【法定調書の提出範囲の金額基準の判定及び記載方法について】を参照してください。

⑶　名目が紹介料、業務委託料、コンサルタント料等であっても、実質的にあっせん手数料と同等の性質を有している場合については、この調書を提出する必要があります。

4　記載例

令和 6 年分　不動産等の売買又は貸付けのあっせん手数料の支払調書

支払を受ける者	住所（居所）又は所在地	京都府京都市右京区西院上花田町○－○－○						
	氏名又は名称	国税　七郎			個人番号又は法人番号	789012345678		
区　　　分			支払確定年月日		支　払　金　額			
譲　渡			6 年・6 月・2 日		千 874 円 800			
			・　・					
あっせんに係る不動産等	物件の種類	物件の所在地	数量	取引金額				
	土地	○○市△△町1－1	165㎡	千 25 000 円 000				
(摘要)								
支払者	住所（居所）又は所在地	京都市左京区聖護院円頓美町△－△						
	氏名又は名称	株式会社○○物産（電話）075-×××-××××			個人番号又は法人番号	778899001122		
整　理　欄		①			②			

○「個人番号又は法人番号」欄に個人番号（12桁）を記載する場合には、右詰で記載します。

314

❼ 提出した法定調書に誤りがあった場合について

提出した法定調書に誤りがあった場合には、次のものを作成し提出してください。

1 先に提出した「法定調書」の写し

先に提出した法定調書と同じ内容のものを作成し、その法定調書の右上部余白に「無効分」と赤書きしてください。

なお、控えがあるときはその写しを利用していただいても差し支えありません。

2 正しい「法定調書」

正しい内容の法定調書を作成し、その法定調書の右上部余白に「訂正分」と赤書きしてください。

3 無効分の「合計表」

無効分とした法定調書の支払金額等を記載した合計表を作成し、「調書の提出区分」欄に「4」（無効）と記載してください。

4 訂正分の「合計表」

訂正分とした法定調書の支払金額等を記載した合計表を作成し、「調書の提出区分」欄に「3」（訂正）と記載してください。

※ 合計表は、無効分と訂正分のそれぞれについて、無効及び訂正箇所のみを記載の上、提出してください。

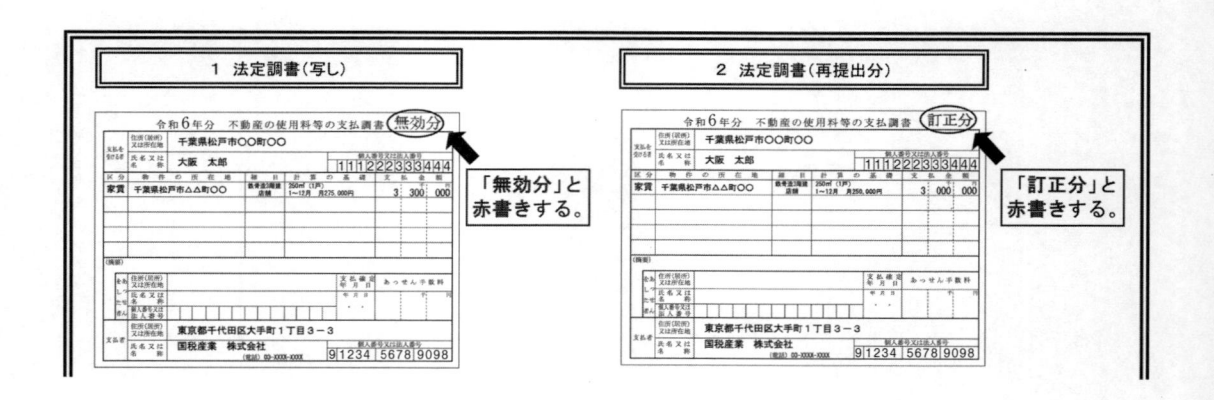

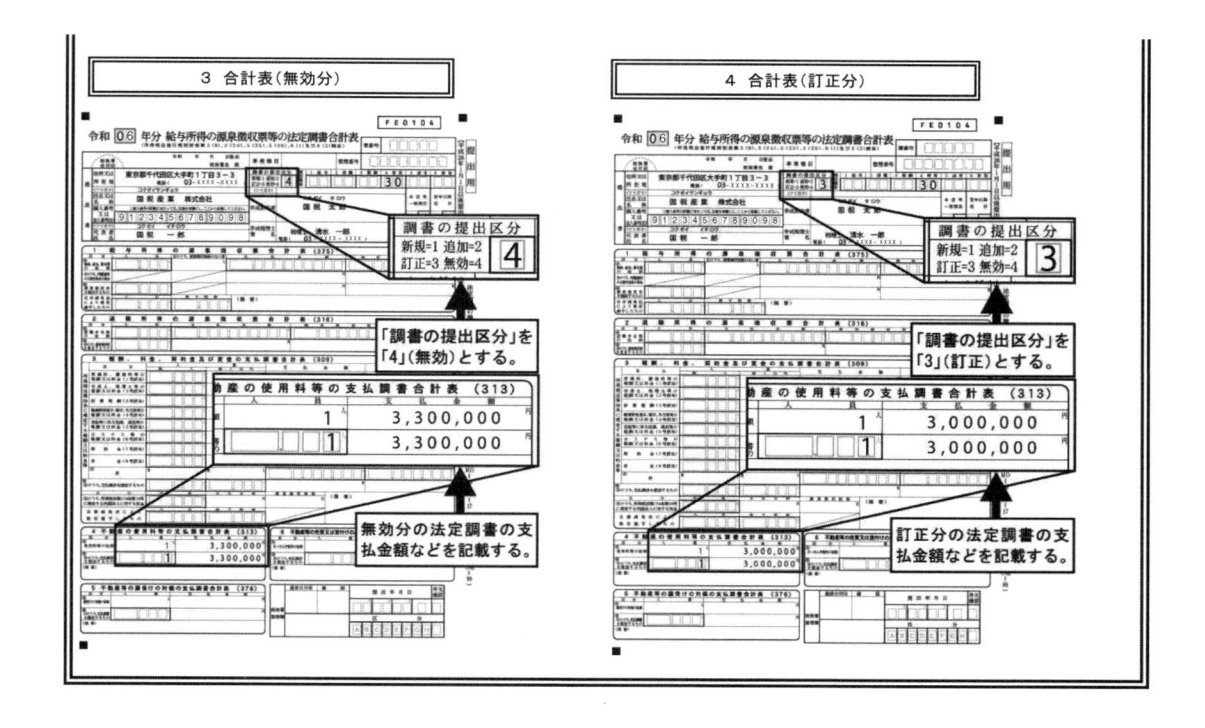

　法定調書を新たに追加で提出する場合には、次のものを作成の上、提出してください。

1　追加で提出する「法定調書」

2　追加分の「合計表」

　追加した法定調書の支払金額等を記載した合計表を作成し、「調書の提出区分」欄に「2」（追加）
と記載してください。

　※　合計表については、追加箇所のみを記載の上、提出してください。

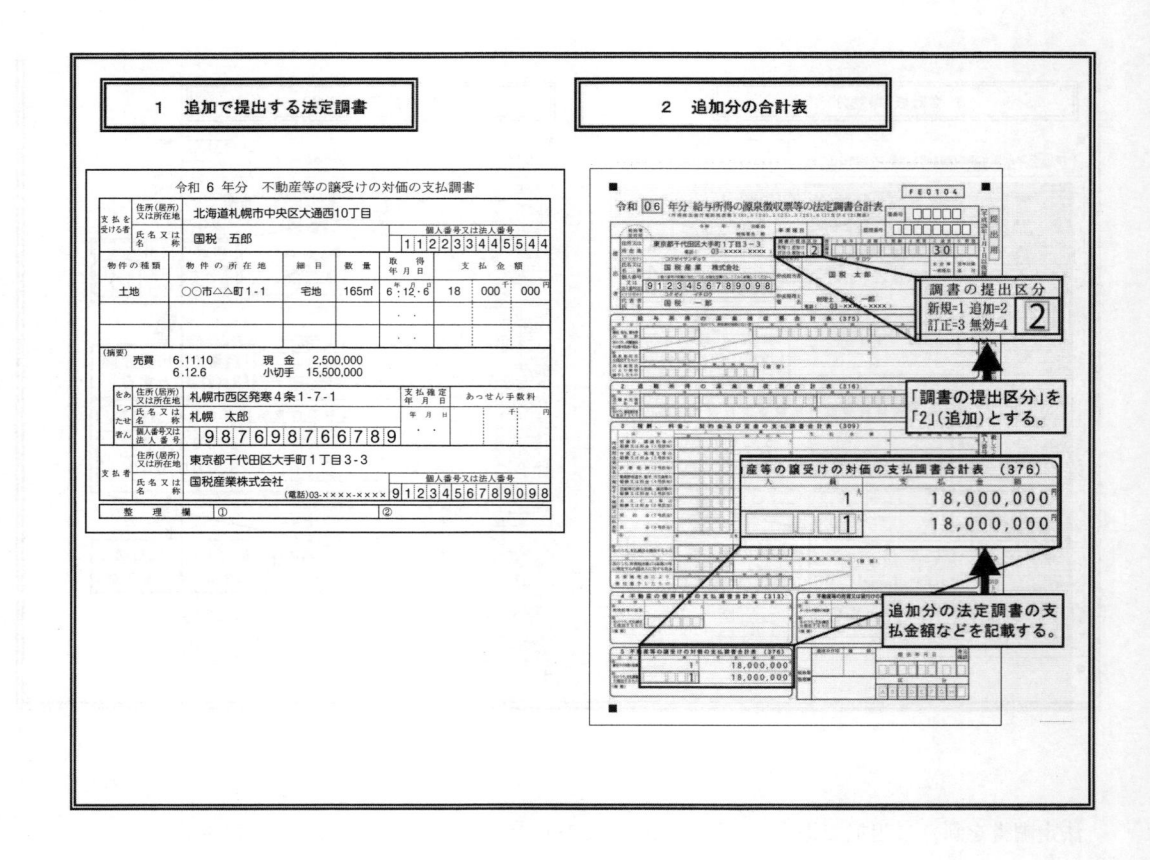

8　給与所得の源泉徴収票等の法定調書合計表

　これまでに説明した法定調書を税務署に提出する場合には、「給与所得の源泉徴収票等の法定調書合計表」を添えて提出することとなっています。以下に「給与所得の源泉徴収票等の法定調書合計表」の書き方を掲載していますので、参考にしてください。

　なお、税務署から合計表が送付されている者で、本年度に提出すべき法定調書がない場合には、合計表の「(摘要)」欄に「該当なし」と記載の上、提出してください。

(1)　給与所得の源泉徴収票合計表の書き方

項　　　目	記　　載　　事　　項
「調書の提出区分」欄	法定調書の提出区分を記載してください。 1　新規に法定調書を提出する場合　「1」(新規) 2　追加の法定調書を提出する場合　「2」(追加) 3　訂正分の法定調書を提出する場合「3」(訂正) 4　無効の法定調書を提出する場合　「4」(無効)

「提出媒体」欄		法定調書は、書面による提出のほか、インターネットを利用したe-Tax（国税電子申告・納税システム）や光ディスク等（CD、DVD、FD、MO）による提出もできます。これらの方法により法定調書を提出する場合に、法定調書の種類ごとに右枠外の2桁のコード（CD＝17など）を記載してください。
「本店等一括提出」欄		支店等が提出すべき法定調書を本店等が取りまとめて光ディスク等により提出（本店等一括提出）する場合には、「有」に○をしてください。この場合、光ディスク等の提出の際には、「支払調書等合計表付表（光ディスク等提出分）の次葉『支店等別、支払調書別件数表』」についても併せて記載・提出してください。本店等一括提出については、220ページを参照してください。
「Ⓐ俸給、給与、賞与等の総額」欄		「給与所得の源泉徴収票」を税務署に提出するとしないとにかかわらず、全ての受給者（年の中途で退職した者も含みます。）について記載してください。
	「人員」欄	給与等の支払を受けた者の実人員（丙欄適用の日雇労務者の人員については、含みません。）を記載してください。通常の場合は、作成された源泉徴収簿の枚数に符合します。 （注）「給与所得・退職所得の所得税徴収高計算書（納付書）」に記載した人員の累計を記載することがないようにご注意ください。
	「左のうち、源泉徴収税額のない者」欄	「給与所得の源泉徴収票」の「源泉徴収税額」欄の税額が「0（ゼロ）」の者の数を記載してください。 （注）記載漏れが多いので、特にご注意ください。
	「支払金額」及び「源泉徴収税額」の各欄	年の中途で就職した者が就職前に他の支払者から支払を受けた給与等の金額及び徴収された源泉徴収税額を含めないで記載してください。 （注）年末調整により差引超過額が発生し、その超過額が支払者の徴収税額を上回る場合には、「源泉徴収税額」欄には「0（ゼロ）」と記載します。
「Ⓑ源泉徴収票を提出するもの」欄		「給与所得の源泉徴収票」を税務署に提出するものについて、人員、支払金額及び源泉徴収税額の合計を記載してください。 なお、Ⓐの総額欄と異なり、年の中途で就職した者が就職前に他の支払者から支払を受けた給与等の金額及び徴収された源泉徴収税額についても含めたところで記載してください。

(2) 退職所得の源泉徴収票合計表の書き方

項　　　目	記　　載　　事　　項
「Ⓐ退職手当等の総額」の各欄	退職手当等の支払を受ける全ての受給者について記載してください。

(3) 報酬、料金、契約金及び賞金の支払調書合計表の書き方

項　　　目	記　　載　　事　　項
「所得税法第204条に規定する報酬又は料金等」の各欄	「人員」欄 　「支払を受ける者」の人格（個人か個人以外の者（法人等）の別）により区分して記載してください。 　報酬・料金等を支払った延べ人員ではなく、支払を受けた者の実人員で記載してください。 「支払金額」欄・「源泉徴収税額」欄 　該当する区分ごとに全ての報酬・料金等をそれぞれ記載してください。

項　目	記　載　事　項
「賞金（8号該当）」の各欄	所得税法第174条第10号に規定する内国法人に対する賞金（馬主が受ける競馬の賞金）を含みます。
「Ⓑ　Ⓐのうち、支払調書を提出するもの」の各欄	支払調書を提出するものの合計を記載してください。
「Ⓐのうち、所得税法第174条第10号に規定する内国法人に対する賞金」の各欄	所得税法第174条第10号に規定する内国法人に対する賞金（馬主が受ける競馬の賞金）の支払金額の総額等を記載してください。

(4)　不動産の使用料等の支払調書合計表の書き方

項　目	記　載　事　項
「Ⓐ使用料等の総額」欄	支払の確定した不動産の使用料等の総額を記載してください。

(5)　不動産等の譲受けの対価の支払調書合計表の書き方

項　目	記　載　事　項
「Ⓐ譲受けの対価の総額」欄	支払の確定した不動産等の譲受けの対価の総額を記載してください。 　なお、補償金がある場合は総額に含め、その補償金を「（摘要）」欄に記載してください。

(6)　不動産等の売買又は貸付けのあっせん手数料の支払調書合計表の書き方

項　目	記　載　事　項
「Ⓐあっせん手数料の総額」欄	支払の確定した不動産売買等のあっせん手数料の総額を記載してください。
「（摘要）」欄	「不動産の使用料等の支払調書」及び「不動産等の譲受けの対価の支払調書」の「（摘要）」欄にあっせん手数料に関する事項を記載して提出するため、この支払調書の作成・提出を省略したものについては、その支払先の人員と支払金額の合計を「（摘要）」欄に記載してください。

【給与所得の源泉徴収票等の法定調書合計表の記載例】

令和 06 年分 給与所得の源泉徴収等の法定調書合計表
（所得税法施行規則別表第5(8)、5(24)、5(25)、5(26)、6(1)及び6(2)関係）

FE0104

提出用

署番号 0012345 6 修正 14

整理番号 1414 退職 14

本店等一括提出 有○

事業種目　印刷業

調書の提出区分 新規1 追加2 訂正3 無効4　1

税理士番号 912345

提出者	
住所又は所在地	大阪市中央区大手前○-○-○ 電話(06-0000-0000)
氏名又は名称	コクゼイショウジ　国税商事株式会社
個人番号又は法人番号	1123456789012
代表者氏名	コクゼイ タロウ 国税 太郎

作成担当者　国税 花子
作成税理士 署名　南 すみれ　電話 xx-xxxx-xxxx

1 給与所得の源泉徴収票合計表 (375)

区分	人員	支払金額	源泉徴収税額
Ⓐ俸給、給与、賞与等の総額	101	253,649,800	12,883,400
Ⓑ Ⓐのうち、源泉徴収税額のない者	19	96,500	0
Ⓒ源泉徴収票を提出するもの	5	26,436,800	1,412,500

2 退職所得の源泉徴収票合計表 (316)

区分	人員	支払金額	源泉徴収税額
Ⓐ退職手当等の総額	3	256,000,000	153,150
Ⓑ源泉徴収票を提出するもの	1	10,000,000	102,100

3 報酬、料金、契約金及び賞金の支払調書合計表 (309)

区分	人員	支払金額	源泉徴収税額
所得税法第204条第1項に規定する報酬又は料金等			
原稿料、講演料等(1号該当)	5	400,000	40,840
弁護士、税理士等の報酬又は料金(2号該当)	6	4,500,000	459,450
診療報酬(3号該当)			
職業野球選手、外交員等の報酬又は料金(4号該当)	3	4,456,000	169,077
芸能関係の報酬又は料金(5号該当)			
ホステス、コンパニオン等の報酬又は料金(6号該当)	1	300,000	0
契約金(7号該当)			
賞金(8号該当)			
Ⓐ計	14	9,656,000	669,367
Ⓑ Ⓐのうち、支払調書を提出するもの	12	9,606,000	664,262

4 不動産の使用料等の支払調書合計表 (313)

区分	人員	支払金額
Ⓐ使用料等の総額	15	9,628,000
Ⓑ Ⓐのうち、支払調書を提出するもの	12	9,328,000

5 不動産等の譲受けの対価の支払調書合計表 (376)

区分	人員	支払金額
Ⓐ譲受けの対価の総額	13	145,650,000
Ⓑ Ⓐのうち、支払調書を提出するもの	10	144,650,000

内 補償金は、4,650,000円

6 不動産等の売買又は貸付のあっせん手数料の支払調書合計表 (314)

区分	人員	支払金額
Ⓐあっせん手数料の総額	3	1,600,000
Ⓑ Ⓐのうち、支払調書を提出するもの	1	850,000

外1人 650,000

提出年月日

［参考］ その他の法定調書の一覧表

法定調書の名称	法定調書の提出を要する場合	提出期限	提出範囲
利子等の支払調書	公社債・預貯金の利子の支払、合同運用信託・公社債投資信託・公募公社債等運用投資信託の収益の分配等をしたとき	令和7年1月31日 ただし、1回の支払ごとに支払調書を作成する場合は、支払確定日（無記名のものについては支払った日。以下同じ。）の翌月末日	支払金額が年**3万円**を超えるもの 　ただし、1回の支払ごとに支払調書を作成する場合は、1万円（計算期間が6か月以上1年未満のときは5千円、6か月未満のときは2千5百円）を超えるもの
定期積金の給付補填金等の支払調書	定期積金の給付補填金、銀行法第2条第4項の契約に基づく給付補填金、抵当証券の利息、貴金属（これに類する物品を含む。）の売戻し条件付売買の利益、外貨投資口座等の為替差益、一時払養老保険等の差益、懸賞金付預貯金等の懸賞金等で一定のものの支払をしたとき	令和7年1月31日 ただし、1回の支払ごとに支払調書を作成する場合は、支払確定日の翌月末日	(注)　原則として法人に支払われるものについてのみ提出を要する。
配当、剰余金の分配、金銭の分配及び基金利息の支払調書	剰余金の配当、利益の配当、剰余金の分配、金銭の分配又は基金利息の支払をしたとき	支払確定日から1か月以内	1回の支払金額が**10万円**に配当計算期間の月数（最高12か月）を乗じて12で除した金額を超えるもの
生命保険契約等の一時金の支払調書	生命保険契約等の一時金の支払をしたとき	令和7年1月31日	1回の支払金額が**100万円**を超えるもの
生命保険契約等の年金の支払調書	生命保険契約等の年金の支払をしたとき		支払金額が年**20万円**を超えるもの
非居住者等に支払われる ①　組合契約に基づく利益 ②　給与、報酬、年金及び賞金 ③　人的役務提供事業の対価 ④　工業所有権の使用料等 ⑤　借入金の利子 ⑥　不動産の使用料等 ⑦　機械等の使用料 ⑧　不動産の譲受けの対価 の支払調書	非居住者又は外国法人に対して次の支払をしたとき ①　組合契約事業から生ずる利益 ②　給与等又は弁護士、芸能人の報酬あるいは広告宣伝のための賞金 ③　人的役務の提供に対する対価 ④　工業所有権、ノウハウ、著作権等の使用料又は譲受けの対価 ⑤　業務の用に供している借入金の利子 ⑥　不動産、不動産の上に存する権利、船舶、航空機、採石権、租鉱権の使用料等 ⑦　機械装置、車両、運搬具、工具、器具、備品の使用料 ⑧　譲り受けた不動産、不動産	令和7年1月31日 （ただし、①組合契約に基づく利益の支払調書については、利益の支払の確定した日から1か月以内）	支払金額が年**50万円**を超えるもの （ただし、①組合契約に基づく利益の支払調書については、1回の支払金額が3万円を超えるもの、⑧不動産の譲受けの対価の支払調書については、支払金額が100万円を超えるもの）

	の上に存する権利等に対する対価		
信託の計算書	信託を受託したとき	信託会社：事業年度終了後、1か月以内	信託に関する収益の合計額が**3万円**（計算期間が1年未満の場合は**1万5千円**）を超えるもの
		その他の者：令和7年1月31日	
退職手当金等受給者別支払調書	受給者の死亡により支給する退職手当金、功労金等を支給したとき	支払日の翌月15日	支払金額が**100万円**を超えるもの

(注) 上記のほか、次のような法定調書があります。

① **所得税法上の法定調書**：国外公社債等の利子等の支払調書、国外投資信託等又は国外株式の配当等の支払調書、投資信託又は特定受益証券発行信託収益の分配の支払調書、オープン型証券投資信託収益の分配の支払調書（支払通知書）、配当等とみなす金額に関する支払調書（支払通知書）、匿名組合契約等の利益の分配の支払調書、損害保険契約等の満期返戻金等の支払調書、損害保険契約等の年金の支払調書、保険等代理報酬の支払調書、株式等の譲渡の対価等の支払調書、交付金銭等の支払調書、信託受益権の譲渡の対価の支払調書、先物取引に関する支払調書、公的年金等の源泉徴収票、有限責任事業組合等に係る組合員所得に関する計算書、名義人受領の利子所得の調書、名義人受領の配当所得の調書、名義人受領の株式等の譲渡の対価の調書、譲渡性預金の譲渡等に関する調書、新株予約権の行使に関する調書、株式無償割当てに関する調書、金地金等の譲渡の対価の支払調書、外国親会社等が国内の役員等に供与等をした経済的利益に関する調書

② **租税特別措置法上の法定調書**：上場株式等の配当等の支払を受ける大口の個人株主に関する報告書、上場証券投資信託の償還金等の支払調書、特定新株予約権等の付与に関する調書、特定株式等の異動状況に関する調書、特定口座年間取引報告書、非課税口座年間取引報告書、未成年者口座年間取引報告書、住宅取得資金に係る借入金等の年末残高調書、教育資金管理契約の終了に関する調書、結婚・子育て資金管理契約の終了に関する調書

③ **相続税法上の法定調書**：生命保険金・共済金受取人別支払調書、損害（死亡）保険金・共済金受取人別支払調書、信託に関する受益者別（委託者別）調書、保険契約者等の異動に関する調書

④ **内国税の適正な課税の確保を図るための国外送金等に係る調書の提出等に関する法律上の法定調書**：国外送金等調書、国外証券移管等調書、国外電子決済手段移転等調書、国外財産調書、財産債務調書

【参考】本店等一括提出制度について

　支店や工場が多く、法定調書を複数の税務署に提出している場合には、本店等一括提出を選択する提出義務者（支店等）が、「支払調書等の光ディスク等による提出承認申請書（兼）支払調書等の本店等一括提出に係る承認申請書」を、法定調書を提出しようとする日の2か月前までにその支店等を所轄する税務署に提出することで、光ディスク等（ＣＤ、ＤＶＤなどをいいます。）又はｅ－Ｔａｘにより本店等で一括して提出することができます。

　本店等は、提出期限までに、本店等を所轄する税務署へ次のものを提出します。

(1)　編集した正本用及び副本用の光ディスク等

(2)　支払調書等合計表

　　本店等については、一括提出の対象である各支店等の件数を含めて記載した支払調書等合計表を提出します。

　　　なお、本店等で一括して光ディスク等による提出がなされている場合に、各支店等で一部書面による提出分がある場合には、その提出分につき支払調書等合計表を作成し、各支店等からそれぞれの所轄税務署に提出します。この場合には、摘要欄に、本店において光ディスク等による提出分がある旨を簡記してください。

(3)　支払調書等合計表付表

第三編 年末調整に関する実務問答

1　年末調整を行う時期、年末調整の対象となる人・ならない人

12月分給与の支払を受けた後に退職した人の年末調整の時期

【問1】　当社では12月20日に通常の給与を支払い、12月25日に年末賞与を支払うことになっています。この場合、本年最後の給与は賞与ですので、12月20日の通常の給与の支払を受けてすぐに退職した者については、年末調整をしなくてもよいと思いますが、いかがでしょうか。

【答】　お尋ねの退職者は、12月に支給期の到来する給与の支払を受けた後に退職していますので、退職の時に年末調整をすることになります。

　なお、その退職者に後日（12月25日）賞与が支払われるような場合には、その賞与を支払う際に年末調整の再調整を行う必要があります。

中途退職するパートタイマーの年末調整

【問2】　当社で、いわゆるパートタイマーとして働いている人の中に、年末まで勤めると給与の年収が103万円を超えそうなので、11月10日で退職しようと思っている人がいます。この人の今までの給与収入の総額は95万円程度です。

　パートタイマーの場合、年の中途であっても退職の際に年末調整ができると聞きましたが本当でしょうか。

【答】　年末調整は、原則として、その年最後の給与を支給する際に行います。

　したがって、年の中途で退職する人については、年末調整はできないことになっています。

　しかし、その例外として、いわゆるパートタイマーとして働いている人などで、①その勤務先に「扶養控除等申告書」を提出しており、かつ、②その年中に支払を受ける給与の総額が103万円以下である人については、その退職の際に年末調整を行うことができることになっています。

　ただし、退職した後、その年中に他の勤務先等から給与の支払を受けることになる人については、その退職の際に年末調整を行うことはできません。

　お尋ねの場合、退職した後に他の勤務先等から給与の支払を受けないのであれば、退職の際に年末調整を行うことができます。

年の中途で死亡した人の年末調整

【問3】 当社の役員が年の中途で死亡しました。当社では、死亡月の報酬として他の月と同額を通常の支給日に支払うことにしていますが、その死亡月の報酬も年末調整の対象に含めなければなりませんか。

【答】 在職中に死亡した人の死亡前の勤務に基づき支払われる給与や賞与で、その人の死亡後に支給期の到来するものについては、相続税の課税価格に算入され、所得税及び復興特別所得税は課税されません。

したがって、お尋ねの役員の年末調整は、その役員の死亡日以前に支給期の到来した給与について行うことになります。

「扶養控除等申告書」を提出していない人の年末調整

【問4】 当社の社員の中に、他から給与の支払を受けていないにもかかわらず、「扶養控除等申告書」を提出していない者がいます。

この社員については、年末調整をしなくてもよいのでしょうか。

【答】 1か所だけから給与の支払を受けている人でも「扶養控除等申告書」を提出していないときは、2か所以上から給与の支払を受けている人の従たる給与と同じように、月々の給与及び賞与については、源泉徴収税額表の「乙」欄を適用して源泉徴収し、かつ、年末調整も行わないことになっています。

お尋ねの社員が受ける給与は、この従たる給与と同じように、年末調整を行わないことになるのですが、その人が他から給与の支払を受けていないのであれば、なるべく年末調整の時までに「扶養控除等申告書」を提出させて年末調整をするのが望ましいと思われます。

就職前の給与の金額などが分からない人の年末調整

【問5】 当社に年の中途で就職した者のうちに、就職前に他の給与の支払者から支払を受けた給与の金額などが分からない者がいます。このような場合には、当社に就職した後に支払った給与だけを年末調整の対象としてもよろしいでしょうか。

【答】 年の中途で就職した人が、その就職前に他の給与の支払者に「扶養控除等申告書」を提出して給与の支払を受けていた場合には、他の給与の支払者が支払った給与を含めて年末調整をすることになっています。

したがって、貴社で支払った給与だけを対象として年末調整をすることはできません。

このような場合には、他の給与の支払者が支払った給与の金額などは、その支払者が発行した「給与所得の源泉徴収票」（貴社に提出された「扶養控除等申告書」の裏面に添付することになっています。）によって確認することになっていますから、この「給与所得の源泉徴収票」の提出がない場合には、速やかにその提出を求めてください。年末調整の実施はその提出があるまで待つことになります。

源泉徴収税額の徴収猶予等を受けている給与所得者の年末調整

> **【問６】**　当社の社員に、本年７月に災害により被害を受け、「災害被害者に対する租税の減免、徴収猶予に関する法律」の規定により、本年分の給与に対する源泉徴収税額の徴収猶予を受けている者がいます。この社員は、「扶養控除等申告書」を提出していますので、年末調整を行って差し支えありませんか。

【答】　お尋ねの社員については、年末調整を行うことはできません。といいますのは、罹災したとしてお尋ねの法律に基づき源泉所得税及び復興特別所得税の徴収猶予又は還付を受けた人については、たとえ「扶養控除等申告書」を提出していても、その人自身が住所地の所轄税務署に確定申告書を提出して、徴収猶予や還付を受けた税額を精算しなければならないことになっているからです。

個人事業を引き継いで設立した法人の代表取締役等の年末調整

> **【問７】**　当社は、本年７月に個人事業を引き継いで設立した法人です。その関係で、代表取締役は従来の事業主、また、専務取締役は個人事業当時の青色事業専従者です。
>
> 　当社の代表取締役の場合、１月から６月までの事業所得について、いずれ当社から支払った給与と合算して確定申告をしなければなりませんので、年末調整の必要はないと思いますが、いかがでしょうか。
>
> 　また、専務取締役については、個人事業当時の青色事業専従者給与と当社で支払った給与とを合算して年末調整をすることになるのでしょうか。

【答】　本年最後に給与を支払う際に、「扶養控除等申告書」を提出している人（本年中の給与の総額が2,000万円を超える人を除きます。）については、たとえその人に確定申告書を提出する義務があっても、年末調整をしなければならないことになっています。

　したがって、お尋ねの代表取締役は、「扶養控除等申告書」を貴社に提出していると思われますので、貴社が支払った給与（その総額が2,000万円を超える場合は除きます。）について、いったん年末調整を行い、その上で他の所得（１月から６月までの事業所得）と合算して確定申告をすることになります。

　また、専務取締役についても、「扶養控除等申告書」を提出している前提であれば、個人事業当時の青色事業専従者給与と貴社が支払った給与とを合算して年末調整をすることになります。

年末調整後に給与の支給総額が2,000万円を超えた場合

【問8】 当社では、本年最後の給与である12月20日の賞与で年末調整を行いましたが、12月22日の役員会において、全従業員に対して一律10万円を追加支給する旨決定され、仕事納めの日に支給することとなりました。

　ところで、12月20日に年末調整して過納額を還付した者の中に、今回の追加支給により本年の給与の支給総額が2,000万円を超える者が生じました。この場合、既に行った年末調整は誤りであったとして、還付した金額を徴収しなければなりませんか。

【答】 年末調整の対象となる給与は、年間支給総額が2,000万円以下の人のものに限られています。

　したがって、お尋ねの場合、結果的に年末調整は誤りであったことになります。

　しかし、既に行った年末調整はそのままとし、追加支給された10万円については賞与として税額計算しても差し支えないものと考えます。

　なお、給与の支給総額が2,000万円を超えることとなった方に確定申告義務があることに変わりありませんので、確定申告を忘れることのないよう指導してください。

年の中途で退職し、その後に出国する人の年末調整

【問9】 当社の社員で、本年6月に退職し、その後海外へ出国することになったAから、6月までの給与について年末調整を行ってほしいとの申出がありました。当社において年末調整を行っても差し支えありませんか。

【答】 給与所得者が海外支店等に転勤したため非居住者になった場合には、出国の日までに支払った給与により年末調整ができることになっています。これは、その人が、その後年末調整の対象になる給与の支払を受けないことが明らかであると認められるため、例外的に年末調整をすることにしているものです。

　したがって、お尋ねのような貴社を退社した後に出国する人についてまで、貴社において年末調整をすることはできませんので、Aさんに対し、出国の時までに確定申告をするよう指導してください。

居住者に該当しない人の年末調整

【問10】 当社に本年8月から10か月の滞在予定でサンフランシスコから来日しているアメリカ人の社員がいます。この社員の毎月の給与からは20.42％の税率で源泉徴収していますが、この社員から「扶養控除等申告書」の提出があれば、8月から12月までの間の給与について、年末調整を行ってもよろしいでしょうか。

【答】 年末調整の対象となるのは、「扶養控除等申告書」を提出した居住者と定められていますが、お尋ねの社員は1年未満の予定で来日していますので居住者には該当しません。

　したがって、その社員が「扶養控除等申告書」を提出しても、年末調整を行うことはできません。

2　年末調整の対象となる給与とその計算

給与の支払を翌月払としている場合の年末調整

> **【問11】**　当社は、その月の21日から翌月の20日までの間の給与を翌々月の５日に支払っています。
> したがって、11月21日から12月20日までの間の給与は翌年の１月５日に支払うわけですが、この
> 給与も本年の年末調整の対象に含めなければなりませんか。

【答】　給与所得の収入金額の収入すべき時期は、次に掲げる日によることになっています。
① 　雇用契約又は慣習その他の株主総会の決議等により支給日の定められているもの………その支
給日
② 　雇用契約等により支給日の定められていないもの……………その支給を受けた日
　お尋ねの場合、給与の支給日が雇用契約等により定められていると考えられますので、その給与
はその支給日の属する年分の年末調整の対象に含めることになります。
　したがって、翌年１月５日に支給される給与は、本年の年末調整の対象に含める必要はありませ
ん。

未払給与とその税額

> **【問12】**　当社では、本年分の役員給与のうちに一部未払のものがあります。年末調整に当たって、
> この未払給与は本年の給与の合計額から除いて計算してよろしいでしょうか。

【答】　本年分の給与のうち、一部未払があり翌年に支払うことになっているものがあっても、本年中
に支払の確定したものであれば、その未払分もすべて含めたところで年末調整をすることになって
います。また、その未払給与から徴収すべき税額も本年分の徴収税額に含めて集計し、年末調整を
しなければなりませんので、お尋ねの役員についても未払給与及び徴収すべき税額を含めて年末調
整をしてください。
　なお、このような未払給与と源泉徴収すべき税額を含めて年末調整した結果、過納額が生ずる場
合には、その過納額から未払給与に係る未徴収税額を控除した残額が還付する金額となりますので
ご注意ください。

年の中途で主たる給与の支払者と従たる給与の支払者とが入れ替わった場合

【問13】　私はA社とB社から給与の支払を受けています。当初A社から主たる給与の支払を受けていましたが、本年9月から、勤務の都合でB社から主たる給与の支払を受けることになりました。この場合には、B社で年末調整を行うことになると思いますが、対象となる給与はどの部分でしょうか。

【答】　B社で年末調整を行いますから、B社が1月以降支払った給与の全部（従たる給与も含みます。）と、A社が8月までに主たる給与として支払った給与との合計額が年末調整の対象になります。

なお、A社から受けた9月分以降の従たる給与については、確定申告により精算する必要があります。

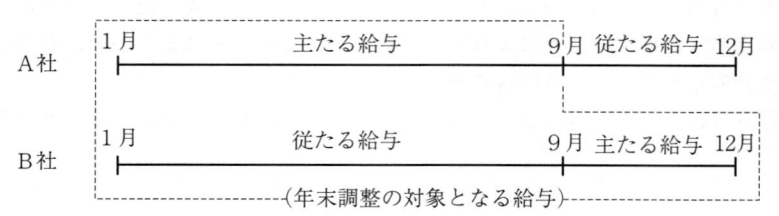

入社前にアルバイト期間がある人の年末調整

【問14】　当社では、本年4月に大学卒業者3人を新規採用しましたが、このうちの1人はアルバイトとして2月から3月にかけて40日ほど雇用しており、その期間中の給与については、日額表の丙欄を適用していました。この者の本年の年末調整は、他の2人と同様に、採用後に支払った給与だけを対象にすればよいのですか。

【答】　学校卒業と同時に就職した人については、就職前に他の給与の支払者に「扶養控除等申告書」を提出して給与の支払を受けていないことが明らかな場合には、就職してからの給与だけを対象に年末調整をすればよいのですが、正規の採用前にアルバイト給与を支払っているなど、同一の支払者が支払った他の給与がある場合には、その年中に支払った給与のすべてを含めて年末調整をすることになっています。

したがって、お尋ねの場合、アルバイト期間中の給与も含めて年末調整をすることになります。

居住者に対し国外において支払われた給与

> **【問15】**　当社の社員Aは、本年4月から6月までの3か月間、社命により当社の海外子会社に出向
> し、その期間の給与は、その海外子会社から支払を受けました。Aの年末調整を行うに当たって
> は、海外子会社から支払われたものも含めるべきでしょうか。なお、Aは当初から3か月間の予
> 定で海外子会社に派遣されました。

【答】　お尋ねの場合、Aさんは当初から3か月間の予定で海外子会社に派遣されていることから、居
住者に該当しますので、すべての所得について納税義務を負うことになりますが、貴社においては、
本年中に貴社が支払った給与等の総額により年末調整を行えばよいことになっています。

したがって、海外子会社からAさんに海外で支払われた給与は、年末調整の対象に含める必要は
ありません。

なお、Aさんは、海外子会社から支払を受けた給与と貴社から支払を受けた給与とを合算して確
定申告をしなければなりません。この場合、出向先の国に対する所得税として納付済のものがある
ときは、外国税額控除の対象となります。

年の中途で出国し非居住者となった人の年末調整

> **【問16】**　当社の社員Aは、本年9月に、2年間の予定でバンコク支店勤務となり出国しました。
> このため、出国するまでにAに支払った給与について、出国時に年末調整を行いました。
> ところで、当社では12月10日に冬期賞与（計算期間は6月1日から11月30日まで）を支払いま
> すが、Aに支払う賞与については、国内勤務期間に対応する部分について、国内源泉所得として
> 20.42％の税率による源泉徴収が必要であるということを聞きました。
> そうすると、Aの給与については、この賞与のうち国内勤務に対応する部分の金額を含めたと
> ころで年末調整の再調整を行わなければならないのでしょうか。

【答】　年末調整の再調整を行う必要はありません。

年末調整の対象となる給与は、居住者が「扶養控除等申告書」を提出している給与の支払者から
支払を受けるものに限られます。

お尋ねのAさんは、9月に2年間の海外勤務の予定で出国しているため、出国の日の翌日から非
居住者となり、Aさんが12月に支払を受ける賞与のうち国内勤務期間に対応する部分の金額は、非
居住者の国内源泉所得に該当するため源泉徴収の対象とされるものですので、年末調整の対象には
なりません。

年の中途に非居住者期間がある人の年末調整

【問17】　当社の社員Aは、本年3月に2年間の予定でフィリピンのマニラ支店勤務となり出国しましたが、業務の都合上、本年11月に本社勤務となり帰国しました。

　Aに対する給与は、マニラ支店勤務中も本社からAに送金していましたが、出国後は非居住者となるため、7月に支払った賞与のうち国内勤務期間に対応する部分以外は、源泉徴収の対象としていませんでした。この場合、Aの海外での勤務は実質9か月足らずですので、本年は1年を通じて居住者であったものとみて、マニラ支店勤務期間中の給与も含めて年末調整を行うことになるのでしょうか。

【答】　その年の12月31日に居住者である人で、その年において非居住者であった期間を有する人については、居住者であった期間内に生じた所得を基に年末調整を行うこととされています。

　したがって、お尋ねの場合、Aさんの居住者である期間中に支払われた給与、すなわち、Aさんが3月に出国するまでに支給期が到来した給与と、11月に帰国して再び居住者となった後に支給期が到来する給与の合計額が、年末調整の対象となります。

　なお、Aさんは、当初マニラ支店に1年以上勤務する予定で出国していますので、マニラ支店勤務期間中の給与は非居住者の国外における勤務の対価となります。したがって、マニラ支店勤務中の給与は、源泉徴収を要しません。

年の中途で海外から帰国した人の年末調整

【問18】　当社のニューヨーク支店に3年間勤務していた社員が、本店勤務になり、本年5月末に帰国しました。この人の年末調整は、海外支店勤務をしていたときの給与も含めたところで行うのですか。それとも帰国後の給与についてのみ行えばよいのですか。

【答】　年の中途で国内に住所があることになった人に支払った給与については、国内に住所があることになった時から後に支払った給与について年末調整をすればよいことになっています。

　したがって、お尋ねの社員については、5月末までは国内に住所がなかったわけですから、帰国後の給与について年末調整をすればよいことになります。

　なお、この場合の帰国後の給与というのは、その人の帰国後に支給期の到来する給与のことですから、仮に帰国後に支給期の到来する給与の計算の基礎に海外支店に勤務していた期間（次の図の5/21～5/31の期間）が含まれていても、その給与の全額が年末調整の対象になりますのでご注意ください。

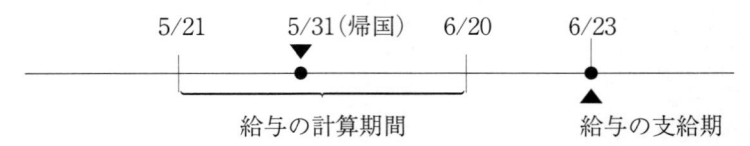

留守宅払の給与の年末調整

【問19】　当社の社員Ａ（使用人）は３年間の予定でニューヨーク支店に単身赴任しており、この社員の給料の一部を留守宅に支払っています。この留守宅払の給料については、月額表の甲欄によって源泉徴収し納付していますが、年末調整は留守宅払の給料についてのみ行えばよろしいでしょうか。

【答】　お尋ねの社員は非居住者ですから、日本国内で行う勤務に基づくもののみ国内源泉所得として日本の所得税及び復興特別所得税が課税されることになります。ところで、留守宅払の給料は日本で支払われるとしても、社員にとってはニューヨーク支店で勤務したことに対する報酬ですから、日本での納税義務はありません。

　　したがって、所得税及び復興特別所得税は課税されませんので源泉徴収を要しませんし、年末調整の対象にもなりません。

　　なお、貴社が留守宅払の給料について源泉徴収したのは誤りですから、「源泉所得税及び復興特別所得税の誤納額還付請求書」を必要な添付書類とともに所轄の税務署に提出して、これまで貴社が納付したＡさんに係る源泉徴収税額の還付を受けてください。

給与改訂に伴う差額を支給した場合の源泉徴収

【問20】　当社は、本年４月に給与規程を改訂し、昨年10月にさかのぼって適用することになり、この改訂に伴うベースアップの差額を４月14日に支給しました。この場合、昨年10月から12月までの分については、昨年分の年末調整の再調整を行うのでしょうか。

【答】　給与規程の改訂が既往にさかのぼって実施されたため、既往の期間に対応して支払われる新旧給与の差額に相当する給与の収入すべき時期は、その差額の支給日として定められた日によります。

　　したがって、貴社が支払うベースアップの差額は、すべて４月分の給与となりますので、昨年分の年末調整の再調整を行う必要はありません。

一時帰休中の休業手当

【問21】　当社では、不況対策の一環として、数十名の社員に３か月間の一時帰休を命じ、その期間中、本給の70％相当額を休業手当として支払いました。

　　この休業手当は、当社が労務の提供を受けていないにもかかわらず支払うものですから、給与所得に該当せず、したがって、年末調整の対象にはならないと思いますが、いかがでしょうか。

【答】　休業手当については、特にこれを非課税とする明文の定めはありませんので、課税されることになります。

　　次に、この休業手当の所得区分ですが、お尋ねの場合、貴社の責めに帰すべき事由により社員が労務の提供をできないことから生ずる給与相当額を補填するために支給するものであると思われ、その本質は給与と考えるべきでしょう。

　　したがって、この休業手当を含めたところで、年末調整を行うことになります。

失業給付金を受けていた人の年末調整

【問22】　本年10月に当社に就職した者がいますが、この者は本年6月まで他社に勤務していて、その会社を退職してから当社に就職するまでの4か月間は、失業給付金の支払を受けていました。この者の年末調整はどのようにすればよいのですか。

【答】　その人が前の勤務先を退職し貴社に就職するまでの間に支払を受けた失業給付金は非課税所得ですので、年末調整の対象になる給与には含まれません。

　　したがって、前の勤務先が支払った1月から6月までの給与と貴社が支払った給与との合計額を対象にして年末調整をすればよいことになります。

仮処分決定に基づき解雇者に支払った金銭に係る年末調整

【問23】　当社は、従業員Aを懲戒解雇しましたが、Aは地方裁判所に地位保全の仮処分の申請を行い、この度、地方裁判所から同人の申請に係る決定が行われ、Aの解雇時に遡及して解雇前の給料の70％相当額の金銭の支払を命じられました。

　　当社がAに支払う金銭について、源泉徴収はどのように行えばよいのでしょうか。

　　なお、Aは年末調整の対象となる人に該当します。

【答】　貴社がAさんに支払う金銭については、Aさんの給与所得となります。この場合、この給与所得は、従前の給料が支給されるべき日の属する年分の所得として課税されることとなりますので、貴社がAさんに支払う従前の給料相当額が2以上の年分にわたる場合には、それぞれの年分ごとに区分し、年末調整を行い所得税及び復興特別所得税を源泉徴収することとなります。

扶養手当を返還させた場合の年末調整

【問24】　当社の従業員Aは、学生である長男について、年間の所得がなく、特定扶養親族に該当する旨「扶養控除等申告書」に記載していましたので、同申告書の記載内容に従って扶養控除額を計算して年末調整を行ったところ、年が変わって、Aの長男にはアルバイトによる年間48万円を超える給与所得のあることが判明しました。

　　この場合、1月31日までであれば、年末調整の再調整を行うことができるとのことですので、再調整を行い、1月に支払う給与で不足税額を精算したいと考えておりますが、当社の社内規程では、税法上の扶養親族に該当しない者については扶養手当を支給しないことになっていることから、前年にAに支給した扶養手当のうち長男分については返還させることになります。

　　この場合、年末調整の再調整はどのように行えばよいのでしょうか。

【答】　Aさんについては、次の2点を訂正した上で年末調整の再調整を行うこととなります。

① 給与の総額

　　当初の年末調整時の給与の総額から、返還することとなる長男分の扶養手当の額を差し引いたものを給与の総額とします。

② 扶養控除の額

　　当初の年末調整時の扶養控除等の額から長男に係る特定扶養親族の控除額63万円を差し引いた

ものを扶養控除等の額とします。

従業員に支給する帰省旅費

【問25】　当社では旅費規程により、新入社員及び単身赴任者に対して年2回（お盆と年末年始）帰
省旅費を支給することにしています。
　　　この帰省旅費は、旅費として妥当な範囲と思われますので、給与とはならず年末調整の対象に
含める必要はないと考えますが、いかがでしょうか。

【答】　旅費として非課税扱いとされるのは、給与所得者が本来勤務する場所を離れて職務を遂行する
ための費用として使用者から支給される金品で、通常必要と認められる範囲内の金額に限られてい
ます。
　　ところで、お尋ねの帰省旅費ですが、仮に貴社の旅費規程に基づいて支給されるものであり通常
必要とする範囲内の金額であっても、一般に帰省そのものが職務を遂行するものとはいえませんの
で、非課税とされる旅費には該当しません。
　　したがって、貴社が支給する帰省旅費は、個人的費用の負担があったものとして取り扱われます
ので、帰省者各人に対する給与として年末調整の対象に含めていただくことになります。
　　なお、このような帰省旅費を年末調整後に支給する場合は、年末調整の再調整をしてください。

消費税及び地方消費税と現物給与

【問26】　法人が役員に対して資産を贈与又は低い価額で譲渡した場合は所得税及び復興特別所得
税が課税されるとのことですが、このような場合の現物給与課税に当たっては、消費税及び地方
消費税（以下「消費税等」といいます。）の額を含めて計算するのでしょうか。また、この消費
税等の額については、年末調整の対象となる給与の額に含める必要があるのでしょうか。

【答】　使用者が役員又は使用人に対して物又は権利その他の経済的利益を供与した場合には、その経
済的利益は給与等の収入金額として源泉所得税及び復興特別所得税の課税の対象に含まれること
とされています。
　　この場合の収入金額については、その経済的利益に消費税等の額が含まれているときはその消費
税等の額を含めた金額とされています。
　　したがって、消費税等の額を含めたところで現物給与に対する課税をしていただくことになり、
年末調整は、これらの金額を含めたところで計算することになります。

税務調査により追加納付の対象となった現物給与

【問27】 当社では、毎月社員に当社の製品1万円相当分を無料で支給していましたが、課税の対象としていませんでした。この点について本年の税務調査で指摘があり、この現物給与に対する税額を追加納付しました。この現物給与も年末調整の対象になりますか。

なお、税額の納付については、一時会社が立て替え、夏の賞与支給の際に社員各自より徴収しました。

【答】 調査により追加納付の対象となった現物給与も、本年の年末調整の対象になります。

したがって、本年分の給与の額に加算しなければなりませんし、その現物給与に対応する税額も、もちろん徴収税額に含めて計算することになります。

カタログから自由に選択できる永年勤続表彰記念品

【問28】 当社では、毎年10月に勤続20年に達した従業員を表彰し記念品を支給していますが、本年は、百貨店のカタログの中から、従業員に10万円の範囲内で記念品を自由に選択させ、それを当社で購入して支給しました。

この場合、従業員が受ける経済的利益については、年末調整の対象となる給与の額に含めなければなりませんか。

【答】 永年勤続した役員又は従業員を表彰するに当たり、記念品を支給することによりその役員又は従業員が受ける利益で、次のすべての要件を満たしている場合には、原則として課税の対象としなくてよいことになっています。

(1) その利益の額が、その役員又は使用人の勤続期間等に照らし、社会通念上相当と認められること

(2) その表彰が、おおむね10年以上勤続した人を対象とし、かつ、2回以上表彰を受ける人については、おおむね5年以上の間隔をおいて行われるものであること

ただし、記念品の支給に代えて金銭を支給する場合は課税することとされています。

お尋ねの場合、永年勤続者が百貨店のカタログの中から記念品を自由に選択できることとすれば、それは金銭を支給した場合と同様の効果をもたらすことになります。

したがって、従業員が受ける経済的利益については、その購入価額を給与所得として課税することとなり、年末調整の対象となる給与に含める必要があります。

慰安旅行費用の負担による経済的利益

【問29】 当社では、今期の決算が予想外に好調であったことから、本年9月に5泊6日で中国への慰安旅行（1人当たりの費用15万円）を実施しました。この場合、当社が負担した慰安旅行費用は、年末調整の対象となる給与の額に含めなければなりませんか。

【答】 使用者が、従業員等のレクリエーションのために行う旅行の費用を負担することにより、これらの旅行に参加した従業員等が受ける経済的利益については、その旅行の企画立案、主催者、旅行の目的・規模・行程、従業員等の参加割合、使用者及び参加従業員等の負担額及び負担割合などを

総合的に勘案して判定を行いますが、次のいずれの要件も満たしている場合には、原則として課税の対象としなくてよいこととされています。

(1)　その旅行に要する期間が4泊5日（目的地が海外の場合には、目的地における滞在日数によります。）以内のものであること

(2)　その旅行に参加する従業員等の数が全従業員等（工場、支店等で行う場合には、その工場、支店等の従業員等）の50％以上であること

　そこで、貴社の場合、従業員の参加割合等が明らかではありませんが、仮に(2)の要件を満たしているとしても、旅行期間が5泊6日ということで(1)の要件を満たしていませんから、貴社が負担した旅行費用全額を旅行参加者各人に対する給与として課税の対象としなければなりません。

　したがって、この慰安旅行費用相当額を年末調整の対象となる給与の額に含めることになります。

　また、仮に(1)と(2)の両方の要件を満たしていたとしても、例えば、自己の都合で参加しなかった不参加者に対して現金15万円を支給した場合は、その支給額はもとより参加した人に対しても不参加者に支給された金銭の額の経済的利益を受けたものとして課税されることになりますので注意してください。

企業内保育所の利用による経済的利益

【問30】　私は夫と共働きで、3歳の子が一人います。私の勤務する会社では、福利厚生の一環として保育施設を運営しており、私は、本年から子をこの施設に預けながら仕事をしています。

　ところで、この保育施設を利用するために支払う保育料は、毎月の給与から天引きされていますが、幼稚園や公共の保育所に預ける場合に比べかなり低額のものとなっています。

　聞くところによりますと、勤務先から受ける経済的利益については、課税の対象となるとのことですが、外部の保育所を利用する場合と、勤務先の保育所を利用する場合との保育料の差額についても経済的利益として課税の対象となり、今までに負担してもらった差額については、年末調整の対象となる給与の額に含まれることとなるのでしょうか。

【答】　いわゆる企業内保育所は、使用者にとって、労働力の確保という観点から、業務遂行上の要請に基づくものと考えられますが、使用者が使用人等の福利厚生のための施設の運営費等を負担することにより、その施設を利用した使用人等が受ける経済的利益については、その経済的利益の額が著しく多額であると認められる場合や役員のみを対象としている場合を除き、課税しなくて差し支えないこととなっています。

　したがって、お尋ねの場合のように一般的な保育を行う企業内保育所を利用することにより、その利用者が受ける経済的利益については、原則として課税の対象としなくても差し支えないものと考えられます。

　なお、外部の保育所等を利用する使用人等に対し、企業内保育所を利用する使用人が受ける経済的利益相当額を現金で支給するといった場合には、給与として課税の対象となりますので、ご注意ください。

3 配偶者控除、配偶者特別控除、扶養控除等

青色事業専従者と配偶者控除、扶養控除

【問31】 私は物品販売業を営む青色申告者で、青色事業専従者である妻に月額7万円（年間84万円）、同じく長男に月額10万円（年間120万円）の専従者給与を支払っています。彼らには、この専従者給与以外の所得はありません。

そこで、妻の場合、専従者給与84万円から給与所得控除額55万円を差し引きますと給与所得の金額が29万円となりますので、私の合計所得金額が1,000万円以下であれば、配偶者控除を受けることができますか。

また、仮に私の確定申告で、長男に対する専従者給与120万円を自己否認すれば、長男について扶養控除を受けることができ、その専従者給与に係る源泉所得税及び復興特別所得税は還付されるのですか。

【答】 確定申告時における青色専従者給与と配偶者控除又は扶養控除との選択はできないこととされています。

したがって、お尋ねの場合、青色事業専従者として給与の支払を受けている奥さんと息子さんについては、その専従者給与の金額の多寡を問わず、また、その専従者給与を自己否認することによっても、配偶者控除及び扶養控除を受けることはできず、源泉所得税及び復興特別所得税も還付されません。

生計を一にする給与所得者が青色事業専従者を扶養親族とすることの可否

【問32】 当社の社員Aの父Bは、製造業を営む青色申告者ですが、本年分の青色申告特別控除後の事業所得の金額が30万円になります。また、Aの母Cは、夫であるBの事業に従事して、青色専従者給与80万円（事業従事内容から適正額と認められています。）の収入があります。

青色事業専従者として給与収入がある人は扶養親族にはなれないと聞きましたが、Aの場合、生計を一にする父B及び母Cを扶養親族とすることができるでしょうか。なお、両者には、他に所得がありません。

【答】 青色事業専従者に該当する者で専従者給与の支払を受けるもの及び白色事業専従者に該当する者は、その事業を営む者の控除対象配偶者や扶養親族にはなり得ないこととされています。

また、その事業を営む者と生計を一にする居住者の控除対象配偶者や扶養親族にもなり得ないこととされています。

したがって、父Bさんについては合計所得金額が48万円以下ですのでAさんの扶養親族になりますが、母Cさんについては扶養親族に当たりません。

青色事業専従者であった人と結婚した場合の配偶者控除

【問33】 私は本年10月に結婚しました。妻は結婚するまで家業を手伝っており、その間、青色専従者給与を約85万円もらっています。

聞くところによりますと、青色専従者給与をもらっている者は、配偶者控除の対象にならないとのことですが、私の場合も配偶者控除は受けられないのでしょうか。

なお、私の本年の合計所得金額は1,000万円以下であり、私は事業主であった妻の父とは生計を別にしています。

【答】 お尋ねの場合、奥さんのお父さんと生計を一にしておらず、また、奥さんの年収は85万円程度で、あなたの合計所得金額も1,000万円以下ということですから、奥さんに青色専従者給与のほかに所得がなければ、本年から配偶者控除を受けることができます。

なお、お尋ねのような場合で、奥さんが103万円を超える専従者給与の支払を受けていた場合には、配偶者控除が受けられないことになります。しかし、あなたの給与所得金額からすると、奥さんの年収が201万6,000円未満であれば、所定の金額の配偶者特別控除を受けることができます。

年の中途で配偶者が死亡した場合の配偶者控除

【問34】 当社の社員で本年９月に配偶者と死別した者がおりますが、本年の年末調整に当たり配偶者控除が受けられますか。この社員は、死別した配偶者を源泉控除対象配偶者として記載した「扶養控除等申告書」を提出しています。

【答】 年の中途で配偶者が死亡した場合には、その死亡の時の現況によって所得者に配偶者があるかどうか、また、その配偶者が控除対象配偶者に該当するかどうかを判定することになっています。

したがって、お尋ねの場合は、本年９月に死亡した配偶者が、その死亡の時の現況において控除対象配偶者の要件を満たしていれば、配偶者控除等申告書を提出することにより配偶者控除を受けることができます。

配偶者と死別し再婚した場合の配偶者控除

【問35】 私は、この１月に妻と死別し、11月に再婚しました。本年の合計所得金額が1,000万円以下であれば、配偶者控除を２人分受けられますか。

【答】 年の中途で配偶者と死別した人がその年中に再婚したときは、死別した配偶者又は再婚後の配偶者のうちいずれか１人だけがあなたの控除対象配偶者になり、他の１人はあなたの控除対象配偶者になりません。また、原則として同じ世帯の他の所得者の扶養親族にもなりません。

しかし、死亡した配偶者をあなたの控除対象配偶者とせず、同じ世帯の他の所得者（例えば、父）の扶養親族としていた場合には、その死亡した配偶者については、そのまま他の所得者の扶養親族とし、再婚した配偶者については、あなたの控除対象配偶者として差し支えありません。

死亡した夫の控除対象配偶者であった妻が亡夫を控除対象配偶者にできる場合

【問36】 当社の従業員Aは、本年2月に死亡したため、それまで当社のアルバイトとして勤務していたAの妻Bが、4月以降当社の正社員として勤務しています。

Bは、アルバイトとして勤務しているときは年間の収入金額が約90万円でしたので、Aの源泉控除対象配偶者となっていましたが、4月から正社員として勤務しているため本年の年間の収入金額は230万円ほどとなる見込みです。

ところで、Aの本年の収入は当社からの給与のみで60万円程度です。

この場合、Bは年末調整において、Aについて配偶者控除を受けることはできるのでしょうか。

【答】 Bさんが「扶養控除等申告書」により異動申告を行うことにより、本年はAさんを源泉控除対象配偶者とすることができます。配偶者や控除対象扶養親族が死亡した場合において、その配偶者や控除対象扶養親族が配偶者控除又は扶養控除の対象となるかどうかは、配偶者等が死亡した時の現況により判定することになります。

したがって、お尋ねの場合、BさんがAさんの源泉控除対象配偶者とされていたかどうかにかかわらず、Aさんの本年の年収が60万円程度ということですから、本年は、AさんはBさんの控除対象配偶者に該当します。

なお、Bさんは、合計所得金額が500万円以下ですので、年末まで再婚しておらず、また、事実上婚姻関係と同様の事情にあると認められる人がいなければ寡婦控除（生計を一にする総所得金額等が48万円以下の子がいる場合には、ひとり親控除）の適用も受けることができます。

結婚前に所得がある妻の配偶者控除

【問37】 私は最近結婚しましたが、妻は結婚するまで会社に勤めており、本年1月から退職までの給与の収入金額が120万円ほどありました。結婚後、妻には全く所得がありません。私の給与の収入金額は500万円ですが、本年分の所得税について、配偶者控除を受けることができますか。

【答】 給与の収入金額が103万円を超える場合は、給与所得の金額が48万円を超えることになります。

したがって、奥さんは、その結婚後に所得がなくても、本年中に既に48万円を超える給与所得があったのですから、本年はあなたの控除対象配偶者となりません。

しかし、あなたと奥さんの給与所得金額からすると、配偶者特別控除については、所定の金額の控除を受けることができます。

出産手当金のある場合の配偶者控除等の判定

【問38】　私は本年3月に長女を出産し、その後8月に退職しました。本年の収入は、退職の時までに受給した給与と賞与との合計額95万円と、出産に際し健康保険組合から受け取る出産育児一時金50万円とがあります。

　　この場合、私は夫の控除対象配偶者に該当するかどうかを判定するに当たっては、出産手当金も考慮する必要があるのでしょうか。

【答】　健康保険組合から支給される出産手当金は健康保険法の規定によって非課税とされていますので、控除対象配偶者や扶養親族に該当するかどうかを判定する合計所得金額には、その金額は含めないことになります。

　　したがって、お尋ねの場合、奥さんの合計所得金額は出産手当金を除いた給与所得が40万円（給与収入95万円－給与所得控除55万円）となり、配偶者控除の適用要件である48万円以下となりますので、ご主人の合計所得金額が1,000万円以下であれば、奥さんはご主人の控除対象配偶者に該当します。

　　なお、奥さんが8月までに受けた給与及び賞与について源泉徴収された所得税及び復興特別所得税は、確定申告により還付を受けることができます。

育児休業給付を受けた妻の配偶者控除

【問39】　私の妻は、本年3月に出産し現在育児休業中です。妻は1月から3月までに合計60万円の給与収入があり、4月から12月までは合計80万円の育児休業給付を受けています。

　　本年の年末調整に当たり、妻について配偶者控除を受けることはできるでしょうか。

【答】　雇用保険法等の規定に基づく育児休業給付制度により支給される育児休業給付等は、雇用保険法等の規定によって非課税とされていますので、控除対象配偶者や扶養親族に該当するかどうかを判定する合計所得金額には、この金額は含めないことになります。

　　したがって、お尋ねの場合、本年分の奥さんの給与収入は60万円で給与所得の金額が5万円となりますので、あなたの合計所得金額が1,000万円以下であれば配偶者控除を受けることができます。

配偶者の収入額に応じた配偶者控除額及び配偶者特別控除額

【問40】　当社には共働きの従業員が多いのですが、配偶者の収入が給与所得だけである場合の従業員と配偶者の収入額に応じた配偶者控除額及び配偶者特別控除額を示してください。

【答】　お尋ねの配偶者の収入額に応じた各控除額等を表に示すと、次ページの表のとおりとなります。

		所得者本人（従業員）の合計所得金額 （給与所得だけの場合の所得者本人の給与等の収入金額 [注4]）			配偶者の収入が給与所得だけの場合の配偶者の給与等の収入金額
		900万円以下 （1,095万円以下）	900万円超 950万円以下 （1,095万円超 1,145万円以下）	950万円超 1,000万円以下 （1,145万円超 1,195万円以下）	
配偶者控除	配偶者の合計所得金額 48万円以下	38万円	26万円	13万円	1,030,000円以下
	老人控除対象配偶者	48万円	32万円	16万円	
配偶者特別控除	配偶者の合計所得金額 48万円超　95万円以下	38万円	26万円	13万円	1,030,000円超 1,500,000円以下
	95万円超　100万円以下	36万円	24万円	12万円	1,500,000円超 1,550,000円以下
	100万円超　105万円以下	31万円	21万円	11万円	1,550,000円超 1,600,000円以下
	105万円超　110万円以下	26万円	18万円	9万円	1,600,000円超 1,667,999円以下
	110万円超　115万円以下	21万円	14万円	7万円	1,667,999円超 1,751,999円以下
	115万円超　120万円以下	16万円	11万円	6万円	1,751,999円超 1,831,999円以下
	120万円超　125万円以下	11万円	8万円	4万円	1,831,999円超 1,903,999円以下
	125万円超　130万円以下	6万円	4万円	2万円	1,903,999円超 1,971,999円以下
	130万円超　133万円以下	3万円	2万円	1万円	1,971,999円超 2,015,999円以下
	133万円超	0円	0円	0円	2,015,999円超

（注1）　合計所得金額が1,000万円を超える所得者は、配偶者控除及び配偶者特別控除の適用を受けることはできません。

（注2）　夫婦の双方がお互いに配偶者特別控除の適用を受けることはできませんので、いずれか一方の配偶者は、この控除を受けることはできません。

（注3）　所得者本人の配偶者自身が源泉控除対象配偶者があるものとして給与等に係る源泉徴収の適用を受けている場合も、この控除を受けることはできません。

（注4）　所得金額調整控除の適用がある場合は、括弧内の各金額に15万円を加えてください。

配偶者控除又は配偶者特別控除の対象となる妻の所得の見積り

【問41】　当社の従業員Aの妻には給与収入がありますが、Aの妻の12月分の給与はまだ支給期が到来していませんので、1年間の給与収入の額は確定していません。

　　　配偶者控除又は配偶者特別控除額の計算に当たり「給与所得者の配偶者控除等申告書」に記載する合計所得金額は見積額でよいのですか。

　　　また、その後確定した額との間に差額が生じた場合には、どのようにすればよいのですか。

【答】　給与所得者が年末調整で配偶者控除又は配偶者特別控除を受けようとする場合、「給与所得者の配偶者控除等申告書」を提出する日の現況により、見積もったその年の合計所得金額に基づいて配偶者控除額又は配偶者特別控除額を計算します。

　　なお、配偶者のその年の合計所得金額の見積額と確定した額に差額が生じた場合には、確定した額に基づいて控除額を再計算し、翌年1月31日までに年末調整の再調整を行うことになります。

家内労働者等の範囲

【問42】　私は自宅で数人の子供たちに習字を教えています（年間収入50万円）。

　　　聞くところによりますと、家内労働者等は必要経費について55万円の最低保障が認められているとのことですが、私の場合、所得金額はゼロとなり、夫の控除対象配偶者に該当すると思いますがいかがでしょうか。

【答】　家内労働者等の事業所得又は雑所得の金額の計算上、必要経費について55万円（他に給与所得を有する人は、給与所得控除額を控除した残額とされ、事業所得又は雑所得の収入金額が55万円に満たない人は、その収入金額が限度とされます。）の最低保障が認められています。

　　この家内労働者等とは、家内労働法に規定されている家内労働者、外交員、集金人、電力量計の検針人その他特定の者に対して継続的に人的役務の提供を行うことを業務とする人とされています。

　　また、家内労働法に規定する家内労働者等とは、物品の製造、加工等若しくは販売又はこれらの請負を業とする者その他これらの行為に類似する行為を業とする者で一定の者から、主として労働の対価を得るために、その業務の目的物たる物品（物品の半製品、部品、付属品又は原材料を含みます。）について委託を受けて、物品の製造又は加工等に従事する人で、その業務について同居の親族以外の者を使用しないことを常態とするものとされています。

　　この考え方の基準としては、パート所得者との課税上のバランスに配意し、専ら特定の者に対して継続的に人的役務の提供を行うことを業務とする人を対象とすることがあったものと思われ、①自分で商品を仕入れて販売する人や、②不特定多数の者に人的役務の提供を行う人は、家内労働者には含まれないことになります。

　　お尋ねのように自宅で塾などを開いている人については、必要経費についての最低保障額の適用はありませんので、本則どおり、その収入金額から必要経費を差し引いた残りが、所得金額とされます。

　　したがって、あなたの所得金額が48万円以下で、ご主人の合計所得金額が1,000万円以下であれば、あなたはご主人の控除対象配偶者に該当することになります。

給与所得を有する家内労働者等の控除対象配偶者の判定

【問43】 生計を一にする私の妻には、内職収入65万円（実際にかかった必要経費10万円）とパートによる収入40万円があります。この場合、私は配偶者控除を受けることができるでしょうか。なお、妻は他に所得はありません。

【答】 家内労働者等が他に給与所得を有する場合の必要経費については、事業所得等の収入金額を限度として、55万円から給与所得控除額を控除した残額と実際の必要経費とのいずれか多い額とされています。

　奥さんの場合、給与所得の収入金額は40万円とのことですから、給与所得控除額40万円を差し引き給与所得は０となります。

　次に、内職収入に係る必要経費は、55万円から給与所得控除額40万円を控除した残額の15万円と実際の必要経費の10万円とのいずれか多い額の15万円ということになります。

　したがって、奥さんの合計所得金額は、内職収入の65万円から必要経費の15万円を控除した50万円ということになり、合計所得金額が48万円を超えますので、奥さんについて配偶者控除を受けることはできません。

　なお、あなたの本年の合計所得金額が1,000万円以下の場合には、奥さんについてあなたの合計所得金額に応じて38万円又は26万円又は13万円の配偶者特別控除を受けることができます。

土地建物等の譲渡所得がある人の扶養控除

【問44】 私は、従来から、無職の父を控除対象扶養親族として扶養控除を受けてきました。本年、父は居住していた家屋及びその敷地を売却したため、長期譲渡所得の金額が1,500万円生じましたが、居住用財産を譲渡した場合の特別控除（3,000万円）によって納付すべき税額はありません。私は、本年も父について扶養控除を受けられるでしょうか。

【答】 生計を一にする親族が扶養親族に該当するためには、その親族の合計所得金額が48万円以下であることが必要ですが、合計所得金額の計算上、分離課税とされる土地建物等の譲渡所得については、特別控除前の金額を基に行うことになっています。

　したがって、お父さんは、本年、長期譲渡所得が1,500万円あることになりますので、あなたの扶養控除の対象とすることはできません。

別居している家族の配偶者控除・扶養控除

【問45】 私は本年９月、本社（東京）から大阪支店長として転勤してきましたが、高校生（17歳）である子供の学校等の都合もありますので、単身赴任し社宅で起居しています。この場合、東京に残してきた妻子は、控除対象配偶者や控除対象扶養親族として取り扱われますか。なお、妻子には所得はなく、私が生活費を送金しています。

【答】 控除対象配偶者及び控除対象扶養親族に該当するかどうかの判定については、必ずしも同居を条件としていません。別居していても常に生活費を送金して扶養している場合には生計を一にしていることになりますから、お尋ねの場合には、東京に住まわれている奥さんと子供さんを控除対象

配偶者及び控除対象扶養親族として控除を受けることができます。ただし、奥さんが控除対象配偶者として扱われるのは、あなたの合計所得金額が1,000万円以下の場合に限られます。

海外に居住する親族に係る扶養控除

【問46】　当社の社員Aの長男（19歳）は、本年３月に高校を卒業した後、しばらく英会話学校へ通っていましたが、９月から２年間の予定でアメリカの大学へ留学しました。

Aは長男に、学資金及び生活費として毎月10万円ずつ送金していますが、Aの長男は不足する資金を現地でのアルバイトで調達しているそうです。

この場合、Aの長男のアメリカでのアルバイト収入が103万円を超えると、控除対象扶養親族とすることはできなくなりますか。

【答】　扶養親族に該当するための要件として、①所得者の親族であること、②所得者と生計を一にすること、③その年中の合計所得金額が48万円以下であることの三つがあり、扶養親族のうち、年齢16歳以上の人を控除対象扶養親族といいます。

ところで、Aさんの長男の場合、Aさんが毎月生活費を送金しているということですので、①と②の要件は満たしています。また、③の合計所得金額については、国内源泉所得の金額により判定することになります。Aさんの長男は２年間の留学の予定で出国しているため非居住者に該当しますので、所得がアメリカでのアルバイトによるもののみであれば国内源泉所得はないことになり、③の要件も満たしていることになります。

したがって、Aさんの長男は扶養控除の対象となり、年齢が19歳以上23歳未満ですので、特定扶養親族に該当します。

なお、Aさんの長男に多額の国外源泉所得がある場合には、たとえAさんが送金している事実があったとしても、その金銭が生活費そのものであるとはいえないことから「生計を一にすること」には当たらないと考えられます。

(参考)　令和５年分以後の所得税において、非居住者である扶養親族に係る扶養控除の適用については、その適用範囲から年齢30歳以上70歳未満の非居住者であって、次に掲げる者のいずれにも該当しないものが除外されています。

　　　イ　留学により国内に住所及び居所を有しなくなった者
　　　ロ　障害者
　　　ハ　その適用を受ける居住者からその年において生活費又は教育費に充てるための支払を38万円以上受けている者

離婚後養育費を送金している子の扶養控除

【問47】　私は妻と協議離婚し、妻は長男（15歳）を引き取って生活しています。離婚条件として長男の養育費を私が負担することになり、毎月10万円ずつ送金しています。この場合、長男は私の扶養親族になりますか。

【答】　扶養親族となるためには、所得者と「生計を一にする」ことが条件になっていますが、別居している場合でも、妻子等に対して常に生活費、学資金、療養費等の送金が行われているときには、これらの者と生計を一にするものとされています。しかしながら、離婚した妻のもとにいる長男に

送金している場合には、送金していることがたとえ扶養義務に基づくものであっても、それは離婚条件の履行として送金されているのであり、生活費、学資金の送金とは性質が異なりますから、送金していることをもって、必ずしも長男と生計を一にしていることにはなりません。

したがって、離婚した妻のもとにいる長男は、原則としてあなたの扶養親族にはなりませんが、長男が離婚した妻又は生計を一にする他の者の扶養親族とされていないことが明らかな場合に限り、あなたの扶養親族として差し支えないものと思われます。

ただ、あなたの長男は15歳ですので、控除対象扶養親族には該当せず、扶養控除の適用を受けることはできません。16歳になれば、あなたの扶養控除の対象とすることができます。

戸籍に未登載の扶養親族がある場合の扶養控除

【問48】　扶養親族となる6親等内の血族とは、戸籍簿上のことをいうのでしょうか。といいますのは、私の子供は12月25日に生まれましたが、出生届の提出が来年になるため、本年の扶養控除は受けられるかどうか心配なものですからお尋ねするものです。

【答】　親族のうちには、婚姻あるいは非嫡出子の認知の場合のように、確かに戸籍に搭載されて初めて親族となる人もありますが、嫡出の子供が生まれた場合には、たとえ出生届の提出が若干遅れても、出生の時において親族関係が生じますし、出生届によってその出生の日が戸籍上証明されるわけですから問題はありません。

したがって、お尋ねの場合、12月25日に生まれた子供さんについては、本年から扶養親族とすることができます。

ただ、扶養控除の対象となるのは、年齢16歳以上の扶養親族ですので、その子供さんについて扶養控除の適用を受けることはできません。

配偶者の連れ子の扶養控除

【問49】　妻の連れ子（3歳）は、私の控除対象扶養親族として扶養控除を受けられますか。もちろん、その連れ子には所得はありません。なお、私とその連れ子は、養子縁組をしていません。

【答】　配偶者の連れ子はあなたの一親等の姻族となりますから、あなたと生計を一にしている限り扶養親族となりますが、年齢16歳未満ですので控除対象扶養親族には該当せず、したがって、扶養控除の適用を受けることはできません。
（注）　養子縁組をしていない配偶者の連れ子は、「子」には該当しません。

年の中途で死亡した所得者の控除対象配偶者又は控除対象扶養親族についての控除

【問50】　本年9月、父が死亡したため、それまで父の配偶者控除や扶養控除の対象としていた母と弟と妹を私の控除対象扶養親族として控除を受けようと思いますが、差し支えありませんか。

【答】　同一の扶養親族等を同時に2人の所得者の控除対象とすることはできませんが、お尋ねのように、当初の申告者（父）が死亡した場合には、あなたが母、弟、妹を自分の控除対象扶養親族として「扶養控除等（異動）申告書」を提出すれば、本年分のあなたの所得から控除を受けることがで

きます。ただし、控除対象扶養親族とは、扶養親族に該当する人で年齢が16歳以上の人をいいますので、弟、妹の年齢が16歳以上であることが必要です。

年の中途において死亡した者に係る配偶者控除

【問51】 当社の社員Ａが本年６月に死亡しましたので、その死亡の時点で年末調整を行うことになりますが、配偶者控除を受けようとする妻には、Ａが死亡した時点で給与収入が90万円程度ありその後も引き続き会社に勤めています。控除対象配偶者の判定は、死亡時の現況により判定すると聞いていますが、死亡したＡの妻は配偶者控除の対象となるでしょうか。

【答】 配偶者が生計を一にしていたかどうかは、その死亡時の現況により判定することになりますが、合計所得金額の判定は、その死亡した時点の合計所得金額ではなく、その年の１月１日から12月31日までの合計所得金額の見積額によることとされています。

お尋ねの場合、Ａさんが死亡した時点の奥さんの給与収入は90万円程度とのことですが、その後も引き続き会社に勤めており、年間の給与収入の見積額は103万円を超えると見込まれますので、配偶者控除を受けることはできません。

特定扶養親族の判定の時期

【問52】 大学生の子を有する世代の所得者の税負担を軽減するため、年齢19歳以上23歳未満の控除対象扶養親族（特定扶養親族）を有する場合には、一般の扶養控除（38万円）に代えて、25万円割増しされた63万円の特定扶養控除が受けられるとのことですが、この特定扶養親族に該当するかどうかの判定は、大学の入学時期であるその年の４月１日現在で行うことになるのでしょうか。

【答】 この特定扶養控除の制度は、教育費等の支出がかさむ世代の所得者の税負担の軽減を図るために設けられているものですが、所得税法上、扶養親族や障害者等の判定はその年の12月31日の現況で行うこととされていることから、これらと同様に、その年12月31日の現況で行います。

同居老親等の範囲

【問53】 私の控除対象扶養親族である父は75歳ですが、昨年の11月から病気の治療のため入院しています。入院するまでは私と同居しており、退院すればまた同居することになります。このような場合でも、私の父は同居老親等には該当しないことになるのでしょうか。

【答】 老人扶養親族が同居老親等に該当するかどうかは、その年の12月31日の現況において、あなたがその人との同居を常況としているかどうかにより判定することになります。ただし、同居を常況としている老人扶養親族が病気などの治療のため仮に別居している場合には、たとえ入院期間が１年を超えていても同居老親等に該当するものとして取り扱って差し支えありません。

なお、老人ホームや養護施設等に入所している場合には、仮に別居しているというよりは生活の場をそこへ移したと考えられることから同居老親等には該当しないことになります。

別居している親の同居老親控除

【問54】　私は、昨年、父母について同居老親等の割増控除を受けました。本年4月、大阪へ転勤になりましたが、子供の学校の都合から両親と妻子は東京に残し単身赴任しています。

　私の場合、本年も同居老親等の控除を受けられるでしょうか。

【答】　同居老親等の控除を受けるための"同居"の意義については、所得者又は所得者の配偶者のいずれかとの同居を常況としていればよいこととされています。

　お尋ねの場合、あなたのお父さん、お母さんは、たとえあなたと同居していなくても、あなたの奥さんと同居していますので、他の要件を満たしている限り同居老親等の控除が受けられます。

父の後妻の同居老親控除

【問55】　私は、老人扶養親族に該当する父母と同居していますが、母は、父の後妻で実母の死亡後再婚したものです。また、私は母とは養子縁組をしておりません。

　私の場合、母は同居老親等に該当するでしょうか。

【答】　同居老親等の要件の一つに、所得者又は所得者の配偶者の直系尊属であることというのがあります。直系尊属とは、その人より先の世代の直系血族で、例えば父母、祖父母がこれに該当します。この場合の父母には、実父母のほか養父母も含まれます。また、養親子の関係は、養子縁組によって生ずることになります。

　お尋ねのお母さんは、たとえ実父の妻であっても、あなたと養子縁組をしていませんので、あなたにとっては一親等の姻族とされ、直系尊属とはなりません。

　したがって、お母さんは、老人扶養親族には該当しますが、同居老親等には該当しません。

同居老親等が障害者に該当する場合

【問56】　同居老親等については、老人扶養控除より割増しの同居老親等としての扶養控除が受けられると聞いていますが、同居老親等が障害者に該当するときも同居老親等の控除を受けられますか。

【答】　老人扶養親族とは、扶養親族のうち年齢が70歳以上の人をいい、老人扶養親族のうち同居している父母や祖父母は同居老親等に該当します。

　したがって、同居している父母や祖父母等が障害者であり、70歳以上であれば、同居老親等としての扶養控除及び障害者控除が受けられます。

　なお、同居老親等が特別障害者である場合は、同居老親等としての扶養控除58万円及び同居特別障害者としての障害者控除75万円が受けられます。

同居特別障害者等の判定における同居の意義

【問57】　独身の私は、所得のない両親と同居し、扶養していましたが、今回の人事異動で転勤となり、両親を残して単身赴任することとなりました。

これまで、特別障害者である父親については、同居老親等及び同居特別障害者として「扶養控除等申告書」を提出していましたが、異動後、同居老親等及び同居特別障害者の取扱いはどのようになるのでしょうか。

なお、転勤後も両親に生活費等の送金をすることになります。

【答】　同居特別障害者に係る同居の要件については、次のいずれかの人との同居を常況としていることとされています。

①　所得者本人

②　所得者の配偶者

③　所得者と生計を一にするその他の親族

一方、同居老親等に係る同居の要件については、上記のうち、①の所得者本人又は②の所得者の配偶者のいずれかとの同居を常況としていることとされており、両者の同居の意義は異なっています。

したがって、お父さんに係る同居特別障害者としての障害者控除については、お父さんがあなたと生計を一にするお母さん（③に該当）との同居を常況としていますので、同居特別障害者に係る他の要件を満たす限り控除が認められることになります。

しかしながら、同居老親等としての扶養控除については、お父さんが所得者本人又は所得者の配偶者のいずれとも同居していませんので認められないことになり、老人扶養親族としての扶養控除を受けることになります。

所得者間の控除対象扶養親族の所属の変更

【問58】　弟がこの４月に大学を卒業して勤めに出ることになりましたので、今まで私から控除していた扶養親族３人（弟ほか２人（17歳の双子））のうち、１人は弟が扶養することとなり、弟の方から扶養控除の適用を受けたいと思いますが、どのようにしたらよいでしょうか。

【答】　まず、あなたの勤め先にあなたの方から控除を受けようとする控除対象扶養親族の数を１人とする「扶養控除等（異動）申告書」を提出し、その勤め先から控除を受ける控除対象扶養親族の数を減少させる「扶養控除等（異動）申告書」の提出があった旨の証明書の交付を受けます。次に、弟さんが勤め先に控除を受けようとする控除対象扶養親族の数を１人とする「扶養控除等（異動）申告書」にあなたが勤め先から交付を受けた証明書を添付して提出すればよいわけです。

なお、この場合には、それぞれの申告書に他の所得者が控除を受ける控除対象扶養親族の氏名等を記載しなければなりませんから注意してください。

従たる給与支払者への扶養控除等申告書の提出

【問59】　私は２か所から給与をもらっており、そのうちの主たる給与の支払者に扶養控除等申告書を提出していますが、控除対象扶養親族が多いために年末調整をすると年税額はゼロとなる見込みです。

　このような場合、もう１つの給与の支払者（従たる給与の支払者）から受ける給与について、扶養控除の適用を受けることはできないのでしょうか。

【答】　２か所以上から給与の支払を受ける人で、主たる給与の支払者からその年中に支払を受ける給与の見積額が、次の①及び②の金額の合計額に満たないと見込まれる場合には、従たる給与等の支払者から受ける給与から配偶者控除及び扶養控除を受けることができます。

①　主たる給与の見積額に対する給与所得控除額、主たる給与から控除される社会保険料及び小規模企業共済等掛金の見積額の合計額

②　障害者控除額、寡婦控除額、ひとり親控除額、勤労学生控除額、源泉控除対象配偶者について控除を受ける配偶者控除額又は配偶者特別控除額、扶養控除額及び基礎控除額の合計額

　なお、この適用を受けるためには、従たる給与等の支払者に「従たる給与についての扶養控除等申告書」を提出するとともに、主たる給与の支払者に対し、既に提出している扶養控除等申告書について異動申告を行う必要があります。

合計所得金額の計算

【問60】　私の父には、定期預金利子20万円（源泉分離課税）と上場株式の配当金30万円（確定申告をしないことを選択した配当）の収入があります。扶養親族とするためには、年間の合計所得金額が48万円以下でなければならないと聞きました。父の場合、年間の合計所得金額が48万円を超え、扶養親族には該当しないことになるのでしょうか。

【答】　扶養親族又は控除対象配偶者に該当するかどうかの判定をする場合の所得金額要件である合計所得金額には、非課税所得のほか、次に掲げるようなものは含まないこととされています。

①　源泉分離課税とされる定期預金等の利子等

②　源泉分離課税とされる特定公社債以外の公社債等の利子

③　確定申告をしないことを選択した次のもの

　(a)　特定公社債の利子等

　(b)　上場株式等の配当等（大口株主等が支払を受けるものを除きます。）

　(c)　特定株式投資信託（ＥＴＦ等）の収益の分配

　(d)　上場不動産投資法人（Ｊ－ＲＥＩＴ）の投資口の配当等

　(e)　公募証券投資信託（公社債投資信託及び特定株式投資信託を除きます。）の収益の分配

　(f)　特定投資法人の投資口の配当等

　(g)　(b)から(f)以外の配当等で１銘柄について１回の金額が、10万円に配当計算期間の月数（最高12か月）を乗じてこれを12で除して計算した金額以下の配当等

④　源泉分離課税とされる定期積金の給付補填金等、懸賞金付預貯金等の懸賞金等及び一定の割引債の償還差益

⑤　源泉徴収選択口座を通じて行った上場株式等の譲渡による所得等で確定申告をしないことを選択したもの

　したがって、お尋ねの場合には上記①及び③(b)に該当することから、お父さんの合計所得金額はゼロとなり、お父さんは扶養親族に該当します。

受取配当がある場合の配偶者控除

【問61】　私の妻は上場株式を保有しており、本年中の受取配当は次のとおりでした。この場合、私は配偶者控除を受けられるでしょうか。なお、妻は他に所得はなく、私の合計所得金額は1,000万円以下です。
　　A株式（1年決算）受取配当金10万円（手取額は79,685円です。）
　　B株式（年2回決算）受取配当金5万円ずつ合計10万円（手取額はそれぞれ39,843円です。）
　　C株式（1年決算）受取配当金10万円（手取額は79,685円です。）
　　D株式（年2回決算）受取配当金5万円ずつ合計10万円（手取額はそれぞれ39,843円です。）
　　E株式（1年決算）受取配当金10万円（手取額は79,685円です。）

【答】　1銘柄につき1回に支払を受けるべき金額が、10万円に配当計算期間の月数（最高12か月）を乗じてこれを12で除して計算した金額以下のいわゆる少額配当金及び上場株式等の配当等（大口株主が支払を受ける配当等を除きます。）については、確定申告の義務はなく、また、控除対象配偶者に該当するかどうかの判定に当たっては、合計所得金額に含めなくてもよいことになっています。
　しかし、これらの配当所得に係る源泉所得税及び復興特別所得税の還付を受けるため確定申告をしますと、この確定申告をした受取配当金は、控除対象配偶者の判定の際の合計所得金額に含めなければなりません。
　したがって、奥さんにはこれ以外の所得がないとのことですから、受取配当金を確定申告しない場合、確定申告をする場合にどの配当を申告の対象にするかによって、次のようになります。
(1)　確定申告をしない場合……控除対象配偶者になります。
(2)　確定申告をする場合
　①　5銘柄の配当金すべてを確定申告する場合……合計所得金額は48万円を超えますので、控除対象配偶者になりません。
　②　5銘柄の配当金のうち4つまでを確定申告する場合……合計所得金額は48万円以下ですので、控除対象配偶者になります。
　ただし、特定口座の源泉徴収口座内の上場株式等の配当等については、銘柄ごとではなく、口座ごとに確定申告をするかしないかを選択する必要があります。

公的年金等を受ける場合の扶養親族の判定

【問62】　私の父は72歳で、厚生年金を年額100万円ほど受給しているだけで他に所得はありません。この場合、私は父と生計を一にしていますので、父を私の扶養親族とすることができますか。

【答】　公的年金等については、その年中の収入金額から公的年金等控除額を控除した残額が雑所得の金額とされています。この公的年金等控除額は、その年の公的年金等の収入金額に応じて計算することとされており、その年中の公的年金等の収入金額が年齢65歳以上の人については158万円以下、

年齢65歳未満の人については108万円以下であれば、他に所得を有しない限り合計所得金額が48万円以下となり、扶養親族の要件に該当することとなります。

したがって、あなたのお父さんの場合は雑所得の金額はゼロとなり、老人扶養親族に該当し老人扶養控除を受けることができます。

4　障害者控除、寡婦控除、ひとり親控除、勤労学生控除

2以上の控除が認められる場合

【問63】　控除対象扶養親族である障害者については、同一人について扶養控除と障害者控除の両方の控除が受けられるそうですが、他にも同一人について2以上の控除が受けられる場合はありますか。

【答】　お尋ねの点については、次の表に掲げるとおりです。なお、基礎控除は省略して記載しています。

重複して控除が受けられる場合		認められる控除
控除対象配偶者が障害者である場合		配偶者控除と障害者控除
控除対象扶養親族が障害者である場合		扶養控除と障害者控除
所得者自身が	障害者であり寡婦である場合	障害者控除と寡婦控除
	障害者でありひとり親である場合	障害者控除とひとり親控除
	障害者であり勤労学生である場合	障害者控除と勤労学生控除
	寡婦であり勤労学生である場合	寡婦控除と勤労学生控除
	ひとり親であり勤労学生である場合	ひとり親控除と勤労学生控除
	障害者であり寡婦であり勤労学生である場合	障害者控除と寡婦控除と勤労学生控除
	障害者でありひとり親であり勤労学生である場合	障害者控除とひとり親控除と勤労学生控除

（注）　扶養控除には一般の扶養控除のほか、その控除対象扶養親族の年齢等により特定扶養控除、老人扶養控除等があります。

障害者である控除対象扶養親族がある場合

【問64】　私の家では同一世帯内に所得者が2人いますので、障害者である1人の控除対象扶養親族について、ひとりの所得者が扶養控除を、他の所得者が障害者控除を受けたいと思いますがいかがでしょうか。

【答】　所得者が扶養控除を受ける控除対象扶養親族のうちに障害者に該当する人がある場合は、同一の所得者において扶養控除と障害者控除の双方の控除を受けることになっていますので、お尋ねのように1人の控除対象扶養親族について2人の所得者に分けて控除を受けることはできません。

なお、障害者に該当する控除対象配偶者についても同様です。

年末に障害を受けた従業員の障害者控除

【問65】 当社の従業員で年末近くに作業中片腕を切断し、現在入院加療中の者がいます。本年12月の最後の給与で年末調整を行いますが、本人が入院中のため、まだ医師の診断書の提出も扶養控除等申告書の異動申告もありませんし、身体障害者手帳の交付も受けていません。このような場合、その従業員について障害者控除を行ってはいけませんか。

【答】 身体障害者手帳の交付を受けておらず医師の診断書の提出もなく、扶養控除等申告書の異動申告もしていない人については、障害者控除を行うことはできませんが、その人が障害者控除を受けることができるように、会社の人とか、従業員の家族が本人に代わって病院で身体障害者福祉法第15条第1項に規定する医師の診断書の交付を受け、障害者である旨の記載をした「扶養控除等（異動）申告書」を提出するように指導してください。

「常に就床を要し……」の意義とその障害者控除

【問66】 障害者の中に「常に就床を要し、複雑な介護を要する人」というのがありますが、私の父は本年9月に老衰により半身不随となり床に就いたままです。年末調整の際に障害者控除を受けられますか。父には所得がなかったので私の控除対象扶養親族として申告しています。

【答】 「常に就床を要し、複雑な介護を要する人」というのは、その年の12月31日の現況において、引き続き6か月以上（将来の見込みも含めて判定します。）にわたり身体の障害により就床を要し、介護されなければ自分で排尿又は排便ができない程度の人をいい、特別障害者としての控除を受けることができます。

　お父さんは、「常に就床を要し、複雑な介護を要する人」に該当すると判断できますので、年末調整を行う前に特別障害者である旨の記載をした「扶養控除等（異動）申告書」を提出してください。

老人認知症と障害者控除

【問67】 当社の従業員で両親を扶養しており、老人扶養親族として控除を受けている者がいます。その父親については老人認知症であるので障害者に当たるのではないかと質問を受けましたが、どのように取り扱えばよいのでしょうか。

【答】 お尋ねの場合、具体的な症状等が分かりませんので、断定的なことは申し上げられませんが、老人認知症の場合については症状等から客観的に判断し、次のいずれかに該当する場合は、障害者として認められます。
① 精神上の障害により事理を弁識する能力を欠く常況にある人
② 常に就床を要し、複雑な介護を要する人

　なお、①の「精神上の障害により事理を弁識する能力を欠く常況にある人」とは、通常の人と同様の運動能力はあっても、活動能力を欠き、常に介護を必要とする状況にある人等をいい、②の「常に就床を要し、複雑な介護を要する人」とは、いわゆる寝たきり老人等をいうものとされています。

　また、上記に該当しない場合には、身体又は精神に障害のある年齢65歳以上の人で、その障害の程度が身体障害者手帳の交付を受けている人等と同程度であるものとして、市町村長等や福祉事務

所長の認定を受けている人についてのみ障害者として認められます。

　　したがって、お尋ねの場合、上記のいずれにも該当しないときは障害者として認められませんから、町村又は保健所に相談されてみてはいかがでしょうか。

療育手帳による障害者の判定

【問68】 当社の従業員から提出された「扶養控除等申告書」に、次男が特別障害者である旨記載されておりましたので、障害者に該当するかどうかを検討するため、障害の程度を尋ねましたところ、「次男は療育手帳を交付されており、その手帳の『判定の記録』の『障害の程度』欄に『A』と表示されていることから特別障害者に該当する。」との回答がありました。

　　この場合、特別障害者として取り扱って差し支えありませんか。

【答】 療育手帳制度は、知的障害児（者）に対して、一貫した指導・相談を行うとともに、これらの人が各種の援助措置を受けやすくするため、知的障害児（者）に手帳を交付し、それによって知的障害児（者）の福祉を増進することを目的として設けられているものです（療育手帳制度要綱1）。

　　この制度の実施に伴い、療育手帳の交付を受けている人については、その療育手帳の『判定の記録』の『障害の程度』欄に『A』と表示されているものは特別障害者、『B』と表示されているものは障害者に、それぞれ該当するものとして取り扱うことになっています。

　　したがって、お尋ねの場合は、扶養親族に特別障害者があるものとして取り扱うことになります。

　　ただし、療育手帳は、知的障害児（者）又はその保護者の申請に基づいて交付されることになっているため、知的障害児（者）のすべてがその手帳の交付を受けているとは限りませんのでご注意ください。

所得を有する子と生計を一にしている寡婦

【問69】 私は夫と死別し、昨年までひとり親控除を受けていましたが、今まで扶養親族として申告していた子供が本年3月短大を卒業して就職しました。私の子供が受ける給与の収入金額は300万円程度です。本年の年末調整においては、もちろん、扶養控除とひとり親控除を受けられなくなりますが、寡婦控除を受けられるでしょうか。

【答】 夫と死別した後婚姻をしていない人のうち、次の全ての要件を満たすものは寡婦控除を受けることが　できます。

①　合計所得金額が500万円以下であること。

②　事実上婚姻関係と同様の事情にあると認められる者がいないこと。

　　したがって、あなたの場合、上記①及び②の要件を満たしていれば、引き続き、寡婦控除が受けられます。

ひとり親の要件である生計を一にする子の判定

【問70】　私は前妻と離婚した後、本年中に内縁の妻（住民票に私との続柄が未届の妻と記載されています。）の連れ子と養子縁組をしました。

　この内縁の妻の連れ子には、所得がありませんが、私は、この子を私の生計を一にする子として、ひとり親控除を受けることはできますか。なお、私の本年の合計所得金額は500万円以下です。

【答】　現に婚姻をしていない人のうち、その年の12月31日の現況において、次の要件を全て満たすものは「ひとり親」に該当します。

①　その者と生計を一にする子（他の者の同一生計配偶者又は扶養親族とされている者を除き、その年分の総所得金額等が48万円以下のものに限ります。）を有すること。

②　合計所得金額が500万円以下であること。

③　その者と事実上婚姻関係と同様の事情にあると認められる者がいないこと。

　あなたの場合、その年12月31日の現況において、所得のない内縁の妻の連れ子と養子縁組をしており、合計所得金額が500万円以下とのことですので、上記①及び②の要件を満たしますが、住民票に未届の妻と記載されている内縁の妻がおられるとのことですので、③の要件については満たさないこととなります。したがって、ひとり親控除を受けることはできません。

ひとり親の判定の時期

【問71】　私は、夫と死別した後子供を育ててきましたが、その子供が4月に死亡し、扶養親族及び生計を一にする子がいなくなりました。私は、ひとり親控除は受けられないことになるのでしょうか。本年の私の所得は400万円程度で、子供に所得はありません。また、事実上婚姻関係と同様の事情にある人もおりません。

【答】　その人がひとり親に該当するかどうかの判定は、その年12月31日の現況において行いますが、その人が年の中途において死亡し、又は出国する場合には、その死亡又は出国の時において行います。ただし、その人の子がひとり親と生計を一にする子に該当するかどうかの判定は、その人の子がこれらの判定の時期において既に死亡している場合には、その死亡の時の現況により行います。

　あなたのお子さんに所得はなく、あなたの本年の所得は400万円程度であり、あなたに事実上婚姻関係と同様の事情にある人はいないとのことですので、あなたはひとり親に該当し、ひとり親控除を受けられることになります。

配偶者控除と寡婦控除の双方の適用

【問72】　私は、本年10月に控除対象配偶者であった夫と死別し、その後婚姻をしていません。配偶者控除と寡婦控除の双方の適用を受けることができるのでしょうか。

【答】　お尋ねの場合、夫と死別したあなたが寡婦控除を受けるための要件である①合計所得金額が500万円以下であること、②事実上婚姻関係と同様の事情にあると認められる者がいないこと、の2つの要件を満たしているのであれば、配偶者控除と寡婦控除の双方を受けることができます。

離婚した場合の寡婦控除

【問73】　私は本年10月に夫と離婚しました。私には扶養親族はもちろん、所得が48万円以下の子供もいませんが、寡婦控除を受けられますか。
　　なお、私の所得はＡ社から受ける給与所得のみで、その収入金額は350万円くらいです。

【答】　夫と離婚した後婚姻していない人は、たとえ合計所得金額が500万円以下であっても、扶養親族がいなければ寡婦控除は受けられませんので、あなたの場合は、寡婦控除を受けることはできません。

学校教育法に定める学校の判定

【問74】　勤労学生控除の適用に当たり、学校教育法第１条に定める学校であるかどうかを判定するのに簡単な方法はないでしょうか。

【答】　勤労学生控除の対象となる学校教育法第１条に定める学校であるかどうかは、その名称中に「小学校」、「中学校」、「中等教育学校」、「高等学校」、「大学」、「高等専門学校」、「盲学校」、「聾学校」又は「養護学校」という文言を用いているかどうかにより判定します。

通信教育生の勤労学生控除

【問75】　当社の社員の中に大学の通信教育部に籍を置いて勉強している者がいます。この者は勤労学生控除が受けられますか。

【答】　貴社の社員が監督官庁である文部科学省の正式の認可を受けた通信教育の学生であり、かつ、勤労学生であるための所得要件を満たしていれば、勤労学生控除を受けることができます。
　　なお、大学の通信教育でも文部科学大臣の認可を受けていない通信教育の学生は勤労学生控除が受けられませんから、念のため、文部科学大臣の認可を受けた通信教育の学生である旨の学校長の証明書を「扶養控除等申告書」に添付して提出するよう指導してください。

勤労学生に該当する各種学校の生徒であるかどうかの判定

【問76】　当社の社員で、某経理専門学校の夜間部に通学している者がいます。この経理専門学校に通学している社員は、勤労学生に該当する各種学校の生徒として勤労学生控除を受けられますか。この社員の給与の金額は120万円程度で他に所得はありません。

【答】　通学している社員が、勤労学生に該当するすべての要件を満たしておれば、勤労学生として控除が受けられます。
　　なお、各種学校の生徒が勤労学生控除を受けようとする場合には、文部科学大臣が所定の課程を設置する各種学校であることを証明した書類の写し及び学校長が所定の課程を履修する生徒であることを証明した書類を「扶養控除等申告書」に添付しなければならないことになっていますから、まずこれらの証明書を提出させた上で、勤労学生控除が受けられるかどうか判定してください。

　　また、その社員の所得が給与所得だけである場合には、給与の収入金額が130万円以下であれば合計所得金額が75万円以下となり、勤労学生に該当するための所得要件を満たすことになります。

認定職業訓練生であるかどうかの判定

【問77】　当社の従業員の中にA電気技術協会が行う職業訓練を受けている者がいます。この従業員から勤労学生控除を受けたい旨の申出がありましたが、勤労学生に該当するかどうかの判定はどのようにすればよいのでしょうか。

【答】　貴社の従業員が、勤労学生控除の対象とされる職業訓練法人の行う認定職業訓練の訓練生であり、所得要件を満たせば勤労学生控除が受けられます。職業訓練法人の行う認定職業訓練を受ける訓練生が勤労学生控除を受けるためには、「扶養控除等申告書」に次の証明書を添付しなければならないことになっていますので、貴社ではこれらの証明書が添付されているかどうかにより、その訓練生が勤労学生に該当するかどうかを判定すればよいわけです。
① 　一定の要件に該当する課程を設置する職業訓練施設であることを証明した厚生労働大臣の証明書の写し
② 　その課程を履修する訓練生であることを証明した職業訓練法人の代表者の証明書

5　生命保険料控除

住宅ローンの返済金に含まれている生命保険料

【問78】　私は銀行の住宅ローンを利用して住宅を購入しました。その住宅ローンの返済金の中には生命保険料相当部分も含まれていますので、この金額は生命保険料控除の対象にして差し支えありませんか。

【答】　その生命保険は団体信用生命保険と呼ばれるもので、銀行等が債権保全を図る一方、住宅ローン借入者が死亡した場合、生命保険金で債務が弁済できるように銀行等が自己を契約者及び保険金受取人とし、借入者を被保険者として保険契約を結び、その契約に基づいて保険料を支払うことにしている生命保険です。
　　したがって、あなたが生命保険料を支払ったことにはなりませんし、また、仮に生命保険料相当額を借入金利に上乗せして支払っているとしても、保険金受取人があなたやあなたの配偶者その他の親族になっていませんので、生命保険料控除の対象にはなりません。

非居住者であった期間に支払った生命保険料等

【問79】　3年間の海外勤務を終え、本年8月に帰国して居住者となった社員Aは、非居住者期間中も留守宅払の給与から毎月生命保険料を支払っていましたが、本年の年末調整では本年中に支払った生命保険料の全額が控除の対象となりますか。

【答】　生命保険料は、居住者期間に支払ったもののみ生命保険料控除の対象となり、非居住者期間に

支払ったものは控除の対象になりません。

なお、社会保険料や地震保険料についても同様の取扱いとなりますのでご注意ください。

契約者でない人が支払った生命保険料

【問80】　私の妻が契約者である生命保険契約の保険料を私が支払っています。保険金受取人は夫である私になっていますが、私の給与から生命保険料控除を受けることができますか。なお、妻には何らの所得もありません。

【答】　生命保険料控除は、保険料を実際に支払った人について行い、通常契約者が保険料を支払ったものとして取り扱うことになっています。

したがって、あなたの奥さんが契約者である場合には奥さんの所得から保険料を支払ったものとして取り扱われますが、奥さんには何らの所得もないこと等から、その保険料をあなた自身が実際に支払ったものであることが明らかなときは、あなたの給与から生命保険料控除を受けることができます。

保険金受取人が満期と死亡の場合とで異なる場合

【問81】　私が本年契約した養老保険の保険金受取人は、満期の場合は私、死亡の場合は父となっています。生命保険料控除の対象となる生命保険料は、保険金受取人が本人又は配偶者その他の親族でなければならないとのことですが、満期の場合と死亡の場合とで保険金受取人が異なるようなときは、どちらの場合の保険金受取人を基準に判定すればよいでしょうか。

【答】　生命保険料控除が受けられる保険料は、保険金受取人のすべてを本人又は配偶者その他の親族（生計を一にしている必要はありません。）とする生命保険契約等に基づいて払い込まれた保険料や掛金です。この場合、保険金受取人が満期時と死亡時とで異なるときはその両方が本人又は配偶者その他の親族でなければなりません。

したがって、あなたの場合はこの要件を満たしており、生命保険料控除の対象になります。

保険金受取人が年の中途で保険料支払者の親族でなくなった場合

【問82】　私は妻を保険金受取人とする生命保険契約に加入し、毎月保険料を支払っています。

ところで、私は本年９月に妻と離婚しました。この場合、その保険料については生命保険料控除の対象とはならないのでしょうか。

【答】　生命保険料控除の対象となる生命保険契約に係る生命保険料等は、その保険料等の受取人のすべてが本人又は配偶者その他の親族であることが要件とされています。この場合、契約時とその保険料等の支払時とではその受取人が変更されたり、親族関係に異動があることも考えられますが、その生命保険料等を支払った時の現況により判定することとされています。

したがって、お尋ねの場合、離婚するまでに支払った保険料は生命保険料控除の対象となりますが、離婚後に支払う保険料はその保険金受取人をあなたやあなたの親族に変更しない限り生命保険料控除の対象とはなりません。

結婚した娘が保険金受取人となっている場合

【問83】 私は、保険契約者及び被保険者が私で、保険金受取人が娘（本年5月に結婚し、現在は別居しています。）である生命保険の保険料を支払っています。この保険契約に基づいて本年中に支払った保険料は、生命保険料控除の対象になるでしょうか。

【答】 保険金受取人である親族については、生計を一にすることが要求されていません。あなたの娘さんは結婚されたとしてもあなたの親族であることには変わりありませんので、その保険契約に基づき支払った保険料は生命保険料控除の対象になります。

被保険者が親族以外の人である場合

【問84】 私は友人と共同で事業を経営しており、その友人を被保険者、私を保険金受取人とした生命保険契約に加入しています。親族以外の者を被保険者としている場合の保険料は、生命保険料控除の対象にならないのでしょうか。

【答】 生命保険料控除の対象となる生命保険料等は、保険金受取人のすべてが本人又は配偶者その他の親族となっていることを要件としていますが、被保険者が誰であるかを問いません。
　　したがって、あなたが支払った保険料は、生命保険料控除の対象になります。

生命保険料の払込見込額と実際の払込額が相違する場合

【問85】 当社の従業員の中に、「保険料控除申告書」を提出した後、年内に保険料控除の対象とした生命保険を解約したため、同申告書に記載した生命保険料の金額（見込額）と、実際に本年中に支払った生命保険料の額が相違することとなった者がいます。
　　この場合、どのようにすればよいのでしょうか。

【答】 生命保険料控除及び地震保険料控除については、一般的に、保険会社から送付されてくる保険料の金額等を証する書類に基づき、その年の年末までに保険料を継続して支払ったとした場合の見込額で保険料控除額を計算することが多いため、保険会社から保険料の金額等を証する書類が送付された後にその保険契約を解約・変更した場合などは、保険料の払込見込額と実際の払込額が相違することになります。
　　このような場合には、確定した実際の払込額に基づいて保険料控除額を再計算し、翌年1月31日までに年末調整の再調整を行うことになります。

中途解約した年の支払保険料

【問86】 私は、妻を保険金受取人とする生命保険に加入し、毎月保険料を支払ってきましたが、都合で本年7月に契約を解除し解約返戻金を受け取りました。この場合、1月から6月までに払い込んだ保険料については、生命保険料控除を受けられますか。

【答】 本年中に実際に払い込んだ保険料であれば控除の対象になります。解約返戻金は剰余金の分配等とは異なり、一時所得の総収入金額とされますので、生命保険料控除額の計算に当たって支払った保険料から控除する必要はありません。

財形貯蓄契約等に係る生命保険料

【問87】 私は本年4月から生命保険会社と財形貯蓄契約を締結し、保険料を毎月1万円ずつ支払っています。この保険料は生命保険料控除の対象になるでしょうか。

【答】 財形貯蓄契約、財形年金貯蓄契約又は財形住宅貯蓄契約に係る生命保険料や生命共済掛金は、生命保険料控除の対象にはなりません。

傷害特約に基づく保険料

【問88】 私は生命保険会社の交通傷害特約の付いた保険に入っていますが、その交通傷害特約の付いた保険は保険料が割増しになっているようです。この傷害特約による割増保険料部分も生命保険料控除の対象になりますか。

【答】 生命保険会社と結んだ生命保険契約（保険期間が5年に満たない、いわゆる貯蓄保険を除きます。）に基づき支払う保険料であれば、たとえその中に傷害特約に基づく保険料部分が含まれていても、全額が生命保険料控除の対象になります。

確定給付企業年金法の規定により支払う掛金の取扱い

【問89】 確定給付企業年金法に基づき拠出した掛金について、生命保険料控除の対象となると聞いたのですが、具体的に説明してください。

【答】 平成14年4月1日に施行された確定給付企業年金法は、将来到来するであろう本格的な高齢化社会を控え、老後の備えに対する受給権者の自主的な努力を支援するという目的から、労使間の自主性を尊重しつつ、統一的な枠組みの下に必要な法律の整備を行う目的から制定された法律です。
　この確定給付企業年金制度は、次のとおり規約型企業年金と基金型企業年金（企業年金基金）の2つから成り立っています。
　① 規約型企業年金とは、労使間で合意した年金規約に基づき、企業と信託会社や生命保険会社等が契約を締結し、母体企業の外部で年金基金を管理・運用し、年金給付を行う企業年金制度のことをいいます。
　② 基金型企業年金（企業年金基金）とは、母体企業とは別の法人格を持った基金を設立した上

で、基金において年金資金を管理・運用し、年金給付を行う企業年金をいいます。

　この制度の加入対象者は、厚生年金適用事業所の被保険者等ですが、掛金については、事業主負担が原則とされており、加入者本人が拠出する場合については、加入者本人の同意が必要となります。

　更に、確定給付企業年金法に規定する確定給付企業年金に係る規約又はこれに類する退職年金に関する契約で一定のものについて支出した掛金のうち使用人が負担した部分は、生命保険料控除の対象とされることとなっています。

個人年金保険契約に係る生命保険料控除

【問90】　私は、生命保険契約に基づく保険料のほか個人年金保険契約に基づく保険料を支払っています。個人年金保険契約の保険料は、一般の生命保険料に係る控除とは別枠で生命保険料控除を受けられると聞いたのですが、生命保険料控除額の計算方法はどのようになるのでしょうか。

【答】　一般の生命保険料に係る控除限度額、個人年金保険料に係る控除限度額は、それぞれ別枠で4万円とされており、介護医療保険料に係る控除限度額4万円と併せて、最高額で12万円の控除が受けられることとされています。

　平成23年12月31日以前に契約をした分については、一般の生命保険料に係る控除限度額、個人年金保険料に係る控除限度額は、それぞれ別枠で5万円とされており、併せて最高額で10万円の控除が受けられます。

　平成24年1月1日以後に契約をした分（新契約）と平成23年12月31日以前に契約をした分（新契約）の双方について、生命保険料控除の適用を受ける場合の控除額は、一般の生命保険料に係る控除限度額、個人年金保険料に係る控除限度額は、それぞれ新契約と旧契約合わせて、別枠で4万円とされています。

　なお、新契約と旧契約の両方ある場合において、旧契約のみで計算した方が控除限度額が多くなる（4万円を超える）場合は、旧契約のみで計算した金額を控除限度額とすることができます。

個人年金保険料と一般の生命保険料及び介護医療保険料との通算

【問91】　当社の従業員の中に、一般の生命保険と個人年金保険の両方に加入していて、次のとおり8万円を超える個人年金保険料を支払っている者がいます。この場合、8万円を超える部分の個人年金保険料は、一般の生命保険料又は介護医療保険料として控除することができますか。

保険の種類	支払った保険料
一般の生命保険	76,000円
個人年金保険	120,000円
介護医療保険	0円

【答】　生命保険料控除額は、一般の生命保険契約、個人年金保険契約及び介護医療保険契約という保険の種類ごとに計算することになっています。

　したがって、お尋ねの場合、その8万円を超える部分（12万円−8万円＝4万円）は、一般の生命保険料又は介護医療保険料に加算して控除を受けることはできません。

　なお、平成23年12月31日以前に契約をした分については、一般の生命保険料、個人年金保険料、

それぞれ支払った保険料のうち10万円までの金額が生命保険料控除の計算の対象となります。

個人年金保険料と一般の生命保険料との間での剰余金の通算

【問92】　私は一般の生命保険と個人年金保険の両方に加入していて、保険料を支払っていますが、生命保険については払込保険料より分配を受けた剰余金の方が多くなっています。このような場合、払込保険料の額から控除しきれない剰余金の分配額は、個人年金保険の払込保険料の額から控除しなければなりませんか。

【答】　生命保険料の計算において、その年中に支払った保険料の額は、一般の生命保険契約のグループ、個人年金保険契約のグループ又は介護医療保険契約のグループのそれぞれについて支払保険料の総額から分配を受けた剰余金等の総額を差し引いた残額とされています。

　したがって、一般の生命保険契約のグループ内で支払保険料の額から控除しきれない剰余金があっても、その金額は個人年金保険契約のグループの支払保険料から控除する必要はありません。

保険金の支払とともに分配を受ける剰余金等

【問93】　生命保険契約が満期になり、保険金と一緒に剰余金の支払を受けましたが、この剰余金も払込保険料から控除しなければなりませんか。

【答】　生命保険契約によって分配を受ける剰余金で、その契約による生命保険料の払込みを要しなくなった後において保険金の支払開始日以後に支払を受けるものは、払込保険料の合計額から控除する必要はありません。

前納割引や団体割引がある場合の控除の対象となる保険料の金額

【問94】　生命保険の保険料を前納したり、団体扱いとして払い込むと保険料の割引がありますが、この場合の控除の対象となる保険料は、契約保険料からこの割引額を差し引いたものになりますか。
　この割引は、通常の生命保険の場合の剰余金の分配とは性格が違うと思うのですが。

【答】　生命保険料控除の対象となる保険料は実際に支払われたものに限りますから、月払の保険料を前納なり団体払込みをしたことにより保険料の割引があった場合に、控除の対象となるのは、契約上の保険料からこれらの割引額を差し引いた残額です。このような割引額に相当する部分が生命保険料控除の対象とならないのは、それが保険料から差し引かれるべき剰余金の分配額になるからではなく、通常の保険料の金額から割引額を差し引いた金額が保険料として支払われるにすぎないからです。

団体生命保険の取扱手数料と生命保険料控除

【問95】　当社では、生命保険会社と従業員についての生命保険の団体特約契約を結んでいますが、これについて生命保険会社から当社に対して取扱手数料が交付されてきます。当社は、この取扱手数料を従業員の福利厚生費用として使用していますが、この団体生命保険について生命保険料控除を行う場合、団体扱いの取扱手数料は、生命保険料の金額から控除するのでしょうか。

【答】　団体生命保険の取扱手数料は、団体特約契約等を締結したことに伴い、保険会社等から集金手数が省略できる等の理由によってその団体に交付されるものですから、生命保険契約等に基づく剰余金の分配もしくは割戻金の割戻しとは異なり、生命保険料控除の対象となる契約保険料から控除する必要はありません。

会社負担の生命保険料

【問96】　当社では従業員を被保険者及び保険金受取人とする生命保険に加入し、その保険料を全額会社が負担しています。その保険料について、従業員は生命保険料控除を受けることができるでしょうか。

【答】　その負担した保険料の金額が従業員の給与として課税されている場合には、その保険料は従業員が支払ったことになりますから、生命保険料控除の対象となる保険契約の要件を満たしている限り控除の対象になりますが、会社負担額が月額300円以下の少額なものなど、従業員の給与として課税されなかったものについては控除を受けることはできません。

保険料等の金額を証する書類の添付等のない保険料控除申告書の提出があった場合の措置

【問97】　従業員に「保険料控除申告書」の提出を求めたところ、生命保険料（旧生命保険料に係るものにあっては、一契約で9,000円を超えるもの）や損害保険料の金額を証する書類の添付のない申告書の提出がありました。このような場合にはどうすればよいでしょうか。

【答】　お尋ねの場合、翌年の１月31日までに保険料の金額を「証する書類」を提出することを条件として、提出された「保険料控除申告書」に記載された保険料の金額を基にして生命保険料控除又は損害保険料控除を行っても差し支えありません。なお、「証する書類」が翌年の１月31日までに提出されない場合は、その保険料控除を行わないところで年末調整の再調整を行い、その結果生じることとなる不足額は、２月１日以後に支払う給与から順次徴収することになります。

医療費用保険に係る保険料控除の取扱い

【問98】　私は、損害保険会社と医療費用保険に係る契約を平成24年3月15日に締結し、その保険料を支払っています。この保険料については、損害保険会社に支払っていることから、本年の年末調整において損害保険料控除の対象とすることになるのでしょうか。

【答】　疾病にかかったこと又は身体の障害を受けたことを原因とする人の状態に基因して生ずる医療費その他の費用を支払ったこと等に基因して保険金が支払われる医療費用保険の保険料は、「介護医療保険料控除」として生命保険料控除の対象となります。

　なお、平成23年12月31日以前に生命保険会社等又は損害保険会社等と締結した疾病又は身体の障害等により保険金が支払われる保険契約のうち、疾病にかかったこと又は身体の障害を受けたことを原因とする人の状態に基因して生ずる医療費その他の費用を支払ったこと等に基因して保険金が支払われるものに係る保険料は、（旧の）一般生命保険料控除として生命保険料控除の対象となります。

6　地震保険料控除

地震保険料控除の対象となる保険料等

【問99】　私は、損害保険会社と医療費用保険に係る契約を平成24年3月15日に締結し、その保険料を支払っています。この保険料については、損害保険会社に支払っていることから、本年の年末調整において地震保険料控除の対象とすることになるのでしょうか。

【答】　所得者本人や生計を一にする親族の所有する常時居住の用に供する家屋や生活の用に供する家具、什器、衣服その他の家財などを保険や共済の目的とし、かつ、地震等損害によりこれらの資産について生じた損失の額を填補する保険金又は共済金が支払われる損害保険契約等に係る地震保険料を支払った場合には、地震保険料の金額の合計額（最高5万円）が所得から控除されます。

　地震保険料控除の対象となる保険料等は、87ページに記載していますので、あなたが加入した損害保険がこれに該当するかどうか確認する必要があります。

損害保険料控除に係る経過措置

【問100】　私は、地震保険が附帯されていない損害保険に加入しています。平成18年度の税制改正により、平成19年分の所得から損害保険料控除は受けることができないとのことですが、何か経過措置でもあるのでしょうか。経過措置があればその内容も教えてください。

【答】　平成18年度の税制改正に伴って、平成19年分の所得税から損害保険料控除に代わり、地震保険料控除が適用されることとなりましたが、平成18年末までに締結している一定の長期損害保険契約等に係る保険料については、従前の損害保険料控除を適用可能とする経過措置が講じられています。

　一定の長期損害保険契約等とは、次の①～③すべてに該当する損害保険契約等をいいますので、あなたが契約している損害保険がこれに該当すれば、経過措置が適用されることとなります。なお、

保険期間又は共済期間の始期が平成19年1月1日以後であるものを除きますので、ご注意ください。

① 保険期間又は共済期間の満了後の満期返戻金を支払う旨の特約のある契約その他一定の契約（建物又は動産の共済期間中の耐存を共済事故とする共済に係る契約をいいます。）であること

② 保険期間又は共済期間が10年以上であること

③ 平成19年1月1日以後にその損害保険契約等の変更をしていないものであること

割賦販売により購入した資産についての保険料

【問101】 割賦払で住宅を購入し、現在その住宅に住んでいますが、代金完済後でなければ私の所有にはならないことになっています。この住宅について地震保険を掛け、保険料を支払っていますが、現在のところ私の所有する家屋ではありませんので、地震保険料控除の対象にはなりませんか。

【答】 地震保険料控除の対象となる地震保険料は、原則的にはその保険契約が本人又は生計を一にする配偶者その他の親族の所有する住宅で常時居住の用に供しているもの又は生活用の家財を保険の目的として締結されたものに限られるのですが、賦払により購入した資産について支払った地震保険料は、代金完済後に所有権が移転する旨の特約があれば、既にその住宅を現実に居住の用に供しているとき又は既にその家財を使用しているときは控除の対象になります。

賃借住宅の地震保険料

【問102】 私は現在借家に住んでおり、この借家を保険の目的とした損害保険契約を結び地震保険料を支払っています。この保険料は地震保険料控除の対象になりますか。

【答】 地震保険料控除の対象になる地震保険料は、本人又は生計を一にする配偶者その他の親族が所有する家屋で常時居住の用に供しているものを保険の目的とする損害保険契約等に基づいて支払ったものです。

したがって、お尋ねの保険料は、他人が所有している家屋に係るものですから、地震保険料控除の対象になりません。

空き家住宅の地震保険料

【問103】 私は現在、勤務の都合で社宅に入居しています。自宅は他県にありますが、そこにはだれも住んでいません。私はこの自宅について損害保険契約を結び地震保険料を支払っています。この地震保険料は地震保険料控除の対象になりますか。

【答】 家屋を保険の目的とする地震保険料で地震保険料控除の対象とされるものは、本人又は生計を一にする配偶者その他の親族が所有している家屋で、それらの人が常時居住しているものについて支払った保険料や掛金に限られます。

したがって、お尋ねの自宅については常時居住の用に供されていませんので、その保険料は地震保険料控除の対象になりません。

地震保険付火災保険の地震保険料控除

【問104】 私は、本年5月に住宅を新築し、その際に火災保険契約を結ぶとともに、地震保険についても併せて契約しました。この地震保険について支払った保険料も地震保険料控除の対象になりますか。

【答】 一の損害保険契約等の契約内容につき、次の算式により計算した割合が20％未満であることとされている場合における地震等損害部分の保険料又は掛金は地震保険料控除の対象となりません。

$$\frac{\text{地震等損害により家屋等について生じた損失を填補する保険金又は共済金の額}^{(注3)}}{\text{火災}^{(注1)}\text{による損害により家屋等について生じた損失を填補する保険金又は共済金の額}^{(注2)}} < \frac{20}{100}$$

(注1)　「火災」は、地震もしくは噴火又はこれらによる津波を直接又は間接の原因とする火災を除きます。
(注2)　損失の額を填補する保険金又は掛金の額の定めがない場合には、その火災により支払われることとされている保険金又は共済金の限度額とします。
(注3)　損失の額を填補する保険金又は共済金の額の定めがない場合には、その地震等損害により支払われることとされている保険金又は共済金の限度額とします。

店舗併用住宅の地震保険料

【問105】 私は所有する家屋の一部を店舗用として他人に貸し、その一部に住んでいますが、この家屋全体について一括して地震保険を掛け保険料を支払っています。このような場合の保険料については、その全体が地震保険料控除の対象になりますか。

【答】 地震保険料控除の対象となる資産は、本人又は生計を一にする配偶者その他の親族が所有し、かつ、常時居住の用に供している家屋や家財に限られますので、それ以外の資産については控除の対象になりません。

そこで、お尋ねの場合、その契約に基づく保険料を、控除の対象となる部分の金額と控除の対象とならない部分の金額とに区分する必要がありますが、店舗併用住宅のように生活用に使用される面積が一定しているものについては、次の算式により計算した金額を控除の対象となる地震保険料の金額としてもよいことになっています。

$$\text{その保険契約に基づいて支払った保険料の金額} \times \frac{\text{居住の用に供している部分の床面積}}{\text{その建物の総床面積}}$$

なお、お尋ねの家屋の90％以上が居住の用に供されているときは、その支払われた保険料の全額が控除の対象になります。

団体特約により支払った地震保険料の証明書

> **【問106】**　当社では、損害保険会社と契約し、従業員がその保険会社に支払った地震保険料はすべて給料から徴収して払い込んでいます。この場合、当社で支払金額が確認できるわけですが、やはり証明書類を「保険料控除申告書」に添付する必要があるでしょうか。

【答】　勤務先を対象とする団体特約により払い込んだ保険料については、その勤務先に各人ごとの台帳が備え付けられており、支払った保険料の金額や保険契約者の氏名等が容易に確認できますので、それについて貴社の代表者又はその代理人の確認を受け、「保険料控除申告書」の「給与の支払者の確認印」欄に認印を受けている場合には証明書類の添付は不要です。

7　社会保険料控除

社会保険料で申告を要するものと申告を要しないもの

> **【問107】**　社会保険料には、申告によって控除されるものと、申告しなくても控除されるものとがあるとのことですが、なぜ区別されているのですか。

【答】　年末調整に当たり、申告がなくても控除される社会保険料は、健康保険、厚生年金保険の保険料や雇用保険の保険料等です。一方、国民健康保険や国民年金の保険料などは、申告しなければ控除されません。

これは、前者は給与から差し引かれる保険料であるため給与の支払者で確認できますが、後者は給与の支払を受ける人が申告しなければ確認できないという理由によるものです。

なお、国民年金の保険料及び国民年金基金の加入員の掛金については、申告に際し、保険料等を支払った事実の証明書類の添付が必要となります。

介護保険料に係る社会保険料控除の取扱い

> **【問108】**　私には、公的年金の受給者で私の扶養親族となっている母がいます。
> ところで、介護保険料は、社会保険料控除の対象とされていますが、私の母が受給する公的年金から控除（特別徴収）されている介護保険料について、私の社会保険料控除の対象とすることができますか。

【答】　所得税法74条（社会保険料控除）1項では、「居住者が、……自己又は自己と生計を一にする配偶者その他の親族の負担すべき社会保険料を支払った場合には、その支払った金額を総所得金額から控除する」旨規定されていることから、お尋ねの場合のように、あなたと生計を一にするお母さんが支払を受ける公的年金等から控除（特別徴収）される介護保険料については、あなたのお母さん自身が支払ったものであるため、あなたの社会保険料控除の対象とすることはできません。

なお、配偶者や親族の介護保険料が納付書等により納付（普通徴収）される場合で、納税者（所得者）がその介護保険料を支払った場合には、国民年金や国民健康保険の保険料などと同様に、その納税者（所得者）の社会保険料控除の対象となります。

長寿医療制度（後期高齢者医療制度）の保険料に係る社会保険料控除

【問109】 私には、公的年金の受給者で私の扶養親族となっている父がいます。父の受給する公的年金からは長寿医療制度の保険料が控除（特別徴収）されていますが、この保険料について、私の社会保険料控除の対象とすることはできますか。

【答】 長寿医療制度では、原則としてその保険料は年金から特別徴収されています。この場合、その保険料を支払った者は年金の受給者自身であるため、その年金の受給者に社会保険料控除が適用されます。

お尋ねの場合においても、あなたのお父さん自身が支払ったものであるため、あなたの社会保険料控除の対象とすることはできません。

一方、市区町村等へ一定の手続を行うことにより、年金からの特別徴収に代えて、被保険者の世帯主又は配偶者等が口座振替により保険料を支払うことを選択できます。この場合には、口座振替によりその保険料を支払った世帯主又は配偶者等に社会保険料控除が適用されます。

したがって、あなたが世帯主であって、市区町村等へ一定の手続を行うことであなたが口座振替により支払うこととした場合、あなたが支払ったお父さんの長寿医療制度の保険料はあなたの社会保険料控除の対象とすることができます。

共済会、互助会の会費

【問110】 私の会社には従業員の親睦、相互扶助を目的とした互助会があります。具体的な事業としては療養、葬祭のための費用の給付、不時の貸付けなどを行っており、いわゆる健康保険制度のような共済事業を営んでいると認められるのですが、従業員がこの互助会に支払う会費は社会保険料に該当しませんか。

【答】 会社等が任意に組織した共済制度に基づいてその従業員が支払う会費や掛金は社会保険料には該当しません。

非課税所得から控除した社会保険料

【問111】 当社の使用人で、業務傷害のために欠勤している者がいます。この者には会社からは給与の支払はありませんが、労災保険から休業補償費が支給されています。給与の支払がないので、毎月の給与から控除される社会保険料を休業補償費から控除しましたが、この社会保険料は年末調整の際どのように扱ったらよいでしょうか。

【答】 お尋ねの社会保険料は、通常、その人に給与の支払があれば控除されるものですから、給与の支払がないために本人から直接徴収、又は休業補償費のような非課税所得から控除した場合であっても、その社会保険料は給与から控除した社会保険料に該当します。

休職期間中に支払うこととなった社会保険料

【問112】 当社では、休職期間中（無給）の社員が負担すべき社会保険料を当社が負担していました。この度、この社員が会社に復帰しましたので、休職期間中に当社が負担した社会保険料を社員が支払ったものとして、年末調整の際に社会保険料控除の対象にできないでしょうか。

【答】 貴社が負担した社会保険料は、個人が負担すべき費用を貴社が負担したものですから、従業員に対する経済的利益として課税すべきものであり、その年分の年末調整の際に給与の収入金額に含めることになります。したがって、貴社が負担した社会保険料は、従業員が支払ったものとして、その年分の社会保険料控除の対象となります。

未納の社会保険料

【問113】 私は本年12月に納付する国民健康保険料をまだ納付していません。年末に賞与が支給されますので来年早々に納付する予定ですが、本年の年末調整の際、このまだ納付していない社会保険料も申告すれば控除の対象になりますか。

【答】 社会保険料控除は、その年中に実際に支払った社会保険料と給与から控除された社会保険料だけが対象とされますので、お尋ねのように納期が到来してもまだ納付していないものは控除の対象にはならず、それを実際に納付した年の控除の対象とすることになります。

社会保険料の不足額を納付した場合

【問114】 社会保険料を計算している事務員の計算に間違いがあり、昨年10月にさかのぼって計算された不足分の社会保険料が本年の給与から控除されました。この場合、昨年10月から12月までの給与についての社会保険料は、本年の年末調整の計算に当たって控除されますか。

【答】 社会保険料控除の対象となる社会保険料は、本年中に実際に差し引いたものであれば、計算の基礎となる給与がいつの給与であるかは問わないことになっていますので、あなたの場合、昨年10月から12月までの社会保険料についても、本年の年末調整で控除されます。

8 小規模企業共済等掛金控除

確定拠出年金法の規定により支払う企業型年金又は個人型年金の掛金

【問115】 確定拠出年金法の規定に基づき拠出する企業型年金又は個人型年金の掛金については、小規模企業共済等掛金控除が受けられると聞きましたが、具体的に説明してください。

【答】 確定拠出年金とは、定められた年間の拠出限度額の範囲内で加入者が掛金を資産運用機関に拠出し、その掛金を加入者自らの責任をもって運用を行うというものであり、将来受け取る年金の額は、その運用の巧拙によって決定されるというものです。

この年金制度は、企業が、年金の加入者となる従業員のために毎月掛金を拠出する企業型年金と、自営業者及び勤務する企業がこの制度を導入しておらず、企業年金も導入していない企業に勤務する従業員の方が加入する個人型年金の2種類に分かれます。

種　別	掛　金　の　拠　出　方　法
企業型年金	企業が企業型年金規約に基づき毎月掛金を拠出
個人型年金	企業等の従業員又は自営業者が自ら国民年金基金連合会で加入手続をとり、掛金額を自分で設定して毎月拠出

　これらのうち国民年金基金連合会が実施する個人型年金の掛金については、その全額が小規模企業共済等掛金控除の対象になります。

　また、平成23年の「国民年金及び企業年金等による高齢期における所得の確保を支援するための国民年金等の一部を改正する法律」により、企業型年金への従業員拠出（いわゆるマッチング拠出）が可能となり、平成24年分の所得税から、従業員が拠出する企業型年金加入者掛金についても、小規模企業共済等掛金控除の適用対象となっています。

　なお、小規模企業共済等掛金が給与等から控除される場合については、給与等の源泉徴収税額の算出に当たっては、その給与等の金額から社会保険料控除の金額と小規模企業共済等掛金の額との合計額を控除した残額に相当する金額の給与等の支払があったものとみなして計算することとされています。

給与の支払者が負担した小規模企業共済掛金

【問116】　私は、本年7月に独立行政法人中小企業基盤整備機構と共済契約を結びましたが、掛金は会社が負担してくれています。給与の支払者が負担した掛金は控除の対象にならないと思いますが、いかがでしょうか。

【答】　給与の支払者が負担した小規模企業共済掛金は、すべて給与として課税されることになっていますので、お尋ねの場合、あなたが支払った掛金として控除の対象になります。

控除の対象となる小規模企業共済掛金

【問117】　小規模企業共済契約に基づく掛金であっても、小規模企業共済等掛金控除の対象にならないものがあるそうですが、それはどのようなものなのでしょうか。

【答】　平成8年3月以前に中小企業事業団（現独立行政法人中小企業基盤整備機構）が行った共済契約には、第1種共済契約と第2種共済契約とがあり、この第1種共済契約は、法人成りに伴う廃業や役員の任意退職の場合には共済金の支払を行わないことにしており、一方、第2種共済契約は、掛金の納付期間が30年に達すると無条件に共済金を支払うほか、法人成りに伴う廃業や役員の任意退職の場合にも共済金を支払うこととしているものです。

　これらの共済契約に基づく掛金のうち小規模企業共済等掛金控除の対象となる掛金は、現行の共済契約（旧第1種共済契約）に基づき支払った掛金に限ることとされています。ところで、第2種共済契約は廃止され、小規模企業共済契約は旧第1種共済契約一本となりましたが、経過的に存続する旧第2種共済契約に基づく掛金は、従前どおり、生命保険料控除の対象になります。

9　所得金額調整控除

制度の概要

【問118】　所得金額調整控除の概要を教えてください。

【答】　所得金額調整控除には、①子ども・特別障害者等を有する者等の所得金額調整控除と②給与所得と年金所得の双方を有する者に対する所得金額調整控除があります。いずれも給与所得の金額から一定の金額を控除する制度であり、それらの概要は次のとおりです。

①　子ども・特別障害者等を有する者等の所得金額調整控除

その年の給与等の収入金額が850万円を超える居住者で、次に掲げる者の総所得金額を計算する場合には、給与等の収入金額(注)から850万円を控除した金額の10％に相当する金額が、給与所得の金額から控除されることとなります。

イ　本人が特別障害者に該当する者

ロ　年齢23歳未満の扶養親族を有する者

ハ　特別障害者である同一生計配偶者を有する者

ニ　特別障害者である扶養親族を有する者

（注）　その給与等の収入金額が1,000万円を超える場合には、1,000万円

②　給与所得と年金所得の双方を有する者に対する所得金額調整控除

その年の給与所得控除後の給与等の金額及び公的年金等に係る雑所得の金額がある居住者で、給与所得控除後の給与等の金額及び公的年金等に係る雑所得の金額の合計額が10万円を超える者の総所得金額を計算する場合には、給与所得控除後の給与等の金額(注1)及び公的年金等に係る雑所得の金額(注2)の合計額から10万円を控除した残額が、給与所得の金額(注3)から控除されることとなります。

（注1）　その給与所得控除後の給与等の金額が10万円を超える場合には、10万円

（注2）　その公的年金等に係る雑所得の金額が10万円を超える場合には、10万円

（注3）　上記①の所得金額調整控除の適用がある場合には、その適用後の金額

月々の源泉徴収や年末調整における所得金額調整控除の適用

【問119】　所得金額調整控除の創設によって、給与等の支払者が行う月々の源泉徴収や年末調整について、どのような影響が生じることとなりますか。

【答】　所得金額調整控除は「所得金額調整控除（子ども等）」と「所得金額調整控除（年金等）」があり、いずれもその居住者の確定申告において適用されるところ、所得金額調整控除（子ども等）については、その居住者の年末調整においても適用できることとされています。

そのため、給与等の支払者が行う月々の源泉徴収においては影響はありませんが、給与等の支払者が行う年末調整においては、一定の要件に該当する場合、その従業員等の所得金額調整控除（子ども等）に係る控除額を計算し、給与所得の金額から控除することとなります。

なお、従業員等が「給与所得者の基礎控除申告書」や「給与所得者の配偶者控除等申告書」等を作成する場合において、合計所得金額の見積額を計算するときは、所得金額調整控除（子ども等）と所得金額調整控除（年金等）の両方を考慮する必要がありますので、ご注意ください。

所得金額調整控除（子ども等）の適用を受けるための要件

【問120】 所得金額調整控除（子ども等）について、従業員が年末調整で適用を受けるための要件について、教えてください。

【答】 所得金額調整控除（子ども等）は、その年の給与等の収入金額が850万円を超える居住者で、特別障害者に該当するもの又は年齢23歳未満の扶養親族を有するもの若しくは特別障害者である同一生計配偶者若しくは扶養親族を有するものに適用されます。

　従業員等が年末調整において、この所得金額調整控除（子ども等）の適用を受けようとする場合には、その年最後に給与等の支払を受ける日の前日までに「所得金額調整控除申告書」に上記の要件に該当する旨等を記載して、給与等の支払者に提出する必要があります。

給与等の収入金額が850万円を超えるかどうかの判定

【問121】 従業員が２か所以上から給与等の支払を受けている場合、給与等の収入金額が850万円を超えるかどうかについて、それら全ての給与等を合計した金額により判定するのでしょうか。

【答】 所得金額調整控除（子ども等）の適用を受ける場合、その年の給与等の収入金額が850万円を超えることが要件とされていますが、年末調整において、所得金額調整控除（子ども等）の適用を受ける場合の給与等の収入金額が850万円を超えるかどうかについては、年末調整の対象となる主たる給与等（「給与所得者の扶養控除等申告書」を提出している人に支払う給与等をいいます。以下同じです。）により判定することとなります。したがって、年末調整の対象とならない従たる給与等（主たる給与等の支払者以外の給与等の支払者が支払う給与等をいいます。以下同じです。）は含めずに判定することとなります。

(注) 確定申告において、所得金額調整控除（子ども等）の適用を受ける場合の給与等の収入金額が850万円を超えるかどうかについては、２か所以上から給与等の支払を受けている場合、それら全ての給与等を合計した金額により判定することとなります。

年末調整における所得金額調整控除（子ども等）の適用要件の判定時期

【問122】 従業員が年末調整において、所得金額調整控除（子ども等）の適用を受けようとする場合、各要件に該当するかはどの時点で判定するのですか。

【答】 従業員が年末調整において、所得金額調整控除（子ども等）の適用を受けようとする場合は、その年最後に給与等の支払を受ける日の前日までに「所得金額調整控除申告書」を給与等の支払者に提出する必要があります。

　この場合、年齢23歳未満の扶養親族を有するかどうかなどの判定は、「所得金額調整控除申告書」を提出する日の現況により判定することとなります。

　なお、その判定の要素となる所得金額については、その申告書を提出する日の現況により見積もったその年の合計所得金額によることとなり、その判定の要素となる年齢については、その年12月31日（その申告書を提出する時までに死亡した者については、その死亡の時）の現況によることとなります。

（注） 確定申告において、所得金額調整控除（子ども等）の適用を受ける場合、年齢23歳未満の扶養親族を有するかどうかなどの判定は、その年12月31日（その居住者がその年の中途において死亡し、又は出国をする場合には、その死亡又は出国の時）の現況によることとされています。ただし、その判定に係る者がその当時死亡している場合は、その死亡の時の現況によることとされています。

「所得金額調整控除申告書」の提出省略の可否

【問123】 従業員が「給与所得者の扶養控除等申告書」の「控除対象扶養親族」欄等に、扶養親族の氏名等を記載して給与等の支払者に提出していれば、「所得金額調整控除申告書」を提出しなくても、年末調整において所得金額調整控除（子ども等）の適用を受けることができますか。

【答】 従業員が年末調整において、所得金額調整控除（子ども等）の適用を受けるためには、「所得金額調整控除申告書」をその年最後に給与等の支払を受ける日の前日までに給与等の支払者に提出する必要があります。そのため、「給与所得者の扶養控除等申告書」の「控除対象扶養親族」欄等への記載の有無にかかわらず、「所得金額調整控除申告書」の提出がなければ、所得金額調整控除（子ども等）の適用を受けることはできません。

給与収入が850万円を超えていない場合の「所得金額調整控除申告書」の提出の可否

【問124】 給与等の支払者に「所得金額調整控除申告書」を提出する日において、本年の給与等の収入金額が850万円を超えるかどうかが明らかでない従業員がいます。給与等の収入金額が850万円を超える場合は所得金額調整控除（子ども等）の適用を受けたいと言っているのですが、この場合、「所得金額調整控除申告書」の提出はどのようにすればよいのでしょうか。

【答】 「所得金額調整控除申告書」は、所得金額調整控除（子ども等）の適用を受けようとする旨等を記載するものであるため、給与等の収入金額が850万円を超えるかどうかが明らかではない場合であっても、年末調整において、所得金額調整控除（子ども等）の適用を受けようとするときは、「所得金額調整控除申告書」に必要事項を記載し、給与等の支払者に提出します。

　なお、その年の年末調整の対象となる給与等の収入金額が850万円を超えなかった場合には、「所得金額調整控除申告書」の提出をしたとしても、年末調整において所得金額調整控除（子ども等）が適用されることはありません。

「所得金額調整控除申告書」の「★特別障害者」欄等の記載省略の可否

【問125】 従業員が年末調整において、所得金額調整控除（子ども等）の適用を受けようとする場合、「所得金額調整控除申告書」の提出が必要とのことですが、「給与所得者の扶養控除等申告書」に記載済の内容については、「所得金額調整控除申告書」への記載を省略することができますか。

【答】 従業員が年末調整において、所得金額調整控除（子ども等）の適用を受けるためには、「所得金額調整控除申告書」を給与等の支払者に提出する必要があるため、「給与所得者の扶養控除等申告書」の記載の有無にかかわらず、その提出について省略することはできません。

　しかし、従業員等（本人）、同一生計配偶者又は扶養親族が特別障害者に該当することにより所得金額調整控除（子ども等）の適用を受けようとする場合において、特別障害者に該当する人が「給

与所得者の扶養控除等申告書」に記載している特別障害者と同一である場合には、「所得金額調整控除申告書」の記載事項のうち「★特別障害者」欄については、特別障害者に該当する事実の記載に代えて、「扶養控除等申告書のとおり」にチェックを付けることで差し支えありません。

「所得金額調整控除申告書」における所得金額調整控除の額の記載

【問126】 「所得金額調整控除申告書」には「所得金額調整控除額」欄がありませんが、従業員から提出を受ける際に控除額を記載させる必要はないのでしょうか。

【答】 所得金額調整控除の額については、「所得金額調整控除申告書」の記載すべき事項として法令で定められていませんので、「所得金額調整控除申告書」に「所得金額調整控除額」欄は設けられていません。そのため、年末調整における所得金額調整控除の額については、従業員等が「所得金額調整控除申告書」を提出する際に計算するのではなく、給与等の支払者が年末調整において計算することとなります。

具体的には、次の計算式のとおりです。

（計算式）

所得金額調整控除の額 ＝ （給与等の収入金額$^{(注)}$－850万円）×10%　　※最高15万円

（注）　1,000万円を超える場合は、1,000万円

年末調整後に扶養親族の異動があった場合の所得金額調整控除（子ども等）の再調整

【問127】 年末調整を終えた後に、従業員Aから12月31日に子が生まれたとの申出がありました。この生まれた子については、扶養控除の対象にはならないと聞きましたが、Aの給与等の収入金額が850万円を超える場合、所得金額調整控除（子ども等）の要件の対象とし、年末調整をやり直してもよいのでしょうか。

【答】 年齢16歳未満の扶養親族は扶養控除の対象とはなりませんが、所得金額調整控除（子ども等）においては、年齢23歳未満の扶養親族を有することが要件の一つとされているため、年末に子が生まれた場合、この要件を満たすこととなります。

年末調整において所得金額調整控除（子ども等）の適用を受けようとする場合、年齢23歳未満の扶養親族を有するかどうかなどの判定は、「所得金額調整控除申告書」を提出する日の現況により判定することとなりますが、年末調整後、その年12月31日までの間に従業員等に子が生まれ、所得金額調整控除（子ども等）の適用要件を満たし年末調整による年税額が減少することとなる場合、その年分の源泉徴収票を給与等の支払者が作成するまでに、その異動があったことについて従業員等からその異動に関する申出があったときは、年末調整の再計算の方法でその減少することとなる税額を還付してもよいこととされています。

したがって、翌年1月の「給与所得の源泉徴収票」を交付する時まで年末調整の再調整を行うことができます。この場合においても「所得金額調整控除申告書」の提出は必要ですので、ご注意ください。

なお、年末調整の再調整によらず、従業員等が確定申告をすることによって、その減少することとなる税額の還付を受けることもできます。

年末調整後に扶養親族の判定に誤りがあった場合の所得金額調整控除（子ども等）の再調整

【問128】　年末調整を終えた後に、従業員Bから20歳の子のアルバイト収入が、当初の見積額よりも多かったため、その子の合計所得金額が48万円を超えることとなったとの申出がありました。この場合、その子については、扶養控除の対象にはならないため、扶養控除等異動申告書により異動事項を申告する必要があると聞きましたが、Bの給与等の収入金額が850万円を超えることから、その子を23歳未満の扶養親族に該当するものとして所得金額調整控除（子ども等）の適用を受けていた場合、所得金額調整控除（子ども等）についてはどのように訂正したらよいのでしょうか。

【答】　従業員等の親族が控除対象扶養親族や年齢23歳未満の扶養親族に該当するかどうかは、原則としてその年12月31日の現況により判定することとされていますが、「給与所得者の扶養控除等申告書」や「所得金額調整控除申告書」は、それより早く提出されるため、その提出の日の現況に基づいてある程度その見込みによりその判定を行う必要があります。

　　そして、その見積りが結果的にその年12月31日の現況と異なり、その従業員等の親族が控除対象扶養親族や年齢23歳未満の扶養親族に該当しなくなった場合は、扶養控除や所得金額調整控除（子ども等）は適用されないこととなります。

　　ご質問の場合においては、「給与所得者の扶養控除等申告書」については異動事項の申告を受け、また、「所得金額調整控除申告書」についても記載内容の訂正を依頼するなどして、年末調整の再計算を行ってください。

　　なお、「所得金額調整控除申告書」について、その従業員等が他の年齢23歳未満の扶養親族を有するなど所得金額調整控除（子ども等）の適用要件を満たしている場合に、当初申告された子以外の要件に該当する者に関する内容に訂正されるのであれば、所得金額調整控除（子ども等）については年末調整の再計算を行う必要はありません。

「所得金額調整控除申告書」に記載すべき事項の電磁的方法による提供について

【問129】　「所得金額調整控除申告書」について、「源泉徴収に関する申告書に記載すべき事項の電磁的方法による提供に関する特例制度」の適用を受けることはできますか。

【答】　「所得金額調整控除申告書」についても「源泉徴収に関する申告書に記載すべき事項の電磁的方法による提供に関する特例制度」の適用を受けることができます。

　　なお、令和3年4月1日以後に提出を受ける申告書については、電磁的方法による提供について所轄税務署長による事前の承認は不要となりました。

（注）　令和3年3月31日以前は、申告書を電磁的方法により提供を受けるためには、「源泉徴収に関する申告書に記載すべき事項の電磁的方法による提供に関する特例制度」について、所轄税務署長の承認を受ける必要がありました。

「所得金額調整控除申告書」に記載すべきマイナンバー（個人番号）について

【問130】　「所得金額調整控除申告書」の余白に「給与支払者に提供済みのマイナンバー（個人番号）と相違ない」旨の記載をすることで、マイナンバー（個人番号）の記載に代えることはできますか。

【答】　年齢23歳未満の扶養親族又は特別障害者である同一生計配偶者若しくは扶養親族（以下「要件対象扶養親族等」といいます。）を有する者として年末調整において所得金額調整控除（子ども等）の適用を受けようとする場合、「所得金額調整控除申告書」には、その要件対象扶養親族等のマイナンバー（個人番号）を記載する必要がありますので、原則として、マイナンバー（個人番号）の記載を省略することはできません。

　しかしながら、給与等の支払者と従業員等との間での合意に基づき、従業員等が「所得金額調整控除申告書」の余白に「マイナンバー（個人番号）については給与支払者に提供済みのマイナンバー（個人番号）と相違ない」旨を記載した上で、給与等の支払者において、既に提供を受けている要件対象扶養親族等のマイナンバー（個人番号）を確認し、確認した旨を「所得金額調整控除申告書」に表示するのであれば、「所得金額調整控除申告書」の提出時にその要件対象扶養親族等のマイナンバー（個人番号）を記載しなくても差し支えありません（「給与所得者の配偶者控除等申告書」についても同様です。）。

　なお、給与等の支払者において保有しているマイナンバー（個人番号）とマイナンバー（個人番号）の記載が省略された者に係る「所得金額調整控除申告書」については、適切かつ容易に紐付けられるよう管理しておく必要があります。

給与等の支払者が一定の帳簿を備え付けている場合のマイナンバー（個人番号）の記載について

【問131】　前年分以前の「給与所得者の扶養控除等申告書」を基に、一定の帳簿(注)を作成し備え付けているため、「所得金額調整控除申告書」に記載する要件対象扶養親族等のマイナンバー（個人番号）の記載を省略することはできますか。

【答】　「所得金額調整控除申告書」においては、要件対象扶養親族等のマイナンバー（個人番号）を記載することとされましたが、「所得金額調整控除申告書」に記載されるべき要件対象扶養親族等のマイナンバー（個人番号）その他の記載事項を記載した帳簿を給与等の支払者が備え付けている場合には、その要件対象扶養親族等のマイナンバー（個人番号）の記載を不要とすることができます。

（注）　一定の帳簿とは、所得税法第198条第4項に規定する帳簿をいい、給与等の支払者が次の①から⑥までの申告書に記載されるべき本人、控除対象となる配偶者又は扶養親族（年齢16歳未満の者を含みます。）のマイナンバー（個人番号）その他の事項を記載した帳簿（次の①から⑥までの申告書の提出前に、これらの申告書の提出を受けて作成された帳簿に限ります。）をいいます。
　　①　給与所得者の扶養控除等申告書
　　②　従たる給与についての扶養控除等申告書
　　③　給与所得者の配偶者控除等申告書
　　④　退職所得の受給に関する申告書
　　⑤　公的年金等の受給者の扶養親族等申告書
　　⑥　所得金額調整控除申告書

10 住宅借入金等特別控除

住宅取得第1年目の住宅借入金等特別控除

【問132】 当社の従業員で本年（令和6年）6月に新築住宅を購入した者がいます。この者から住民票の写し及び家屋の登記事項証明書の提出を受けました。このような場合、本年の年末調整から住宅借入金等特別控除を適用してよろしいですか。

【答】 お尋ねの場合、本年の年末調整の際に住宅借入金等特別控除を行うことはできません。年末調整で住宅借入金等特別控除が受けられるのは、控除1年目に確定申告書を提出して住宅借入金等特別控除の適用を受けた給与所得者が、住宅借入金等特別控除の控除2年目以降にこの控除を受ける場合だけです。すなわち、控除1年目については、確定申告を通じてのみ住宅借入金等特別控除の適用を受けられるわけです。これは、住宅の取得等が住宅借入金等特別控除の対象として適格なものであるかどうかの判定といった複雑な事務を、給与の支払者が行うことは多大な手数を強いることになるため、これを避ける趣旨によるものです。

年末調整における住宅借入金等特別控除

【問133】 当社の社員で、令和5年に住宅を取得し令和6年3月の確定申告により住宅借入金等特別控除の適用を受けた者がおり、本年は年末調整で控除を受けたいという申出がありました。この場合の手続について教えてください。

【答】 控除1年目に確定申告により住宅借入金等特別控除を受けた給与所得者が、2年目以降年末調整でその控除を受けようとする場合には、次の書類を給与の支払者に提出しなければなりません。

① 「給与所得者の（特定増改築等）住宅借入金等特別控除申告書」

② 住所地の所轄税務署長から交付を受けた「年末調整のための（特定増改築等）住宅借入金等特別控除証明書」

③ 金融機関等の発行した「住宅取得資金に係る借入金の年末残高等証明書」

（注1） 平成23年以後に住宅を居住の用に供した場合には、①の申告書と②の証明書は同一の用紙に印刷されており、1年目の控除を受ける際に確定申告書の「令和　年分（特定増改築等）住宅借入金等特別控除額の計算明細書」の「控除証明書の要否」欄に控除証明書を要すると表示した人に対し、その人の住所地の所轄税務署長から10月頃に送付されることになっています。

（注2） ②③の証明書については、記載すべき事項を記録した電子証明書等に係る電磁的記録印刷書面を含みます。

（注3） 住宅借入金等特別控除申告書に記載すべき事項を電子データにより提供する場合、その住宅借入金等特別控除申告書に添付すべき証明書類等の提出に代えて、その証明書類等に記載されるべき事項が記録された情報で電子証明書等が付されたものを住宅借入金等特別控除申告書に記載すべき事項と併せて電子データにより給与の支払者に提供することを含みます。

　なお、給与の支払者においては、提出された書類に不備がないか、また、住宅借入金等特別控除額の計算に誤りがないかどうかを検討していただくことになりますが、次のいずれかに該当する場合には控除を受けられませんのでご注意ください。

（1） 合計所得金額が2,000万円（令和4年改正前は3,000万円、特例居住用家屋又は特例認定住宅等の新築等の場合は1,000万円）を超える場合

(2) 12月31日以前にその住宅に居住しなくなった場合

(3) 居住用財産の譲渡所得の課税の特例等の適用を受けることとなった場合

（特定増改築等）住宅借入金等特別控除の適用に係る手続（年末残高調書を用いた方式）について

令和４年度税制改正において、住宅借入金等特別控除の適用に係る手続について、これまでの年末残高証明書を用いる「証明書方式」から、年末残高調書を用いる「調書方式」とする改正が行われています。

・「証明書方式」……住宅借入金等特別控除の適用を受ける納税者が、住宅ローン債権者（以下「債権者」といいます。）である金融機関等から交付を受けた年末残高証明書を、確定申告又は年末調整の際に、税務署又は勤務先に提出する方式

・「調書方式」………債権者が税務署に「住宅取得資金に係る借入金等の年末残高等調書（以下「年末残高調書」といいます。）」を提出し、国税当局から納税者に住宅ローンの「年末残高情報」を提供する方式

ただし、「年末残高調書」を提出する債権者において、この改正に対応するためのシステム改修等への対応が困難な場合には、引き続き、従来の「証明書方式」とすることができる経過措置[注]が設けられています。

（注）　この経過措置は、特段の手続を行うことなく、全ての債権者に適用されるものとして取り扱われています。

したがって、実務上は、この経過措置が適用されて、令和６年１月１日以後に居住を開始した納税者の令和６年分以降の所得税等の確定申告等（令和７年分以降の年末調整手続）について、システム対応が完了した債権者から順次、「調書方式」による手続に移行することになります。

「調書方式」に対応した金融機関からの借入れに係る住宅借入金等特別控除の確定申告・年末調整の手続については、「年末残高調書」の年末残高等の情報を、マイナポータル連携によって活用することにより、手続が簡便になります。

居住用財産の課税の特例の適用を受けた場合の住宅借入金等特別控除

【問134】　私は、従来より自宅に住んでいましたが、昨年（令和５年）９月に住宅を新築し、その後現在まで引き続いて住んでおり、令和５年分の確定申告の際には住宅借入金等特別控除の適用を受けました。

ところで、本年（令和６年）７月に、以前住んでいた自宅を譲渡し、その譲渡について居住用財産の譲渡所得の3,000万円特別控除の適用を受けようと思っていますが、この場合に、本年分の住宅借入金等特別控除は受けることができないのでしょうか。また、既に適用を受けた令和５年分についても住宅借入金等特別控除額相当額を納付しなければならないのでしょうか。

【答】　居住年の翌年以後３年以内の各年中に、住宅借入金等特別控除の適用を受けた住宅以外の居住用財産（従前住宅）を譲渡し、その譲渡につき次の課税の特例の適用を受けた場合には、その居住年以後の各年分の所得税については住宅借入金等特別控除は適用されません。

（注１）　居住年、その前年及び前々年において次の課税の特例の適用を受けていた場合も、上記と同様の取扱いとなります。

（注２）　令和２年３月31日までに従前住宅の譲渡をした場合については、<u>居住年の翌年又は翌々年中に従前住宅を譲渡した場合</u>に、上記と同様の取扱いとなります。

(1) 居住用財産を譲渡した場合の長期譲渡所得の課税の特例（措法31の３）

(2) 居住用財産の譲渡所得の3,000万円特別控除（措法35）

(3) 特定の居住用財産の買換え及び交換の場合の長期譲渡所得の課税の特例（措法36の２、36の５）

(4) 既成市街地等内にある土地等の中高層耐火建築物等の建設のための買換え及び交換の場合の譲

渡所得の課税の特例（措法37の５）

　したがって、お尋ねの場合には、令和６年以後の各年分の住宅借入金等特別控除の適用を受けることはできません。また、既に適用を受けた令和５年分についても修正申告を行い住宅借入金等特別控除額相当額を改めて納付しなければなりません。

共有となっている住宅の住宅借入金等特別控除（連帯債務の負担割合の定めがない場合）

【問135】　私たち夫婦は共働きですが、昨年（令和５年）９月に夫婦共有で新築住宅（3,000万円）を購入し、直ちに入居しました。この購入に当たっては、夫婦で銀行から連帯債務で住宅ローン3,000万円を借り入れて購入資金に充てており、家屋について夫婦それぞれ２分の１の持分で共有登記しています。この場合、住宅借入金等特別控除の対象となる借入金の額はどのようにして計算するのでしょうか。なお、連帯債務については、夫婦間において連帯債務の負担割合については契約を交わしていません。

【答】　連帯債務の場合、債務者相互間の契約等により、各債務者の負担部分を定めることとなりますが、その契約等が交わされていない場合には、原則として、各債務者が受ける利益、すなわち家屋の共有部分の持分の割合によることとなります。

　したがって、お尋ねの場合、夫婦の共有持分がそれぞれ２分の１ということですから、借入金3,000万円の２分の１に相当する金額1,500万円があなた方ご夫婦それぞれについて住宅借入金等特別控除の対象となる借入金の額になります。

　なお、夫婦それぞれの家屋等の持分又は借入金の負担割合に応じて妻が返済すべき借入金を夫が返済している場合（また、その逆の場合）には、夫から妻（妻から夫）への贈与となりますので、贈与税の申告が必要な場合があります（**問136**においても同じです。）。

共有となっている住宅の住宅借入金等特別控除（連帯債務の負担割合の定めがある場合）

【問136】　問135の場合で、連帯債務を夫と妻で６対４の割合で負担するという契約を交わしているときは、住宅借入金等特別控除の対象となる借入金の額の計算はどのようになるのでしょうか。
　また、年末調整において何か必要となる手続はありますか。

【答】　お尋ねの場合、夫が負担すべき借入金の額は3,000万円の60％に相当する1,800万円となりますが、夫が自分の家屋の持分を取得するための借入金として負担すべき額はそのうち1,500万円（3,000万円×50％）だけですから、夫の住宅借入金等特別控除の対象となる借入金は1,500万円となります。また、妻の方は、家屋の持分を取得するために実質的に負担することになる借入金は3,000万円の40％に相当する1,200万円となりますから、この額が妻の住宅借入金等特別控除の対象となる借入金の額になります。

　なお、お尋ねのような場合について、年末調整で住宅借入金等特別控除を受けられるときは、勤務先に提出する「給与所得者の住宅借入金等特別控除申告書」の「備考」欄に他の連帯債務者に「私は連帯債務者として、住宅借入金等の残高○○○円のうち○○○円を負担することとしています。」等の文言、住所及び氏名のほか、その人が給与所得者である場合には、その勤務先の所在地及び名称も併せて記載していただく必要があります。

（注）　居住日が平成31年以後の個人に対し、令和２年10月１日以後に税務署から送付する控除証明書には、控除

を受ける人が負担すべき割合が記載されています。この場合には、上記「備考」欄への連帯債務者に関する記載は不要です。

連帯債務の対象となっている借入金を借り換えた場合

【問137】 夫婦の連帯債務となっている借入金を借り換え、新たな借入金の名義を夫（妻）のみにした場合、その借入金は住宅借入金等特別控除の対象となりますか。

【答】 ご質問の場合、新たな借入金のうち、結果として妻（夫）の借入金を返済するためのものとなった部分は、家屋等の取得のためのものではないとされ、その部分は住宅借入金等特別控除の対象とはなりません。

　なお、その妻（夫）の借入金の返済に充てられた金額は、夫から妻（妻から夫）への贈与となりますから、贈与税の申告が必要な場合があります。

妻子と別居している場合の住宅借入金等特別控除

【問138】 私は、昨年（令和5年）に住宅を購入して、確定申告により住宅借入金等特別控除の適用を受けましたが、本年10月から家族5人のうち私は転勤により、また、長男は修学のため共に東京で生活していますので、現在その家屋に居住しているのは妻と子供2人です。

　住宅借入金等特別控除は、その年の年末まで引き続き居住していないと認められないとのことですが、私の場合、本年は住宅借入金等特別控除を受けられないのでしょうか。

【答】 住宅借入金等特別控除の要件の一つに「控除を受ける年の年末まで引き続き居住していること」とありますが、これは必ずしもその家屋に居住している場合に限らず、転勤などのためやむを得ず一時的に配偶者、扶養親族その他生計を一にする親族と別居している場合であっても、その事情が解消した後にその人が共にその家屋に居住することになると認められるときは、その人がその家屋に居住しているものとして取り扱うことになっています。

　したがって、あなたの場合には、住宅借入金等特別控除を受けることができます。

転勤により家族全員が移転しその後再入居した場合

【問139】 私は、令和5年4月に新築住宅を取得し、令和5年分について住宅借入金等特別控除を受けましたが、令和6年9月に転勤命令を受け、自宅から通勤することが不可能となりました。新任地での勤務は1年間であり、1年後には再び自宅に居住します。新任地へは家族全員が移転し、その間自宅は空き家となります。

　私の場合、今後とも住宅借入金等特別控除を受けることができますか。

【答】 住宅借入金等特別控除は、一定の住宅等を取得等した人が取得後控除を受ける各年の12月31日まで引き続き居住している場合に限り受けられるものです。

　この場合、転勤、転地療養などのやむを得ない事情（本人の死亡又は災害の場合を除きます。）によって、その住宅に居住できなくなったものであっても、配偶者等と共に勤務地に移転して空き家としたり、社宅等の貸家の用に供した場合は、引き続き居住しているものとして取り扱われませ

んが、配偶者、扶養親族その他生計を一にする親族を引き続き居住させ、本人だけが単身赴任したようなときは「引き続き居住している」ものとして取り扱うことになっています。

　また、住宅借入金等特別控除の適用を受けていた方が、「給与等の支払をする者からの転任の命令に伴う転居その他これに準ずるやむを得ない事由」により、適用を受けていた家屋を居住の用に供しなくなった後、住宅借入金等特別控除の適用期間内にその家屋を再び居住の用に供した場合には、一定の手続を行うことにより住宅借入金等特別控除の再適用を受けることができます。

　したがって、お尋ねの場合には、転勤の年、すなわち令和6年分については住宅取得後引き続き居住していることにはなりませんので、住宅借入金等特別控除を受けることはできませんが、一定の手続を行うことにより再び居住することになる令和7年以後の各年分については、住宅借入金等特別控除を受けることができます。

居住開始年の年末までに転勤により家族全員が移転しその後再入居した場合

【問140】　私は、令和6年1月に新築住宅を取得し居住を始めましたが、勤務先からの急な転勤命令により4月中旬には取得した住宅から新任地に赴きました。年内に戻る見込みがないわけではありません。
　ところで、転勤が解消し元の住宅に戻ってきた場合に、私は、住宅借入金等特別控除の適用を受けることができるでしょうか。

【答】　住宅の取得等をして居住の用に供した人が、その居住の用に供した年以後に勤務先からの転任の命令等やむを得ない事由により転居した場合であって、転勤が解消し再び元の住宅に居住するようになった場合には、一定の要件のもとで、その再居住するようになった年（当初居住した年を含みます。）以降の住宅借入金等特別控除の控除期間の残存する各年分において、（再び）住宅借入金等特別控除を適用できる、再居住に係る特例があります。

　この再居住特例は、次のとおり、度重なる税制改正を受けて拡充されています。

① 平成15年改正　当初居住年に住宅借入金等特別控除の適用を受けた後、転任の命令等により転居したものの、その後転勤が解消し再居住した場合に適用可（再居住特例創設）
② 平成21年改正　当初居住年に住宅借入金等特別控除の適用を受ける前に、転任の命令等により転居したものの、その翌年以後転勤が解消し再居住した場合にも適用可（適用対象拡充）
③ 平成25年改正　当初居住年に住宅借入金等特別控除の適用を受ける前に、転任の命令等により転居したものの、その年中に転勤が解消し再居住した場合にも適用可（適用対象拡充）

　したがって、あなたの場合、年内に転勤が解消し新居に戻って来られた場合は③に該当し、年内に戻って来られなかったとしても翌年以後戻って来られた場合は②に該当することとなり、再居住の特例が適用できます。

年の中途に海外へ転勤した人の住宅借入金等特別控除

【問141】　私は、令和5年8月に住宅を新築して昨年分の住宅借入金等特別控除を受けていますが、令和6年11月、パリ支店に転勤、3年間の予定で単身赴任となりました。この家屋には、現在、妻子が引き続き居住しています。

　　この場合、出国時の年末調整において、住宅借入金等特別控除を受けられますか。

【答】　住宅借入金等特別控除を受けるには、住宅を居住の用に供した日以後その年の12月31日まで引き続き居住していることが必要とされています。

　なお、「引き続き居住の用に供している」という要件に関して、住宅等を取得等した人が、例えば転勤などのやむを得ない事情で、配偶者、扶養親族等の生計を一にする親族と日常の起居を共にしないことになった場合に、その住宅等をこれらの親族が引き続き居住の用に供しており、そのやむを得ない事情が解消した後は、その人が住宅等に居住することになるときは、その人がその住宅等を引き続き居住の用に供しているものとする取扱いがあります。この取扱いは、平成28年4月1日以後に国内に住宅等を取得等している場合には、住宅等の取得等をした人が非居住者であっても適用されます（国内源泉所得から控除されます。）。ただし、出国時の年末調整で適用を受けることはできず、非居住者期間中は、納税管理人に適用のための確定申告を代行してもらうことになります。

災害により被害を受けた住宅等に係る住宅借入金等特別控除

【問142】　当社には、令和2年から住宅借入金等特別控除の適用を受けている社員がいますが、この控除の対象となっていた住宅が令和6年7月に発生した災害によって被害を受け、居住できなくなりました。

　　聞くところによりますと、12月末日まで居住の用に供している住宅のみが住宅借入金等特別控除の対象となるとのことですが、この社員の場合、本年の控除は受けられないのでしょうか。

【答】　住宅借入金等特別控除は、取得等をした家屋をその年の12月31日まで引き続き居住の用に供していることが要件とされていますが、これらの家屋が災害により居住の用に供せなくなった場合には、その供せなくなった日まで居住していれば、居住の用に供せなくなった年の翌年以降の控除対象年分についても、住宅借入金の残高がある限り(注)、住宅借入金等特別控除を受けることができます。

（注）　新たに取得等をした家屋について住宅借入金等特別控除の適用を受けた年以後等、一定の場合は除きます。

　したがって、お尋ねの場合にも災害の日まで居住の用に供していた家屋であれば本年の年末調整で住宅借入金等特別控除の適用を受けることができます。

　なお、この取扱いは平成28年1月1日以後に災害により居住できなくなった人について、平成29年分以後の所得税に適用されます（それ以前に災害により居住できなくなった場合には、居住できなくなった年に限り適用を受けることができます。）。

個人住民税における住宅借入金等特別税額控除

【問143】　住民税においても住宅借入金等特別控除の適用を受けることができると聞きましたが、その概要を説明してください。

【答】　平成22年度から令和20年度までの住民税に限り、平成21年から令和７年までに所得税の住宅借入金等特別控除の適用を受けた人について、その所得税から控除しきれなかった控除額を一定の範囲で翌年度分の個人住民税から控除することができます。

　　個人住民税から控除できる額は、その年分の所得税の課税総所得金額等の５％（最高９万7,500円（平成26年４月から令和７年12月までの間に居住の用に供し、かつ、その住宅の取得等に係る対価等に含まれる消費税等の税率が８％又は10％である場合は、その年分の所得税の課税総所得金額等の７％（最高136,500円）））が限度となります。（109ページ参照）

11　年末調整手続の電子化

年末調整手続の電子化の概要

【問144】　平成30年度税制改正により、令和２年分の年末調整から、生命保険料控除、地震保険料控除及び住宅借入金等特別控除に係る控除証明書等について、勤務先へ電子データにより提供できるよう手当されたことなどを受けて、年末調整手続の電子化が実施されたとのことですが、概要について教えてください。

【答】　これまでの年末調整手続は、勤務先が用紙を配付し、その用紙に従業員が手書きして提出するなど、多くの場合、書面により行われていました。

　　これまでの年末調整手続の手順を示すと次のような流れになります。

> ①　従業員が、保険会社、金融機関、税務署等（以下「保険会社等」といいます。）から控除証明書等を書面（ハガキ等）で受領
> ②　従業員が、保険料控除申告書又は住宅ローン控除申告書に、①で受領した書面（ハガキ等）に記載された内容を転記の上、控除額を計算し記入
> ③　従業員が保険料控除申告書及び住宅ローン控除申告書など、年末調整の際に作成する各種申告書（以下「年末調整申告書」といいます。）を作成し、控除証明書等とともに勤務先に提出
> ④　勤務先が提出された年末調整申告書に記載された控除額の検算、控除証明書等の確認を行った上で、年税額を計算

　　年末調整手続の電子化とは、次の２つを実施することにより、年末調整手続をデータ処理することであり、これにより勤務先・従業員双方の年末調整に係る事務負担を軽減するための施策です。

> ① 従業員が控除証明書等を電子データで取得し、それを利用して年末調整申告書データを作成すること
> ② 勤務先が従業員から①の年末調整申告書データ及び控除証明書等データの提供を受け、これを利用して年税額等の計算を行うこと

年末調整手続が電子化された場合の手順は、次のようなものとなります。

> ① 従業員が、保険会社等から控除証明書等を電子データで受領
> ② 従業員が、国税庁ホームページ等からダウンロードした年末調整控除申告書作成用ソフトウェア等^(注)に、住所・氏名等の基礎項目等を入力し、①で受領した電子データをインポート（自動入力、控除額の自動計算）して年末調整申告書の電子データを作成
> ③ 従業員が、②の年末調整申告書データ及び①の控除証明書等データを勤務先に提供
> ④ 勤務先が、③で提供された電子データを給与システム等にインポートして年税額を計算

(注) 年末調整控除申告書作成用ソフトウェア（年調ソフト）とは、年末調整申告書について、従業員が控除証明書等データを活用して簡便に作成し、勤務先に提出する電子データ又は書面を作成する機能を持つ、国税庁ホームページ等において無償で提供されるソフトウェアです。

なお、年末調整手続の電子化は義務ではありませんので、年末調整関係書類を従前どおり書面で提出しても差し支えありません。

年末調整手続の電子化のメリット

> **【問145】** 年末調整手続を電子化することにより、どのようなメリットがありますか。

【答】 従業員及び勤務先にとって、次のようなメリットがあります。
① 従業員のメリット

　従業員は、これまでの手書きによる手続（年末調整申告書の記入、控除額の計算など）を省略でき、年末調整申告書の作成を簡素化できます。また、年末調整申告書を電子的に作成し、データで提供（メール等で送信）するため、テレワークなどの際に書類を郵送で提出する必要もありません。

　また、書面で提供を受けた控除証明書等を紛失した場合は、保険会社等に対し、再発行を依頼しなければなりませんでしたが、その手間も不要となります。

(注) 従業員が、「マイナポータル連携」を利用する場合には、複数の控除証明書等を一度の処理で取得することができますので、従業員の利便性がより高まります。

② 勤務先のメリット

　勤務先は、従業員が年調ソフト等で作成した年末調整申告書データを利用することにより、控除額の検算が不要となります。

　また、控除証明書等データを利用した場合、添付書類等の確認に要する事務が削減されます。

　さらに、従業員が年末調整申告書作成用のソフトウェアを利用して控除申告書を作成するため、記載誤り等が減少し、従業員への問合せ事務も減少することが期待されます。

　加えて、書面による年末調整の場合の書類保管コストも削減することができます。

（注）　年末調整申告書データを利用して年税額の計算等を行うためには、勤務先の給与システム等が年末調整申告書データの取込みに対応している必要があります。

年末調整手続の電子化をする場合の勤務先の準備

【問146】　年末調整手続の電子化を行う場合、勤務先としては、どのような準備が必要でしょうか。

【答】　年末調整手続の電子化へ向けて、勤務先は次のような準備をする必要があります。

① 電子化の実施方法の検討

　年末調整の電子化を実施するに当たり、従業員が使用する年末調整申告書作成用のソフトウェアについてどのソフトウェアを使用するか、電子化後の年末調整手続の事務手順をどうするかなどを検討します。

（注）　従業員から提供を受ける年末調整申告書データは、国税庁から提供する年調ソフトだけでなく、仕様公開を通じ同様の仕組みを取り込んだ民間のソフトウェアでも作成することができます。

② 従業員への周知

　従業員から年末調整申告書及び控除証明書等について電子データにより提供を受けるに当たり、法令上は事前に従業員から同意を得る必要はありません。

　しかし、電子化に当たっては、従業員においても、保険会社等から控除証明書等データを取得するための手続など、事前準備が必要となることから、電子化する際には従業員への早期の周知が必要となります。

　また、①で決定した、従業員が使用する年末調整申告書作成用のソフトウェアや事務手順について周知する必要があります。

③ 給与システム等の改修等

　従業員から提供を受ける年末調整申告書データや控除証明書等データを、利用している給与システム等にインポートし、年税額等の計算を行うためのシステムの改修等を行います。

（注）　令和3年4月1日以後に提出を受ける申告書については、所轄税務署長による事前の承認は不要となりました。

年末調整手続の電子化をする場合の従業員の準備

【問147】　年末調整手続の電子化を行う場合、従業員は、どのような準備をする必要があるでしょうか。

【答】　年末調整手続の電子化へ向けて、従業員は次のような準備をする必要があります。

① 年末調整申告書作成用のソフトウェアの取得

　保険会社等から取得する控除証明書等データを利用して年末調整申告書データを作成するためのソフトウェア（国税庁が提供する「年末調整控除申告書作成用ソフトウェア」など）を取得します（利用するソフトウェア等については勤務先に確認します。）。

② 控除証明書等データの取得（マイナポータル連携を利用しない場合のみ）

　保険会社等のホームページ等から、控除証明書データを取得します（具体的な取得方法は保険会社等により異なります。）。

（注）　マイナポータル連携を利用する場合は、年末調整申告書データの作成中に、民間送達サービスに送達された複数の控除証明書等データをマイナポータルを通じて一括取得するため、②の手続は不要となります。

マイナポータルを活用した年末調整の簡便化

【問148】 マイナポータル連携とは、どのようなものでしょうか。

【答】 マイナポータル連携とは、年末調整手続や所得税確定申告手続において、マイナポータル経由で、控除証明書等のデータを一括取得し、各種申告書の該当項目へ自動入力する機能です。

年末調整手続を行う従業員及び勤務先の手続は、この「マイナポータル連携」により概ね次のように簡便化されます。

		簡便化前	簡便化後
従業員	控除証明書等	・書面（ハガキ等）で受け取り ・必要な時期まで保管（紛失した場合、再発行を依頼）	・控除申告書作成の際にデータで一括取得
	控除申告書（保険料控除申告書など）	・手作業で作成	・所定の項目に自動入力
勤務先		・従業員から提出された控除証明書のチェック等 ・書類を保管	・検算等の作業が簡素化 ・書類の保管は不要（データで保存）

（注1）マイナポータル連携は、令和2年10月以降に利用できるようになっており、対象となる控除証明書等の種類は、準備が整ったものから、順次拡大されています。

（注2）マイナポータル連携を利用して控除証明書等のデータを取得するには、控除証明書等の発行主体がマイナポータル連携に対応していることが必要です。

（注3）控除証明書等データの取得方法は、マイナポータル連携により一括取得する方法のほか、従業員が契約している個々の保険会社等のホームページにアクセスし、「お客様ページ」（保険会社等によって名称は異なります。）にログインしてダウンロードするなどの方法もあります（具体的な取得方法は保険会社等により異なります。）。

この場合、年末調整申告書作成用のソフトウェアや、所得税の確定申告書作成用のシステムに、取得した控除証明書等データをインポートすることで、控除額等を自動計算することが可能となります。

（参考）

所得税確定申告手続を行う納税者の方の手続は、この「マイナポータル連携」により概ね次のように簡便化されます。

		簡便化前	簡便化後
納税者	控除証明書等	・書面（ハガキ等）で受け取り ・必要な時期まで保管（紛失した場合、再発行を依頼）	・控除申告書作成の際にデータで一括取得
	確定申告書	・手作業で作成	・所定の項目に自動入力

マイナポータル連携を利用するための準備

【問149】　控除証明書等データをマイナポータル連携で取得するために、従業員はどのような準備をする必要があるのでしょうか。

【答】　マイナポータル連携により、控除証明書等データを自動取得するためには以下の準備が必要となります。なお、①のスマホ用電子証明書の登録手続及び②から④の登録手続等は、翌年以降は不要です。

①　マイナンバーカードの取得及び読取機器又はスマホ用電子証明書が搭載されたスマートフォンの準備

　　マイナポータル連携のためには、マイナンバーカード又はスマホ用電子証明書が必要です。また、マイナンバーカードを読み取るためには、ＩＣカードリーダライタ又はマイナンバーカード対応のスマートフォン等が必要です。スマホ用電子証明書を利用するためには、マイナポータルアプリによる証明書の登録が必要です。

（注）　スマホ用電子証明書とは、スマートフォンに登録できる電子証明書で、スマホ用署名用電子証明書（暗証番号が英数字6～16文字のもの）とスマホ用利用者証明用電子証明書（暗証番号が数字4桁のもの）の2種類があります。

②　マイナポータルの開設（ＩＣカードリーダライタ又は対応スマートフォンを利用）

　　マイナポータルにアクセスし、利用者登録をします。

③　マイナポータルと民間送達サービスの連携

　　マイナポータルの「もっとつながる」から、民間送達サービスのアカウントを開設します。

④　保険会社等と民間送達サービスの連携設定

　　従業員等が契約している保険会社等のサイトから保険の証券番号等の入力などを行い、またマイナンバーカードを利用することにより、控除証明書等データが民間送達サービスに届くように設定します（具体的な方法については保険会社等や民間送達サービスにより異なります。）。

12　給与の総額等の集計、過不足額の精算等

納期の特例の適用者である場合の過納額の還付

【問150】　当社は源泉所得税及び復興特別所得税の納期の特例の承認を受けています。本年の年末調整では12月分の徴収税額から還付しきれない過納額が生じました。そこで翌年1月に納付する7月〜11月分の徴収税額から還付しても差し支えありませんか。

【答】　納期の特例の承認を受けている場合は、7月〜12月分の徴収税額全体から還付して差し支えありません。

過納額の還付に3か月以上の期間を要する場合の還付

【問151】　当社は、年末調整の結果、多額の過納額が生じました。この過納額の全額を還付するには来年の3月ごろまでかかる見込みですが、このような場合でも、1月分と2月分の給与から徴収した税額から順次還付し、なお残る過納額について年末調整過納額還付請求書兼残存過納額明細書を提出することになるのですか。

【答】　年末調整により生じた過納額が多額で、年末調整を行った日の現況から判断して、その過納額の全部について翌年の2月末日までの間に還付することが極めて困難であると見込まれる場合には、直ちに「年末調整過納額還付請求書兼残存過納額明細書」を提出して税務署長から還付を受けられることになっています。なお、給与の支払者がこの明細書を提出した場合には、以後の給与から徴収した税額より差し引いてその過納額を還付することはできませんのでご注意ください。

弁護士、税理士等の報酬に対する源泉徴収税額からの還付

【問152】　年末調整の結果、12月分の給与等及び退職手当等に対する源泉徴収税額から還付しきれなかった過納額が21,750円生じました。しかし、別途に12月中に支払った弁護士報酬に対する源泉徴収税額が50,000円ありますので、これから還付したいと思いますが、いかがでしょうか。

【答】　年末調整による過納額は、給与等及び退職手当等に対する源泉徴収税額のほか、弁護士、税理士、司法書士、公認会計士等の所得税法第204条第1項第2号に規定する報酬・料金に対する源泉徴収税額からも還付することができます。

　　したがって、貴社の場合、弁護士報酬に対する源泉徴収税額から還付してください。

未納税額がある場合の超過額の精算

【問153】　私は従業員12人を使用している個人事業主ですが、年末調整の結果、翌年に繰り越す過納額が発生しました。ところで、現在のところ11月分の徴収税額を納付していませんので、その税額を過納額に充当して従業員に直接還付してもよろしいでしょうか。

【答】　年末調整の結果生じた過納額を充当できるのは、年末調整の時点で納付期限が到来していない徴収税額に限られます。

　　したがって、11月分の徴収税額の納付期限は12月10日に到来していますので、年末調整がそれ以後に行われる限り、さかのぼって充当することはできません。

　　お尋ねの場合、その過納額は翌年の2月末までの徴収税額から還付するか、「年末調整過納額還付請求書兼残存過納額明細書」を提出して税務署長から還付を受けることになります。

　　なお、11月分の徴収税額については早急に納付するようにしてください。

不足額が多額な場合の徴収

【問154】　当社では12月15日に賞与を支払い、12月20日に12月分の給与を支払うことにしています。そこで、12月15日に支払う賞与については、賞与に対する通常の税額計算により算出した税額だけを徴収し、その後に支払う12月分の給与で年末調整をしたいと思っています。

　　ところが、社員の中に本年の中途で控除対象扶養親族が2人も減少した者がおり、その者については年末調整の結果多額の不足額が生じ、12月分の給与の税引手取額が例月に比べて相当低くなるのではないかと思われます。このような場合、不足額の一部を翌年に繰り延べて徴収することはできませんか。

【答】　お尋ねの場合、不足額や賞与の額などについて具体的な金額が分かりませんので確答はできませんが、一般的に考えて、不足額を翌年に繰り延べて徴収することはできないものと考えます。

　　不足額を翌年の給与から徴収することができるのは、本年最後に支払う給与（お尋ねの場合は、12月分の給与）から不足額の全額が徴収しきれないとき及び12月中に支払われる給与の税引手取額（お尋ねの場合は、賞与と12月分の給与の税引手取額の合計額）が1月〜11月の間に支払われた給与の税引手取額の月割平均額の70％に満たない場合に限られており、お尋ねの場合には、このいずれにも該当しないのではないかと思われます。

不足額の徴収繰延べ

【問155】　年末調整が行われる12月には大部分の給与所得者が賞与の支払を受けることになりますので、実際には不足額の徴収繰延べということは起こらないと思いますが、いかがでしょうか。

【答】　不足額の徴収繰延べは、12月分の給与の金額からその給与に対する通常の徴収税額と年末調整による不足額とを控除した金額が、1月から11月までに支払われた給与の税引手取額の月割平均額の70％相当額を下回る場合に適用されるのですが、お尋ねのとおり、12月には賞与の支払を受けるのが通例ですので、一般には徴収繰延べを受けるというようなことはほとんどないといえます。ただ、会社の役員などで、11月までに多額の給与の支払を受け、12月には給与の支払がほとんどない

というような人の場合に、この徴収繰延べの問題が起こることになりましょう。

納付すべき税額がない場合の所得税徴収高計算書（納付書）の提出

【問156】　年末調整の結果、12月分の納付すべき税額がなくなりました。納付すべき税額のない所得税徴収高計算書（納付書）を金融機関の窓口に提出しても受け付けてくれませんが、どうすればよいのでしょうか。

【答】　年末調整の結果、納付すべき税額のない場合であっても、所得税徴収高計算書（納付書）を作成し、直接税務署に提出（郵便又は信書便による送付でも構いません。）するようにしてください。

源泉徴収簿の電算化

【問157】　当社では、従業員の給与支払額や源泉徴収税額を税務署から配付されている源泉徴収簿に記載して管理していますが、来年分から源泉徴収税額等の計算をパソコンで処理し、そのデータをアウトプットしたものを源泉徴収簿に代えて管理したいと考えています。
　　この場合でも、源泉徴収簿は必ず作成しなければならないのでしょうか。

【答】　源泉徴収簿は、月々の給与等の支払額やその給与等に係る源泉徴収税額などの記録を行うほか、年末調整に関する事項を記載するなど源泉徴収義務者の利便性の観点から作成されているものですが、必ずしも税務署から配付されている源泉徴収簿を使用しなければならないというものではありません。
　　お尋ねの場合、そのアウトプットする様式に毎月の源泉徴収の記録や年末調整の内容などが記載されているものであれば、源泉徴収簿に代えて使用しても差し支えありません。

13　令和6年定額減税（年調減税事務）

年調減税のための申告書の提出

【問158】　年調減税額を計算するに当たって、給与所得者から新たに申告書を提出してもらう必要がありますか。

【答】　年調減税額の計算に含める同一生計配偶者の有無や扶養親族の人数については、その給与所得者の提出した扶養控除等申告書や配偶者控除等申告書で把握することになっています。
　　また、令和6年中の所得金額の見積額が1,000万円超の給与所得者の同一生計配偶者について、年調減税額の計算に含める場合には、「令和6年分年末調整に係る定額減税のための申告書」（以下「年末調整に係る申告書」といいます。）を年末調整時までに提出する必要があります。
　　なお、給与所得者の合計所得金額が1,805万円を超える場合には年調減税の適用を受けることはできませんので、その給与所得者の提出した基礎控除申告書に記載された令和6年分の合計所得金額の見積額を確認（「本人定額減税対象」欄のチェックが正しいか確認）し、判定を行います。
　（注）　基礎控除申告書などの提出がなく、給与所得者の合計所得金額の見積額の確認ができない場合は、給与

　所得者から給与所得者の合計所得金額の見積額の通知を受け、給与所得者が年調減税の対象か判断することになります。なお、この通知については、口頭やメール等で行って差し支えありません。

控除対象配偶者・配偶者特別控除の適用を受ける配偶者に係る年調減税

【問159】　「控除対象配偶者」や「配偶者特別控除の適用を受ける配偶者」については、年調減税額の計算に含めますか。

【答】　給与所得者の提出した配偶者控除等申告書に氏名等が記載されている「控除対象配偶者」で、居住者である人については、年調減税額の計算に含めることとされています。
　一方、「配偶者特別控除の適用を受ける配偶者」については、年調減税額の計算に含めることはできません。
（注）　合計所得金額48万円超の配偶者については、配偶者自身に所得税が生じる際に、定額減税額の控除を受けることになります。

給与所得者（所得金額の見積額が1,000万円超）の配偶者に係る年調減税

【問160】　給与所得者の令和6年中の合計所得金額の見積額が1,000万円超の場合、その配偶者は令和6年中の所得金額の見積額が48万円以下であっても、配偶者控除等申告書を提出することができませんが、このような配偶者を年調減税額の計算に含めるためにはどうすればいいですか。

【答】　給与の支払者は、年末調整の際に以下の配偶者を年調減税額の計算に含めることになります。
⑴　給与所得者から年末調整時までに提出された配偶者控除等申告書に「配偶者控除の適用を受ける配偶者」として記載された配偶者
⑵　給与所得者から年末調整時までに提出された「年末調整に係る申告書」に「令和6年中の合計所得金額の見積額が48万円以下である配偶者」として記載された配偶者
　したがって、令和6年中の合計所得金額の見積額が1,000万円超の給与所得者については、年末調整時までに「年末調整に係る申告書」を使用して、令和6年中の合計所得金額の見積額が48万円以下である配偶者について給与の支払者に申告することで、配偶者を年調減税額の計算に含めることができます。

年末時点で非居住者となる見込みの同一生計配偶者等に係る年調減税

【問161】　月次減税額（令和6年6月以後に支払う給与等に係る控除前税額から控除する定額減税額）の計算に含めた同一生計配偶者等が、令和6年7月以降に海外に移住し、令和6年12月31日時点では非居住者となる見込みです。その場合に、その非居住者となった同一生計配偶者等は、年調減税額の計算には含めますか。

【答】　「居住者である同一生計配偶者」や「居住者である扶養親族」に該当するかどうかについては、原則として令和6年12月31日の現況で判定することになりますので、月次減税額の計算に含めた同一生計配偶者等であっても、年の中途で出国し非居住者となった場合には、その非居住者となった同一生計配偶者等については年調減税額の計算には含めないこととされています。
（注1）　月次減税額と年調減税額との間に差額が生じる場合には、年末調整時に精算が行われることになります。
（注2）　給与所得者本人が年の中途で出国し非居住者となった場合や死亡した場合には、その給与所得者の出

国時や死亡時の現況において、「居住者である同一生計配偶者」や「居住者である扶養親族」に該当するかどうかの判定を行うことになります。

年末時点で居住者となる見込みの同一生計配偶者等に係る年調減税

【問162】 令和6年6月の時点では非居住者であった同一生計配偶者等が、その後日本に入国し、令和6年12月31日時点では居住者となる見込みですが、その居住者となった同一生計配偶者等は、年調減税額の計算に含めますか。

【答】 「居住者である同一生計配偶者」や「居住者である扶養親族」に該当するかどうかについては、原則として令和6年12月31日の現況で判定することになりますので、令和6年12月31日時点で居住者である同一生計配偶者等は、月次減税額の計算に含めなかった人であっても、年末調整時までに扶養控除等申告書等に記載することで年調減税額の計算に含めることとされています。

(注1) 月次減税額と年調減税額との間に差額が生じる場合には、年末調整時に精算が行われることになります。

(注2) 給与所得者本人が年の中途で出国し非居住者となった場合や死亡した場合については、その給与所得者の出国時や死亡時の現況において、「居住者である同一生計配偶者」や「居住者である扶養親族」に該当するかどうかの判定を行うことになります。

所得金額が48万円超となる見込みの配偶者等に係る年調減税

【問163】 月次減税額の計算に含めた同一生計配偶者が、令和6年7月に就職し、令和6年分の合計所得金額が48万円超となる見込みです。その場合に、その配偶者は、年調減税額の計算に含めますか。

【答】 月次減税額の計算に含めた同一生計配偶者又は扶養親族であっても、12月31日の現況で令和6年分の合計所得金額が48万円超となる場合には、その配偶者等については年調減税額の計算には含めないこととされています。

(注) 月次減税額と年調減税額との間に差額が生じる場合には、年末調整時に精算が行われることになります。

年の途中で出生した扶養親族に係る年調減税

【問164】 令和6年8月に子どもが生まれ、令和6年12月31日時点では扶養親族になりますが、その子どもは、年調減税額の計算に含めますか。

【答】 年の中途で出生した親族について、令和6年12月31日時点で扶養親族となるのであれば、月次減税額の計算に含めなかった人であっても、年末調整時までに扶養控除等申告書（住民税に関する事項）に記載することで年調減税額の計算に含めることになります。

なお、その子どもが他の給与所得者が提出する扶養控除等申告書（住民税に関する事項）において扶養親族として記載されている場合には、いずれかの給与所得者の定額減税額の計算に含めることとされています。

(注) 月次減税額と年調減税額との間に差額が生じる場合には、年末調整時に精算が行われることになります。

年の途中で死亡した扶養親族に係る年調減税

【問165】　令和6年6月の時点では扶養親族であった親族が、年の中途で亡くなりました。その親族は、年調減税額の計算に含めますか。

【答】　令和6年6月の時点では扶養親族であった親族が、年の中途で死亡した場合については、その親族の死亡の日の現況で扶養親族であると判定されるのであれば、年調減税額の計算に含めることとされています。

同一生計配偶者について「源泉徴収に係る申告書」に記載して提出した場合の取扱い

【問166】　基準日在職者(注)から、同一生計配偶者について記載された「令和6年分源泉徴収に係る定額減税のための申告書」（以下「源泉徴収に係る申告書」といいます。）の提出を受けました。その場合、年調減税額の計算の際に、基準日在職者から新たに申告書の提出を受ける必要がありますか。

【答】　同一生計配偶者について記載した「源泉徴収に係る申告書」の提出を受けた場合には、年末調整の際に、配偶者控除等申告書（又は年末調整に係る申告書）の提出を受ける必要があります。

　　また、同一生計配偶者について、源泉控除対象配偶者として記載した扶養控除等申告書の提出を受けた場合も、年末調整の際に、配偶者控除等申告書（又は年末調整に係る申告書）の提出を受ける必要があります。

　（注）　基準日在職者とは、令和6年6月1日現在、給与の支払者のもとで勤務している人のうち、給与等の源泉徴収において源泉徴収税額表の甲欄が適用される居住者の人（その給与の支払者に扶養控除等申告書を提出している居住者の人）をいいます。

扶養親族について「源泉徴収に係る申告書」に記載して提出した場合の取扱い

【問167】　基準日在職者から、扶養親族について記載された「源泉徴収に係る申告書」の提出を受けました。その場合、年調減税額の計算の際に、基準日在職者から新たに申告書の提出を受ける必要がありますか。

【答】　扶養親族（16歳未満の扶養親族を含みます。）について記載した「源泉徴収に係る申告書」の提出を受けた場合には、年末調整の際に、扶養親族について記載した扶養控除等申告書又は「年末調整に係る申告書」の提出を受ける必要があります。

　　なお、扶養控除等申告書（住民税に関する事項を含みます。）に記載した扶養親族（16歳未満の扶養親族を含みます。）については、年末調整の際に新たに申告書を提出する必要はありません。

扶養控除等申告書に記載された障害者である同一生計配偶者（年末調整時）

【問168】　令和6年中の所得金額の見積額が900万円超の給与所得者が、その同一生計配偶者について障害者控除を受けるため、同一生計配偶者の氏名等を扶養控除等申告書の摘要欄に記載しています。このような同一生計配偶者は、年調減税額の計算に含めることになりますか。

【答】　年調減税額の計算に含めることができる同一生計配偶者は、配偶者控除等申告書（又は年末調

整に係る申告書）に記載された同一生計配偶者に限られます。

　そのため、扶養控除等申告書の摘要欄に記載した同一生計配偶者を年調減税額の計算に含めるためには、別途、給与所得者から、同一生計配偶者についての記載がある配偶者控除等申告書（又は年末調整に係る申告書）の提出を受ける必要があります。

扶養控除等申告書等以外の様式の使用可否（年末調整時）

【問169】　扶養控除等申告書、配偶者控除等申告書又は年末調整に係る申告書以外の様式を使用して、従業員から年調減税額の計算に含める配偶者や扶養親族の氏名等の提出を受けてもいいですか。

【答】　法令で定められた記載すべき事項が漏れなく記載できるのであれば、国税庁ホームページに掲載されている扶養控除等申告書、配偶者控除等申告書及び年末調整に係る申告書以外の様式を使用して、従業員から年調減税額の計算に含める配偶者や扶養親族の氏名等の提出を受けて差し支えありません。

　また、給与の支払者が、従業員から扶養控除等申告書等に記載すべき事項に関し、電磁的提供を受けるための必要な措置を講じる等の一定の要件を満たしている場合には、その従業員は、書面による申告書の提出に代えて、電磁的方法により申告書に記載すべき事項の提供を行うことができます。

所得制限を超える人に対する年調減税

【問170】　合計所得金額が1,805万円を超える人については、年末調整時に年調減税の適用を受けることはできませんか。

【答】　給与所得者のうち、合計所得金額が1,805万円を超える人については、年調減税の適用を受けることができません。

　そのため、給与所得者が年末調整時に提出した基礎控除申告書に記載された令和6年分の合計所得金額の見積額をご確認いただき、年調減税の適用を受ける給与所得者か否かを判定し、合計所得金額が1,805万円を超える人の年末調整においては、年調所得税額から年調減税額を控除せずに年調年税額の計算を行うことになります。

　なお、給与収入が2,000万円を超える人については、年末調整の対象となりませんので、確定申告で精算を行うこととなります。

（注1）　主たる給与の支払者からの給与収入は2,000万円を超えないが、その他の所得があるために合計所得金額が1,805万円を超える人が、年末調整で年調所得税額から年調減税額を控除しないで計算を行う人になります。（例：給与収入が1,900万円（給与所得1,705万円）で、不動産所得が200万円である人）
（注2）　月次減税額と年末調整時又は確定申告時に算出される最終的な定額減税額との間に差額が生じる場合には、これらの時に精算が行われることになります。
（注3）　基礎控除申告書などの提出がなく、給与所得者の合計所得金額の見積額の確認ができない場合は、給与所得者から給与所得者の合計所得金額の見積額の通知を受け、給与所得者が年調減税の対象か判断することになります。なお、この通知については、口頭やメール等で行って差し支えありません。

令和7年以降に支給される給与等に係る定額減税

【問171】　年末調整の結果、給与所得者の年調所得税額から控除しきれなかった年調減税額については、令和7年1月以降に支給される給与等に係る源泉徴収税額から控除しますか。

【答】　年末調整の結果、給与所得者の年調所得税額から控除しきれなかった年調減税額については、源泉徴収票（給与支払報告書）に年調減税額の控除外額として記載し、令和7年1月以降に支給される給与等に係る源泉徴収税額からは控除しません。

源泉徴収簿の記載方法

【問172】　国税庁ホームページ及び本書では、源泉徴収簿の余白を使用して年調減税額の控除計算の内容を記載すると説明されています。別紙を使用して年調減税額の控除計算の内容を記載しても差し支えありませんか。また、合計所得金額が1,805万円を超えるため、年調減税の適用を受けない人についても、余白等への記載が必要ですか。

【答】　国税庁が作成しており本書に掲載している源泉徴収簿は、源泉徴収事務の便宜を考慮して作成されたものであり、その記載方法も含めて、法令で定められたものではありません。「令和6年分給与所得に対する源泉徴収簿」は、年調減税額の計算に対応していませんので、年調減税額の控除計算の内容について別紙を使用して記載して差し支えありません。

　　また、年調減税の適用を受けない人については、余白等への記載は不要です。

源泉徴収票への記載方法

【問173】　年末調整を了した後に作成する源泉徴収票には、定額減税額等をどのように記載しますか。

【答】　給与所得の源泉徴収票」の「（摘要）」欄に、実際に控除した年調減税額を「源泉徴収時所得税減税控除済額×××円」、年調減税額のうち年調所得税額から控除しきれなかった金額を「控除外額×××円」（控除しきれなかった金額がない場合は「控除外額0円」）と記載します。

　　また、合計所得金額が1,000万円超である居住者の同一生計配偶者（以下「非控除対象配偶者」といいます。）分を年調減税額の計算に含めた場合には、上記に加えて「非控除対象配偶者減税有」と記載します。

　　なお、「（摘要）」欄への記載に当たっては、定額減税に関する事項を最初に記載するなど、書ききれないことがないよう留意します。

　　年末調整を行った後の源泉徴収票の「源泉徴収税額」欄には、年調所得税額から年調減税額を控除した残額に102.1％を乗じて算出した復興特別所得税を含む年調年税額を記載します。

（注1）　令和6年6月1日以後の退職・国外転出・死亡等で、年末調整を了した後に作成する源泉徴収票においても同様となります。

　　　（記載例①：年末調整を行った一般的な場合）
　　　　源泉徴収時所得税減税控除済額×××円、控除外額×××円
　　　（記載例②：非控除対象配偶者分の定額減税の適用を受けた場合）
　　　　源泉徴収時所得税減税控除済額×××円、控除外額×××円
　　　　非控除対象配偶者減税有

（記載例③：非控除対象配偶者が障害者に該当する場合）
　　源泉徴収時所得税減税控除済額×××円、控除外額×××円
　　減税有 国税花子（同配）
（注２）　定額減税額等の記載について、書ききれない場合には記載内容が判断可能な範囲で省略して差し支え
ありません。

所得制限を超える人の源泉徴収票の記載方法

【問174】　令和６年分の給与の収入金額が2,000万円以下となりますが、給与以外の収入があり令和
６年分の合計所得金額が1,805万円を超える給与所得者の源泉徴収票には、定額減税額等をどのよ
うに記載しますか。

【答】　年末調整の対象となる給与所得者については、源泉徴収票への定額減税額等の記載が必要で
す。
　　なお、給与以外の収入があり令和６年分の合計所得金額が1,805万円を超える人は、定額減税の対
象とはならないため、「給与所得の源泉徴収票」の「（摘要）」欄には「源泉徴収時所得税減税控除済
額０円、控除外額０円」と記載します。

外国人技能実習生の源泉徴収票の記載方法

【問175】　居住者であり、扶養控除等申告書を提出している外国人技能実習生について、租税条約
の届出書の提出があり源泉徴収税額が「０円」となる場合の源泉徴収票には、定額減税額等をど
のように記載しますか。

【答】　年末調整の対象となる給与所得者については、源泉徴収票への定額減税額等の記載が必要で
す。
　　居住者であり、扶養控除等申告書を提出している外国人技能実習生については定額減税の対象と
なるため、「給与所得の源泉徴収票」の「（摘要）」欄には、「源泉徴収時所得税減税控除済額０円、
控除外額30,000円」と記載します。

年末調整をしなかった人の源泉徴収票への記載方法

【問176】　年末調整の対象とならなかった給与所得者の源泉徴収票には、定額減税額等をどのよう
に記載しますか。

【答】　令和６年分の給与の収入金額が2,000万円を超えるなどの理由により年末調整の対象とならな
かった給与所得者については、源泉徴収の段階で定額減税の適用を受けた上、確定申告で最終的な
定額減税との精算を行うこととなるため、その人に係る「給与所得の源泉徴収票」の作成に当たり、
「（摘要）」欄には、定額減税額等を記載する必要はありません。
　　なお、「源泉徴収税額」欄には、控除前税額（所得税法等関係法令の規定（定額減税に関する規定
を除きます。）に基づき源泉徴収すべき所得税及び復興特別所得税の合計額）から月次減税額を控
除した後の実際に源泉徴収した税額の合計額を記載することになります。

退職した人（年末調整未了）の源泉徴収票への記載方法

【問177】　給与所得者が退職した場合（年末調整を了した場合を除きます。）に作成する源泉徴収票には、定額減税額等をどのように記載しますか。

【答】　令和6年6月1日以後に給与所得者が退職した場合には、源泉徴収の段階で定額減税の適用を受けた上、再就職先での年末調整又は確定申告で最終的な定額減税との精算を行うこととなるため、「給与所得の源泉徴収票」の「（摘要）」欄には、定額減税額等を記載する必要はありません。

　なお、「源泉徴収税額」欄には、控除前税額から月次減税額を控除した後の実際に源泉徴収した税額の合計額を記載することになります。

同一生計配偶者や扶養親族となっている人の源泉徴収票の記載方法

【問178】　同一生計配偶者や扶養親族となっている給与所得者の源泉徴収票には、定額減税額等をどのように記載しますか。

　また、ある月の給与について、源泉徴収税額があるため月次減税を行ったが、年末調整で合計所得金額が48万円以下となった給与所得者の源泉徴収票には、定額減税額等をどのように記載しますか。

【答】　同一生計配偶者や扶養親族となっている人については、令和6年分の合計所得金額が48万円以下となり、源泉徴収税額が発生しないため、「給与所得の源泉徴収票」の「（摘要）」欄には「源泉徴収時所得税減税控除済額 0円」「控除外額30,000円」と記載します。

　令和6年6月以降に支払う給与について、一部源泉徴収税額が発生し月次減税を行った給与所得者で、令和6年分の合計所得金額が48万円以下となり、最終的に年間の源泉徴収税額が発生しなかった人についても「給与所得の源泉徴収票」の記載は同様となります。

（注）　同一生計配偶者や扶養親族となっている人の源泉徴収票に記載された控除外額は、その人の定額減税としてではなく、その同一生計配偶者や扶養親族を扶養している居住者の定額減税の計算において加味されます。

源泉徴収票の「控除外額」と給付

【問179】　源泉徴収票の「控除外額」に記載された金額は、給付金として支給されるのですか。

【答】　源泉徴収票の「控除外額」は、所得税及び個人住民税の定額減税と併せて行われる各種給付措置の一つである「調整給付」（所得税から定額減税で引ききれないと見込まれる人への給付）のうち、令和7年に実施する不足額給付の額を算出する際に用います。

　ただし、扶養親族に該当する場合や、令和6年夏以降に市区町村から定額減税で引ききれないと見込まれるおおむねの額の支給がある場合などにおいて、「控除外額」に記載された金額と不足額給付の額は必ずしも一致するものではありません。

　定額減税と各種給付については、内閣官房ホームページの「新たな経済に向けた給付金・定額減税一体措置」サイトに記載されています。

　【内閣官房ホームページ】
🔍「新たな経済に向けた給付金・定額減税一体措置」サイト

14 簡易な扶養控除等申告書

簡易な扶養控除等申告書の概要

【問180】 令和5年度税制改正により、簡易な申告書が創設されたと聞きましたが、この改正の概要を教えてください。

【答】 源泉徴収手続の簡素化を図り納税者利便を向上させる観点から、給与等の支払者へ提出する扶養控除等申告書及び「従たる給与についての扶養控除等申告書」に記載すべき次の事項がその年の前年にその支払者に提出した扶養控除等申告書等に記載した事項から異動がない場合には、その記載すべき事項の記載に代えて、その異動がない旨の記載によることができることとされました。

この前年から異動がない旨を記載した申告書を「簡易な申告書」といいます。

(1) 給与所得者の扶養控除等申告書の記載事項

　イ　給与等の支払者の氏名又は名称

　ロ　所得者が特別障害者若しくはその他の障害者又は勤労学生に該当する場合にはその旨及びその該当する事実並びに寡婦又はひとり親に該当する場合にはその旨

　ハ　同一生計配偶者又は扶養親族のうちに同居特別障害者若しくはその他の特別障害者又は特別障害者以外の障害者がある場合には、その同一生計配偶者又は扶養親族に関する事項

　ニ　源泉控除対象配偶者に関する事項

　ホ　控除対象扶養親族に関する事項

　ヘ　2以上の給与等の支払者から給与等の支払を受ける場合には、源泉控除対象配偶者又は控除対象扶養親族のうち、主たる給与等の支払者から支払を受ける給与等について徴収される所得税の額の計算の基礎としようとするものの氏名

　ト　上記ハの同居特別障害者若しくはその他の特別障害者若しくは特別障害者以外の障害者又はニの源泉控除対象配偶者（上記への場合に該当するときは、上記への源泉控除対象配偶者に限ります。）が非居住者である場合にはその旨及び控除対象扶養親族に該当する事実

　チ　その他の事項

(2) 従たる給与についての扶養控除等申告書の記載事項

　イ　従たる給与等の支払者の氏名又は名称

　ロ　源泉控除対象配偶者又は控除対象扶養親族に関する事項

　ハ　源泉控除対象配偶者又は控除対象扶養親族のうち、その従たる給与等の支払者から支払を受ける給与等について徴収される所得税の額の計算の基礎としようとするものの氏名

　ニ　上記ハの源泉控除対象配偶者が非居住者である親族である場合にはその旨並びに上記ハの控除対象扶養親族が非居住者である場合にはその旨及び控除対象扶養親族に該当する事実

　ホ　その他の事項

※　以下、**問192**までの取扱いは、「従たる給与についての扶養控除等申告書」についても同様となります。

（注）　簡易な申告書は、令和7年1月1日以後に支払を受けるべき給与等について提出する扶養控除等申告書から提出することができます。

簡易な申告書の提出を受けようとする場合に留意すべきこと

【問181】　従業員から簡易な申告書の提出を受けようとする場合に留意すべきことはありますか。

【答】　簡易な申告書は、従業員から提出を受ける扶養控除等申告書に記載すべき事項が、その従業員から前年に提出を受けた扶養控除等申告書（前年の途中で異動申告書の提出を受けた場合は前年の最後に提出を受けた異動申告書。以下同じです。）に記載された事項から異動がない場合に提出を受けることができるものです。

　また、給与等の支払者は、この簡易な申告書の提出を受けた場合には、前年に提出を受けた扶養控除等申告書に記載された事項がその簡易な申告書に記載されているものとして、源泉徴収事務を行うこととなります。

　このため、簡易な申告書の提出を受けようとする給与等の支払者は、最後に提出を受けた簡易な申告書以外の扶養控除等申告書の内容が把握できるようにしておく必要があります^(注)。

（注）　給与等の支払者は、連年簡易な申告書の提出を受けた場合においても適正に源泉徴収事務を行うことができるよう、従業員の方から提出を受けた扶養控除等申告書を、システムを使用してその申告データを管理する又は書面でその申告書の管理をするなど、最後に提出を受けた簡易な申告書以外の扶養控除等申告書の内容を確認できるようにしておく必要があります。

前年に提出した扶養控除等申告書に記載した事項から異動がない場合

【問182】　前年に提出した扶養控除等申告書に記載した事項から異動がない場合とは、どのような場合をいいますか。

【答】　給与等の支払者に提出しようとする扶養控除等申告書に記載すべき事項の全てが、その給与等の支払者に前年に提出した扶養控除等申告書に記載した内容から異動がない場合をいいます。

　なお、控除対象扶養親族の所得の見積額に変動があった場合等のうち一定の場合には、異動がないものとして取り扱って差し支えありません（**問183**参照）。

（注）　前年は控除対象扶養親族に該当していた親族が、本年は控除対象扶養親族に該当しない親族となる場合など、前年に提出した扶養控除等申告書に記載した事項について、本年は記載を要しなくなった場合は、異動があったものとなりますので、簡易な申告書を提出することはできません。

源泉控除対象配偶者や控除対象扶養親族の所得の見積額の変動が少額な場合

【問183】　源泉控除対象配偶者や控除対象扶養親族の所得の見積額などは、年によって変動する可能性が高い事項ですが、その所得の見積額の変動が少額な場合でも異動があったものとなるのですか。

【答】　前年に提出した扶養控除等申告書に記載した事項から異動がない場合とは、給与等の支払者に提出しようとする扶養控除等申告書に記載すべき事項の全てが、前年にその給与等の支払者に提出した扶養控除等申告書に記載した内容から異動がない場合をいいます。

　ただし、その年及び前年の両方において次のような場合に該当するときは、前年に提出した扶養控除等申告書に記載した事項から異動がないものとして取り扱って差し支えありません。

(1) 源泉控除対象配偶者の所得の見積額が95万円以下である場合

（例） 「源泉控除対象配偶者」の前年の所得の見積額は30万円（給与収入85万円）であったが、本年の所得の見積額は40万円（給与収入95万円）となる場合

(2) 次に掲げる人の所得の見積額が48万円以下である場合

イ 控除対象扶養親族及び年少扶養親族

（例） 控除対象扶養親族である子の前年の所得の見積額は45万円（給与収入100万円）であったが、本年の所得の見積額は10万円（給与収入65万円）となる場合

ロ 障害者である同一生計配偶者のうち、控除対象配偶者に該当しない人

（例） 控除対象配偶者に該当しない障害者である同一生計配偶者の前年の所得の見積額は20万円（給与収入75万円）であったが、本年の所得の見積額は48万円（給与収入103万円）となる場合

(3) （特別）障害者控除の対象となる人の障害の程度（等級）等に変動があった場合（障害の程度等に変動があり、特別障害者から障害者になる場合又は障害者から特別障害者になる場合を除きます。）

（例） 身体障害者手帳の交付を受け、前年の申告時には障害の等級が４級であった人について、本年は障害の等級が３級となる場合

なお、身体障害者手帳の交付を受け、前年の申告時には障害の等級が３級であった人について、本年は障害の等級が２級となる場合は、「特別障害者」に該当することとなるため、簡易な申告書を提出することはできません。

(4) 勤労学生控除の適用を受けている場合で、所得の見積額が75万円以下であり、かつ、その所得の見積額のうち事業所得、給与所得、退職所得又は雑所得以外の所得の見積額が10万円以下である場合

（例） 勤労学生控除の適用を受ける人の前年の所得の見積額は60万円（給与収入115万円、懸賞賞金50万円）であったが、本年の所得の見積額は65万円（給与収入120万円）となる場合

扶養親族の年齢の変動により簡易な申告書の提出ができない場合

> 【問184】 扶養親族の年齢の変動により、前年に提出した扶養控除等申告書に記載した事項から異動があったものとなる（簡易な申告書は提出できない）のは、どのような場合ですか。

【答】 扶養親族の年齢の変動により「前年に提出した扶養控除等申告書に記載した事項から異動があった」とされるのは、次のような場合をいいます。

(1) 「控除対象扶養親族」に該当する人の年齢が70歳に達し、「老人扶養親族」に該当することとなる場合

(2) 「控除対象扶養親族」に該当する人の年齢が19歳に達し、「特定扶養親族」に該当することとなる場合

(3) 「特定扶養親族」に該当する人の年齢が23歳に達し、「特定扶養親族」に該当しない「控除対象扶養親族」に該当することとなる場合

(4) 「年少扶養親族」に該当する人の年齢が16歳に達し、「控除対象扶養親族」に該当することとなる場合

(5) 国外居住親族について扶養控除の適用を受けている場合で、その国外居住親族の年齢の変動により、扶養控除の適用要件である年齢等の区分が変わる場合（扶養控除の適用要件である年齢等の区分については**問188**をご確認ください。）

異動の有無を従業員に確認してもらう方法

> **【問185】**　前年に提出した扶養控除等申告書に記載した事項の異動の有無を従業員に確認してもらう方法について具体的に教えてください。

【答】　扶養控除等申告書の提出に当たり、前年に提出した扶養控除等申告書に記載した事項からの異動の有無を従業員に確認してもらう方法としては、例えば、システム等を利用して前年に提出を受けた扶養控除等申告書の申告データを従業員に確認してもらう方法、前年に提出を受けた扶養控除等申告書の写しを従業員に交付して確認してもらう方法などがあります。

　なお、連年簡易な申告書を提出している従業員には、その従業員から最後に提出を受けた簡易な申告書以外の扶養控除等申告書の記載内容から異動がないかを確認してもらう必要があります。

簡易な申告書の記載方法

> **【問186】**　簡易な申告書の記載方法を教えてください。

【答】　簡易な申告書を提出する人本人の氏名、住所又は居所及びマイナンバー（個人番号）を記載の上、前年に提出した扶養控除等申告書に記載した事項から異動がない旨を余白に記載する等して提出してください。

　なお、給与等の支払者が、扶養控除等申告書に記載すべき従業員等のマイナンバー（個人番号）など、所定の事項を記載した帳簿を備えているときは、そのマイナンバー（個人番号）の記載をしなくてよいこととされています。

（記載例）

簡易な申告書を提出する場合に勤労学生控除の適用を受けるための手続

> **【問187】**　簡易な申告書を提出する場合に勤労学生控除の適用を受けるための手続を教えてください。

【答】　勤労学生控除の適用を受ける人が専修学校や各種学校の生徒又は職業訓練法人の行う認定職業訓練を受ける訓練生である場合は、簡易な申告書の提出と併せて、勤労学生に該当する旨を証する書類[注]を給与等の支払者へ提出又は提示する必要があります。

　（注）　勤労学生に該当する旨を証する書類とは、①勤労学生控除の適用を受ける人の在学する学校等が「一定の要件に該当する課程」を設置する専修学校等又は職業訓練法人であることを証明する専修学校等の長又は職業訓練法人の代表者から交付を受けた文部科学大臣又は厚生労働大臣の証明書の写し、②勤労学生控除の適用を受ける人が①の課程を履修する生徒又は訓練生であることを証明する専修学校等の長又は職業訓練法人の代表者の証明書をいいます。

国外居住親族について扶養控除又は障害者控除の適用を受けるための手続

【問188】 簡易な申告書を提出する場合に国外居住親族について扶養控除又は障害者控除の適用を受けるための手続を教えてください。

【答】 給与等の支払者へ簡易な申告書を提出して、国外居住親族について扶養控除又は障害者控除の適用を受ける場合は、次表の「国外居住親族の年齢等の区分」に応じ、該当する証明書類を給与等の支払者に提出又は提示する必要があります。

　なお、国外居住親族について扶養控除等の適用を受ける場合、年末調整の際に、扶養控除等申告書に「生計を一にする事実」として、その年にその国外居住親族に送金等をした金額の合計額を記載することとされていますので、その年に簡易な申告書を提出している場合には、次の方法により、その送金等をした金額の合計額を記載した申告書を給与等の支払者に提出する必要があります。

《「生計を一にする事実」の記載の方法》

① 当初提出した簡易な申告書を給与等の支払者から返却してもらい、国外居住親族の氏名及びその親族に送金等をした金額の合計額を追記（「生計を一にする事実」欄又は余白に記載）して再度提出する方法

② 国外居住親族への送金等をした金額の合計額を記載した扶養控除等申告書を別途提出する方法

　また、例えば、前年に扶養控除等申告書を提出した際は次表の②の区分に該当していた国外居住親族について、留学の事実がなくなったことにより、本年は次表の④の区分に該当するものとして扶養控除の適用を受ける場合など、次表の「国外居住親族の年齢等の区分」が変わる場合は、前年に提出した扶養控除等申告書に記載した事項から異動があったものとなりますので、簡易な申告書を提出することはできません。

国外居住親族の年齢等の区分		提出又は提示する証明書類	
		申告書の提出時	年末調整時
① 16歳以上30歳未満又は70歳以上		「親族関係書類」 (注1)	「送金関係書類」 (注3)
30歳以上70歳未満	② 留学により国内に住所及び居所を有しなくなった人	「親族関係書類」 (注1) 及び 「留学ビザ等書類」 (注2)	「送金関係書類」 (注3)
	③ 障害者	「親族関係書類」 (注1)	「送金関係書類」 (注3)
	④ 給与等の支払を受ける人からその年において生活費又は教育費に充てるための支払を38万円以上受けている人	「親族関係書類」 (注1)	「38万円送金書類」 (注4)

（注1） 「親族関係書類」とは、次の①又は②のいずれかの書類で、国外居住親族が扶養控除等申告書の提出者の親族であることを証するものをいいます（その書類が外国語で作成されている場合には、その翻訳文を含みます。）。

　　① 戸籍の附票の写しその他の国又は地方公共団体が発行した書類及び国外居住親族の旅券（パスポート）の写し

　　② 外国政府又は外国の地方公共団体が発行した書類（国外居住親族の氏名、生年月日及び住所又は居所の記載があるものに限ります。）

（注2） 「留学ビザ等書類」とは、外国政府又は外国の地方公共団体が発行した国外居住親族に係る外国における査証（ビザ）に類する書類の写し又は外国における在留カードに相当する書類の写しであって、そ

の国外居住親族が外国における留学の在留資格に相当する資格をもってその外国に在留することにより国内に住所及び居所を有しなくなった旨を証するものをいいます（その書類が外国語で作成されている場合には、その翻訳文を含みます。）。

（注３）　「送金関係書類」とは、次の書類で、扶養控除等申告書の提出者がその年において国外居住親族の生活費又は教育費に充てるための支払を、必要の都度、各人に行ったことを明らかにするものをいいます（その書類が外国語で作成されている場合には、その翻訳文を含みます。）。

① 　金融機関の書類又はその写しで、その金融機関が行う為替取引により扶養控除等申告書の提出者から国外居住親族に支払をしたことを明らかにする書類

② 　いわゆるクレジットカード発行会社の書類又はその写しで、国外居住親族がそのクレジットカード発行会社が交付したカードを提示等してその国外居住親族が商品等を購入したこと等により、その商品等の購入等の代金に相当する額の金銭を扶養控除等申告書の提出者から受領し、又は受領することとなることを明らかにする書類

③ 　電子決済手段等取引業者（電子決裁手段を発行する一定の銀行等又は資金移動業者を含みます。）の書類又はその写しで、その電子決裁手段等取引業者が行う電子決裁手段の移転により、扶養控除等申告書の提出者からその親族に支払をしたことを明らかにする書類

（注４）　「38万円送金書類」とは、「送金関係書類」のうち、扶養控除等申告書の提出者から国外居住親族各人へのその年における生活費又は教育費に充てるための支払金額の合計額が38万円以上であることを明らかにする書類をいいます。

年の途中で異動があった場合の手続

【問189】　年の当初に簡易な申告書の提出を受けていましたが、その後、年の途中で異動があった場合の手続を教えてください。

【答】　簡易な申告書を提出した後、控除対象扶養親族の数に異動があった場合など、年の途中で申告内容に異動があった場合には、その都度給与等の支払者へ異動申告書を提出する必要があります。

　この場合、給与等の支払者は、通常、最後に提出を受けた簡易な申告書以外の扶養控除等申告書の内容を基に源泉徴収事務を行うことになりますので、従業員から異動申告書を提出してもらう際は、給与等の支払者の実務に応じて、効率的に源泉徴収事務が行える記載方法で提出を受けるようにします。

　（異動申告書の記載方法の例）

① 　異動月日及び異動事由を明らかにした上で該当する全ての事項を記載してもらう方法

② 　給与等の支払者のシステム対応等の状況に応じて、異動があった事項だけを記載してもらう方法

簡易な申告書の保存期間

【問190】　簡易な申告書はいつまで保存する必要がありますか。

【答】　簡易な申告書は、その提出期限（毎年最初に給与等の支払を受ける日の前日）の属する年の翌年１月10日の翌日から７年間保存する必要があります。

　なお、通常、前年に提出を受けた扶養控除等申告書の記載内容から異動がないかは、この保存している扶養控除等申告書により確認することとなりますので、連年簡易な申告書の提出を受けたような場合には、最後に提出を受けた簡易な申告書以外の扶養控除等申告書の内容が把握できるようにしておく必要があります。

マイナンバーのマスキング措置

【問191】　連年簡易な申告書を提出している従業員から最後に提出を受けた簡易な申告書以外の扶養控除等申告書には控除対象扶養親族などのマイナンバー（個人番号）が記載されていますが、この申告書が上記**問190**の保存年限を過ぎた場合にはマスキングなどの措置を行う必要はありますか。

【答】　連年簡易な申告書の提出を受けている場合、源泉徴収票を作成する際などには、最後に提出を受けた簡易な申告書以外の扶養控除等申告書でその従業員のマイナンバー（個人番号）を確認することができますので、その確認のために、その申告書を保存している場合はマイナンバー（個人番号）のマスキング等の措置は必要ありません。

源泉徴収票の「配偶者の合計所得」欄の記載

【問192】　簡易な申告書の提出を受けた場合、源泉徴収票の「配偶者の合計所得」欄はどのように記載したらよいですか。

【答】　簡易な申告書を提出した人の源泉徴収票の「配偶者の合計所得」欄は、その年の「配偶者控除等申告書」を基に記載してください。

　なお、簡易な申告書を提出していた従業員から、退職等の理由により「配偶者控除等申告書」の提出を受けられなかった場合の源泉徴収票の「配偶者の合計所得」欄は、最後に提出を受けた簡易な申告書以外の扶養控除等申告書に記載されている源泉控除対象配偶者の「所得の見積額」欄を基に記載してください。

15　法 定 調 書

中途就職者の給与所得の源泉徴収票の作成方法

【問193】　本年の中途に就職し年末まで勤務している者の給与所得の源泉徴収票の作成は、どのようにすればよろしいでしょうか。

【答】　年の中途に就職した者については、次の２種類に分けてそれぞれ作成してください。
①　その者が新たに給与を受ける場合で貴社の給与だけであるときは、年末調整を行っていますから、源泉徴収簿の「年末調整」欄の金額を源泉徴収票の各欄に移記してください。
②　その者が貴社に入社する前に他社に勤務し給与を受けており、他社分を通算して年末調整を行った場合には、源泉徴収簿の「年末調整」欄の金額をそのまま源泉徴収票に移記すると同時に、「摘要」欄に前勤務先の「所在地」、「名称」及びその「支払金額」、「社会保険料控除額」、「源泉徴収税額」並びに「退職年月日」を記載してください。
　なお、記載例については、**設例 2**（折込みの26ページ）を参照してください。

多額の従業員退職金の支払調書提出の要否

【問194】　当社では、永年勤続して退職した支店長Ａに対し5,000万円の退職金を支給しましたが、このような場合に法定調書を提出すべきでしょうか。

【答】　退職所得の源泉徴収票は、法人の役員についてのみ提出していただくことになっていますので、支店長が役員（例えば取締役）でない限り、多額の退職金を支給しても提出していただく必要はありません。ただし、本人には、必ず退職所得の源泉徴収票を交付してください。

２か所からの退職金がある場合の退職所得の源泉徴収票の記載方法

【問195】　当社では、役員Ａに対し本年中に退職手当金を支払いましたが、ほかに適格退職年金契約に基づく保険会社からの退職一時金の支払もある場合、退職所得の源泉徴収票は、それぞれどのように記載すべきでしょうか。なお、退職所得の受給に関する申告書は提出されています。

【答】　退職手当金は、勤務先及び保険会社からそれぞれ別々に支払われるものですから、先に退職手当等を支払う者の作成する退職所得の源泉徴収票では「区分」の欄の上段に、後から支払う者の作成する退職所得の源泉徴収票では「区分」欄の中段に記載することになります。

弁護士等に支払う旅費相当額に対する報酬・料金等の支払調書の提出

【問196】　当社では、土地の買上げに際し、地主とのトラブル解決のため、弁護士に報酬のほかに旅費として実費相当額を現金で支払いましたが、この場合、支払調書には報酬料金だけを記載して提出すればよいのでしょうか。

【答】　所得税法第204条第１項第１号、第２号、第４号から第７号まで及び租税特別措置法第41条の20に掲げる報酬、料金又は契約金の性質を有するものについては、たとえ謝礼、賞金、研究費、取材費、車賃、記念品代、酒肴料等の名目で支払うものであっても、これを含めたところで支払調書を提出しなければなりません。

　お尋ねの弁護士に支払われた旅費相当額についても、所得税法第204条第１項第２号に掲げる弁護士の業務に関する報酬又は料金の性質を有するものと考えられますので、これを含めた支払金額全体について支払調書に記載してください。

工業所有権等の使用料の範囲

【問197】 報酬、料金、契約金及び賞金の支払調書を作成しなければならない工業所有権その他の技術に関する権利、特別の技術による生産方式又はこれらに準ずるものの使用料について説明してください。

【答】 工業所有権とは、特許権、実用新案権、意匠権及び商標権を総称したものです。
　　また、特別の技術による生産方式又はこれらに準ずるものには、特別の原料、処方、機械、器具、工程による等、独自の考案又は方法による生産方式又はこれらに準ずる秘けつ、秘伝その他特別に技術的価値を有する知識及び意匠等が該当します。

不動産の使用料等の支払調書の作成対象

【問198】 「不動産の使用料等の支払調書」は、不動産の賃借料のみを記載すればよいのでしょうか。

【答】 この支払調書には、不動産の賃借料だけでなく、地上権及び地役権の設定や不動産の賃借に伴って支払う権利金、礼金、敷金、保証金、更新料、承諾料のほか借地権や借家権を譲り受けた場合に地主や家主に支払われるいわゆる名義書換料も含みます。また、賃借には、催物会場、材料置場等一時的な賃借や壁面広告、ネオン塔等建物の一部使用による賃借を含みますからご注意ください。

支払調書とマイナンバー制度

【問199】 不動産を賃借していますが、これまで支払金額が税法の定める一定の金額に満たず、使用料の支払調書を提出していませんでした。社会保障・税番号（マイナンバー）制度の導入により番号を収集し、調書を提出しなければならないのですか。

【答】 社会保障・税番号（マイナンバー）制度が導入されたことにより、支払調書の提出基準は変わっていません。このため、支払金額が税法の定める一定の金額に満たない場合には、これまでと同様に、不動産の使用料の支払調書を提出する必要はありません。

法人に支払う賃借料、権利金の支払調書提出の要否

【問200】 当社は、法人が経営するガレージを本年1月から賃借していますが、賃借する際に権利金120,000円を支払い、月極賃借料は40,000円という契約で毎月支払っています。このような場合の法定調書の作成はどのようになりますか。

【答】 ガレージでも月極契約による賃借料は不動産の使用料となりますが、お尋ねのように支払先が法人である場合には、賃借料についての提出は不要です。権利金のような土地の上に存する権利の設定の対価については、その支払金額が15万円を超える場合には提出していただくことになっています。

不動産等の譲受けの態様

【問201】　当社は本年株式会社として設立し、株主甲より2,000万円の現物出資（土地建物1,500万円、機械500万円）がありました。現物出資の場合でも支払調書を提出しなければなりませんか。

【答】　不動産の譲受けの態様としては、売買のほか交換、競売、公売、収用又は現物出資等による取得の場合があります。このような場合には、支払調書を提出しなければなりません。したがって、貴社の場合は、土地建物の1,500万円の譲受けについて「不動産等の譲受けの対価の支払調書」を作成し「摘要」欄に現物出資と表示してください。

共同事業における不動産等の譲受けの対価の支払調書の提出義務者の判定

【問202】　当社はA社との共同事業として土地5,000万円を譲り受け、共同事業に関する経理事務は当社で行っていることから、当社が一括して支払いましたが、この場合の支払調書は、負担割合に応じてそれぞれが作成し提出しなければなりませんか。

【答】　不動産等の譲受けの対価の支払調書は、共同事業の支払事務を行っている貴社が、5,000万円について支払調書を提出していただくことになります。この場合、「摘要」欄に共同事業である旨を簡記してください。

不動産等の譲受けの対価の支払日と物件の引渡日が異なる場合の支払調書の提出年分

【問203】　令和5年12月に土地売買契約を結び、同年中に支払総額5,000万円のうち手付金500万円を支払い、翌令和6年1月から令和6年5月までに残額4,500万円を支払い、支払完了と同時に物件の引渡しを受けました。この場合の支払調書は、支払った年分ごとに提出するのですか。

【答】　支払った日の属する年分ごとに提出するのは誤りであり、その物件の「引渡しがあった日」の属する年分で支払調書を作成し提出していただくことになります。したがって、お尋ねの場合、令和6年分として、5,000万円の支払調書を作成し提出していただくことになります。

不動産を交換した場合の支払調書の記載要領

【問204】　不動産を交換した場合の支払調書の記載はどのようにすればよいのですか。

【答】　交換価格を「支払金額」欄に記載するとともに、「摘要」欄に交換の旨及び相手方に交付した物件の種類、所在地等その資産の内容を記載してください。

法定調書の提出義務者、提出先及び受給者への交付義務

【問205】 各種法定調書の提出義務者、提出先、受給者への交付義務についてまとめてもらえませんか。

【答】 本書で解説している法定調書の提出義務者、提出先、受給者への交付義務を簡潔にまとめると、次表のようになります。

法定調書	提出義務者(注)	提出先	交付義務
給与所得の源泉徴収票	俸給、給料、賃金、歳費、賞与、その他これらの性質を有する給与を支払った者	支払事務を取り扱う事務所及び事業所等の所在地を所轄する税務署（所轄税務署）	あり
給与支払報告書		受給者のその年の翌年1月1日現在の住所地の市区町村	――
退職所得の源泉徴収票	退職手当、一時恩給、その他これらの性質を有する給与（死亡退職による退職手当を除く）を支払った者	所轄税務署	あり
特別徴収票		受給者のその年の1月1日現在の住所地の市区町村	――
報酬、料金、契約金及び賞金の支払調書	外交員報酬、税理士報酬など所得税法第204条第1項各号並びに所得税法第174条第10号及び租税特別措置法第41条の20に規定されている報酬、料金、契約金及び賞金の支払をする者	所轄税務署	なし
不動産の使用料等の支払調書	不動産、不動産の上に存する権利、船舶（総トン数20トン以上のものに限る）、航空機の借受けの対価や不動産の上に存する権利の設定の対価の支払をする法人と不動産業者である個人	所轄税務署	なし
不動産等の譲受けの対価の支払調書	不動産、不動産の上に存する権利、船舶（総トン数20トン以上のものに限る）、航空機の対価を支払った法人と不動産業者である個人	所轄税務署	なし
不動産の売買又は貸付けのあっせん手数料の支払調書	不動産、不動産の上に存する権利、船舶（総トン数20トン以上のものに限る）、航空機の売買又は貸付けのあっせん手数料を支払った法人と不動産業者である個人	所轄税務署	なし

（注） 提出義務者であっても、受給者がその区分に応じた一定の提出範囲に該当しない分は、法定調書を提出する必要はありません。

付 録

付録 1　　給与所得者の確定申告

　給与所得者は、給与の支払者のもとで年末調整を行う結果、その大部分の人は確定申告を行う必要はありませんが、給与の収入金額が 2,000万円を超える人や、給与所得以外の所得がある人など特定の人は確定申告をしなければなりません。

　また、確定申告をする必要のない人でも、年末調整の際に適用されない医療費控除等の控除が受けられる人については、確定申告をすることによって源泉徴収された税額の還付が受けられます。

　なお、令和6年分の確定申告は、令和7年2月17日から3月17日までの間に各人の納税地（通常は住所地）の税務署で行います。

　給与所得者が確定申告をする場合において、給与所得の源泉徴収票の確定申告書への添付又は確定申告書を提出する際の提示は不要です。

1　確定申告をしなければならない人

　確定申告をしなければならない人は、本年中の所得から配偶者控除、配偶者特別控除、扶養控除、基礎控除その他の所得控除を差し引き、その金額を基として算出した税額が、配当控除額、年末調整の際に給与の税額から控除を受けた住宅借入金等特別控除額の合計額よりも多い人で、次のいずれかに該当する人です。

①　その年中に支払を受けるべき給与の収入金額が 2,000万円を超える人

②　1か所から給与の支払を受けている人（①に該当する人を除きます。）で、「その他の所得」の合計額が20万円を超える人

　「**その他の所得**」とは、給与所得及び退職所得以外の所得をいいますが、これには、租税特別措置法の規定によって分離課税とされ、あるいは確定申告を要しないことになっている次の所得は含まれません。
(1)　利子所得のうち源泉分離課税とされるもの及び確定申告をしないことを選択した特定公社債の利子等
(2)　配当所得のうち、
　①　源泉分離課税とされる私募公社債等運用投資信託及び私募の特定目的信託（社債的受益権に限ります。）の収益の分配
　②　確定申告をしないことを選択した次の配当等
　　㋑上場株式等の配当等（大口株主等が受けるものを除きます。）、㋺特定株式投資信託（ＥＴＦ等）の収益の分配、㋩上場不動産投資法人（Ｊ－ＲＥＩＴ）の投資口の配当等、㋥公募証券投資信託（公社債投資信託及び特定株式投資信託を除きます。）の収益の分配、㋭特定投資法人の投資口の

配当等及び⊗これら以外の配当等で1銘柄について1回の金額が10万円に配当計算期間の月数（最高12か月）を乗じて、これを12で除して計算した金額以下の配当等

(3) 源泉分離課税とされる定期積金の給付補塡金等、懸賞金付預貯金等の懸賞金等及び一定の割引債の償還差益

(4) 源泉徴収選択口座を通じて行った上場株式等の譲渡による所得等で確定申告をしないことを選択したもの

(注) 分離課税とされるものであっても、土地建物等の譲渡所得の金額、申告分離課税の適用を受ける上場株式等に係る配当所得の金額や先物取引による雑所得等の金額は、「その他の所得」の金額に含まれます。なお、分離課税とされる譲渡所得の特別控除の特例の適用がある場合には、その控除後の金額となります。ただし、確定申告書への記載が要件とされているものについては、確定申告書の提出が必要です。

③ 給与を2か所以上から受けている人で、年末調整された主たる給与のほかに従たる給与の収入金額が20万円を超える人又は従たる給与の収入金額と「その他の所得」との合計額が20万円を超える人

　ただし、すべての給与の収入金額の合計額が「150万円＋社会保険料控除額＋小規模企業共済等掛金控除額＋生命保険料控除額＋地震保険料控除額＋障害者・寡婦・ひとり親・勤労学生の各控除額＋配偶者控除額＋配偶者特別控除額＋扶養控除額」以下で、しかも、「その他の所得」の合計額が20万円以下である人は、確定申告をする必要はありません。

④ 同族会社の役員又はその役員と親族関係などにある人で、その会社から給与所得のほかに、例えば貸付金の利子、不動産の賃貸料、機械器具や営業権の使用料などの支払を受けている人

(注1) 「役員と親族関係などにある人」とは、次のような人をいいます。
　　イ　役員の親族である人又はあった人
　　ロ　役員と内縁関係にある人又はあった人
　　ハ　役員から受けた金銭その他の資産によって生計を維持している人

(注2) ④に該当する人は、例示した所得の金額が20万円以下の場合であっても確定申告をしなければなりません。

⑤ 常時2人以下の家事使用人のみを使っている人に雇われている人や外国の在日大公使館に勤務している人など、源泉徴収されない給与所得がある人

⑥ 「災害被害者に対する租税の減免、徴収猶予等に関する法律」（以下「災害減免法」といいます。）の規定により、その年中の給与所得に対する源泉所得税及び復興特別所得税の徴収猶予又は還付を受けた次のような人

　イ　その年の災害により住宅又は家財について2分の1以上の損害を受け、災害減免法の規定により給与所得の源泉徴収税額の徴収猶予又は還付を受けた人

　ロ　その年の災害によって住宅又は家財について損害を受け雑損控除の適用があると見込まれるため、災害減免法の規定により給与所得の源泉徴収税額の徴収猶予を受けた人

　ハ　災害による雑損失の繰越控除の適用を受ける年において、災害減免法の規定による給与所得の源泉徴収税額の徴収猶予を受けた人

2　確定申告をすれば税金の還付を受けられる人……付録2参照

付録2 給与所得者の還付申告

　給与所得者の大部分の人は、年末調整によってその年の所得税額[注]及び復興特別所得税額が確定します。しかし、医療費控除、雑損控除、控除1年目の住宅借入金等特別控除のように、確定申告によらなければ控除が受けられない場合や、年末調整の際に添付すべき証明書が添付できず控除が受けられなかったような場合には、確定申告をすることによって正規に納付すべき年税額を計算し、納め過ぎになっている税額の還付を受けることができます。

　給与所得者が確定申告をする場合において、給与所得の源泉徴収票の確定申告書への添付又は確定申告書を提出する際の提示は不要です。

（注）　令和6年分については、定額減税後の税額になります。

Ⅰ　税額の還付が受けられる場合

1　医療費控除を受ける場合

　本人又は生計を一にする配偶者その他の親族のためにその年中に支払った医療費がある場合には、次の算式によって計算した金額を医療費控除として所得から差し引くことができます。

$$\left(\begin{matrix}その年中に支払っ\\た医療費の総額\end{matrix} - \begin{matrix}保険金などで補\\塡される金額\end{matrix}\right) - \left\{10万円\begin{matrix}\left(\begin{matrix}総所得金額等の合計額が200万円まで\\の人は総所得金額等の合計額の5\%\end{matrix}\right)\end{matrix}\right\} = \begin{matrix}医療費控除額\\（最高200万円）\end{matrix}$$

（注1）　総所得金額等の合計額とは、総所得金額、土地建物等の短期・長期譲渡所得（特別控除前）の金額、申告分離課税の適用を受ける上場株式等に係る配当所得等（上場株式等に係る譲渡損失の損益通算の適用がある場合には、適用後）の金額、株式等の譲渡所得等の金額、先物取引の雑所得等の金額、退職所得金額及び山林所得金額の合計額（305〜306ページの ┆┄┄┆ 内の(1)〜(4)に掲げる所得の金額を除きます。）をいいます。

（注2）　セルフメディケーション税制（特定一般用医薬品等購入費を支払った場合の医療費控除の特例）

　　　健康の維持増進及び疾病の予防への取組として一定の取組を行っている者が、自己又は自己と生計を一にする配偶者その他の親族のために特定一般用医薬品等購入費※を支払った場合には、一定の金額の医療費控除を受けることができます。ただし、セルフメディケーション税制は医療費控除の特例であり、従来の医療費控除との選択適用となります。したがって、この特例を受ける場合は、従来の医療費控除を併せて受けることはできません。

　　　この特例による医療費控除の金額は、実際に支払った特定一般用医薬品等購入費の合計額（保険金などで補塡される部分を除きます。）から12,000円を差し引いた金額（最高88,000円）です。

　　※　特定一般用医薬品等購入費とは、医師によって処方される医薬品（医療用医薬品）からドラッグストアで購入できるOTC医薬品に転用された医薬品（スイッチOTC医薬品）の購入費をいいます。

(1)　医療費の範囲

　医療費控除の対象になる医療費とは、次のものの対価のうち、その病状に応じて一般的に支出される水準を著しく超えないものをいいます。

① 医師、歯科医師による診療や治療

② 治療、療養のための医薬品の購入

③ 病院、診療所、介護老人保健施設、介護医療院、指定介護療養型医療施設、指定介護老人福祉施設、指定地域密着型介護老人福祉施設又は助産所に収容されるための人的役務の提供

④ 治療のためのあんま・マッサージ・指圧師、鍼師、灸師、柔道整復師などによる施術

⑤ 保健師や看護師、准看護師による療養上の世話及び特に依頼した人による療養上の世話

⑥ 助産師による分娩の介助

⑦ 介護福祉士等による一定の喀痰吸引及び経管栄養に係る費用

⑧ 国民健康保険で療養の給付を受けた人が、市町村や特別区、国民健康保険組合からの告知書などに基づいて納付した療養費の額

⑨ 診療や治療などを受けるために直接必要な次のような費用

　イ　通院費用、入院の部屋代や食事代、医療用器具の購入代や賃借料

　ロ　義手、義足、松葉杖、補聴器、義歯などの購入の費用

　ハ　傷病によりおおむね6か月以上寝たきりで医師の治療を受けている場合に、おむつを使う必要があるときのおむつ代（医師が発行した「おむつ使用証明書」が必要です。）

　ニ　身体障害者福祉法、知的障害者福祉法などの規定により都道府県や市町村に納付する費用のうち、医師などの診療費用やイ、ロの費用に当たるもの

⑩ 介護保険に係る費用のうち次に掲げるもの

　イ　指定介護老人福祉施設及び指定地域密着型介護老人福祉施設に入所した要介護者の介護費に係る自己負担額及び食費に係る自己負担額の半額

　ロ　ケアプランに基づき医療系居宅サービスと併せて利用する要介護者及び要支援者の訪問介護、通所介護等の居宅介護サービスに係る自己負担額

⑪ 骨髄移植推進財団に支払う骨髄移植のあっせんに係る患者負担金

⑫ 日本臓器移植ネットワークに支払う臓器移植のあっせんに係る患者負担金

⑬ 高齢者の医療の確保に関する法律に規定する特定保健指導（一定の積極的支援によるものに限ります。）のうち一定の基準に該当する者が支払う自己負担金

　ただし、次のような費用は、医療費になりません。

。容姿を美化し、容貌を変えるなどの目的で支払った整形手術の費用

。健康増進や疾病予防などのための医薬品の購入費

。人間ドックなどの健康診断のための費用（ただし、健康診断の結果、重大な疾病が発見され、引き続き治療を受けるときのこの費用は医療費に含まれます。）

　また、医療費は、その年中に現実に支払ったものに限って控除の対象になります。したがって、未払となっている医療費は、現実に支払われるまでは控除の対象になりません。

(2) **保険金などで補填される金額**

　次のようなものは、支払った医療費から差し引きます。

① 社会保険や共済に関する法律その他の法令の規定に基づき医療費の支払の事由を給付原因として支給を受ける給付金

　例えば、出産費や多額な医療費を支払ったことを理由として、市町村、健康保険組合、共済組合などから支払を受ける出産育児一時金や高額療養費など

② 損害保険契約又は生命保険契約（これらに類する共済契約を含みます。）に基づき医療費の補填を目的として支払を受ける傷害費用保険金や医療保険金、入院費給付金など（これらに類する共済金を含みます。）

③ 医療費の補填を目的として支払を受ける損害賠償金

④ 任意の互助組織から医療費の補填を目的として支払を受ける給付金

(3)　手　　続

　この控除を受ける場合には、医療費の領収書から「医療費控除の明細書」を作成し、確定申告書に添付します。医療保険者から交付を受けた医療費通知（注）がある場合は、医療費通知を添付することによって医療費控除の明細書の記載を簡略化することができます。

　なお、医療費控除の明細書の記載内容確認のため、確定申告期限等から5年を経過する日までの間、税務署から、医療費の領収書（医療費通知を添付したものを除きます。）の提示又は提出を求められる場合がありますので、領収書は保管していく必要があります。

（注）　医療費通知とは、医療保険者が発行する医療費の額等を通知する書類で、①被保険者等の氏名、②療養を受けた年月、③療養を受けた者、④療養を受けた病院、診療所、薬局等の名称、⑤被保険者等が支払った医療費の額、⑥保険者等の名称、の全ての事項の記載があるもの（後期高齢者医療広域連合から発行された書類の場合は③を除きます。）及びインターネットを使用して医療保険者から通知を受けた医療費通知情報でその医療保険者の電子署名並びにその電子署名に係る電子証明書が付されたものをいいます。

　　なお、令和3年分以後の確定申告書を令和4年1月1日以後にe-Taxにて送信する場合には、医療費通知の添付は不要となりました。

2　雑損控除を受ける場合

　その年中に災害、盗難又は横領によって生活用資産などに損害を受けたときは、次の算式によって計算した金額を雑損控除として所得から差し引くことができます。

> 差引損失額－総所得金額等の合計額(307ページの(注1)参照)×10%
> 差引損失額のうち災害関連支出の金額－5万円
> ｝いずれか多い方の金額　＝　雑損控除額

（注）　「差引損失額」とは、その年中に受けた損害金額と災害等に関連したやむを得ない支出の金額との合計額から保険金などで補填される金額を差し引いた金額をいいます。

(1)　損害を受けた資産の種類

　雑損控除の対象となる損害を受けた資産は、日常生活の上で必要な住宅、家具、衣類、現金などに限られます。したがって、競走馬や生活に通常必要でない別荘などの資産、書画・骨董・貴金属などで1組又は1個の価額が30万円を超えるものは雑損控除の対象になりません。

　また、生計を一にする配偶者その他の親族でその年分の総所得金額等の合計額が48万円以下の人が

所有する生活用資産などについて損害を受けた場合にも、雑損控除の適用があります。

(2) 損害金額

雑損控除の対象となる資産の損失額は、損失の発生した時のその資産の時価を基に計算します。なお、損害を受けた資産が減価償却資産である場合には、その資産の取得価額から減価償却累計額相当額を控除した金額を基に損失額を計算することができます。

災害関連支出とは次のような支出をいいます。

① 災害により住宅家財等が滅失、損壊又は価値が減少したことによるその住宅家屋等の取壊し又は除去のための支出その他災害に付随する支出

② 災害により住宅家財等が損壊し、価値が減少し、又は使用することが困難となった場合において、災害後1年以内にした次に掲げる支出

　イ　災害により生じた土砂その他の障害物の除去のための支出

　ロ　その住宅家財等の原状回復のための修繕費

　ハ　その住宅家財等の損壊又は価値の減少の防止のための支出

③ 災害により住宅家財等につき現に被害が生じ、又はまさに被害が生ずるおそれがあると見込まれる場合において、その住宅家財等に係る被害の拡大又は発生を防止するために緊急に必要な措置のための支出

(3) 雑損失の繰越控除

雑損控除額（前記算式により計算した金額）がその年分の所得の合計額を超える場合には、その超える金額を繰り越して、翌年以後3年間（特定非常災害に係る雑損失については5年間）の所得金額から差し引くことができます。

(4) 手　　続

この控除を受ける場合には、控除に関する明細書（税務署に用意されています。）を確定申告書に添付します。また、災害関連支出がある場合には、支出先の領収書を添付します。

3　災害減免法による所得税の軽減免除を受ける場合

震災、風水害、火災などの災害により本人又は生計を一にする配偶者その他の親族でその年分の総所得金額等の合計額が48万円以下の人が所有する住宅又は家財につき生じた損害金額（保険金や損害賠償金により補填された金額を除きます。）がその住宅又は家財の価額（時価）の50％以上であり、その年分の総所得金額等の合計額（土地建物等の譲渡所得については特別控除後の金額。次の①〜③において同じ。）が1,000万円以下である人は、雑損控除を受けない場合に限り、次の区分により所得税が軽減又は免除されます。

① 総所得金額等の合計額が500万円以下である場合………………………その年分の所得税額の全部

② 総所得金額等の合計額が500万円を超え750万円以下である場合………その年分の所得税額の50％

③ 総所得金額等の合計額が750万円を超え1,000万円以下である場合……その年分の所得税額の25％

この災害減免法による減免を受けようとする人は、確定申告書に、その旨、被害の状況及び損害金額

を記載します。

(注)　その年に住宅又は家財について災害により被害を受けた場合には、「雑損控除」か「災害減免法による減免」かどちらか有利な方を選択することができます。

4　保険料控除（年末調整で控除を受けなかったもの）を受ける場合

その年中に支払った社会保険料・小規模企業共済等掛金（申告により控除を受けるもの）や、生命保険料・介護医療保険料・個人年金保険料、地震保険料について、年末調整の時に所定の申告をしなかったり、添付すべき証明書が添付できなかったなどの理由で、これらの控除を受けなかった場合には、確定申告をすることによってその控除を受けることができます。

これらの保険料控除を受ける場合は、確定申告書の各控除の欄に記入するほか、支払金額や控除を受けられることを証明する書類等を確定申告書に添付するか又は確定申告書を提出する際に提示します。

5　配偶者・扶養控除など（年末調整で控除を受けなかったもの）を受ける場合

所定の申告をしなかったため、年末調整のときに配偶者控除、配偶者特別控除、扶養控除、障害者控除、寡婦控除、ひとり親控除又は勤労学生控除を受けなかった場合には、確定申告をすることによってその控除を受けることができます。

これらの控除を受ける場合は、確定申告書の各控除の欄に記入します。

6　寄附金控除を受ける場合

特定寄附金を支出した場合には、次の算式により計算した金額を寄附金控除として所得から差し引くことができます。

$$\left.\begin{array}{l}\text{特定寄附金の支出額}\\\text{総所得金額等の合計額の40％相当額}\end{array}\right\}\text{いずれか少ない方の金額}-2,000円=寄附金控除額$$

(注)　特定寄附金とは、①国や地方公共団体に対するもの、②公益社団法人、公益財団法人その他公益を事業目的とする法人や団体で財務大臣が指定したものに対するもの、③独立行政法人、日本赤十字社等特別の法人に対するもの、④特定の公益信託で、教育又は科学の振興など公益の増進に著しく寄与するものの信託財産とするためのもの、⑤その他科学技術の研究等を行う特定の公益法人、社会福祉法人、更生保護法人及び学校法人に対するもの（入学のための寄附金を除きます。）、⑥政治資金規正法に規定する寄附金で一定のもの及び⑦都道府県の知事又は政令指定都市の長の認定を受けた特定非営利活動法人（認定NPO法人）に対して支出した寄附金をいいます。

なお、政党や政治資金団体に対する寄附金については、選択により、税額控除（最高で「（支出額－2,000円）×30％」）を受けることもできます。認定NPO法人及び公益社団・財団法人等で一定の要件を満たすものに対する寄附金については、選択により、税額控除（最高で「（支出額－2,000円）×40％」）を受けることもできます。税額控除額は、いずれの場合も所得税額の25％相当額が限度とされます。

この控除を受ける場合は、寄附金控除に関する事項を確定申告書に記入し、寄附先から寄附金の受領証など（政治献金の場合は、総務大臣又は選挙管理委員会等の確認印のある寄附金（税額）控除のための書類）の交付を受けて確定申告書に添付又は確定申告書を提出する際に提示します。

7 配当控除を受ける場合

内国法人から受けた配当所得（総合課税の適用を受けるものに限られます。）がある場合には、次の金額を所得税額から差し引くことができます。

① 課税される所得金額が1,000万円以下の場合

> 配当所得の金額 × 10% ＝ 配当控除額

② 課税される所得金額が1,000万円を超える場合

> イ 配当所得の金額 ≦ （課税される所得金額 － 1,000万円）のとき
> 　配当所得の金額 × 5% ＝ 配当控除額
> ロ 配当所得の金額 ＞ （課税される所得金額 － 1,000万円）のとき
> 　配当所得の金額 × 10%－（課税される所得金額 － 1,000万円） × 5% ＝ 配当控除額

（注）　課税される所得金額とは、総所得金額等の合計額から所得控除の合計額を差し引いた金額をいいます。

　　配当所得のうち、外国法人からの配当、基金利息、特定目的信託の収益の分配に係る配当等、投資法人から支払を受ける配当等、源泉分離課税とされる私募公社債等運用投資信託の収益の分配に係る配当等、確定申告をしないことを選択した配当等は、配当控除の計算の対象になりません。

8 住宅借入金等特別控除を受ける場合

個人が住宅借入金等を利用して居住用家屋の新築、取得又は増改築等（以下「取得等」といいます。）をした場合で、一定の要件を満たすときは、その取得等に係る住宅借入金等の年末残高の合計額を基として計算した金額を、居住の用に供した年分以後の各年分の所得税額から控除することができます。

令和6年に居住を開始した場合の控除限度額は次のとおりです。

住宅の区分	控除期間	借入限度額	控除率	控除限度額
本則（一般住宅）(注1)	10年間	2,000万円	0.7%	14万円
認定住宅（認定長期優良住宅・認定低炭素住宅）(注2)	13年間	4,500万円（子育て特例対象個人(注3)は 5,000万円）	0.7%	31.5万円（子育て特例対象個人は 35万円）
特定エネルギー消費性能向上住宅(注2)	13年間	3,500万円（子育て特例対象個人(注3)は 4,500万円）	0.7%	24.5万円（子育て特例対象個人は 31.5万円）
エネルギー消費性能向上住宅(注2)	13年間	3,000万円（子育て特例対象個人(注3)は 4,000万円）	0.7%	21万円（子育て特例対象個人は 28万円）

（注1）　住宅の取得等が新築住宅のうち令和5年12月31日までに新築の建築確認を受けたもの若しくは令和6年6月30日までに建築されたものである場合、及び住宅の取得等が居住用家屋の新築又は居住用家屋で建築後使用されたことのないもの若しくは買取再販住宅（既存住宅のうち宅地建物取引業者により一定の増改築等が行われたものをいいます。）の取得以外の場合（買取再販住宅以外の既存住宅の取得又は住宅の増改築）に限ります。

（注2）　住宅の取得等が認定住宅等（認定住宅、特定エネルギー消費性能向上住宅及びエネルギー消費性能向上住宅をいいます。）の新築又は認定住宅等で建築後使用されたことのないもの若しくは買取再販認

定住宅等（認定住宅等である既存住宅のうち宅地建物取引業者により一定の増改築等が行われたものをいいます。）の取得以外の場合においては、借入限度額は3,000万円、控除期間は10年、各年の控除限度額は21万円となります。

(注3)　子育て特例対象個人とは、年齢40歳未満であって配偶者を有する者、年齢40歳以上であって年齢40歳未満の配偶者を有する者又は年齢19歳未満の扶養親族を有する者をいいます。

　住宅借入金等特別控除を受けるためには、確定申告書に、「(特定増改築等)住宅借入金等特別控除額の計算明細書」（連帯債務がある場合は、「(付表)連帯債務がある場合の住宅借入金等の年末残高の計算明細書」も必要です。）、金融機関等が発行した「住宅取得資金に係る借入金の年末残高等証明書」（2か所以上から交付を受けている場合は、そのすべての証明書）及び次表の区分により、それぞれ対象となる控除の適用を受けるために必要な住宅に関する書類（登記事項証明書、工事請負書、売買契約書、建築等計画の認定通知書、住宅省エネルギー性能証明書など）を添付する必要があります。

区　分	対象となる控除
一般住宅の新築等	一般住宅の新築等に係る住宅借入金等特別控除
認定住宅の新築等	認定住宅の新築等に係る住宅借入金等特別控除
特定エネルギー消費性能向上住宅の新築等 エネルギー消費性能向上住宅の新築等	特定エネルギー消費性能向上住宅又はエネルギー消費性能向上住宅の新築等に係る住宅借入金等特別控除
買取再販住宅の購入	買取再販住宅の購入に係る住宅借入金等特別控除
買取再販認定住宅等の購入	買取再販認定住宅等の購入に係る住宅借入金等特別控除
中古住宅の購入	中古住宅の購入に係る住宅借入金等特別控除

（特定増改築等）住宅借入金等特別控除の適用に係る手続（年末残高調書を用いた方式）について

　令和4年度税制改正において、住宅借入金等特別控除の適用に係る手続について、これまでの年末残高証明書を用いる「証明書方式」から、年末残高調書を用いる「調書方式」とする改正が行われています。

・「証明書方式」……住宅借入金等特別控除の適用を受ける納税者が、住宅ローン債権者（以下「債権者」といいます。）である金融機関等から交付を受けた年末残高証明書を、確定申告又は年末調整の際に、税務署又は勤務先に提出する方式

・「調書方式」………債権者が税務署に「住宅取得資金に係る借入金等の年末残高等調書（以下「年末残高調書」といいます。）」を提出し、国税当局から納税者に住宅ローンの「年末残高情報」を提供する方式

　ただし、「年末残高調書」を提出する債権者において、この改正に対応するためのシステム改修等への対応が困難な場合には、引き続き、従来の「証明書方式」とすることができる経過措置[注]が設けられています。

(注)　この経過措置は、特段の手続を行うことなく、全ての債権者に適用されるものとして取り扱われています。

　したがって、実務上は、この経過措置が適用されて、令和6年1月1日以後に居住を開始した納税者の令和6年分以降の所得税等の確定申告等（令和7年分以降の年末調整手続）について、システム対応が完了した債権者から順次、「調書方式」による手続に移行することになります。

　「調書方式」に対応した金融機関からの借入れに係る住宅借入金等特別控除の確定申告・年末調整の手続については、「年末残高調書」の年末残高等の情報を、マイナポータル連携によって活用することにより、手続が簡便になります。

9 住宅耐震改修特別控除を受ける場合

　居住者が、その者の居住の用に供する家屋（昭和56年５月31日以前に建築された家屋で一定のものに限ります。）の一定の耐震改修をした場合には、所得税額から住宅耐震改修に係る耐震工事の標準的な費用の10％相当額を差し引くことができます。

住宅耐震改修の完了年	耐震改修工事限度額	控除率	控除限度額
令和４年１月１日〜令和７年12月31日	250万円	10%	25万円

　なお、この控除を受けるに当たっては、確定申告書に地方公共団体の長等が発行する「住宅耐震改修等証明書」等を添付することとされています。

10 住宅特定改修特別税額控除を受ける場合

　個人が、その所有する居住用の家屋について一定のバリアフリー改修工事、一定の省エネ改修工事、一定の多世帯同居改修工事、一定の耐久性向上改修工事又は一定の子育て対応改修工事をして、その家屋を自己の居住の用に供した場合、一定の要件の下で、所得税額から、改修工事等の標準的な費用の10％相当額を差し引くことができます。

　また、９の住宅耐震改修、バリアフリー改修工事、省エネ改修工事、多世帯同居改修工事、耐久性向上改修工事及び子育て対応改修工事と併せて一定の増改築工事を行った場合、工事費用額1,000万円を限度に、一定の計算のもと、その増改築工事費用額の５％相当額を差し引くことができます。

① バリアフリー改修工事

居　住　年	改修工事限度額	控除率	控除限度額
令和４年１月１日〜令和７年12月31日	200万円	10%	20万円

② 省エネ改修工事

居　住　年	改修工事限度額	控除率	控除限度額
令和４年１月１日〜令和７年12月31日	250万円（350万円）	10%	25万円（35万円）

　（注）　太陽光発電設備設置工事が含まれる場合には、（　）内の金額とされます。

③ 多世帯同居改修工事

居　住　年	改修工事限度額	控除率	控除限度額
平成28年４月１日〜令和７年12月31日	250万円	10%	25万円

④ ９の住宅耐震改修又は省エネ改修工事のいずれかと併せて行う耐久性向上改修工事

居　住　年	改修工事限度額	控除率	控除限度額
令和４年１月１日〜令和７年12月31日	250万円（350万円）	10%	25万円（35万円）

　（注）　太陽光発電設備設置工事が含まれる場合には、（　）内の金額とされます。

⑤　9の住宅耐震改修及び省エネ改修工事の両方と併せて行う耐久性向上改修工事

居　住　年	改修工事限度額	控除率	控除限度額
令和4年1月1日〜令和7年12月31日	500万円（600万円）	10%	50万円（60万円）

（注）　太陽光発電設備設置工事が含まれる場合には、（　）内の金額とされます。

⑥　子育て対応改修工事

居　住　年	改修工事限度額	控除率	控除限度額
令和6年4月1日〜令和6年12月31日	250万円	10%	25万円

　この控除の適用を受けるためには、確定申告書に、必要事項を記載した確定申告書に、住宅特定改修特別税額控除額の計算明細書等の添付が必要です。

11　認定住宅等新築等特別税額控除を受ける場合

　居住者が、認定住宅等の新築等をして居住の用に供した場合には、一定の要件の下で、その認定住宅について講じられた構造及び設備に係る標準的な費用の額の10%相当額を所得税額から、差し引くことができます。その年の所得税額から控除しきれない額については、翌年分の所得税額から差し引くことができます。

居　住　年	認定住宅等の範囲	認定住宅限度額	控除率	控除限度額
令和4年1月1日〜令和7年12月31日	認定長期優良住宅 認定低炭素住宅 特定エネルギー消費性能向上住宅	650万円	10%	65万円

　この控除の適用を受けるためには、確定申告書に、認定長期優良住宅新築等特別税額控除額の計算明細書やその家屋に係る長期優良住宅建築等計画の認定通知書などの添付が必要です。

12　外国税額控除を受ける場合

　その年中に外国に源泉のある所得（国外所得）について、外国の法令により所得税に相当する税を課されたときは、配当控除、住宅借入金等特別控除、住宅耐震改修特別控除等を行った後の所得税額から、次の算式によって計算した金額を限度として、その外国所得税の額を差し引くことができます。

$$その年分の所得税の額 \times \frac{その年分の国外所得総額}{その年分の所得総額} = 控除限度額$$

　外国税額控除を受けるためには、確定申告書に外国税額控除の額及びその計算の明細を記載し、更に外国所得税を課税された証明書などを添付することになっています。

13　特定支出控除を受ける場合

　給与所得者が、次の特定支出をした場合において、その年の特定支出の額の合計額が、「その年中の給与所得控除額×$\frac{1}{2}$」を超えるときは、確定申告によりその超える部分の金額を給与所得控除後の所得金

額から差し引くことができます。

① 一般の通勤者として通常必要であると認められる通勤のための支出（通勤費）

② 転勤に伴う転居のために通常必要であると認められる支出（転居費）

③ 職務に直接必要な技術や知識を得ることを目的として研修を受けるための支出（研修費）

④ 職務に直接必要な資格を取得するための支出（資格取得費）

⑤ 単身赴任などの場合で、その者の勤務地又は居所と自宅の間の旅行のために通常必要な支出（帰宅旅費）

⑥ 勤務する場所を離れて職務を遂行するために直接必要な旅行で給与の支払者により証明された通常必要な支出（職務上の旅費）

⑦ 次に掲げる支出（その支出の額の合計額が65万円を超える場合には、65万円までの支出に限ります。）で、その支出がその者の職務の遂行に直接必要なものとして給与等の支払者より証明がされたもの（勤務必要経費）

　イ　書籍、定期刊行物その他の図書で職務に関連するものを購入するための費用（図書費）

　ロ　制服、事務服、作業服その他の勤務場所において着用することが必要とされる衣服を購入するための費用（衣服費）

　ハ　交際費、接待費その他の費用で、給与等の支払者の得意先、仕入先その他職務上関係のある者に対する接待、供応、贈答その他これらに類する行為のための支出（交際費等）

　この特定支出控除の適用を受けるには、給与所得者が特定支出に関する明細書、給与の支払者の証明書（研修費又は資格取得費のうち一定のものについては、キャリアコンサルタントによる証明書も可）を確定申告書に添付するとともに、特定支出の金額等を証する書類を確定申告書に添付又は申告書を提出する際に提示することになっています。

14　その他本年中に源泉徴収された税額が正規に納付すべき年税額より多い場合

　次のような事情により、本年中に源泉徴収された税額が正規に納付すべき年税額より多い場合には、確定申告をすることにより過納となっている税額の還付を受けることができます。

　① 年の中途で退職して年末調整されなかった人が、その後その年中に他の所得がないなどの理由により、給与について源泉徴収された税額が過納となっている場合

　② 2以上の給与の支払者から給与の支払を受けた人で、源泉徴収税額表の「乙」欄で税額を徴収されている場合

　③ 給与所得のほかに少額の原稿料収入などがあって源泉徴収を受けた場合や退職手当について20.42％の税率により源泉徴収された場合

　④ その年中に退職手当等の支払を受けた人で、退職手当等の支払を受ける際に「退職所得の受給に関する申告書」を提出しなかったため20.42％の税率により源泉徴収された人で、その源泉徴収税額が「（退職手当等 − 退職所得控除額）× $\frac{1}{2}$ ＝退職所得の金額」（役員等勤続年数が5年以下である人が支払を受ける退職手当等のうち、その役員等勤続年数に対応する退職手当等として支払を受ける

ものについては、「退職手当等 − 退職所得控除額 ＝ 退職所得の金額」）について計算した所得税及び復興特別所得税の額を超えている人

Ⅱ 還付申告の仕方

1 申告書の提出期間

令和6年分の確定申告書の提出期間は、令和7年2月17日から3月17日までとなっていますが、還付を受けるための申告書は2月14日以前でも提出することができます。

2 申告書の提出先

申告書の提出先は、申告の際の住所地（届出により居所地を納税地としているときは、居所地）の所轄税務署となっています。

3 給与所得者の還付申告

年末調整を受けた給与所得者が還付申告のための確定申告をする場合には、確定申告書第一表及び第二表を提出します。

ただし、次のような人は、第三表（分離課税用）や第四表（損失申告用）を併せて使用します。

① 災害を受けた人で災害減免法により源泉徴収税額の徴収猶予や還付を受けた人及び確定申告で災害減免法により還付を受けようとする人

② 雑損控除の控除不足額を翌年分以降の所得金額から控除しようとする人

③ 予定納税がある人

付録3　源泉所得税と消費税及び地方消費税

　源泉所得税（復興特別所得税を含みます。以下同じです。）は、所得者に対する課税方法の一つとして、特定の所得の支払者（役務の提供を受けた者）に対して、その支払の際に源泉徴収義務が課されているものですが、他方、消費税法及び地方税法からみますと、この役務の提供を行った人が事業者である場合には、その役務の提供の対価については消費税及び地方消費税（以下「消費税等」といいます。）が課税されることになります。

　そのため、報酬・料金等についてみますと、例えば、役務の提供を行って報酬の支払を受ける事業者は、その支払を受ける際に支払者から源泉所得税を徴収され、支払者が源泉徴収義務者としてそれを納付しています。

　ところが、消費税等は、消費に税負担を求める観点から、この役務の提供を行った事業者に納税義務が課されているもので、同一の取引について、支払者は源泉徴収義務者になり、事業者は消費税等の納税義務者になるという関係にあります。

　また、給与所得とされる給与等が物品等で支払われる場合には、消費税等相当額部分について源泉徴収の対象となるのかという問題が生じます。

（図　解）

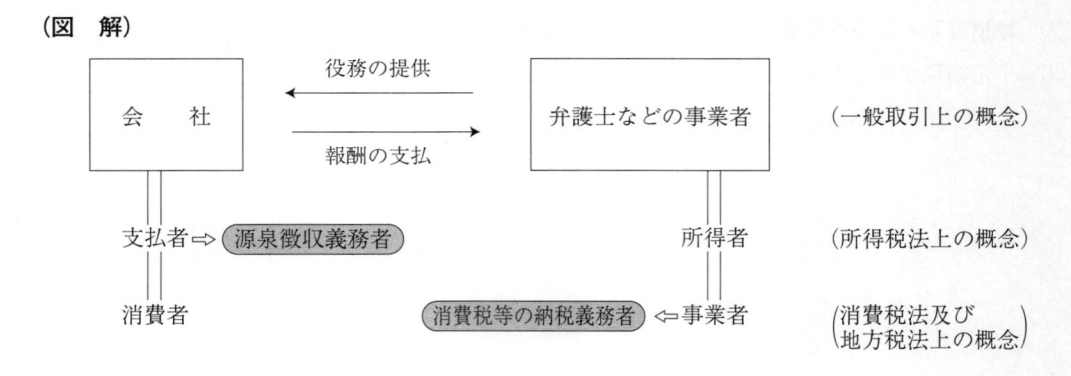

1　消費税等が課税される場合の源泉所得税の計算

　報酬・料金等を支払う場合において、それが消費税の課税標準である課税資産の譲渡等（事業として対価を得て行われる資産の譲渡及び貸付け並びに役務の提供）の対価の額にも該当するときは、原則として、消費税等の額を含めた金額を源泉徴収の対象とします。

　しかしながら、報酬・料金等の支払を受ける者からの請求書等において、本来の報酬・料金等の額と消費税等の額とが明確に区分されている場合には、消費税等の額を除いた本来の報酬・料金等のみを源泉徴収の対象として差し支えないこととされています。

　給与所得とされる給与等が物品又は用役などにより支払われる場合において、その物品又は用役などの価額に消費税等の額が含まれているときは、その消費税等の額を含めた金額が給与等の金額とされます。

2　現物給与等の非課税限度額の判定

　経済的利益の課税に関し、所得税基本通達においては一定の経済的利益につき、一定の金額以下のものについては強いて課税しないこととするため、経済的利益の非課税限度額を次のように定めています。

　①　創業記念品等……処分見込価額により評価した価額が1万円以下

　②　食事の支給………使用者が負担した金額が月額3,500円以下

　この非課税限度額については、次のような理由から、所得税基本通達に定められている評価方法により評価を行った金額に110分の100（弁当の提供等軽減税率の対象となる場合は108分の100）を乗じた金額をもって、それぞれの非課税限度額を超えるかどうかの判定を行うこととされています。

　①　消費税等が導入されたことにより、これまで非課税とされていた経済的利益と同様の経済的利益が新たに課税となるのは適当でないこと

　②　消費税等が導入されたことにより、創業記念品等の現物の購入に要する金額も増加することになるが、非課税となる水準は実質的に維持する必要があること

　なお、深夜勤務者に対する夜食の現物支給に代えて、勤務1回当たり定額で金銭により支給する夜食代が300円以下の場合は非課税とされていますが、この非課税限度額の適用についても、上記に準じて取り扱うこととされています。

　また、上記の110分の100（又は108分の100）を乗じた金額に10円未満の端数が生じた場合には、これを切り捨てることとされています。

令和６年分　年末調整に関係のある控除額等一覧表

控 除 の 種 類	令 和 ６ 年 分 の 控 除 額	本文の解説ページ
社会保険料控除	給与から控除したもの……………………………………控除した保険料の全額 本人が直接支払ったもの…………………………………支払った保険料の全額	93ページ
小規模企業共済等掛金控除	給与から控除したもの……………………………………控除した掛金の全額 本人が直接支払ったもの…………………………………支払った掛金の全額	96ページ
生命保険料控除	次の(1)、(2)又は(3)により求めた金額の合計額（適用限度額12万円） (1)　平成24年１月１日以後に締結した保険契約等（新契約）に係るもの （新契約のうち一般の生命保険料の金額を次の①から③に当てはめて計算した金額（一般生命保険料控除額）（最高40,000円）） ＋ （新契約のうち介護医療保険料の金額を次の①から③に当てはめて計算した金額（介護医療保険料控除額）（最高40,000円）） ＋ （新契約のうち個人年金保険料の金額を次の①から③に当てはめて計算した金額（個人年金保険料控除額）（最高40,000円）） ①　20,000円までの場合……………………………支払保険料の全額 ②　20,000円を超え40,000円までの場合 ……支払保険料×½＋10,000円 ③　40,000円を超える場合…………………………支払保険料×¼＋20,000円 (2)　平成23年12月31日以前に締結した保険契約等（旧契約）に係るもの （旧契約のうち一般の生命保険料の金額を次の①から③に当てはめて計算した金額（一般生命保険料控除額）（最高50,000円）） ＋ （旧契約のうち個人年金保険料の金額を次の①から③に当てはめて計算した金額（個人年金保険料控除額）（最高50,000円）） ①　25,000円までの場合……………………………支払保険料の全額 ②　25,000円を超え50,000円までの場合 ……支払保険料×½＋12,500円 ③　50,000円を超える場合…………………………支払保険料×¼＋25,000円 (3)　新契約と旧契約の双方の保険契約等に係るもの 　　一般生命保険料控除額及び個人年金保険料控除額は、それぞれ次の金額の合計額 ①　新契約の支払保険料につき、(1)により計算した金額 ②　旧契約の支払保険料につき、(2)により計算した金額 (注)　一般生命保険料控除額及び個人年金保険料控除額それぞれにつき最高４万円	76ページ
地震保険料控除	(1)　地震保険料だけの場合……支払保険料の全額（最高50,000円） (2)　旧長期損害保険料だけの場合…①から③に当てはめて計算した金額 ①　支払った保険料が10,000円までの場合　→支払った保険料の全額 ②　支払った保険料が10,000円を超え20,000円までの場合　　　　　　　　　　　　　　→支払保険料×½＋5,000円 ③　支払った保険料が20,000円を超える場合　　　　　　　　　　　　　　　　　　　　　　　→15,000円 (3)　(1)と(2)の両方がある場合……(1)と(2)を合計した金額（最高50,000円）	87ページ
障 害 者 控 除	一般の障害者…………………………………………………270,000円 特別障害者……………………………………………………400,000円 同居特別障害者………………………………………………750,000円	54ページ
寡 婦 控 除	270,000円	56ページ
ひ と り 親 控 除	350,000円	57ページ
勤 労 学 生 控 除	270,000円	57ページ

「所得控除」は左端に縦書きで記載。

次の区分に応じた金額を所得から控除（配偶者控除）

配偶者の合計所得金額 ＼ 所得者の合計所得金額	900万円以下	900万円超950万円以下	950万円超1,000万円以下	
48万円以下	38万円	26万円	13万円	68ページ
老人控除対象配偶者	48万円	32万円	16万円	

控 除 の 種 類			令 和 6 年 分 の 控 除 額				本文の解説ページ
所得控除	配偶者特別控除	次の区分に応じた金額を所得から控除					70ページ
		配偶者の合計所得金額 ＼ 所得者の合計所得金額	900万円以下	900万円超950万円以下	950万円超1,000万円以下		
		48万円超　95万円以下	38万円	26万円	13万円		
		95万円超　100万円以下	36万円	24万円	12万円		
		100万円超　105万円以下	31万円	21万円	11万円		
		105万円超　110万円以下	26万円	18万円	9万円		
		110万円超　115万円以下	21万円	14万円	7万円		
		115万円超　120万円以下	16万円	11万円	6万円		
		120万円超　125万円以下	11万円	8万円	4万円		
		125万円超　130万円以下	6万円	4万円	2万円		
		130万円超　133万円以下	3万円	2万円	1万円		
		133万円超	0	0	0		
	扶 養 控 除	① ②③以外の控除対象扶養親族……………………………………380,000円 ② 特定扶養親族…………………………………………………………630,000円 ③ 老人扶養親族　同居老親等……………………………580,000円　その他……………………………480,000円					50ページ
	基 礎 控 除	次の区分に応じた金額を所得から控除					65ページ
		納税者の合計所得金額		控除額			
		2,400万円以下		48万円			
		2,400万円超　2,450万円以下		32万円			
		2,450万円超　2,500万円以下		16万円			
		2,500万円超		—			

控 除 の 種 類			令 和 6 年 分 の 控 除 額			本文の解説ページ
税額控除	住宅借入金等特別控除	平27.1.1〜平27.12.31の居住分	全期間の控除➡(A)×1％（最高限度40万円）（特定取得の場合）	控除期間10年	合計所得金額3千万円以下（特例特別特例取得の場合1千万円以下、令4.1.1〜2千万円以下）	100ページ
		平28.1.1〜平28.12.31の居住分	全期間の控除➡(A)×1％（最高限度40万円）（特定取得の場合）			
		平29.1.1〜平29.12.31の居住分	全期間の控除➡(A)×1％（最高限度40万円）（特定取得の場合）			
		平30.1.1〜平30.12.31の居住分	全期間の控除➡(A)×1％（最高限度40万円）（特定取得の場合）			
		平31.1.1〜令元.9.30の居住分	全期間の控除➡(A)×1％（最高限度40万円）（特定取得の場合）			

控除の種類		令和6年分の控除額		本文の解説ページ
税額控除	住宅借入金等特別控除	令元.10.1～令2.12.31の居住分	[住宅の取得等が特別特定取得に該当する場合] 1～10年目の控除➡(A)×1％（最高限度40万円） 11年目～13年目の控除➡次のいずれか少ない金額 　①　(A)×1％（最高限度40万円） 　②　（住宅取得等の対価の額－消費税額（上限4,000万円））×2％÷3 （注）　この場合の「住宅取得等対価の額」は、補助金及び住宅取得等資金の贈与の額を控除しないで計算した金額をいいます。 **控除期間 13年**	合計所得金額3千万円以下（特例特別特例取得の場合1千万円以下、令4.1.1～2千万円以下） 100ページ
			[上記以外の場合] 全期間の控除➡(A)×1％（最高限度40万円） （注）　住宅の取得等が特定取得以外の場合は20万円 **控除期間 10年**	
		令3.1.1～令3.12.31の居住分	全期間の控除➡(A)×1％（最高限度40万円） （注）　住宅の取得等が特定取得以外の場合は20万円 **控除期間 10年**	
		令3.1.1～令4.12.31の居住分	[住宅の取得等が特別特例取得又は特例特別特例取得に該当する場合] 1～10年目の控除➡(A)×1％（最高限度40万円） 11年目～13年目の控除➡次のいずれか少ない金額 　①　(A)×1％（最高限度40万円） 　②　（住宅取得等の対価の額－消費税額（上限4,000万円））×2％÷3 （注）　この場合の「住宅取得等対価の額」は、補助金及び住宅取得等資金の贈与の額を控除しないで計算した金額をいいます。 **控除期間 13年**	
	住宅借入金等特別控除	令4.1.1～令5.12.31の居住分（注1）	全期間の控除➡(A)×0.7％（最高限度21万円） **控除期間 13年**	
	認定住宅（認定長期優良住宅又は認定低炭素住宅）に係る住宅借入金等特別控除	平27.1.1～平27.12.31の居住分	全期間の控除➡(A)×1％（最高限度50万円） （特定取得の場合）	
		平28.1.1～平28.12.31の居住分	全期間の控除➡(A)×1％（最高限度50万円） （特定取得の場合）	
		平29.1.1～平29.12.31の居住分	全期間の控除➡(A)×1％（最高限度50万円） （特定取得の場合） **控除期間 10年**	
		平30.1.1～平30.12.31の居住分	全期間の控除➡(A)×1％（最高限度50万円） （特定取得の場合）	
		平31.1.1～令元.9.30の居住分	全期間の控除➡(A)×1％（最高限度50万円） （特定取得の場合）	

控 除 の 種 類		令 和 6 年 分 の 控 除 額			本文の解説ページ
税額控除	認定住宅に係る住宅借入金等特別控除	令元.10.1～令2.12.31の居住分	[住宅の取得等が特別特定取得に該当する場合] 1～10年目の控除➡(A)×1％（最高限度50万円） 11年目～13年目の控除➡次のいずれか少ない金額 　①　(A)×1％（最高限度50万円） 　②　（住宅取得等の対価の額－消費税額（上限5,000万円））×2％÷3 （注）　この場合の「住宅取得等対価の額」は、補助金及び住宅取得等資金の贈与の額を控除しないで計算した金額をいいます。	控除期間13年	合計所得金額3千万円以下（特例特別特例取得の場合1千万円以下、令4.1.1～2千万円以下） 100ページ
			[上記以外の場合] 全期間の控除➡(A)×1％（最高限度50万円） （注）　住宅の取得等が特定取得以外の場合は30万円	控除期間10年	
		令3.1.1～令3.12.31の居住分	1～10年目の控除➡(A)×1％（最高限度50万円） （注）　住宅の取得等が特定取得以外の場合は30万円		
		令3.1.1～令4.12.31の居住分	[住宅の取得等が特別特例取得又は特例特別特例取得に該当する場合] 1～10年目の控除➡(A)×1％（最高限度50万円） 11年目～13年目の控除➡次のいずれか少ない金額 　①　(A)×1％（最高限度50万円） 　②　（住宅取得等の対価の額－消費税額（上限5,000万円））×2％÷3 （注）　この場合の「住宅取得等対価の額」は、補助金及び住宅取得等資金の贈与の額を控除しないで計算した金額をいいます。		
	認定住宅に係る住宅借入金等特別控除	令4.1.1～令5.12.31の居住分（注2）	全期間の控除➡(A)×0.7％（最高限度35万円）	控除期間13年	
	特定エネルギー消費性能向上住宅に係る住宅借入金等特別控除	令4.1.1～令5.12.31の居住分（注2）	全期間の控除➡(A)×0.7％（最高限度31.5万円）		
	エネルギー消費性能向上住宅に係る住宅借入金等特別控除	令4.1.1～令5.12.31の居住分（注2）	全期間の控除➡(A)×0.7％（最高限度28万円）		

（A）＝各年末の住宅借入金等残高合計額

（注1）　住宅の取得等が居住用家屋の新築又は居住用家屋で建築後使用されたことのないもの若しくは買取再販住宅（既存住宅のうち宅地建物取引業者により一定の増改築等が行われたものをいいます。）の取得以外の場合（買取再販住宅以外の既存住宅の取得又は住宅の増改築）においては、最高限度14万円、控除期間は10年となります。

（注2）　住宅の取得等が認定住宅等の新築又は認定住宅等で建築後使用されたことのないもの若しくは買取再販認定住宅等（認定住宅等である既存住宅のうち宅地建物取引業者により一定の増改築等が行われたものをいいます。）の取得以外の場合においては、最高限度21万円、控除期間は10年となります。

令和6年分　本人・控除対象配偶者・控除対象扶養親族の所得控除額の合計表

区　　　　　分			控除額の合計	控　除　額　の　内　訳
本　　人	下記以外の者		万円 0〜48	基礎控除(0、16、32、48万円)
	障害者・特別障害者・寡婦・ひとり親・勤労学生に該当する者		27〜150	基礎控除(0、16、32、48万円)＋適用を受ける障害者控除等の合計額(特別障害者控除額は40万円、ひとり親控除額は35万円、その他の控除額は各27万円)
控除対象配偶者	一　般 (69歳以下)	障害者以外の者	13、26、38	配偶者控除(13、26、38万円)
		障　害　者	40、53、65	配偶者控除(13、26、38万円)＋障害者控除(27万円)
		特別障害者 非同居	53、66、78	配偶者控除(13、26、38万円)＋特別障害者控除(40万円)
		特別障害者 同　居	88、101、113	配偶者控除(13、26、38万円)＋同居特別障害者控除(75万円)
	老人配偶者 (70歳以上)	障害者以外の者	16、32、48	老人配偶者控除(16、32、48万円)
		障　害　者	43、59、75	老人配偶者控除(16、32、48万円)＋障害者控除(27万円)
		特別障害者 非同居	56、72、88	老人配偶者控除(16、32、48万円)＋特別障害者控除(40万円)
		特別障害者 同　居	91、107、123	老人配偶者控除(16、32、48万円)＋同居特別障害者控除(75万円)
控除対象扶養親族	一　般 (16〜18歳) (23〜69歳) (注2)	障害者以外の者	38	扶養控除(38万円)
		障　害　者	65	扶養控除(38万円)＋障害者控除(27万円)
		特別障害者 非同居	78	扶養控除(38万円)＋特別障害者控除(40万円)
		特別障害者 同　居	113	扶養控除(38万円)＋同居特別障害者控除(75万円)
	特定扶養親族 (19〜22歳)	障害者以外の者	63	特定扶養控除(63万円)
		障　害　者	90	特定扶養控除(63万円)＋障害者控除(27万円)
		特別障害者 非同居	103	特定扶養控除(63万円)＋特別障害者控除(40万円)
		特別障害者 同　居	138	特定扶養控除(63万円)＋同居特別障害者控除(75万円)
	老人扶養親族 (70歳以上)	障害者以外の者 一　般	48	老人扶養控除(48万円)
		障害者以外の者 同居老親等	58	同居老親控除(58万円)
		障　害　者 一　般	75	老人扶養控除(48万円)＋障害者控除(27万円)
		障　害　者 同居老親等	85	同居老親控除(58万円)＋障害者控除(27万円)
		特別障害者 非同居	88	老人扶養控除(48万円)＋特別障害者控除(40万円)
		特別障害者 一般同居	123	老人扶養控除(48万円)＋同居特別障害者控除(75万円)
		特別障害者 同居老親等	133	同居老親控除(58万円)＋同居特別障害者控除(75万円)

(注1)　控除対象配偶者に該当しない同一生計配偶者は配偶者控除の適用はありませんが、障害者控除(27万円)、特別障害者控除(40万円)、同居特別障害者控除(75万円)の適用はあります。また、0歳〜15歳の扶養親族(年少扶養親族)は控除対象扶養親族ではありませんので、扶養控除(38万円)の適用はありませんが、障害者控除(27万円)、特別障害者控除(40万円)、同居特別障害者控除(75万円)の適用はあります。

(注2)　30歳以上70歳未満の国外居住親族については、23ページ参照。

令和5年3月分（4月納付）から 令和6年2月分（3月納付）までの　全国健康保険協会管掌健康保険一般保険料額表①

（単位：円）

等級	標準報酬月額	報酬月額		佐賀県 一般保険料（10.51%） 被保険者・事業主	合計	福岡県 一般保険料（10.36%） 被保険者・事業主	合計	熊本県 一般保険料（10.32%） 被保険者・事業主	合計
1	58,000		63,000未満	3,047.9	6,095.8	3,004.4	6,008.8	2,992.8	5,985.6
2	68,000	63,000以上	73,000 〃	3,573.4	7,146.8	3,522.4	7,044.8	3,508.8	7,017.6
3	78,000	73,000 〃	83,000 〃	4,098.9	8,197.8	4,040.4	8,080.8	4,024.8	8,049.6
4	88,000	83,000 〃	93,000 〃	4,624.4	9,248.8	4,558.4	9,116.8	4,540.8	9,081.6
5	98,000	93,000 〃	101,000 〃	5,149.9	10,299.8	5,076.4	10,152.8	5,056.8	10,113.6
6	104,000	101,000 〃	107,000 〃	5,465.2	10,930.4	5,387.2	10,774.4	5,366.4	10,732.8
7	110,000	107,000 〃	114,000 〃	5,780.5	11,561	5,698	11,396	5,676	11,352
8	118,000	114,000 〃	122,000 〃	6,200.9	12,401.8	6,112.4	12,224.8	6,088.8	12,177.6
9	126,000	122,000 〃	130,000 〃	6,621.3	13,242.6	6,526.8	13,053.6	6,501.6	13,003.2
10	134,000	130,000 〃	138,000 〃	7,041.7	14,083.4	6,941.2	13,882.4	6,914.4	13,828.8
11	142,000	138,000 〃	146,000 〃	7,462.1	14,924.2	7,355.6	14,711.2	7,327.2	14,654.4
12	150,000	146,000 〃	155,000 〃	7,882.5	15,765	7,770	15,540	7,740	15,480
13	160,000	155,000 〃	165,000 〃	8,408	16,816	8,288	16,576	8,256	16,512
14	170,000	165,000 〃	175,000 〃	8,933.5	17,867	8,806	17,612	8,772	17,544
15	180,000	175,000 〃	185,000 〃	9,459	18,918	9,324	18,648	9,288	18,576
16	190,000	185,000 〃	195,000 〃	9,984.5	19,969	9,842	19,684	9,804	19,608
17	200,000	195,000 〃	210,000 〃	10,510	21,020	10,360	20,720	10,320	20,640
18	220,000	210,000 〃	230,000 〃	11,561	23,122	11,396	22,792	11,352	22,704
19	240,000	230,000 〃	250,000 〃	12,612	25,224	12,432	24,864	12,384	24,768
20	260,000	250,000 〃	270,000 〃	13,663	27,326	13,468	26,936	13,416	26,832
21	280,000	270,000 〃	290,000 〃	14,714	29,428	14,504	29,008	14,448	28,896
22	300,000	290,000 〃	310,000 〃	15,765	31,530	15,540	31,080	15,480	30,960
23	320,000	310,000 〃	330,000 〃	16,816	33,632	16,576	33,152	16,512	33,024
24	340,000	330,000 〃	350,000 〃	17,867	35,734	17,612	35,224	17,544	35,088
25	360,000	350,000 〃	370,000 〃	18,918	37,836	18,648	37,296	18,576	37,152
26	380,000	370,000 〃	395,000 〃	19,969	39,938	19,684	39,368	19,608	39,216
27	410,000	395,000 〃	425,000 〃	21,545.5	43,091	21,238	42,476	21,156	42,312
28	440,000	425,000 〃	455,000 〃	23,122	46,244	22,792	45,584	22,704	45,408
29	470,000	455,000 〃	485,000 〃	24,698.5	49,397	24,346	48,692	24,252	48,504
30	500,000	485,000 〃	515,000 〃	26,275	52,550	25,900	51,800	25,800	51,600
31	530,000	515,000 〃	545,000 〃	27,851.5	55,703	27,454	54,908	27,348	54,696
32	560,000	545,000 〃	575,000 〃	29,428	58,856	29,008	58,016	28,896	57,792
33	590,000	575,000 〃	605,000 〃	31,004.5	62,009	30,562	61,124	30,444	60,888
34	620,000	605,000 〃	635,000 〃	32,581	65,162	32,116	64,232	31,992	63,984
35	650,000	635,000 〃	665,000 〃	34,157.5	68,315	33,670	67,340	33,540	67,080
36	680,000	665,000 〃	695,000 〃	35,734	71,468	35,224	70,448	35,088	70,176
37	710,000	695,000 〃	730,000 〃	37,310.5	74,621	36,778	73,556	36,636	73,272
38	750,000	730,000 〃	770,000 〃	39,412.5	78,825	38,850	77,700	38,700	77,400
39	790,000	770,000 〃	810,000 〃	41,514.5	83,029	40,922	81,844	40,764	81,528
40	830,000	810,000 〃	855,000 〃	43,616.5	87,233	42,994	85,988	42,828	85,656
41	880,000	855,000 〃	905,000 〃	46,244	92,488	45,584	91,168	45,408	90,816
42	930,000	905,000 〃	955,000 〃	48,871.5	97,743	48,174	96,348	47,988	95,976
43	980,000	955,000 〃	1,005,000 〃	51,499	102,998	50,764	101,528	50,568	101,136
44	1,030,000	1,005,000 〃	1,055,000 〃	54,126.5	108,253	53,354	106,708	53,148	106,296
45	1,090,000	1,055,000 〃	1,115,000 〃	57,279.5	114,559	56,462	112,924	56,244	112,488
46	1,150,000	1,115,000 〃	1,175,000 〃	60,432.5	120,865	59,570	119,140	59,340	118,680
47	1,210,000	1,175,000 〃	1,235,000 〃	63,585.5	127,171	62,678	125,356	62,436	124,872
48	1,270,000	1,235,000 〃	1,295,000 〃	66,738.5	133,477	65,786	131,572	65,532	131,064
49	1,330,000	1,295,000 〃	1,355,000 〃	69,891.5	139,783	68,894	137,788	68,628	137,256
50	1,390,000	1,355,000 〃		73,044.5	146,089	72,002	144,004	71,724	143,448

等級	標準報酬月額	報酬月額		北海道・大阪府 一般保険料（10.29%） 被保険者・事業主	合計	島根県・鹿児島県 一般保険料（10.26%） 被保険者・事業主	合計	徳島県 一般保険料（10.25%） 被保険者・事業主	合計
1	58,000		63,000 未満	2,984.1	5,968.2	2,975.4	5,950.8	2,972.5	5,945
2	68,000	63,000 以上	73,000 〃	3,498.6	6,997.2	3,488.4	6,976.8	3,485	6,970
3	78,000	73,000 〃	83,000 〃	4,013.1	8,026.2	4,001.4	8,002.8	3,997.5	7,995
4	88,000	83,000 〃	93,000 〃	4,527.6	9,055.2	4,514.4	9,028.8	4,510	9,020
5	98,000	93,000 〃	101,000 〃	5,042.1	10,084.2	5,027.4	10,054.8	5,022.5	10,045
6	104,000	101,000 〃	107,000 〃	5,350.8	10,701.6	5,335.2	10,670.4	5,330	10,660
7	110,000	107,000 〃	114,000 〃	5,659.5	11,319	5,643	11,286	5,637.5	11,275
8	118,000	114,000 〃	122,000 〃	6,071.1	12,142.2	6,053.4	12,106.8	6,047.5	12,095
9	126,000	122,000 〃	130,000 〃	6,482.7	12,965.4	6,463.8	12,927.6	6,457.5	12,915
10	134,000	130,000 〃	138,000 〃	6,894.3	13,788.6	6,874.2	13,748.4	6,867.5	13,735
11	142,000	138,000 〃	146,000 〃	7,305.9	14,611.8	7,284.6	14,569.2	7,277.5	14,555
12	150,000	146,000 〃	155,000 〃	7,717.5	15,435	7,695	15,390	7,687.5	15,375
13	160,000	155,000 〃	165,000 〃	8,232	16,464	8,208	16,416	8,200	16,400
14	170,000	165,000 〃	175,000 〃	8,746.5	17,493	8,721	17,442	8,712.5	17,425
15	180,000	175,000 〃	185,000 〃	9,261	18,522	9,234	18,468	9,225	18,450
16	190,000	185,000 〃	195,000 〃	9,775.5	19,551	9,747	19,494	9,737.5	19,475
17	200,000	195,000 〃	210,000 〃	10,290	20,580	10,260	20,520	10,250	20,500
18	220,000	210,000 〃	230,000 〃	11,319	22,638	11,286	22,572	11,275	22,550
19	240,000	230,000 〃	250,000 〃	12,348	24,696	12,312	24,624	12,300	24,600
20	260,000	250,000 〃	270,000 〃	13,377	26,754	13,338	26,676	13,325	26,650
21	280,000	270,000 〃	290,000 〃	14,406	28,812	14,364	28,728	14,350	28,700
22	300,000	290,000 〃	310,000 〃	15,435	30,870	15,390	30,780	15,375	30,750
23	320,000	310,000 〃	330,000 〃	16,464	32,928	16,416	32,832	16,400	32,800
24	340,000	330,000 〃	350,000 〃	17,493	34,986	17,442	34,884	17,425	34,850
25	360,000	350,000 〃	370,000 〃	18,522	37,044	18,468	36,936	18,450	36,900
26	380,000	370,000 〃	395,000 〃	19,551	39,102	19,494	38,988	19,475	38,950
27	410,000	395,000 〃	425,000 〃	21,094.5	42,189	21,033	42,066	21,012.5	42,025
28	440,000	425,000 〃	455,000 〃	22,638	45,276	22,572	45,144	22,550	45,100
29	470,000	455,000 〃	485,000 〃	24,181.5	48,363	24,111	48,222	24,087.5	48,175
30	500,000	485,000 〃	515,000 〃	25,725	51,450	25,650	51,300	25,625	51,250
31	530,000	515,000 〃	545,000 〃	27,268.5	54,537	27,189	54,378	27,162.5	54,325
32	560,000	545,000 〃	575,000 〃	28,812	57,624	28,728	57,456	28,700	57,400
33	590,000	575,000 〃	605,000 〃	30,355.5	60,711	30,267	60,534	30,237.5	60,475
34	620,000	605,000 〃	635,000 〃	31,899	63,798	31,806	63,612	31,775	63,550
35	650,000	635,000 〃	665,000 〃	33,442.5	66,885	33,345	66,690	33,312.5	66,625
36	680,000	665,000 〃	695,000 〃	34,986	69,972	34,884	69,768	34,850	69,700
37	710,000	695,000 〃	730,000 〃	36,529.5	73,059	36,423	72,846	36,387.5	72,775
38	750,000	730,000 〃	770,000 〃	38,587.5	77,175	38,475	76,950	38,437.5	76,875
39	790,000	770,000 〃	810,000 〃	40,645.5	81,291	40,527	81,054	40,487.5	80,975
40	830,000	810,000 〃	855,000 〃	42,703.5	85,407	42,579	85,158	42,537.5	85,075
41	880,000	855,000 〃	905,000 〃	45,276	90,552	45,144	90,288	45,100	90,200
42	930,000	905,000 〃	955,000 〃	47,848.5	95,697	47,709	95,418	47,662.5	95,325
43	980,000	955,000 〃	1,005,000 〃	50,421	100,842	50,274	100,548	50,225	100,450
44	1,030,000	1,005,000 〃	1,055,000 〃	52,993.5	105,987	52,839	105,678	52,787.5	105,575
45	1,090,000	1,055,000 〃	1,115,000 〃	56,080.5	112,161	55,917	111,834	55,862.5	111,725
46	1,150,000	1,115,000 〃	1,175,000 〃	59,167.5	118,335	58,995	117,990	58,937.5	117,875
47	1,210,000	1,175,000 〃	1,235,000 〃	62,254.5	124,509	62,073	124,146	62,012.5	124,025
48	1,270,000	1,235,000 〃	1,295,000 〃	65,341.5	130,683	65,151	130,302	65,087.5	130,175
49	1,330,000	1,295,000 〃	1,355,000 〃	68,428.5	136,857	68,229	136,458	68,162.5	136,325
50	1,390,000	1,355,000 〃		71,515.5	143,031	71,307	142,614	71,237.5	142,475

令和5年3月分（4月納付）から
令和6年2月分（3月納付）までの　**全国健康保険協会管掌健康保険一般保険料額表③**

（単位：円）

等級	標準報酬月額	報酬月額		香川県		長崎県		大分県	
				一般保険料（10.23%）		一般保険料（10.21%）		一般保険料（10.20%）	
				被保険者・事業主	合計	被保険者・事業主	合計	被保険者・事業主	合計
1	58,000		63,000未満	2,966.7	5,933.4	2,960.9	5,921.8	2,958	5,916
2	68,000	63,000以上	73,000	3,478.2	6,956.4	3,471.4	6,942.8	3,468	6,936
3	78,000	73,000 〃	83,000	3,989.7	7,979.4	3,981.9	7,963.8	3,978	7,956
4	88,000	83,000 〃	93,000	4,501.2	9,002.4	4,492.4	8,984.8	4,488	8,976
5	98,000	93,000 〃	101,000	5,012.7	10,025.4	5,002.9	10,005.8	4,998	9,996
6	104,000	101,000 〃	107,000	5,319.6	10,639.2	5,309.2	10,618.4	5,304	10,608
7	110,000	107,000 〃	114,000	5,626.5	11,253	5,615.5	11,231	5,610	11,220
8	118,000	114,000 〃	122,000	6,035.7	12,071.4	6,023.9	12,047.8	6,018	12,036
9	126,000	122,000 〃	130,000	6,444.9	12,889.8	6,432.3	12,864.6	6,426	12,852
10	134,000	130,000 〃	138,000	6,854.1	13,708.2	6,840.7	13,681.4	6,834	13,668
11	142,000	138,000 〃	146,000	7,263.3	14,526.6	7,249.1	14,498.2	7,242	14,484
12	150,000	146,000 〃	155,000	7,672.5	15,345	7,657.5	15,315	7,650	15,300
13	160,000	155,000 〃	165,000	8,184	16,368	8,168	16,336	8,160	16,320
14	170,000	165,000 〃	175,000	8,695.5	17,391	8,678.5	17,357	8,670	17,340
15	180,000	175,000 〃	185,000	9,207	18,414	9,189	18,378	9,180	18,360
16	190,000	185,000 〃	195,000	9,718.5	19,437	9,699.5	19,399	9,690	19,380
17	200,000	195,000 〃	210,000	10,230	20,460	10,210	20,420	10,200	20,400
18	220,000	210,000 〃	230,000	11,253	22,506	11,231	22,462	11,220	22,440
19	240,000	230,000 〃	250,000	12,276	24,552	12,252	24,504	12,240	24,480
20	260,000	250,000 〃	270,000	13,299	26,598	13,273	26,546	13,260	26,520
21	280,000	270,000 〃	290,000	14,322	28,644	14,294	28,588	14,280	28,560
22	300,000	290,000 〃	310,000	15,345	30,690	15,315	30,630	15,300	30,600
23	320,000	310,000 〃	330,000	16,368	32,736	16,336	32,672	16,320	32,640
24	340,000	330,000 〃	350,000	17,391	34,782	17,357	34,714	17,340	34,680
25	360,000	350,000 〃	370,000	18,414	36,828	18,378	36,756	18,360	36,720
26	380,000	370,000 〃	395,000	19,437	38,874	19,399	38,798	19,380	38,760
27	410,000	395,000 〃	425,000	20,971.5	41,943	20,930.5	41,861	20,910	41,820
28	440,000	425,000 〃	455,000	22,506	45,012	22,462	44,924	22,440	44,880
29	470,000	455,000 〃	485,000	24,040.5	48,081	23,993.5	47,987	23,970	47,940
30	500,000	485,000 〃	515,000	25,575	51,150	25,525	51,050	25,500	51,000
31	530,000	515,000 〃	545,000	27,109.5	54,219	27,056.5	54,113	27,030	54,060
32	560,000	545,000 〃	575,000	28,644	57,288	28,588	57,176	28,560	57,120
33	590,000	575,000 〃	605,000	30,178.5	60,357	30,119.5	60,239	30,090	60,180
34	620,000	605,000 〃	635,000	31,713	63,426	31,651	63,302	31,620	63,240
35	650,000	635,000 〃	665,000	33,247.5	66,495	33,182.5	66,365	33,150	66,300
36	680,000	665,000 〃	695,000	34,782	69,564	34,714	69,428	34,680	69,360
37	710,000	695,000 〃	730,000	36,316.5	72,633	36,245.5	72,491	36,210	72,420
38	750,000	730,000 〃	770,000	38,362.5	76,725	38,287.5	76,575	38,250	76,500
39	790,000	770,000 〃	810,000	40,408.5	80,817	40,329.5	80,659	40,290	80,580
40	830,000	810,000 〃	855,000	42,454.5	84,909	42,371.5	84,743	42,330	84,660
41	880,000	855,000 〃	905,000	45,012	90,024	44,924	89,848	44,880	89,760
42	930,000	905,000 〃	955,000	47,569.5	95,139	47,476.5	94,953	47,430	94,860
43	980,000	955,000 〃	1,005,000	50,127	100,254	50,029	100,058	49,980	99,960
44	1,030,000	1,005,000 〃	1,055,000	52,684.5	105,369	52,581.5	105,163	52,530	105,060
45	1,090,000	1,055,000 〃	1,115,000	55,753.5	111,507	55,644.5	111,289	55,590	111,180
46	1,150,000	1,115,000 〃	1,175,000	58,822.5	117,645	58,707.5	117,415	58,650	117,300
47	1,210,000	1,175,000 〃	1,235,000	61,891.5	123,783	61,770.5	123,541	61,710	123,420
48	1,270,000	1,235,000 〃	1,295,000	64,960.5	129,921	64,833.5	129,667	64,770	129,540
49	1,330,000	1,295,000 〃	1,355,000	68,029.5	136,059	67,896.5	135,793	67,830	135,660
50	1,390,000	1,355,000 〃		71,098.5	142,197	70,959.5	141,919	70,890	141,780

令和5年3月分（4月納付）から
令和6年2月分（3月納付）までの　全国健康保険協会管掌健康保険一般保険料額表④

（単位：円）

等級	標準報酬月額	報酬月額	兵庫県 一般保険料（10.17%）		奈良県 一般保険料（10.14%）		高知県 一般保険料（10.10%）	
			被保険者・事業主	合計	被保険者・事業主	合計	被保険者・事業主	合計
1	58,000	63,000未満	2,949.3	5,898.6	2,940.6	5,881.2	2,929	5,858
2	68,000	63,000以上 73,000 〃	3,457.8	6,915.6	3,447.6	6,895.2	3,434	6,868
3	78,000	73,000 〃 83,000 〃	3,966.3	7,932.6	3,954.6	7,909.2	3,939	7,878
4	88,000	83,000 〃 93,000 〃	4,474.8	8,949.6	4,461.6	8,923.2	4,444	8,888
5	98,000	93,000 〃 101,000 〃	4,983.3	9,966.6	4,968.6	9,937.2	4,949	9,898
6	104,000	101,000 〃 107,000 〃	5,288.4	10,576.8	5,272.8	10,545.6	5,252	10,504
7	110,000	107,000 〃 114,000 〃	5,593.5	11,187	5,577	11,154	5,555	11,110
8	118,000	114,000 〃 122,000 〃	6,000.3	12,000.6	5,982.6	11,965.2	5,959	11,918
9	126,000	122,000 〃 130,000 〃	6,407.1	12,814.2	6,388.2	12,776.4	6,363	12,726
10	134,000	130,000 〃 138,000 〃	6,813.9	13,627.8	6,793.8	13,587.6	6,767	13,534
11	142,000	138,000 〃 146,000 〃	7,220.7	14,441.4	7,199.4	14,398.8	7,171	14,342
12	150,000	146,000 〃 155,000 〃	7,627.5	15,255	7,605	15,210	7,575	15,150
13	160,000	155,000 〃 165,000 〃	8,136	16,272	8,112	16,224	8,080	16,160
14	170,000	165,000 〃 175,000 〃	8,644.5	17,289	8,619	17,238	8,585	17,170
15	180,000	175,000 〃 185,000 〃	9,153	18,306	9,126	18,252	9,090	18,180
16	190,000	185,000 〃 195,000 〃	9,661.5	19,323	9,633	19,266	9,595	19,190
17	200,000	195,000 〃 210,000 〃	10,170	20,340	10,140	20,280	10,100	20,200
18	220,000	210,000 〃 230,000 〃	11,187	22,374	11,154	22,308	11,110	22,220
19	240,000	230,000 〃 250,000 〃	12,204	24,408	12,168	24,336	12,120	24,240
20	260,000	250,000 〃 270,000 〃	13,221	26,442	13,182	26,364	13,130	26,260
21	280,000	270,000 〃 290,000 〃	14,238	28,476	14,196	28,392	14,140	28,280
22	300,000	290,000 〃 310,000 〃	15,255	30,510	15,210	30,420	15,150	30,300
23	320,000	310,000 〃 330,000 〃	16,272	32,544	16,224	32,448	16,160	32,320
24	340,000	330,000 〃 350,000 〃	17,289	34,578	17,238	34,476	17,170	34,340
25	360,000	350,000 〃 370,000 〃	18,306	36,612	18,252	36,504	18,180	36,360
26	380,000	370,000 〃 395,000 〃	19,323	38,646	19,266	38,532	19,190	38,380
27	410,000	395,000 〃 425,000 〃	20,848.5	41,697	20,787	41,574	20,705	41,410
28	440,000	425,000 〃 455,000 〃	22,374	44,748	22,308	44,616	22,220	44,440
29	470,000	455,000 〃 485,000 〃	23,899.5	47,799	23,829	47,658	23,735	47,470
30	500,000	485,000 〃 515,000 〃	25,425	50,850	25,350	50,700	25,250	50,500
31	530,000	515,000 〃 545,000 〃	26,950.5	53,901	26,871	53,742	26,765	53,530
32	560,000	545,000 〃 575,000 〃	28,476	56,952	28,392	56,784	28,280	56,560
33	590,000	575,000 〃 605,000 〃	30,001.5	60,003	29,913	59,826	29,795	59,590
34	620,000	605,000 〃 635,000 〃	31,527	63,054	31,434	62,868	31,310	62,620
35	650,000	635,000 〃 665,000 〃	33,052.5	66,105	32,955	65,910	32,825	65,650
36	680,000	665,000 〃 695,000 〃	34,578	69,156	34,476	68,952	34,340	68,680
37	710,000	695,000 〃 730,000 〃	36,103.5	72,207	35,997	71,994	35,855	71,710
38	750,000	730,000 〃 770,000 〃	38,137.5	76,275	38,025	76,050	37,875	75,750
39	790,000	770,000 〃 810,000 〃	40,171.5	80,343	40,053	80,106	39,895	79,790
40	830,000	810,000 〃 855,000 〃	42,205.5	84,411	42,081	84,162	41,915	83,830
41	880,000	855,000 〃 905,000 〃	44,748	89,496	44,616	89,232	44,440	88,880
42	930,000	905,000 〃 955,000 〃	47,290.5	94,581	47,151	94,302	46,965	93,930
43	980,000	955,000 〃 1,005,000 〃	49,833	99,666	49,686	99,372	49,490	98,980
44	1,030,000	1,005,000 〃 1,055,000 〃	52,375.5	104,751	52,221	104,442	52,015	104,030
45	1,090,000	1,055,000 〃 1,115,000 〃	55,426.5	110,853	55,263	110,526	55,045	110,090
46	1,150,000	1,115,000 〃 1,175,000 〃	58,477.5	116,955	58,305	116,610	58,075	116,150
47	1,210,000	1,175,000 〃 1,235,000 〃	61,528.5	123,057	61,347	122,694	61,105	122,210
48	1,270,000	1,235,000 〃 1,295,000 〃	64,579.5	129,159	64,389	128,778	64,135	128,270
49	1,330,000	1,295,000 〃 1,355,000 〃	67,630.5	135,261	67,431	134,862	67,165	134,330
50	1,390,000	1,355,000 〃	70,681.5	141,363	70,473	140,946	70,195	140,390

令和5年3月分（4月納付）から
令和6年2月分（3月納付）までの　**全国健康保険協会管掌健康保険一般保険料額表⑤**

（単位：円）

等級	標準報酬月額	報酬月額		京都府		岡山県		宮城県	
				一般保険料（10.09%）		一般保険料（10.07%）		一般保険料（10.05%）	
				被保険者・事業主	合計	被保険者・事業主	合計	被保険者・事業主	合計
1	58,000		63,000未満	2,926.1	5,852.2	2,920.3	5,840.6	2,914.5	5,829
2	68,000	63,000以上	73,000〃	3,430.6	6,861.2	3,423.8	6,847.6	3,417	6,834
3	78,000	73,000〃	83,000〃	3,935.1	7,870.2	3,927.3	7,854.6	3,919.5	7,839
4	88,000	83,000〃	93,000〃	4,439.6	8,879.2	4,430.8	8,861.6	4,422	8,844
5	98,000	93,000〃	101,000〃	4,944.1	9,888.2	4,934.3	9,868.6	4,924.5	9,849
6	104,000	101,000〃	107,000〃	5,246.8	10,493.6	5,236.4	10,472.8	5,226	10,452
7	110,000	107,000〃	114,000〃	5,549.5	11,099	5,538.5	11,077	5,527.5	11,055
8	118,000	114,000〃	122,000〃	5,953.1	11,906.2	5,941.3	11,882.6	5,929.5	11,859
9	126,000	122,000〃	130,000〃	6,356.7	12,713.4	6,344.1	12,688.2	6,331.5	12,663
10	134,000	130,000〃	138,000〃	6,760.3	13,520.6	6,746.9	13,493.8	6,733.5	13,467
11	142,000	138,000〃	146,000〃	7,163.9	14,327.8	7,149.7	14,299.4	7,135.5	14,271
12	150,000	146,000〃	155,000〃	7,567.5	15,135	7,552.5	15,105	7,537.5	15,075
13	160,000	155,000〃	165,000〃	8,072	16,144	8,056	16,112	8,040	16,080
14	170,000	165,000〃	175,000〃	8,576.5	17,153	8,559.5	17,119	8,542.5	17,085
15	180,000	175,000〃	185,000〃	9,081	18,162	9,063	18,126	9,045	18,090
16	190,000	185,000〃	195,000〃	9,585.5	19,171	9,566.5	19,133	9,547.5	19,095
17	200,000	195,000〃	210,000〃	10,090	20,180	10,070	20,140	10,050	20,100
18	220,000	210,000〃	230,000〃	11,099	22,198	11,077	22,154	11,055	22,110
19	240,000	230,000〃	250,000〃	12,108	24,216	12,084	24,168	12,060	24,120
20	260,000	250,000〃	270,000〃	13,117	26,234	13,091	26,182	13,065	26,130
21	280,000	270,000〃	290,000〃	14,126	28,252	14,098	28,196	14,070	28,140
22	300,000	290,000〃	310,000〃	15,135	30,270	15,105	30,210	15,075	30,150
23	320,000	310,000〃	330,000〃	16,144	32,288	16,112	32,224	16,080	32,160
24	340,000	330,000〃	350,000〃	17,153	34,306	17,119	34,238	17,085	34,170
25	360,000	350,000〃	370,000〃	18,162	36,324	18,126	36,252	18,090	36,180
26	380,000	370,000〃	395,000〃	19,171	38,342	19,133	38,266	19,095	38,190
27	410,000	395,000〃	425,000〃	20,684.5	41,369	20,643.5	41,287	20,602.5	41,205
28	440,000	425,000〃	455,000〃	22,198	44,396	22,154	44,308	22,110	44,220
29	470,000	455,000〃	485,000〃	23,711.5	47,423	23,664.5	47,329	23,617.5	47,235
30	500,000	485,000〃	515,000〃	25,225	50,450	25,175	50,350	25,125	50,250
31	530,000	515,000〃	545,000〃	26,738.5	53,477	26,685.5	53,371	26,632.5	53,265
32	560,000	545,000〃	575,000〃	28,252	56,504	28,196	56,392	28,140	56,280
33	590,000	575,000〃	605,000〃	29,765.5	59,531	29,706.5	59,413	29,647.5	59,295
34	620,000	605,000〃	635,000〃	31,279	62,558	31,217	62,434	31,155	62,310
35	650,000	635,000〃	665,000〃	32,792.5	65,585	32,727.5	65,455	32,662.5	65,325
36	680,000	665,000〃	695,000〃	34,306	68,612	34,238	68,476	34,170	68,340
37	710,000	695,000〃	730,000〃	35,819.5	71,639	35,748.5	71,497	35,677.5	71,355
38	750,000	730,000〃	770,000〃	37,837.5	75,675	37,762.5	75,525	37,687.5	75,375
39	790,000	770,000〃	810,000〃	39,855.5	79,711	39,776.5	79,553	39,697.5	79,395
40	830,000	810,000〃	855,000〃	41,873.5	83,747	41,790.5	83,581	41,707.5	83,415
41	880,000	855,000〃	905,000〃	44,396	88,792	44,308	88,616	44,220	88,440
42	930,000	905,000〃	955,000〃	46,918.5	93,837	46,825.5	93,651	46,732.5	93,465
43	980,000	955,000〃	1,005,000〃	49,441	98,882	49,343	98,686	49,245	98,490
44	1,030,000	1,005,000〃	1,055,000〃	51,963.5	103,927	51,860.5	103,721	51,757.5	103,515
45	1,090,000	1,055,000〃	1,115,000〃	54,990.5	109,981	54,881.5	109,763	54,772.5	109,545
46	1,150,000	1,115,000〃	1,175,000〃	58,017.5	116,035	57,902.5	115,805	57,787.5	115,575
47	1,210,000	1,175,000〃	1,235,000〃	61,044.5	122,089	60,923.5	121,847	60,802.5	121,605
48	1,270,000	1,235,000〃	1,295,000〃	64,071.5	128,143	63,944.5	127,889	63,817.5	127,635
49	1,330,000	1,295,000〃	1,355,000〃	67,098.5	134,197	66,965.5	133,931	66,832.5	133,665
50	1,390,000	1,355,000〃		70,125.5	140,251	69,986.5	139,973	69,847.5	139,695

等級	標準報酬月額	報酬月額		神奈川県 一般保険料（10.02%） 被保険者・事業主	合計	愛知県・愛媛県 一般保険料（10.01%） 被保険者・事業主	合計	東京都 一般保険料（10.00%） 被保険者・事業主	合計
1	58,000		63,000未満	2,905.8	5,811.6	2,902.9	5,805.8	2,900	5,800
2	68,000	63,000以上	73,000 〃	3,406.8	6,813.6	3,403.4	6,806.8	3,400	6,800
3	78,000	73,000 〃	83,000 〃	3,907.8	7,815.6	3,903.9	7,807.8	3,900	7,800
4	88,000	83,000 〃	93,000 〃	4,408.8	8,817.6	4,404.4	8,808.8	4,400	8,800
5	98,000	93,000 〃	101,000 〃	4,909.8	9,819.6	4,904.9	9,809.8	4,900	9,800
6	104,000	101,000 〃	107,000 〃	5,210.4	10,420.8	5,205.2	10,410.4	5,200	10,400
7	110,000	107,000 〃	114,000 〃	5,511	11,022	5,505.5	11,011	5,500	11,000
8	118,000	114,000 〃	122,000 〃	5,911.8	11,823.6	5,905.9	11,811.8	5,900	11,800
9	126,000	122,000 〃	130,000 〃	6,312.6	12,625.2	6,306.3	12,612.6	6,300	12,600
10	134,000	130,000 〃	138,000 〃	6,713.4	13,426.8	6,706.7	13,413.4	6,700	13,400
11	142,000	138,000 〃	146,000 〃	7,114.2	14,228.4	7,107.1	14,214.2	7,100	14,200
12	150,000	146,000 〃	155,000 〃	7,515	15,030	7,507.5	15,015	7,500	15,000
13	160,000	155,000 〃	165,000 〃	8,016	16,032	8,008	16,016	8,000	16,000
14	170,000	165,000 〃	175,000 〃	8,517	17,034	8,508.5	17,017	8,500	17,000
15	180,000	175,000 〃	185,000 〃	9,018	18,036	9,009	18,018	9,000	18,000
16	190,000	185,000 〃	195,000 〃	9,519	19,038	9,509.5	19,019	9,500	19,000
17	200,000	195,000 〃	210,000 〃	10,020	20,040	10,010	20,020	10,000	20,000
18	220,000	210,000 〃	230,000 〃	11,022	22,044	11,011	22,022	11,000	22,000
19	240,000	230,000 〃	250,000 〃	12,024	24,048	12,012	24,024	12,000	24,000
20	260,000	250,000 〃	270,000 〃	13,026	26,052	13,013	26,026	13,000	26,000
21	280,000	270,000 〃	290,000 〃	14,028	28,056	14,014	28,028	14,000	28,000
22	300,000	290,000 〃	310,000 〃	15,030	30,060	15,015	30,030	15,000	30,000
23	320,000	310,000 〃	330,000 〃	16,032	32,064	16,016	32,032	16,000	32,000
24	340,000	330,000 〃	350,000 〃	17,034	34,068	17,017	34,034	17,000	34,000
25	360,000	350,000 〃	370,000 〃	18,036	36,072	18,018	36,036	18,000	36,000
26	380,000	370,000 〃	395,000 〃	19,038	38,076	19,019	38,038	19,000	38,000
27	410,000	395,000 〃	425,000 〃	20,541	41,082	20,520.5	41,041	20,500	41,000
28	440,000	425,000 〃	455,000 〃	22,044	44,088	22,022	44,044	22,000	44,000
29	470,000	455,000 〃	485,000 〃	23,547	47,094	23,523.5	47,047	23,500	47,000
30	500,000	485,000 〃	515,000 〃	25,050	50,100	25,025	50,050	25,000	50,000
31	530,000	515,000 〃	545,000 〃	26,553	53,106	26,526.5	53,053	26,500	53,000
32	560,000	545,000 〃	575,000 〃	28,056	56,112	28,028	56,056	28,000	56,000
33	590,000	575,000 〃	605,000 〃	29,559	59,118	29,529.5	59,059	29,500	59,000
34	620,000	605,000 〃	635,000 〃	31,062	62,124	31,031	62,062	31,000	62,000
35	650,000	635,000 〃	665,000 〃	32,565	65,130	32,532.5	65,065	32,500	65,000
36	680,000	665,000 〃	695,000 〃	34,068	68,136	34,034	68,068	34,000	68,000
37	710,000	695,000 〃	730,000 〃	35,571	71,142	35,535.5	71,071	35,500	71,000
38	750,000	730,000 〃	770,000 〃	37,575	75,150	37,537.5	75,075	37,500	75,000
39	790,000	770,000 〃	810,000 〃	39,579	79,158	39,539.5	79,079	39,500	79,000
40	830,000	810,000 〃	855,000 〃	41,583	83,166	41,541.5	83,083	41,500	83,000
41	880,000	855,000 〃	905,000 〃	44,088	88,176	44,044	88,088	44,000	88,000
42	930,000	905,000 〃	955,000 〃	46,593	93,186	46,546.5	93,093	46,500	93,000
43	980,000	955,000 〃	1,005,000 〃	49,098	98,196	49,049	98,098	49,000	98,000
44	1,030,000	1,005,000 〃	1,055,000 〃	51,603	103,206	51,551.5	103,103	51,500	103,000
45	1,090,000	1,055,000 〃	1,115,000 〃	54,609	109,218	54,554.5	109,109	54,500	109,000
46	1,150,000	1,115,000 〃	1,175,000 〃	57,615	115,230	57,557.5	115,115	57,500	115,000
47	1,210,000	1,175,000 〃	1,235,000 〃	60,621	121,242	60,560.5	121,121	60,500	121,000
48	1,270,000	1,235,000 〃	1,295,000 〃	63,627	127,254	63,563.5	127,127	63,500	127,000
49	1,330,000	1,295,000 〃	1,355,000 〃	66,633	133,266	66,566.5	133,133	66,500	133,000
50	1,390,000	1,355,000 〃		69,639	139,278	69,569.5	139,139	69,500	139,000

令和5年3月分（4月納付）から
令和6年2月分（3月納付）までの　全国健康保険協会管掌健康保険一般保険料額表⑦

（単位：円）

等級	標準報酬月額	報酬月額		山形県		栃木県・山口県		和歌山県	
				一般保険料（9.98%）		一般保険料（9.96%）		一般保険料（9.94%）	
				被保険者・事業主	合計	被保険者・事業主	合計	被保険者・事業主	合計
1	58,000		63,000未満	2,894.2	5,788.4	2,888.4	5,776.8	2,882.6	5,765.2
2	68,000	63,000以上	73,000〃	3,393.2	6,786.4	3,386.4	6,772.8	3,379.6	6,759.2
3	78,000	73,000〃	83,000〃	3,892.2	7,784.4	3,884.4	7,768.8	3,876.6	7,753.2
4	88,000	83,000〃	93,000〃	4,391.2	8,782.4	4,382.4	8,764.8	4,373.6	8,747.2
5	98,000	93,000〃	101,000〃	4,890.2	9,780.4	4,880.4	9,760.8	4,870.6	9,741.2
6	104,000	101,000〃	107,000〃	5,189.6	10,379.2	5,179.2	10,358.4	5,168.8	10,337.6
7	110,000	107,000〃	114,000〃	5,489	10,978	5,478	10,956	5,467	10,934
8	118,000	114,000〃	122,000〃	5,888.2	11,776.4	5,876.4	11,752.8	5,864.6	11,729.2
9	126,000	122,000〃	130,000〃	6,287.4	12,574.8	6,274.8	12,549.6	6,262.2	12,524.4
10	134,000	130,000〃	138,000〃	6,686.6	13,373.2	6,673.2	13,346.4	6,659.8	13,319.6
11	142,000	138,000〃	146,000〃	7,085.8	14,171.6	7,071.6	14,143.2	7,057.4	14,114.8
12	150,000	146,000〃	155,000〃	7,485	14,970	7,470	14,940	7,455	14,910
13	160,000	155,000〃	165,000〃	7,984	15,968	7,968	15,936	7,952	15,904
14	170,000	165,000〃	175,000〃	8,483	16,966	8,466	16,932	8,449	16,898
15	180,000	175,000〃	185,000〃	8,982	17,964	8,964	17,928	8,946	17,892
16	190,000	185,000〃	195,000〃	9,481	18,962	9,462	18,924	9,443	18,886
17	200,000	195,000〃	210,000〃	9,980	19,960	9,960	19,920	9,940	19,880
18	220,000	210,000〃	230,000〃	10,978	21,956	10,956	21,912	10,934	21,868
19	240,000	230,000〃	250,000〃	11,976	23,952	11,952	23,904	11,928	23,856
20	260,000	250,000〃	270,000〃	12,974	25,948	12,948	25,896	12,922	25,844
21	280,000	270,000〃	290,000〃	13,972	27,944	13,944	27,888	13,916	27,832
22	300,000	290,000〃	310,000〃	14,970	29,940	14,940	29,880	14,910	29,820
23	320,000	310,000〃	330,000〃	15,968	31,936	15,936	31,872	15,904	31,808
24	340,000	330,000〃	350,000〃	16,966	33,932	16,932	33,864	16,898	33,796
25	360,000	350,000〃	370,000〃	17,964	35,928	17,928	35,856	17,892	35,784
26	380,000	370,000〃	395,000〃	18,962	37,924	18,924	37,848	18,886	37,772
27	410,000	395,000〃	425,000〃	20,459	40,918	20,418	40,836	20,377	40,754
28	440,000	425,000〃	455,000〃	21,956	43,912	21,912	43,824	21,868	43,736
29	470,000	455,000〃	485,000〃	23,453	46,906	23,406	46,812	23,359	46,718
30	500,000	485,000〃	515,000〃	24,950	49,900	24,900	49,800	24,850	49,700
31	530,000	515,000〃	545,000〃	26,447	52,894	26,394	52,788	26,341	52,682
32	560,000	545,000〃	575,000〃	27,944	55,888	27,888	55,776	27,832	55,664
33	590,000	575,000〃	605,000〃	29,441	58,882	29,382	58,764	29,323	58,646
34	620,000	605,000〃	635,000〃	30,938	61,876	30,876	61,752	30,814	61,628
35	650,000	635,000〃	665,000〃	32,435	64,870	32,370	64,740	32,305	64,610
36	680,000	665,000〃	695,000〃	33,932	67,864	33,864	67,728	33,796	67,592
37	710,000	695,000〃	730,000〃	35,429	70,858	35,358	70,716	35,287	70,574
38	750,000	730,000〃	770,000〃	37,425	74,850	37,350	74,700	37,275	74,550
39	790,000	770,000〃	810,000〃	39,421	78,842	39,342	78,684	39,263	78,526
40	830,000	810,000〃	855,000〃	41,417	82,834	41,334	82,668	41,251	82,502
41	880,000	855,000〃	905,000〃	43,912	87,824	43,824	87,648	43,736	87,472
42	930,000	905,000〃	955,000〃	46,407	92,814	46,314	92,628	46,221	92,442
43	980,000	955,000〃	1,005,000〃	48,902	97,804	48,804	97,608	48,706	97,412
44	1,030,000	1,005,000〃	1,055,000〃	51,397	102,794	51,294	102,588	51,191	102,382
45	1,090,000	1,055,000〃	1,115,000〃	54,391	108,782	54,282	108,564	54,173	108,346
46	1,150,000	1,115,000〃	1,175,000〃	57,385	114,770	57,270	114,540	57,155	114,310
47	1,210,000	1,175,000〃	1,235,000〃	60,379	120,758	60,258	120,516	60,137	120,274
48	1,270,000	1,235,000〃	1,295,000〃	63,373	126,746	63,246	126,492	63,119	126,238
49	1,330,000	1,295,000〃	1,355,000〃	66,367	132,734	66,234	132,468	66,101	132,202
50	1,390,000	1,355,000〃		69,361	138,722	69,222	138,444	69,083	138,166

令和5年3月分（4月納付）から
令和6年2月分（3月納付）までの　　**全国健康保険協会管掌健康保険一般保険料額表⑧**

（単位：円）

等級	標準報酬月額	報酬月額		広島県 一般保険料（9.92%）		福井県 一般保険料（9.91%）		沖縄県 一般保険料（9.89%）	
				被保険者・事業主	合計	被保険者・事業主	合計	被保険者・事業主	合計
1	58,000		63,000未満	2,876.8	5,753.6	2,873.9	5,747.8	2,868.1	5,736.2
2	68,000	63,000以上	73,000 〃	3,372.8	6,745.6	3,369.4	6,738.8	3,362.6	6,725.2
3	78,000	73,000 〃	83,000 〃	3,868.8	7,737.6	3,864.9	7,729.8	3,857.1	7,714.2
4	88,000	83,000 〃	93,000 〃	4,364.8	8,729.6	4,360.4	8,720.8	4,351.6	8,703.2
5	98,000	93,000 〃	101,000 〃	4,860.8	9,721.6	4,855.9	9,711.8	4,846.1	9,692.2
6	104,000	101,000 〃	107,000 〃	5,158.4	10,316.8	5,153.2	10,306.4	5,142.8	10,285.6
7	110,000	107,000 〃	114,000 〃	5,456	10,912	5,450.5	10,901	5,439.5	10,879
8	118,000	114,000 〃	122,000 〃	5,852.8	11,705.6	5,846.9	11,693.8	5,835.1	11,670.2
9	126,000	122,000 〃	130,000 〃	6,249.6	12,499.2	6,243.3	12,486.6	6,230.7	12,461.4
10	134,000	130,000 〃	138,000 〃	6,646.4	13,292.8	6,639.7	13,279.4	6,626.3	13,252.6
11	142,000	138,000 〃	146,000 〃	7,043.2	14,086.4	7,036.1	14,072.2	7,021.9	14,043.8
12	150,000	146,000 〃	155,000 〃	7,440	14,880	7,432.5	14,865	7,417.5	14,835
13	160,000	155,000 〃	165,000 〃	7,936	15,872	7,928	15,856	7,912	15,824
14	170,000	165,000 〃	175,000 〃	8,432	16,864	8,423.5	16,847	8,406.5	16,813
15	180,000	175,000 〃	185,000 〃	8,928	17,856	8,919	17,838	8,901	17,802
16	190,000	185,000 〃	195,000 〃	9,424	18,848	9,414.5	18,829	9,395.5	18,791
17	200,000	195,000 〃	210,000 〃	9,920	19,840	9,910	19,820	9,890	19,780
18	220,000	210,000 〃	230,000 〃	10,912	21,824	10,901	21,802	10,879	21,758
19	240,000	230,000 〃	250,000 〃	11,904	23,808	11,892	23,784	11,868	23,736
20	260,000	250,000 〃	270,000 〃	12,896	25,792	12,883	25,766	12,857	25,714
21	280,000	270,000 〃	290,000 〃	13,888	27,776	13,874	27,748	13,846	27,692
22	300,000	290,000 〃	310,000 〃	14,880	29,760	14,865	29,730	14,835	29,670
23	320,000	310,000 〃	330,000 〃	15,872	31,744	15,856	31,712	15,824	31,648
24	340,000	330,000 〃	350,000 〃	16,864	33,728	16,847	33,694	16,813	33,626
25	360,000	350,000 〃	370,000 〃	17,856	35,712	17,838	35,676	17,802	35,604
26	380,000	370,000 〃	395,000 〃	18,848	37,696	18,829	37,658	18,791	37,582
27	410,000	395,000 〃	425,000 〃	20,336	40,672	20,315.5	40,631	20,274.5	40,549
28	440,000	425,000 〃	455,000 〃	21,824	43,648	21,802	43,604	21,758	43,516
29	470,000	455,000 〃	485,000 〃	23,312	46,624	23,288.5	46,577	23,241.5	46,483
30	500,000	485,000 〃	515,000 〃	24,800	49,600	24,775	49,550	24,725	49,450
31	530,000	515,000 〃	545,000 〃	26,288	52,576	26,261.5	52,523	26,208.5	52,417
32	560,000	545,000 〃	575,000 〃	27,776	55,552	27,748	55,496	27,692	55,384
33	590,000	575,000 〃	605,000 〃	29,264	58,528	29,234.5	58,469	29,175.5	58,351
34	620,000	605,000 〃	635,000 〃	30,752	61,504	30,721	61,442	30,659	61,318
35	650,000	635,000 〃	665,000 〃	32,240	64,480	32,207.5	64,415	32,142.5	64,285
36	680,000	665,000 〃	695,000 〃	33,728	67,456	33,694	67,388	33,626	67,252
37	710,000	695,000 〃	730,000 〃	35,216	70,432	35,180.5	70,361	35,109.5	70,219
38	750,000	730,000 〃	770,000 〃	37,200	74,400	37,162.5	74,325	37,087.5	74,175
39	790,000	770,000 〃	810,000 〃	39,184	78,368	39,144.5	78,289	39,065.5	78,131
40	830,000	810,000 〃	855,000 〃	41,168	82,336	41,126.5	82,253	41,043.5	82,087
41	880,000	855,000 〃	905,000 〃	43,648	87,296	43,604	87,208	43,516	87,032
42	930,000	905,000 〃	955,000 〃	46,128	92,256	46,081.5	92,163	45,988.5	91,977
43	980,000	955,000 〃	1,005,000 〃	48,608	97,216	48,559	97,118	48,461	96,922
44	1,030,000	1,005,000 〃	1,055,000 〃	51,088	102,176	51,036.5	102,073	50,933.5	101,867
45	1,090,000	1,055,000 〃	1,115,000 〃	54,064	108,128	54,009.5	108,019	53,900.5	107,801
46	1,150,000	1,115,000 〃	1,175,000 〃	57,040	114,080	56,982.5	113,965	56,867.5	113,735
47	1,210,000	1,175,000 〃	1,235,000 〃	60,016	120,032	59,955.5	119,911	59,834.5	119,669
48	1,270,000	1,235,000 〃	1,295,000 〃	62,992	125,984	62,928.5	125,857	62,801.5	125,603
49	1,330,000	1,295,000 〃	1,355,000 〃	65,968	131,936	65,901.5	131,803	65,768.5	131,537
50	1,390,000	1,355,000 〃		68,944	137,888	68,874.5	137,749	68,735.5	137,471

令和５年３月分（４月納付）から
令和６年２月分（３月納付）までの　　**全国健康保険協会管掌健康保険一般保険料額表⑨**

（単位：円）

等級	標準報酬月額	報酬月額		千葉県 一般保険料（9.87%）		秋田県 一般保険料（9.86%）		埼玉県・鳥取県 一般保険料（9.82%）	
				被保険者・事業主	合計	被保険者・事業主	合計	被保険者・事業主	合計
1	58,000		63,000未満	2,862.3	5,724.6	2,859.4	5,718.8	2,847.8	5,695.6
2	68,000	63,000以上	73,000 〃	3,355.8	6,711.6	3,352.4	6,704.8	3,338.8	6,677.6
3	78,000	73,000 〃	83,000 〃	3,849.3	7,698.6	3,845.4	7,690.8	3,829.8	7,659.6
4	88,000	83,000 〃	93,000 〃	4,342.8	8,685.6	4,338.4	8,676.8	4,320.8	8,641.6
5	98,000	93,000 〃	101,000 〃	4,836.3	9,672.6	4,831.4	9,662.8	4,811.8	9,623.6
6	104,000	101,000 〃	107,000 〃	5,132.4	10,264.8	5,127.2	10,254.4	5,106.4	10,212.8
7	110,000	107,000 〃	114,000 〃	5,428.5	10,857	5,423	10,846	5,401	10,802
8	118,000	114,000 〃	122,000 〃	5,823.3	11,646.6	5,817.4	11,634.8	5,793.8	11,587.6
9	126,000	122,000 〃	130,000 〃	6,218.1	12,436.2	6,211.8	12,423.6	6,186.6	12,373.2
10	134,000	130,000 〃	138,000 〃	6,612.9	13,225.8	6,606.2	13,212.4	6,579.4	13,158.8
11	142,000	138,000 〃	146,000 〃	7,007.7	14,015.4	7,000.6	14,001.2	6,972.2	13,944.4
12	150,000	146,000 〃	155,000 〃	7,402.5	14,805	7,395	14,790	7,365	14,730
13	160,000	155,000 〃	165,000 〃	7,896	15,792	7,888	15,776	7,856	15,712
14	170,000	165,000 〃	175,000 〃	8,389.5	16,779	8,381	16,762	8,347	16,694
15	180,000	175,000 〃	185,000 〃	8,883	17,766	8,874	17,748	8,838	17,676
16	190,000	185,000 〃	195,000 〃	9,376.5	18,753	9,367	18,734	9,329	18,658
17	200,000	195,000 〃	210,000 〃	9,870	19,740	9,860	19,720	9,820	19,640
18	220,000	210,000 〃	230,000 〃	10,857	21,714	10,846	21,692	10,802	21,604
19	240,000	230,000 〃	250,000 〃	11,844	23,688	11,832	23,664	11,784	23,568
20	260,000	250,000 〃	270,000 〃	12,831	25,662	12,818	25,636	12,766	25,532
21	280,000	270,000 〃	290,000 〃	13,818	27,636	13,804	27,608	13,748	27,496
22	300,000	290,000 〃	310,000 〃	14,805	29,610	14,790	29,580	14,730	29,460
23	320,000	310,000 〃	330,000 〃	15,792	31,584	15,776	31,552	15,712	31,424
24	340,000	330,000 〃	350,000 〃	16,779	33,558	16,762	33,524	16,694	33,388
25	360,000	350,000 〃	370,000 〃	17,766	35,532	17,748	35,496	17,676	35,352
26	380,000	370,000 〃	395,000 〃	18,753	37,506	18,734	37,468	18,658	37,316
27	410,000	395,000 〃	425,000 〃	20,233.5	40,467	20,213	40,426	20,131	40,262
28	440,000	425,000 〃	455,000 〃	21,714	43,428	21,692	43,384	21,604	43,208
29	470,000	455,000 〃	485,000 〃	23,194.5	46,389	23,171	46,342	23,077	46,154
30	500,000	485,000 〃	515,000 〃	24,675	49,350	24,650	49,300	24,550	49,100
31	530,000	515,000 〃	545,000 〃	26,155.5	52,311	26,129	52,258	26,023	52,046
32	560,000	545,000 〃	575,000 〃	27,636	55,272	27,608	55,216	27,496	54,992
33	590,000	575,000 〃	605,000 〃	29,116.5	58,233	29,087	58,174	28,969	57,938
34	620,000	605,000 〃	635,000 〃	30,597	61,194	30,566	61,132	30,442	60,884
35	650,000	635,000 〃	665,000 〃	32,077.5	64,155	32,045	64,090	31,915	63,830
36	680,000	665,000 〃	695,000 〃	33,558	67,116	33,524	67,048	33,388	66,776
37	710,000	695,000 〃	730,000 〃	35,038.5	70,077	35,003	70,006	34,861	69,722
38	750,000	730,000 〃	770,000 〃	37,012.5	74,025	36,975	73,950	36,825	73,650
39	790,000	770,000 〃	810,000 〃	38,986.5	77,973	38,947	77,894	38,789	77,578
40	830,000	810,000 〃	855,000 〃	40,960.5	81,921	40,919	81,838	40,753	81,506
41	880,000	855,000 〃	905,000 〃	43,428	86,856	43,384	86,768	43,208	86,416
42	930,000	905,000 〃	955,000 〃	45,895.5	91,791	45,849	91,698	45,663	91,326
43	980,000	955,000 〃	1,005,000 〃	48,363	96,726	48,314	96,628	48,118	96,236
44	1,030,000	1,005,000 〃	1,055,000 〃	50,830.5	101,661	50,779	101,558	50,573	101,146
45	1,090,000	1,055,000 〃	1,115,000 〃	53,791.5	107,583	53,737	107,474	53,519	107,038
46	1,150,000	1,115,000 〃	1,175,000 〃	56,752.5	113,505	56,695	113,390	56,465	112,930
47	1,210,000	1,175,000 〃	1,235,000 〃	59,713.5	119,427	59,653	119,306	59,411	118,822
48	1,270,000	1,235,000 〃	1,295,000 〃	62,674.5	125,349	62,611	125,222	62,357	124,714
49	1,330,000	1,295,000 〃	1,355,000 〃	65,635.5	131,271	65,569	131,138	65,303	130,606
50	1,390,000	1,355,000 〃		68,596.5	137,193	68,527	137,054	68,249	136,498

令和5年3月分（4月納付）から
令和6年2月分（3月納付）までの　全国健康保険協会管掌健康保険一般保険料額表⑩

（単位：円）

等級	標準報酬月額	報酬月額	三重県 一般保険料 被保険者・事業主 (9.81%)	三重県 合計	岐阜県 一般保険料 被保険者・事業主 (9.80%)	岐阜県 合計	青森県 一般保険料 被保険者・事業主 (9.79%)	青森県 合計
1	58,000	63,000未満	2,844.9	5,689.8	2,842	5,684	2,839.1	5,678.2
2	68,000	63,000 〜 73,000	3,335.4	6,670.8	3,332	6,664	3,328.6	6,657.2
3	78,000	73,000 〜 83,000	3,825.9	7,651.8	3,822	7,644	3,818.1	7,636.2
4	88,000	83,000 〜 93,000	4,316.4	8,632.8	4,312	8,624	4,307.6	8,615.2
5	98,000	93,000 〜 101,000	4,806.9	9,613.8	4,802	9,604	4,797.1	9,594.2
6	104,000	101,000 〜 107,000	5,101.2	10,202.4	5,096	10,192	5,090.8	10,181.6
7	110,000	107,000 〜 114,000	5,395.5	10,791	5,390	10,780	5,384.5	10,769
8	118,000	114,000 〜 122,000	5,787.9	11,575.8	5,782	11,564	5,776.1	11,552.2
9	126,000	122,000 〜 130,000	6,180.3	12,360.6	6,174	12,348	6,167.7	12,335.4
10	134,000	130,000 〜 138,000	6,572.7	13,145.4	6,566	13,132	6,559.3	13,118.6
11	142,000	138,000 〜 146,000	6,965.1	13,930.2	6,958	13,916	6,950.9	13,901.8
12	150,000	146,000 〜 155,000	7,357.5	14,715	7,350	14,700	7,342.5	14,685
13	160,000	155,000 〜 165,000	7,848	15,696	7,840	15,680	7,832	15,664
14	170,000	165,000 〜 175,000	8,338.5	16,677	8,330	16,660	8,321.5	16,643
15	180,000	175,000 〜 185,000	8,829	17,658	8,820	17,640	8,811	17,622
16	190,000	185,000 〜 195,000	9,319.5	18,639	9,310	18,620	9,300.5	18,601
17	200,000	195,000 〜 210,000	9,810	19,620	9,800	19,600	9,790	19,580
18	220,000	210,000 〜 230,000	10,791	21,582	10,780	21,560	10,769	21,538
19	240,000	230,000 〜 250,000	11,772	23,544	11,760	23,520	11,748	23,496
20	260,000	250,000 〜 270,000	12,753	25,506	12,740	25,480	12,727	25,454
21	280,000	270,000 〜 290,000	13,734	27,468	13,720	27,440	13,706	27,412
22	300,000	290,000 〜 310,000	14,715	29,430	14,700	29,400	14,685	29,370
23	320,000	310,000 〜 330,000	15,696	31,392	15,680	31,360	15,664	31,328
24	340,000	330,000 〜 350,000	16,677	33,354	16,660	33,320	16,643	33,286
25	360,000	350,000 〜 370,000	17,658	35,316	17,640	35,280	17,622	35,244
26	380,000	370,000 〜 395,000	18,639	37,278	18,620	37,240	18,601	37,202
27	410,000	395,000 〜 425,000	20,110.5	40,221	20,090	40,180	20,069.5	40,139
28	440,000	425,000 〜 455,000	21,582	43,164	21,560	43,120	21,538	43,076
29	470,000	455,000 〜 485,000	23,053.5	46,107	23,030	46,060	23,006.5	46,013
30	500,000	485,000 〜 515,000	24,525	49,050	24,500	49,000	24,475	48,950
31	530,000	515,000 〜 545,000	25,996.5	51,993	25,970	51,940	25,943.5	51,887
32	560,000	545,000 〜 575,000	27,468	54,936	27,440	54,880	27,412	54,824
33	590,000	575,000 〜 605,000	28,939.5	57,879	28,910	57,820	28,880.5	57,761
34	620,000	605,000 〜 635,000	30,411	60,822	30,380	60,760	30,349	60,698
35	650,000	635,000 〜 665,000	31,882.5	63,765	31,850	63,700	31,817.5	63,635
36	680,000	665,000 〜 695,000	33,354	66,708	33,320	66,640	33,286	66,572
37	710,000	695,000 〜 730,000	34,825.5	69,651	34,790	69,580	34,754.5	69,509
38	750,000	730,000 〜 770,000	36,787.5	73,575	36,750	73,500	36,712.5	73,425
39	790,000	770,000 〜 810,000	38,749.5	77,499	38,710	77,420	38,670.5	77,341
40	830,000	810,000 〜 855,000	40,711.5	81,423	40,670	81,340	40,628.5	81,257
41	880,000	855,000 〜 905,000	43,164	86,328	43,120	86,240	43,076	86,152
42	930,000	905,000 〜 955,000	45,616.5	91,233	45,570	91,140	45,523.5	91,047
43	980,000	955,000 〜 1,005,000	48,069	96,138	48,020	96,040	47,971	95,942
44	1,030,000	1,005,000 〜 1,055,000	50,521.5	101,043	50,470	100,940	50,418.5	100,837
45	1,090,000	1,055,000 〜 1,115,000	53,464.5	106,929	53,410	106,820	53,355.5	106,711
46	1,150,000	1,115,000 〜 1,175,000	56,407.5	112,815	56,350	112,700	56,292.5	112,585
47	1,210,000	1,175,000 〜 1,235,000	59,350.5	118,701	59,290	118,580	59,229.5	118,459
48	1,270,000	1,235,000 〜 1,295,000	62,293.5	124,587	62,230	124,460	62,166.5	124,333
49	1,330,000	1,295,000 〜 1,355,000	65,236.5	130,473	65,170	130,340	65,103.5	130,207
50	1,390,000	1,355,000以上	68,179.5	136,359	68,110	136,220	68,040.5	136,081

令和5年3月分（4月納付）から
令和6年2月分（3月納付）までの　**全国健康保険協会管掌健康保険一般保険料額表⑪**

（単位：円）

等級	標準報酬月額	報　酬　月　額			岩手県		群馬県・宮崎県		静岡県	
					一般保険料（9.77%）		一般保険料（9.76%）		一般保険料（9.75%）	
					被保険者・事業主	合計	被保険者・事業主	合計	被保険者・事業主	合計
1	58,000			63,000未満	2,833.3	5,666.6	2,830.4	5,660.8	2,827.5	5,655
2	68,000	63,000以上		73,000 〃	3,321.8	6,643.6	3,318.4	6,636.8	3,315	6,630
3	78,000	73,000 〃		83,000 〃	3,810.3	7,620.6	3,806.4	7,612.8	3,802.5	7,605
4	88,000	83,000 〃		93,000 〃	4,298.8	8,597.6	4,294.4	8,588.8	4,290	8,580
5	98,000	93,000 〃		101,000 〃	4,787.3	9,574.6	4,782.4	9,564.8	4,777.5	9,555
6	104,000	101,000 〃		107,000 〃	5,080.4	10,160.8	5,075.2	10,150.4	5,070	10,140
7	110,000	107,000 〃		114,000 〃	5,373.5	10,747	5,368	10,736	5,362.5	10,725
8	118,000	114,000 〃		122,000 〃	5,764.3	11,528.6	5,758.4	11,516.8	5,752.5	11,505
9	126,000	122,000 〃		130,000 〃	6,155.1	12,310.2	6,148.8	12,297.6	6,142.5	12,285
10	134,000	130,000 〃		138,000 〃	6,545.9	13,091.8	6,539.2	13,078.4	6,532.5	13,065
11	142,000	138,000 〃		146,000 〃	6,936.7	13,873.4	6,929.6	13,859.2	6,922.5	13,845
12	150,000	146,000 〃		155,000 〃	7,327.5	14,655	7,320	14,640	7,312.5	14,625
13	160,000	155,000 〃		165,000 〃	7,816	15,632	7,808	15,616	7,800	15,600
14	170,000	165,000 〃		175,000 〃	8,304.5	16,609	8,296	16,592	8,287.5	16,575
15	180,000	175,000 〃		185,000 〃	8,793	17,586	8,784	17,568	8,775	17,550
16	190,000	185,000 〃		195,000 〃	9,281.5	18,563	9,272	18,544	9,262.5	18,525
17	200,000	195,000 〃		210,000 〃	9,770	19,540	9,760	19,520	9,750	19,500
18	220,000	210,000 〃		230,000 〃	10,747	21,494	10,736	21,472	10,725	21,450
19	240,000	230,000 〃		250,000 〃	11,724	23,448	11,712	23,424	11,700	23,400
20	260,000	250,000 〃		270,000 〃	12,701	25,402	12,688	25,376	12,675	25,350
21	280,000	270,000 〃		290,000 〃	13,678	27,356	13,664	27,328	13,650	27,300
22	300,000	290,000 〃		310,000 〃	14,655	29,310	14,640	29,280	14,625	29,250
23	320,000	310,000 〃		330,000 〃	15,632	31,264	15,616	31,232	15,600	31,200
24	340,000	330,000 〃		350,000 〃	16,609	33,218	16,592	33,184	16,575	33,150
25	360,000	350,000 〃		370,000 〃	17,586	35,172	17,568	35,136	17,550	35,100
26	380,000	370,000 〃		395,000 〃	18,563	37,126	18,544	37,088	18,525	37,050
27	410,000	395,000 〃		425,000 〃	20,028.5	40,057	20,008	40,016	19,987.5	39,975
28	440,000	425,000 〃		455,000 〃	21,494	42,988	21,472	42,944	21,450	42,900
29	470,000	455,000 〃		485,000 〃	22,959.5	45,919	22,936	45,872	22,912.5	45,825
30	500,000	485,000 〃		515,000 〃	24,425	48,850	24,400	48,800	24,375	48,750
31	530,000	515,000 〃		545,000 〃	25,890.5	51,781	25,864	51,728	25,837.5	51,675
32	560,000	545,000 〃		575,000 〃	27,356	54,712	27,328	54,656	27,300	54,600
33	590,000	575,000 〃		605,000 〃	28,821.5	57,643	28,792	57,584	28,762.5	57,525
34	620,000	605,000 〃		635,000 〃	30,287	60,574	30,256	60,512	30,225	60,450
35	650,000	635,000 〃		665,000 〃	31,752.5	63,505	31,720	63,440	31,687.5	63,375
36	680,000	665,000 〃		695,000 〃	33,218	66,436	33,184	66,368	33,150	66,300
37	710,000	695,000 〃		730,000 〃	34,683.5	69,367	34,648	69,296	34,612.5	69,225
38	750,000	730,000 〃		770,000 〃	36,637.5	73,275	36,600	73,200	36,562.5	73,125
39	790,000	770,000 〃		810,000 〃	38,591.5	77,183	38,552	77,104	38,512.5	77,025
40	830,000	810,000 〃		855,000 〃	40,545.5	81,091	40,504	81,008	40,462.5	80,925
41	880,000	855,000 〃		905,000 〃	42,988	85,976	42,944	85,888	42,900	85,800
42	930,000	905,000 〃		955,000 〃	45,430.5	90,861	45,384	90,768	45,337.5	90,675
43	980,000	955,000 〃		1,005,000 〃	47,873	95,746	47,824	95,648	47,775	95,550
44	1,030,000	1,005,000 〃		1,055,000 〃	50,315.5	100,631	50,264	100,528	50,212.5	100,425
45	1,090,000	1,055,000 〃		1,115,000 〃	53,246.5	106,493	53,192	106,384	53,137.5	106,275
46	1,150,000	1,115,000 〃		1,175,000 〃	56,177.5	112,355	56,120	112,240	56,062.5	112,125
47	1,210,000	1,175,000 〃		1,235,000 〃	59,108.5	118,217	59,048	118,096	58,987.5	117,975
48	1,270,000	1,235,000 〃		1,295,000 〃	62,039.5	124,079	61,976	123,952	61,912.5	123,825
49	1,330,000	1,295,000 〃		1,355,000 〃	64,970.5	129,941	64,904	129,808	64,837.5	129,675
50	1,390,000	1,355,000 〃			67,901.5	135,803	67,832	135,664	67,762.5	135,525

令和5年3月分（4月納付）から
令和6年2月分（3月納付）までの 　全国健康保険協会管掌健康保険一般保険料額表⑫

（単位：円）

等級	標準報酬月額	報酬月額			茨城県・滋賀県 一般保険料（9.73%）		山梨県 一般保険料（9.67%）		石川県 一般保険料（9.66%）	
					被保険者・事業主	合計	被保険者・事業主	合計	被保険者・事業主	合計
1	58,000			63,000未満	2,821.7	5,643.4	2,804.3	5,608.6	2,801.4	5,602.8
2	68,000	63,000以上		73,000 〃	3,308.2	6,616.4	3,287.8	6,575.6	3,284.4	6,568.8
3	78,000	73,000 〃		83,000 〃	3,794.7	7,589.4	3,771.3	7,542.6	3,767.4	7,534.8
4	88,000	83,000 〃		93,000 〃	4,281.2	8,562.4	4,254.8	8,509.6	4,250.4	8,500.8
5	98,000	93,000 〃		101,000 〃	4,767.7	9,535.4	4,738.3	9,476.6	4,733.4	9,466.8
6	104,000	101,000 〃		107,000 〃	5,059.6	10,119.2	5,028.4	10,056.8	5,023.2	10,046.4
7	110,000	107,000 〃		114,000 〃	5,351.5	10,703	5,318.5	10,637	5,313	10,626
8	118,000	114,000 〃		122,000 〃	5,740.7	11,481.4	5,705.3	11,410.6	5,699.4	11,398.8
9	126,000	122,000 〃		130,000 〃	6,129.9	12,259.8	6,092.1	12,184.2	6,085.8	12,171.6
10	134,000	130,000 〃		138,000 〃	6,519.1	13,038.2	6,478.9	12,957.8	6,472.2	12,944.4
11	142,000	138,000 〃		146,000 〃	6,908.3	13,816.6	6,865.7	13,731.4	6,858.6	13,717.2
12	150,000	146,000 〃		155,000 〃	7,297.5	14,595	7,252.5	14,505	7,245	14,490
13	160,000	155,000 〃		165,000 〃	7,784	15,568	7,736	15,472	7,728	15,456
14	170,000	165,000 〃		175,000 〃	8,270.5	16,541	8,219.5	16,439	8,211	16,422
15	180,000	175,000 〃		185,000 〃	8,757	17,514	8,703	17,406	8,694	17,388
16	190,000	185,000 〃		195,000 〃	9,243.5	18,487	9,186.5	18,373	9,177	18,354
17	200,000	195,000 〃		210,000 〃	9,730	19,460	9,670	19,340	9,660	19,320
18	220,000	210,000 〃		230,000 〃	10,703	21,406	10,637	21,274	10,626	21,252
19	240,000	230,000 〃		250,000 〃	11,676	23,352	11,604	23,208	11,592	23,184
20	260,000	250,000 〃		270,000 〃	12,649	25,298	12,571	25,142	12,558	25,116
21	280,000	270,000 〃		290,000 〃	13,622	27,244	13,538	27,076	13,524	27,048
22	300,000	290,000 〃		310,000 〃	14,595	29,190	14,505	29,010	14,490	28,980
23	320,000	310,000 〃		330,000 〃	15,568	31,136	15,472	30,944	15,456	30,912
24	340,000	330,000 〃		350,000 〃	16,541	33,082	16,439	32,878	16,422	32,844
25	360,000	350,000 〃		370,000 〃	17,514	35,028	17,406	34,812	17,388	34,776
26	380,000	370,000 〃		395,000 〃	18,487	36,974	18,373	36,746	18,354	36,708
27	410,000	395,000 〃		425,000 〃	19,946.5	39,893	19,823.5	39,647	19,803	39,606
28	440,000	425,000 〃		455,000 〃	21,406	42,812	21,274	42,548	21,252	42,504
29	470,000	455,000 〃		485,000 〃	22,865.5	45,731	22,724.5	45,449	22,701	45,402
30	500,000	485,000 〃		515,000 〃	24,325	48,650	24,175	48,350	24,150	48,300
31	530,000	515,000 〃		545,000 〃	25,784.5	51,569	25,625.5	51,251	25,599	51,198
32	560,000	545,000 〃		575,000 〃	27,244	54,488	27,076	54,152	27,048	54,096
33	590,000	575,000 〃		605,000 〃	28,703.5	57,407	28,526.5	57,053	28,497	56,994
34	620,000	605,000 〃		635,000 〃	30,163	60,326	29,977	59,954	29,946	59,892
35	650,000	635,000 〃		665,000 〃	31,622.5	63,245	31,427.5	62,855	31,395	62,790
36	680,000	665,000 〃		695,000 〃	33,082	66,164	32,878	65,756	32,844	65,688
37	710,000	695,000 〃		730,000 〃	34,541.5	69,083	34,328.5	68,657	34,293	68,586
38	750,000	730,000 〃		770,000 〃	36,487.5	72,975	36,262.5	72,525	36,225	72,450
39	790,000	770,000 〃		810,000 〃	38,433.5	76,867	38,196.5	76,393	38,157	76,314
40	830,000	810,000 〃		855,000 〃	40,379.5	80,759	40,130.5	80,261	40,089	80,178
41	880,000	855,000 〃		905,000 〃	42,812	85,624	42,548	85,096	42,504	85,008
42	930,000	905,000 〃		955,000 〃	45,244.5	90,489	44,965.5	89,931	44,919	89,838
43	980,000	955,000 〃		1,005,000 〃	47,677	95,354	47,383	94,766	47,334	94,668
44	1,030,000	1,005,000 〃		1,055,000 〃	50,109.5	100,219	49,800.5	99,601	49,749	99,498
45	1,090,000	1,055,000 〃		1,115,000 〃	53,028.5	106,057	52,701.5	105,403	52,647	105,294
46	1,150,000	1,115,000 〃		1,175,000 〃	55,947.5	111,895	55,602.5	111,205	55,545	111,090
47	1,210,000	1,175,000 〃		1,235,000 〃	58,866.5	117,733	58,503.5	117,007	58,443	116,886
48	1,270,000	1,235,000 〃		1,295,000 〃	61,785.5	123,571	61,404.5	122,809	61,341	122,682
49	1,330,000	1,295,000 〃		1,355,000 〃	64,704.5	129,409	64,305.5	128,611	64,239	128,478
50	1,390,000	1,355,000 〃			67,623.5	135,247	67,206.5	134,413	67,137	134,274

令和5年3月分（4月納付）から
令和6年2月分（3月納付）までの 全国健康保険協会管掌健康保険一般保険料額表⑬

（単位：円）

等級	標準報酬月額	報酬月額		富山県 一般保険料（9.57%） 被保険者・事業主	合計	福島県 一般保険料（9.53%） 被保険者・事業主	合計	長野県 一般保険料（9.49%） 被保険者・事業主	合計
1	58,000		63,000未満	2,775.3	5,550.6	2,763.7	5,527.4	2,752.1	5,504.2
2	68,000	63,000以上	73,000	3,253.8	6,507.6	3,240.2	6,480.4	3,226.6	6,453.2
3	78,000	73,000 〃	83,000 〃	3,732.3	7,464.6	3,716.7	7,433.4	3,701.1	7,402.2
4	88,000	83,000 〃	93,000 〃	4,210.8	8,421.6	4,193.2	8,386.4	4,175.6	8,351.2
5	98,000	93,000 〃	101,000 〃	4,689.3	9,378.6	4,669.7	9,339.4	4,650.1	9,300.2
6	104,000	101,000 〃	107,000 〃	4,976.4	9,952.8	4,955.6	9,911.2	4,934.8	9,869.6
7	110,000	107,000 〃	114,000 〃	5,263.5	10,527	5,241.5	10,483	5,219.5	10,439
8	118,000	114,000 〃	122,000 〃	5,646.3	11,292.6	5,622.7	11,245.4	5,599.1	11,198.2
9	126,000	122,000 〃	130,000 〃	6,029.1	12,058.2	6,003.9	12,007.8	5,978.7	11,957.4
10	134,000	130,000 〃	138,000 〃	6,411.9	12,823.8	6,385.1	12,770.2	6,358.3	12,716.6
11	142,000	138,000 〃	146,000 〃	6,794.7	13,589.4	6,766.3	13,532.6	6,737.9	13,475.8
12	150,000	146,000 〃	155,000 〃	7,177.5	14,355	7,147.5	14,295	7,117.5	14,235
13	160,000	155,000 〃	165,000 〃	7,656	15,312	7,624	15,248	7,592	15,184
14	170,000	165,000 〃	175,000 〃	8,134.5	16,269	8,100.5	16,201	8,066.5	16,133
15	180,000	175,000 〃	185,000 〃	8,613	17,226	8,577	17,154	8,541	17,082
16	190,000	185,000 〃	195,000 〃	9,091.5	18,183	9,053.5	18,107	9,015.5	18,031
17	200,000	195,000 〃	210,000 〃	9,570	19,140	9,530	19,060	9,490	18,980
18	220,000	210,000 〃	230,000 〃	10,527	21,054	10,483	20,966	10,439	20,878
19	240,000	230,000 〃	250,000 〃	11,484	22,968	11,436	22,872	11,388	22,776
20	260,000	250,000 〃	270,000 〃	12,441	24,882	12,389	24,778	12,337	24,674
21	280,000	270,000 〃	290,000 〃	13,398	26,796	13,342	26,684	13,286	26,572
22	300,000	290,000 〃	310,000 〃	14,355	28,710	14,295	28,590	14,235	28,470
23	320,000	310,000 〃	330,000 〃	15,312	30,624	15,248	30,496	15,184	30,368
24	340,000	330,000 〃	350,000 〃	16,269	32,538	16,201	32,402	16,133	32,266
25	360,000	350,000 〃	370,000 〃	17,226	34,452	17,154	34,308	17,082	34,164
26	380,000	370,000 〃	395,000 〃	18,183	36,366	18,107	36,214	18,031	36,062
27	410,000	395,000 〃	425,000 〃	19,618.5	39,237	19,536.5	39,073	19,454.5	38,909
28	440,000	425,000 〃	455,000 〃	21,054	42,108	20,966	41,932	20,878	41,756
29	470,000	455,000 〃	485,000 〃	22,489.5	44,979	22,395.5	44,791	22,301.5	44,603
30	500,000	485,000 〃	515,000 〃	23,925	47,850	23,825	47,650	23,725	47,450
31	530,000	515,000 〃	545,000 〃	25,360.5	50,721	25,254.5	50,509	25,148.5	50,297
32	560,000	545,000 〃	575,000 〃	26,796	53,592	26,684	53,368	26,572	53,144
33	590,000	575,000 〃	605,000 〃	28,231.5	56,463	28,113.5	56,227	27,995.5	55,991
34	620,000	605,000 〃	635,000 〃	29,667	59,334	29,543	59,086	29,419	58,838
35	650,000	635,000 〃	665,000 〃	31,102.5	62,205	30,972.5	61,945	30,842.5	61,685
36	680,000	665,000 〃	695,000 〃	32,538	65,076	32,402	64,804	32,266	64,532
37	710,000	695,000 〃	730,000 〃	33,973.5	67,947	33,831.5	67,663	33,689.5	67,379
38	750,000	730,000 〃	770,000 〃	35,887.5	71,775	35,737.5	71,475	35,587.5	71,175
39	790,000	770,000 〃	810,000 〃	37,801.5	75,603	37,643.5	75,287	37,485.5	74,971
40	830,000	810,000 〃	855,000 〃	39,715.5	79,431	39,549.5	79,099	39,383.5	78,767
41	880,000	855,000 〃	905,000 〃	42,108	84,216	41,932	83,864	41,756	83,512
42	930,000	905,000 〃	955,000 〃	44,500.5	89,001	44,314.5	88,629	44,128.5	88,257
43	980,000	955,000 〃	1,005,000 〃	46,893	93,786	46,697	93,394	46,501	93,002
44	1,030,000	1,005,000 〃	1,055,000 〃	49,285.5	98,571	49,079.5	98,159	48,873.5	97,747
45	1,090,000	1,055,000 〃	1,115,000 〃	52,156.5	104,313	51,938.5	103,877	51,720.5	103,441
46	1,150,000	1,115,000 〃	1,175,000 〃	55,027.5	110,055	54,797.5	109,595	54,567.5	109,135
47	1,210,000	1,175,000 〃	1,235,000 〃	57,898.5	115,797	57,656.5	115,313	57,414.5	114,829
48	1,270,000	1,235,000 〃	1,295,000 〃	60,769.5	121,539	60,515.5	121,031	60,261.5	120,523
49	1,330,000	1,295,000 〃	1,355,000 〃	63,640.5	127,281	63,374.5	126,749	63,108.5	126,217
50	1,390,000	1,355,000 〃		66,511.5	133,023	66,233.5	132,467	65,955.5	131,911

等級	標準報酬月額	報酬月額		新潟県	
				一般保険料（9.33%）	
				被保険者・事業主	合計
1	58,000		63,000未満	2,705.7	5,411.4
2	68,000	63,000以上	73,000 〃	3,172.2	6,344.4
3	78,000	73,000 〃	83,000 〃	3,638.7	7,277.4
4	88,000	83,000 〃	93,000 〃	4,105.2	8,210.4
5	98,000	93,000 〃	101,000 〃	4,571.7	9,143.4
6	104,000	101,000 〃	107,000 〃	4,851.6	9,703.2
7	110,000	107,000 〃	114,000 〃	5,131.5	10,263
8	118,000	114,000 〃	122,000 〃	5,504.7	11,009.4
9	126,000	122,000 〃	130,000 〃	5,877.9	11,755.8
10	134,000	130,000 〃	138,000 〃	6,251.1	12,502.2
11	142,000	138,000 〃	146,000 〃	6,624.3	13,248.6
12	150,000	146,000 〃	155,000 〃	6,997.5	13,995
13	160,000	155,000 〃	165,000 〃	7,464	14,928
14	170,000	165,000 〃	175,000 〃	7,930.5	15,861
15	180,000	175,000 〃	185,000 〃	8,397	16,794
16	190,000	185,000 〃	195,000 〃	8,863.5	17,727
17	200,000	195,000 〃	210,000 〃	9,330	18,660
18	220,000	210,000 〃	230,000 〃	10,263	20,526
19	240,000	230,000 〃	250,000 〃	11,196	22,392
20	260,000	250,000 〃	270,000 〃	12,129	24,258
21	280,000	270,000 〃	290,000 〃	13,062	26,124
22	300,000	290,000 〃	310,000 〃	13,995	27,990
23	320,000	310,000 〃	330,000 〃	14,928	29,856
24	340,000	330,000 〃	350,000 〃	15,861	31,722
25	360,000	350,000 〃	370,000 〃	16,794	33,588
26	380,000	370,000 〃	395,000 〃	17,727	35,454
27	410,000	395,000 〃	425,000 〃	19,126.5	38,253
28	440,000	425,000 〃	455,000 〃	20,526	41,052
29	470,000	455,000 〃	485,000 〃	21,925.5	43,851
30	500,000	485,000 〃	515,000 〃	23,325	46,650
31	530,000	515,000 〃	545,000 〃	24,724.5	49,449
32	560,000	545,000 〃	575,000 〃	26,124	52,248
33	590,000	575,000 〃	605,000 〃	27,523.5	55,047
34	620,000	605,000 〃	635,000 〃	28,923	57,846
35	650,000	635,000 〃	665,000 〃	30,322.5	60,645
36	680,000	665,000 〃	695,000 〃	31,722	63,444
37	710,000	695,000 〃	730,000 〃	33,121.5	66,243
38	750,000	730,000 〃	770,000 〃	34,987.5	69,975
39	790,000	770,000 〃	810,000 〃	36,853.5	73,707
40	830,000	810,000 〃	855,000 〃	38,719.5	77,439
41	880,000	855,000 〃	905,000 〃	41,052	82,104
42	930,000	905,000 〃	955,000 〃	43,384.5	86,769
43	980,000	955,000 〃	1,005,000 〃	45,717	91,434
44	1,030,000	1,005,000 〃	1,055,000 〃	48,049.5	96,099
45	1,090,000	1,055,000 〃	1,115,000 〃	50,848.5	101,697
46	1,150,000	1,115,000 〃	1,175,000 〃	53,647.5	107,295
47	1,210,000	1,175,000 〃	1,235,000 〃	56,446.5	112,893
48	1,270,000	1,235,000 〃	1,295,000 〃	59,245.5	118,491
49	1,330,000	1,295,000 〃	1,355,000 〃	62,044.5	124,089
50	1,390,000	1,355,000 〃		64,843.5	129,687

令和6年3月分（4月納付）からの 全国健康保険協会管掌健康保険一般保険料額表①

（単位：円）

等級	標準報酬月額	報酬月額		佐賀県 一般保険料（10.42%）		福岡県 一般保険料（10.35%）		大阪府 一般保険料（10.34%）	
				被保険者・事業主	合計	被保険者・事業主	合計	被保険者・事業主	合計
1	58,000		63,000未満	3,021.8	6,043.6	3,001.5	6,003	2,998.6	5,997.2
2	68,000	63,000以上	73,000 〃	3,542.8	7,085.6	3,519	7,038	3,515.6	7,031.2
3	78,000	73,000 〃	83,000 〃	4,063.8	8,127.6	4,036.5	8,073	4,032.6	8,065.2
4	88,000	83,000 〃	93,000 〃	4,584.8	9,169.6	4,554	9,108	4,549.6	9,099.2
5	98,000	93,000 〃	101,000 〃	5,105.8	10,211.6	5,071.5	10,143	5,066.6	10,133.2
6	104,000	101,000 〃	107,000 〃	5,418.4	10,836.8	5,382	10,764	5,376.8	10,753.6
7	110,000	107,000 〃	114,000 〃	5,731	11,462	5,692.5	11,385	5,687	11,374
8	118,000	114,000 〃	122,000 〃	6,147.8	12,295.6	6,106.5	12,213	6,100.6	12,201.2
9	126,000	122,000 〃	130,000 〃	6,564.6	13,129.2	6,520.5	13,041	6,514.2	13,028.4
10	134,000	130,000 〃	138,000 〃	6,981.4	13,962.8	6,934.5	13,869	6,927.8	13,855.6
11	142,000	138,000 〃	146,000 〃	7,398.2	14,796.4	7,348.5	14,697	7,341.4	14,682.8
12	150,000	146,000 〃	155,000 〃	7,815	15,630	7,762.5	15,525	7,755	15,510
13	160,000	155,000 〃	165,000 〃	8,336	16,672	8,280	16,560	8,272	16,544
14	170,000	165,000 〃	175,000 〃	8,857	17,714	8,797.5	17,595	8,789	17,578
15	180,000	175,000 〃	185,000 〃	9,378	18,756	9,315	18,630	9,306	18,612
16	190,000	185,000 〃	195,000 〃	9,899	19,798	9,832.5	19,665	9,823	19,646
17	200,000	195,000 〃	210,000 〃	10,420	20,840	10,350	20,700	10,340	20,680
18	220,000	210,000 〃	230,000 〃	11,462	22,924	11,385	22,770	11,374	22,748
19	240,000	230,000 〃	250,000 〃	12,504	25,008	12,420	24,840	12,408	24,816
20	260,000	250,000 〃	270,000 〃	13,546	27,092	13,455	26,910	13,442	26,884
21	280,000	270,000 〃	290,000 〃	14,588	29,176	14,490	28,980	14,476	28,952
22	300,000	290,000 〃	310,000 〃	15,630	31,260	15,525	31,050	15,510	31,020
23	320,000	310,000 〃	330,000 〃	16,672	33,344	16,560	33,120	16,544	33,088
24	340,000	330,000 〃	350,000 〃	17,714	35,428	17,595	35,190	17,578	35,156
25	360,000	350,000 〃	370,000 〃	18,756	37,512	18,630	37,260	18,612	37,224
26	380,000	370,000 〃	395,000 〃	19,798	39,596	19,665	39,330	19,646	39,292
27	410,000	395,000 〃	425,000 〃	21,361	42,722	21,217.5	42,435	21,197	42,394
28	440,000	425,000 〃	455,000 〃	22,924	45,848	22,770	45,540	22,748	45,496
29	470,000	455,000 〃	485,000 〃	24,487	48,974	24,322.5	48,645	24,299	48,598
30	500,000	485,000 〃	515,000 〃	26,050	52,100	25,875	51,750	25,850	51,700
31	530,000	515,000 〃	545,000 〃	27,613	55,226	27,427.5	54,855	27,401	54,802
32	560,000	545,000 〃	575,000 〃	29,176	58,352	28,980	57,960	28,952	57,904
33	590,000	575,000 〃	605,000 〃	30,739	61,478	30,532.5	61,065	30,503	61,006
34	620,000	605,000 〃	635,000 〃	32,302	64,604	32,085	64,170	32,054	64,108
35	650,000	635,000 〃	665,000 〃	33,865	67,730	33,637.5	67,275	33,605	67,210
36	680,000	665,000 〃	695,000 〃	35,428	70,856	35,190	70,380	35,156	70,312
37	710,000	695,000 〃	730,000 〃	36,991	73,982	36,742.5	73,485	36,707	73,414
38	750,000	730,000 〃	770,000 〃	39,075	78,150	38,812.5	77,625	38,775	77,550
39	790,000	770,000 〃	810,000 〃	41,159	82,318	40,882.5	81,765	40,843	81,686
40	830,000	810,000 〃	855,000 〃	43,243	86,486	42,952.5	85,905	42,911	85,822
41	880,000	855,000 〃	905,000 〃	45,848	91,696	45,540	91,080	45,496	90,992
42	930,000	905,000 〃	955,000 〃	48,453	96,906	48,127.5	96,255	48,081	96,162
43	980,000	955,000 〃	1,005,000 〃	51,058	102,116	50,715	101,430	50,666	101,332
44	1,030,000	1,005,000 〃	1,055,000 〃	53,663	107,326	53,302.5	106,605	53,251	106,502
45	1,090,000	1,055,000 〃	1,115,000 〃	56,789	113,578	56,407.5	112,815	56,353	112,706
46	1,150,000	1,115,000 〃	1,175,000 〃	59,915	119,830	59,512.5	119,025	59,455	118,910
47	1,210,000	1,175,000 〃	1,235,000 〃	63,041	126,082	62,617.5	125,235	62,557	125,114
48	1,270,000	1,235,000 〃	1,295,000 〃	66,167	132,334	65,722.5	131,445	65,659	131,318
49	1,330,000	1,295,000 〃	1,355,000 〃	69,293	138,586	68,827.5	137,655	68,761	137,522
50	1,390,000	1,355,000 〃		72,419	144,838	71,932.5	143,865	71,863	143,726

令和6年3月分（4月納付）からの 全国健康保険協会管掌健康保険一般保険料額表②

（単位：円）

等級	標準報酬月額	報酬月額		香川県 一般保険料（10.33%） 被保険者・事業主	香川県 合計	熊本県 一般保険料（10.30%） 被保険者・事業主	熊本県 合計	大分県 一般保険料（10.25%） 被保険者・事業主	大分県 合計
1	58,000		63,000未満	2,995.7	5,991.4	2,987	5,974	2,972.5	5,945
2	68,000	63,000以上	73,000 〃	3,512.2	7,024.4	3,502	7,004	3,485	6,970
3	78,000	73,000 〃	83,000 〃	4,028.7	8,057.4	4,017	8,034	3,997.5	7,995
4	88,000	83,000 〃	93,000 〃	4,545.2	9,090.4	4,532	9,064	4,510	9,020
5	98,000	93,000 〃	101,000 〃	5,061.7	10,123.4	5,047	10,094	5,022.5	10,045
6	104,000	101,000 〃	107,000 〃	5,371.6	10,743.2	5,356	10,712	5,330	10,660
7	110,000	107,000 〃	114,000 〃	5,681.5	11,363	5,665	11,330	5,637.5	11,275
8	118,000	114,000 〃	122,000 〃	6,094.7	12,189.4	6,077	12,154	6,047.5	12,095
9	126,000	122,000 〃	130,000 〃	6,507.9	13,015.8	6,489	12,978	6,457.5	12,915
10	134,000	130,000 〃	138,000 〃	6,921.1	13,842.2	6,901	13,802	6,867.5	13,735
11	142,000	138,000 〃	146,000 〃	7,334.3	14,668.6	7,313	14,626	7,277.5	14,555
12	150,000	146,000 〃	155,000 〃	7,747.5	15,495	7,725	15,450	7,687.5	15,375
13	160,000	155,000 〃	165,000 〃	8,264	16,528	8,240	16,480	8,200	16,400
14	170,000	165,000 〃	175,000 〃	8,780.5	17,561	8,755	17,510	8,712.5	17,425
15	180,000	175,000 〃	185,000 〃	9,297	18,594	9,270	18,540	9,225	18,450
16	190,000	185,000 〃	195,000 〃	9,813.5	19,627	9,785	19,570	9,737.5	19,475
17	200,000	195,000 〃	210,000 〃	10,330	20,660	10,300	20,600	10,250	20,500
18	220,000	210,000 〃	230,000 〃	11,363	22,726	11,330	22,660	11,275	22,550
19	240,000	230,000 〃	250,000 〃	12,396	24,792	12,360	24,720	12,300	24,600
20	260,000	250,000 〃	270,000 〃	13,429	26,858	13,390	26,780	13,325	26,650
21	280,000	270,000 〃	290,000 〃	14,462	28,924	14,420	28,840	14,350	28,700
22	300,000	290,000 〃	310,000 〃	15,495	30,990	15,450	30,900	15,375	30,750
23	320,000	310,000 〃	330,000 〃	16,528	33,056	16,480	32,960	16,400	32,800
24	340,000	330,000 〃	350,000 〃	17,561	35,122	17,510	35,020	17,425	34,850
25	360,000	350,000 〃	370,000 〃	18,594	37,188	18,540	37,080	18,450	36,900
26	380,000	370,000 〃	395,000 〃	19,627	39,254	19,570	39,140	19,475	38,950
27	410,000	395,000 〃	425,000 〃	21,176.5	42,353	21,115	42,230	21,012.5	42,025
28	440,000	425,000 〃	455,000 〃	22,726	45,452	22,660	45,320	22,550	45,100
29	470,000	455,000 〃	485,000 〃	24,275.5	48,551	24,205	48,410	24,087.5	48,175
30	500,000	485,000 〃	515,000 〃	25,825	51,650	25,750	51,500	25,625	51,250
31	530,000	515,000 〃	545,000 〃	27,374.5	54,749	27,295	54,590	27,162.5	54,325
32	560,000	545,000 〃	575,000 〃	28,924	57,848	28,840	57,680	28,700	57,400
33	590,000	575,000 〃	605,000 〃	30,473.5	60,947	30,385	60,770	30,237.5	60,475
34	620,000	605,000 〃	635,000 〃	32,023	64,046	31,930	63,860	31,775	63,550
35	650,000	635,000 〃	665,000 〃	33,572.5	67,145	33,475	66,950	33,312.5	66,625
36	680,000	665,000 〃	695,000 〃	35,122	70,244	35,020	70,040	34,850	69,700
37	710,000	695,000 〃	730,000 〃	36,671.5	73,343	36,565	73,130	36,387.5	72,775
38	750,000	730,000 〃	770,000 〃	38,737.5	77,475	38,625	77,250	38,437.5	76,875
39	790,000	770,000 〃	810,000 〃	40,803.5	81,607	40,685	81,370	40,487.5	80,975
40	830,000	810,000 〃	855,000 〃	42,869.5	85,739	42,745	85,490	42,537.5	85,075
41	880,000	855,000 〃	905,000 〃	45,452	90,904	45,320	90,640	45,100	90,200
42	930,000	905,000 〃	955,000 〃	48,034.5	96,069	47,895	95,790	47,662.5	95,325
43	980,000	955,000 〃	1,005,000 〃	50,617	101,234	50,470	100,940	50,225	100,450
44	1,030,000	1,005,000 〃	1,055,000 〃	53,199.5	106,399	53,045	106,090	52,787.5	105,575
45	1,090,000	1,055,000 〃	1,115,000 〃	56,298.5	112,597	56,135	112,270	55,862.5	111,725
46	1,150,000	1,115,000 〃	1,175,000 〃	59,397.5	118,795	59,225	118,450	58,937.5	117,875
47	1,210,000	1,175,000 〃	1,235,000 〃	62,496.5	124,993	62,315	124,630	62,012.5	124,025
48	1,270,000	1,235,000 〃	1,295,000 〃	65,595.5	131,191	65,405	130,810	65,087.5	130,175
49	1,330,000	1,295,000 〃	1,355,000 〃	68,694.5	137,389	68,495	136,990	68,162.5	136,325
50	1,390,000	1,355,000 〃		71,793.5	143,587	71,585	143,170	71,237.5	142,475

令和6年3月分（4月納付）からの 全国健康保険協会管掌健康保険一般保険料額表③

（単位：円）

等級	標準報酬月額	報酬月額		奈良県		北海道		山口県	
				一般保険料（10.22%）		一般保険料（10.21%）		一般保険料（10.20%）	
				被保険者・事業主	合計	被保険者・事業主	合計	被保険者・事業主	合計
1	58,000		63,000未満	2,963.8	5,927.6	2,960.9	5,921.8	2,958	5,916
2	68,000	63,000以上	73,000	3,474.8	6,949.6	3,471.4	6,942.8	3,468	6,936
3	78,000	73,000 〃	83,000 〃	3,985.8	7,971.6	3,981.9	7,963.8	3,978	7,956
4	88,000	83,000 〃	93,000 〃	4,496.8	8,993.6	4,492.4	8,984.8	4,488	8,976
5	98,000	93,000 〃	101,000 〃	5,007.8	10,015.6	5,002.9	10,005.8	4,998	9,996
6	104,000	101,000 〃	107,000 〃	5,314.4	10,628.8	5,309.2	10,618.4	5,304	10,608
7	110,000	107,000 〃	114,000 〃	5,621	11,242	5,615.5	11,231	5,610	11,220
8	118,000	114,000 〃	122,000 〃	6,029.8	12,059.6	6,023.9	12,047.8	6,018	12,036
9	126,000	122,000 〃	130,000 〃	6,438.6	12,877.2	6,432.3	12,864.6	6,426	12,852
10	134,000	130,000 〃	138,000 〃	6,847.4	13,694.8	6,840.7	13,681.4	6,834	13,668
11	142,000	138,000 〃	146,000 〃	7,256.2	14,512.4	7,249.1	14,498.2	7,242	14,484
12	150,000	146,000 〃	155,000 〃	7,665	15,330	7,657.5	15,315	7,650	15,300
13	160,000	155,000 〃	165,000 〃	8,176	16,352	8,168	16,336	8,160	16,320
14	170,000	165,000 〃	175,000 〃	8,687	17,374	8,678.5	17,357	8,670	17,340
15	180,000	175,000 〃	185,000 〃	9,198	18,396	9,189	18,378	9,180	18,360
16	190,000	185,000 〃	195,000 〃	9,709	19,418	9,699.5	19,399	9,690	19,380
17	200,000	195,000 〃	210,000 〃	10,220	20,440	10,210	20,420	10,200	20,400
18	220,000	210,000 〃	230,000 〃	11,242	22,484	11,231	22,462	11,220	22,440
19	240,000	230,000 〃	250,000 〃	12,264	24,528	12,252	24,504	12,240	24,480
20	260,000	250,000 〃	270,000 〃	13,286	26,572	13,273	26,546	13,260	26,520
21	280,000	270,000 〃	290,000 〃	14,308	28,616	14,294	28,588	14,280	28,560
22	300,000	290,000 〃	310,000 〃	15,330	30,660	15,315	30,630	15,300	30,600
23	320,000	310,000 〃	330,000 〃	16,352	32,704	16,336	32,672	16,320	32,640
24	340,000	330,000 〃	350,000 〃	17,374	34,748	17,357	34,714	17,340	34,680
25	360,000	350,000 〃	370,000 〃	18,396	36,792	18,378	36,756	18,360	36,720
26	380,000	370,000 〃	395,000 〃	19,418	38,836	19,399	38,798	19,380	38,760
27	410,000	395,000 〃	425,000 〃	20,951	41,902	20,930.5	41,861	20,910	41,820
28	440,000	425,000 〃	455,000 〃	22,484	44,968	22,462	44,924	22,440	44,880
29	470,000	455,000 〃	485,000 〃	24,017	48,034	23,993.5	47,987	23,970	47,940
30	500,000	485,000 〃	515,000 〃	25,550	51,100	25,525	51,050	25,500	51,000
31	530,000	515,000 〃	545,000 〃	27,083	54,166	27,056.5	54,113	27,030	54,060
32	560,000	545,000 〃	575,000 〃	28,616	57,232	28,588	57,176	28,560	57,120
33	590,000	575,000 〃	605,000 〃	30,149	60,298	30,119.5	60,239	30,090	60,180
34	620,000	605,000 〃	635,000 〃	31,682	63,364	31,651	63,302	31,620	63,240
35	650,000	635,000 〃	665,000 〃	33,215	66,430	33,182.5	66,365	33,150	66,300
36	680,000	665,000 〃	695,000 〃	34,748	69,496	34,714	69,428	34,680	69,360
37	710,000	695,000 〃	730,000 〃	36,281	72,562	36,245.5	72,491	36,210	72,420
38	750,000	730,000 〃	770,000 〃	38,325	76,650	38,287.5	76,575	38,250	76,500
39	790,000	770,000 〃	810,000 〃	40,369	80,738	40,329.5	80,659	40,290	80,580
40	830,000	810,000 〃	855,000 〃	42,413	84,826	42,371.5	84,743	42,330	84,660
41	880,000	855,000 〃	905,000 〃	44,968	89,936	44,924	89,848	44,880	89,760
42	930,000	905,000 〃	955,000 〃	47,523	95,046	47,476.5	94,953	47,430	94,860
43	980,000	955,000 〃	1,005,000 〃	50,078	100,156	50,029	100,058	49,980	99,960
44	1,030,000	1,005,000 〃	1,055,000 〃	52,633	105,266	52,581.5	105,163	52,530	105,060
45	1,090,000	1,055,000 〃	1,115,000 〃	55,699	111,398	55,644.5	111,289	55,590	111,180
46	1,150,000	1,115,000 〃	1,175,000 〃	58,765	117,530	58,707.5	117,415	58,650	117,300
47	1,210,000	1,175,000 〃	1,235,000 〃	61,831	123,662	61,770.5	123,541	61,710	123,420
48	1,270,000	1,235,000 〃	1,295,000 〃	64,897	129,794	64,833.5	129,667	64,770	129,540
49	1,330,000	1,295,000 〃	1,355,000 〃	67,963	135,926	67,896.5	135,793	67,830	135,660
50	1,390,000	1,355,000 〃		71,029	142,058	70,959.5	141,919	70,890	141,780

令和6年3月分（4月納付）からの 全国健康保険協会管掌健康保険一般保険料額表④

（単位：円）

等級	標準報酬月額	報酬月額		徳島県 一般保険料（10.19%）		兵庫県 一般保険料（10.18%）		長崎県 一般保険料（10.17%）	
				被保険者・事業主	合計	被保険者・事業主	合計	被保険者・事業主	合計
1	58,000		63,000未満	2,955.1	5,910.2	2,952.2	5,904.4	2,949.3	5,898.6
2	68,000	63,000以上	73,000 〃	3,464.6	6,929.2	3,461.2	6,922.4	3,457.8	6,915.6
3	78,000	73,000 〃	83,000 〃	3,974.1	7,948.2	3,970.2	7,940.4	3,966.3	7,932.6
4	88,000	83,000 〃	93,000 〃	4,483.6	8,967.2	4,479.2	8,958.4	4,474.8	8,949.6
5	98,000	93,000 〃	101,000 〃	4,993.1	9,986.2	4,988.2	9,976.4	4,983.3	9,966.6
6	104,000	101,000 〃	107,000 〃	5,298.8	10,597.6	5,293.6	10,587.2	5,288.4	10,576.8
7	110,000	107,000 〃	114,000 〃	5,604.5	11,209	5,599	11,198	5,593.5	11,187
8	118,000	114,000 〃	122,000 〃	6,012.1	12,024.2	6,006.2	12,012.4	6,000.3	12,000.6
9	126,000	122,000 〃	130,000 〃	6,419.7	12,839.4	6,413.4	12,826.8	6,407.1	12,814.2
10	134,000	130,000 〃	138,000 〃	6,827.3	13,654.6	6,820.6	13,641.2	6,813.9	13,627.8
11	142,000	138,000 〃	146,000 〃	7,234.9	14,469.8	7,227.8	14,455.6	7,220.7	14,441.4
12	150,000	146,000 〃	155,000 〃	7,642.5	15,285	7,635	15,270	7,627.5	15,255
13	160,000	155,000 〃	165,000 〃	8,152	16,304	8,144	16,288	8,136	16,272
14	170,000	165,000 〃	175,000 〃	8,661.5	17,323	8,653	17,306	8,644.5	17,289
15	180,000	175,000 〃	185,000 〃	9,171	18,342	9,162	18,324	9,153	18,306
16	190,000	185,000 〃	195,000 〃	9,680.5	19,361	9,671	19,342	9,661.5	19,323
17	200,000	195,000 〃	210,000 〃	10,190	20,380	10,180	20,360	10,170	20,340
18	220,000	210,000 〃	230,000 〃	11,209	22,418	11,198	22,396	11,187	22,374
19	240,000	230,000 〃	250,000 〃	12,228	24,456	12,216	24,432	12,204	24,408
20	260,000	250,000 〃	270,000 〃	13,247	26,494	13,234	26,468	13,221	26,442
21	280,000	270,000 〃	290,000 〃	14,266	28,532	14,252	28,504	14,238	28,476
22	300,000	290,000 〃	310,000 〃	15,285	30,570	15,270	30,540	15,255	30,510
23	320,000	310,000 〃	330,000 〃	16,304	32,608	16,288	32,576	16,272	32,544
24	340,000	330,000 〃	350,000 〃	17,323	34,646	17,306	34,612	17,289	34,578
25	360,000	350,000 〃	370,000 〃	18,342	36,684	18,324	36,648	18,306	36,612
26	380,000	370,000 〃	395,000 〃	19,361	38,722	19,342	38,684	19,323	38,646
27	410,000	395,000 〃	425,000 〃	20,889.5	41,779	20,869	41,738	20,848.5	41,697
28	440,000	425,000 〃	455,000 〃	22,418	44,836	22,396	44,792	22,374	44,748
29	470,000	455,000 〃	485,000 〃	23,946.5	47,893	23,923	47,846	23,899.5	47,799
30	500,000	485,000 〃	515,000 〃	25,475	50,950	25,450	50,900	25,425	50,850
31	530,000	515,000 〃	545,000 〃	27,003.5	54,007	26,977	53,954	26,950.5	53,901
32	560,000	545,000 〃	575,000 〃	28,532	57,064	28,504	57,008	28,476	56,952
33	590,000	575,000 〃	605,000 〃	30,060.5	60,121	30,031	60,062	30,001.5	60,003
34	620,000	605,000 〃	635,000 〃	31,589	63,178	31,558	63,116	31,527	63,054
35	650,000	635,000 〃	665,000 〃	33,117.5	66,235	33,085	66,170	33,052.5	66,105
36	680,000	665,000 〃	695,000 〃	34,646	69,292	34,612	69,224	34,578	69,156
37	710,000	695,000 〃	730,000 〃	36,174.5	72,349	36,139	72,278	36,103.5	72,207
38	750,000	730,000 〃	770,000 〃	38,212.5	76,425	38,175	76,350	38,137.5	76,275
39	790,000	770,000 〃	810,000 〃	40,250.5	80,501	40,211	80,422	40,171.5	80,343
40	830,000	810,000 〃	855,000 〃	42,288.5	84,577	42,247	84,494	42,205.5	84,411
41	880,000	855,000 〃	905,000 〃	44,836	89,672	44,792	89,584	44,748	89,496
42	930,000	905,000 〃	955,000 〃	47,383.5	94,767	47,337	94,674	47,290.5	94,581
43	980,000	955,000 〃	1,005,000 〃	49,931	99,862	49,882	99,764	49,833	99,666
44	1,030,000	1,005,000 〃	1,055,000 〃	52,478.5	104,957	52,427	104,854	52,375.5	104,751
45	1,090,000	1,055,000 〃	1,115,000 〃	55,535.5	111,071	55,481	110,962	55,426.5	110,853
46	1,150,000	1,115,000 〃	1,175,000 〃	58,592.5	117,185	58,535	117,070	58,477.5	116,955
47	1,210,000	1,175,000 〃	1,235,000 〃	61,649.5	123,299	61,589	123,178	61,528.5	123,057
48	1,270,000	1,235,000 〃	1,295,000 〃	64,706.5	129,413	64,643	129,286	64,579.5	129,159
49	1,330,000	1,295,000 〃	1,355,000 〃	67,763.5	135,527	67,697	135,394	67,630.5	135,261
50	1,390,000	1,355,000 〃		70,820.5	141,641	70,751	141,502	70,681.5	141,363

令和6年3月分（4月納付）からの 全国健康保険協会管掌健康保険一般保険料額表⑤

（単位：円）

等級	標準報酬月額	報酬月額	京都府・鹿児島県 一般保険料（10.13%）		福井県 一般保険料（10.07%）		愛媛県 一般保険料（10.03%）	
			被保険者・事業主	合計	被保険者・事業主	合計	被保険者・事業主	合計
1	58,000	63,000未満	2,937.7	5,875.4	2,920.3	5,840.6	2,908.7	5,817.4
2	68,000	63,000以上 73,000 〃	3,444.2	6,888.4	3,423.8	6,847.6	3,410.2	6,820.4
3	78,000	73,000 〃 83,000 〃	3,950.7	7,901.4	3,927.3	7,854.6	3,911.7	7,823.4
4	88,000	83,000 〃 93,000 〃	4,457.2	8,914.4	4,430.8	8,861.6	4,413.2	8,826.4
5	98,000	93,000 〃 101,000 〃	4,963.7	9,927.4	4,934.3	9,868.6	4,914.7	9,829.4
6	104,000	101,000 〃 107,000 〃	5,267.6	10,535.2	5,236.4	10,472.8	5,215.6	10,431.2
7	110,000	107,000 〃 114,000 〃	5,571.5	11,143	5,538.5	11,077	5,516.5	11,033
8	118,000	114,000 〃 122,000 〃	5,976.7	11,953.4	5,941.3	11,882.6	5,917.7	11,835.4
9	126,000	122,000 〃 130,000 〃	6,381.9	12,763.8	6,344.1	12,688.2	6,318.9	12,637.8
10	134,000	130,000 〃 138,000 〃	6,787.1	13,574.2	6,746.9	13,493.8	6,720.1	13,440.2
11	142,000	138,000 〃 146,000 〃	7,192.3	14,384.6	7,149.7	14,299.4	7,121.3	14,242.6
12	150,000	146,000 〃 155,000 〃	7,597.5	15,195	7,552.5	15,105	7,522.5	15,045
13	160,000	155,000 〃 165,000 〃	8,104	16,208	8,056	16,112	8,024	16,048
14	170,000	165,000 〃 175,000 〃	8,610.5	17,221	8,559.5	17,119	8,525.5	17,051
15	180,000	175,000 〃 185,000 〃	9,117	18,234	9,063	18,126	9,027	18,054
16	190,000	185,000 〃 195,000 〃	9,623.5	19,247	9,566.5	19,133	9,528.5	19,057
17	200,000	195,000 〃 210,000 〃	10,130	20,260	10,070	20,140	10,030	20,060
18	220,000	210,000 〃 230,000 〃	11,143	22,286	11,077	22,154	11,033	22,066
19	240,000	230,000 〃 250,000 〃	12,156	24,312	12,084	24,168	12,036	24,072
20	260,000	250,000 〃 270,000 〃	13,169	26,338	13,091	26,182	13,039	26,078
21	280,000	270,000 〃 290,000 〃	14,182	28,364	14,098	28,196	14,042	28,084
22	300,000	290,000 〃 310,000 〃	15,195	30,390	15,105	30,210	15,045	30,090
23	320,000	310,000 〃 330,000 〃	16,208	32,416	16,112	32,224	16,048	32,096
24	340,000	330,000 〃 350,000 〃	17,221	34,442	17,119	34,238	17,051	34,102
25	360,000	350,000 〃 370,000 〃	18,234	36,468	18,126	36,252	18,054	36,108
26	380,000	370,000 〃 395,000 〃	19,247	38,494	19,133	38,266	19,057	38,114
27	410,000	395,000 〃 425,000 〃	20,766.5	41,533	20,643.5	41,287	20,561.5	41,123
28	440,000	425,000 〃 455,000 〃	22,286	44,572	22,154	44,308	22,066	44,132
29	470,000	455,000 〃 485,000 〃	23,805.5	47,611	23,664.5	47,329	23,570.5	47,141
30	500,000	485,000 〃 515,000 〃	25,325	50,650	25,175	50,350	25,075	50,150
31	530,000	515,000 〃 545,000 〃	26,844.5	53,689	26,685.5	53,371	26,579.5	53,159
32	560,000	545,000 〃 575,000 〃	28,364	56,728	28,196	56,392	28,084	56,168
33	590,000	575,000 〃 605,000 〃	29,883.5	59,767	29,706.5	59,413	29,588.5	59,177
34	620,000	605,000 〃 635,000 〃	31,403	62,806	31,217	62,434	31,093	62,186
35	650,000	635,000 〃 665,000 〃	32,922.5	65,845	32,727.5	65,455	32,597.5	65,195
36	680,000	665,000 〃 695,000 〃	34,442	68,884	34,238	68,476	34,102	68,204
37	710,000	695,000 〃 730,000 〃	35,961.5	71,923	35,748.5	71,497	35,606.5	71,213
38	750,000	730,000 〃 770,000 〃	37,987.5	75,975	37,762.5	75,525	37,612.5	75,225
39	790,000	770,000 〃 810,000 〃	40,013.5	80,027	39,776.5	79,553	39,618.5	79,237
40	830,000	810,000 〃 855,000 〃	42,039.5	84,079	41,790.5	83,581	41,624.5	83,249
41	880,000	855,000 〃 905,000 〃	44,572	89,144	44,308	88,616	44,132	88,264
42	930,000	905,000 〃 955,000 〃	47,104.5	94,209	46,825.5	93,651	46,639.5	93,279
43	980,000	955,000 〃 1,005,000 〃	49,637	99,274	49,343	98,686	49,147	98,294
44	1,030,000	1,005,000 〃 1,055,000 〃	52,169.5	104,339	51,860.5	103,721	51,654.5	103,309
45	1,090,000	1,055,000 〃 1,115,000 〃	55,208.5	110,417	54,881.5	109,763	54,663.5	109,327
46	1,150,000	1,115,000 〃 1,175,000 〃	58,247.5	116,495	57,902.5	115,805	57,672.5	115,345
47	1,210,000	1,175,000 〃 1,235,000 〃	61,286.5	122,573	60,923.5	121,847	60,681.5	121,363
48	1,270,000	1,235,000 〃 1,295,000 〃	64,325.5	128,651	63,944.5	127,889	63,690.5	127,381
49	1,330,000	1,295,000 〃 1,355,000 〃	67,364.5	134,729	66,965.5	133,931	66,699.5	133,399
50	1,390,000	1,355,000 〃	70,403.5	140,807	69,986.5	139,973	69,708.5	139,417

令和6年3月分（4月納付）からの 全国健康保険協会管掌健康保険一般保険料額表⑥

（単位：円）

等級	標準報酬月額	報酬月額		神奈川県・愛知県・岡山県 一般保険料（10.02%） 被保険者・事業主	合計	宮城県 一般保険料（10.01%） 被保険者・事業主	合計	和歌山県 一般保険料（10.00%） 被保険者・事業主	合計
1	58,000		63,000未満	2,905.8	5,811.6	2,902.9	5,805.8	2,900	5,800
2	68,000	63,000以上	73,000 〃	3,406.8	6,813.6	3,403.4	6,806.8	3,400	6,800
3	78,000	73,000 〃	83,000 〃	3,907.8	7,815.6	3,903.9	7,807.8	3,900	7,800
4	88,000	83,000 〃	93,000 〃	4,408.8	8,817.6	4,404.4	8,808.8	4,400	8,800
5	98,000	93,000 〃	101,000 〃	4,909.8	9,819.6	4,904.9	9,809.8	4,900	9,800
6	104,000	101,000 〃	107,000 〃	5,210.4	10,420.8	5,205.2	10,410.4	5,200	10,400
7	110,000	107,000 〃	114,000 〃	5,511	11,022	5,505.5	11,011	5,500	11,000
8	118,000	114,000 〃	122,000 〃	5,911.8	11,823.6	5,905.9	11,811.8	5,900	11,800
9	126,000	122,000 〃	130,000 〃	6,312.6	12,625.2	6,306.3	12,612.6	6,300	12,600
10	134,000	130,000 〃	138,000 〃	6,713.4	13,426.8	6,706.7	13,413.4	6,700	13,400
11	142,000	138,000 〃	146,000 〃	7,114.2	14,228.4	7,107.1	14,214.2	7,100	14,200
12	150,000	146,000 〃	155,000 〃	7,515	15,030	7,507.5	15,015	7,500	15,000
13	160,000	155,000 〃	165,000 〃	8,016	16,032	8,008	16,016	8,000	16,000
14	170,000	165,000 〃	175,000 〃	8,517	17,034	8,508.5	17,017	8,500	17,000
15	180,000	175,000 〃	185,000 〃	9,018	18,036	9,009	18,018	9,000	18,000
16	190,000	185,000 〃	195,000 〃	9,519	19,038	9,509.5	19,019	9,500	19,000
17	200,000	195,000 〃	210,000 〃	10,020	20,040	10,010	20,020	10,000	20,000
18	220,000	210,000 〃	230,000 〃	11,022	22,044	11,011	22,022	11,000	22,000
19	240,000	230,000 〃	250,000 〃	12,024	24,048	12,012	24,024	12,000	24,000
20	260,000	250,000 〃	270,000 〃	13,026	26,052	13,013	26,026	13,000	26,000
21	280,000	270,000 〃	290,000 〃	14,028	28,056	14,014	28,028	14,000	28,000
22	300,000	290,000 〃	310,000 〃	15,030	30,060	15,015	30,030	15,000	30,000
23	320,000	310,000 〃	330,000 〃	16,032	32,064	16,016	32,032	16,000	32,000
24	340,000	330,000 〃	350,000 〃	17,034	34,068	17,017	34,034	17,000	34,000
25	360,000	350,000 〃	370,000 〃	18,036	36,072	18,018	36,036	18,000	36,000
26	380,000	370,000 〃	395,000 〃	19,038	38,076	19,019	38,038	19,000	38,000
27	410,000	395,000 〃	425,000 〃	20,541	41,082	20,520.5	41,041	20,500	41,000
28	440,000	425,000 〃	455,000 〃	22,044	44,088	22,022	44,044	22,000	44,000
29	470,000	455,000 〃	485,000 〃	23,547	47,094	23,523.5	47,047	23,500	47,000
30	500,000	485,000 〃	515,000 〃	25,050	50,100	25,025	50,050	25,000	50,000
31	530,000	515,000 〃	545,000 〃	26,553	53,106	26,526.5	53,053	26,500	53,000
32	560,000	545,000 〃	575,000 〃	28,056	56,112	28,028	56,056	28,000	56,000
33	590,000	575,000 〃	605,000 〃	29,559	59,118	29,529.5	59,059	29,500	59,000
34	620,000	605,000 〃	635,000 〃	31,062	62,124	31,031	62,062	31,000	62,000
35	650,000	635,000 〃	665,000 〃	32,565	65,130	32,532.5	65,065	32,500	65,000
36	680,000	665,000 〃	695,000 〃	34,068	68,136	34,034	68,068	34,000	68,000
37	710,000	695,000 〃	730,000 〃	35,571	71,142	35,535.5	71,071	35,500	71,000
38	750,000	730,000 〃	770,000 〃	37,575	75,150	37,537.5	75,075	37,500	75,000
39	790,000	770,000 〃	810,000 〃	39,579	79,158	39,539.5	79,079	39,500	79,000
40	830,000	810,000 〃	855,000 〃	41,583	83,166	41,541.5	83,083	41,500	83,000
41	880,000	855,000 〃	905,000 〃	44,088	88,176	44,044	88,088	44,000	88,000
42	930,000	905,000 〃	955,000 〃	46,593	93,186	46,546.5	93,093	46,500	93,000
43	980,000	955,000 〃	1,005,000 〃	49,098	98,196	49,049	98,098	49,000	98,000
44	1,030,000	1,005,000 〃	1,055,000 〃	51,603	103,206	51,551.5	103,103	51,500	103,000
45	1,090,000	1,055,000 〃	1,115,000 〃	54,609	109,218	54,554.5	109,109	54,500	109,000
46	1,150,000	1,115,000 〃	1,175,000 〃	57,615	115,230	57,557.5	115,115	57,500	115,000
47	1,210,000	1,175,000 〃	1,235,000 〃	60,621	121,242	60,560.5	121,121	60,500	121,000
48	1,270,000	1,235,000 〃	1,295,000 〃	63,627	127,254	63,563.5	127,127	63,500	127,000
49	1,330,000	1,295,000 〃	1,355,000 〃	66,633	133,266	66,566.5	133,133	66,500	133,000
50	1,390,000	1,355,000 〃		69,639	139,278	69,569.5	139,139	69,500	139,000

令和6年3月分（4月納付）からの 全国健康保険協会管掌健康保険一般保険料額表⑦

(単位：円)

等級	標準報酬月額	報酬月額			東京都		広島県		石川県・山梨県・三重県	
					一般保険料（9.98%）		一般保険料（9.95%）		一般保険料（9.94%）	
					被保険者・事業主	合計	被保険者・事業主	合計	被保険者・事業主	合計
1	58,000			63,000未満	2,894.2	5,788.4	2,885.5	5,771	2,882.6	5,765.2
2	68,000	63,000以上	73,000 〃		3,393.2	6,786.4	3,383	6,766	3,379.6	6,759.2
3	78,000	73,000 〃	83,000 〃		3,892.2	7,784.4	3,880.5	7,761	3,876.6	7,753.2
4	88,000	83,000 〃	93,000 〃		4,391.2	8,782.4	4,378	8,756	4,373.6	8,747.2
5	98,000	93,000 〃	101,000 〃		4,890.2	9,780.4	4,875.5	9,751	4,870.6	9,741.2
6	104,000	101,000 〃	107,000 〃		5,189.6	10,379.2	5,174	10,348	5,168.8	10,337.6
7	110,000	107,000 〃	114,000 〃		5,489	10,978	5,472.5	10,945	5,467	10,934
8	118,000	114,000 〃	122,000 〃		5,888.2	11,776.4	5,870.5	11,741	5,864.6	11,729.2
9	126,000	122,000 〃	130,000 〃		6,287.4	12,574.8	6,268.5	12,537	6,262.2	12,524.4
10	134,000	130,000 〃	138,000 〃		6,686.6	13,373.2	6,666.5	13,333	6,659.8	13,319.6
11	142,000	138,000 〃	146,000 〃		7,085.8	14,171.6	7,064.5	14,129	7,057.4	14,114.8
12	150,000	146,000 〃	155,000 〃		7,485	14,970	7,462.5	14,925	7,455	14,910
13	160,000	155,000 〃	165,000 〃		7,984	15,968	7,960	15,920	7,952	15,904
14	170,000	165,000 〃	175,000 〃		8,483	16,966	8,457.5	16,915	8,449	16,898
15	180,000	175,000 〃	185,000 〃		8,982	17,964	8,955	17,910	8,946	17,892
16	190,000	185,000 〃	195,000 〃		9,481	18,962	9,452.5	18,905	9,443	18,886
17	200,000	195,000 〃	210,000 〃		9,980	19,960	9,950	19,900	9,940	19,880
18	220,000	210,000 〃	230,000 〃		10,978	21,956	10,945	21,890	10,934	21,868
19	240,000	230,000 〃	250,000 〃		11,976	23,952	11,940	23,880	11,928	23,856
20	260,000	250,000 〃	270,000 〃		12,974	25,948	12,935	25,870	12,922	25,844
21	280,000	270,000 〃	290,000 〃		13,972	27,944	13,930	27,860	13,916	27,832
22	300,000	290,000 〃	310,000 〃		14,970	29,940	14,925	29,850	14,910	29,820
23	320,000	310,000 〃	330,000 〃		15,968	31,936	15,920	31,840	15,904	31,808
24	340,000	330,000 〃	350,000 〃		16,966	33,932	16,915	33,830	16,898	33,796
25	360,000	350,000 〃	370,000 〃		17,964	35,928	17,910	35,820	17,892	35,784
26	380,000	370,000 〃	395,000 〃		18,962	37,924	18,905	37,810	18,886	37,772
27	410,000	395,000 〃	425,000 〃		20,459	40,918	20,397.5	40,795	20,377	40,754
28	440,000	425,000 〃	455,000 〃		21,956	43,912	21,890	43,780	21,868	43,736
29	470,000	455,000 〃	485,000 〃		23,453	46,906	23,382.5	46,765	23,359	46,718
30	500,000	485,000 〃	515,000 〃		24,950	49,900	24,875	49,750	24,850	49,700
31	530,000	515,000 〃	545,000 〃		26,447	52,894	26,367.5	52,735	26,341	52,682
32	560,000	545,000 〃	575,000 〃		27,944	55,888	27,860	55,720	27,832	55,664
33	590,000	575,000 〃	605,000 〃		29,441	58,882	29,352.5	58,705	29,323	58,646
34	620,000	605,000 〃	635,000 〃		30,938	61,876	30,845	61,690	30,814	61,628
35	650,000	635,000 〃	665,000 〃		32,435	64,870	32,337.5	64,675	32,305	64,610
36	680,000	665,000 〃	695,000 〃		33,932	67,864	33,830	67,660	33,796	67,592
37	710,000	695,000 〃	730,000 〃		35,429	70,858	35,322.5	70,645	35,287	70,574
38	750,000	730,000 〃	770,000 〃		37,425	74,850	37,312.5	74,625	37,275	74,550
39	790,000	770,000 〃	810,000 〃		39,421	78,842	39,302.5	78,605	39,263	78,526
40	830,000	810,000 〃	855,000 〃		41,417	82,834	41,292.5	82,585	41,251	82,502
41	880,000	855,000 〃	905,000 〃		43,912	87,824	43,780	87,560	43,736	87,472
42	930,000	905,000 〃	955,000 〃		46,407	92,814	46,267.5	92,535	46,221	92,442
43	980,000	955,000 〃	1,005,000 〃		48,902	97,804	48,755	97,510	48,706	97,412
44	1,030,000	1,005,000 〃	1,055,000 〃		51,397	102,794	51,242.5	102,485	51,191	102,382
45	1,090,000	1,055,000 〃	1,115,000 〃		54,391	108,782	54,227.5	108,455	54,173	108,346
46	1,150,000	1,115,000 〃	1,175,000 〃		57,385	114,770	57,212.5	114,425	57,155	114,310
47	1,210,000	1,175,000 〃	1,235,000 〃		60,379	120,758	60,197.5	120,395	60,137	120,274
48	1,270,000	1,235,000 〃	1,295,000 〃		63,373	126,746	63,182.5	126,365	63,119	126,238
49	1,330,000	1,295,000 〃	1,355,000 〃		66,367	132,734	66,167.5	132,335	66,101	132,202
50	1,390,000	1,355,000 〃			69,361	138,722	69,152.5	138,305	69,083	138,166

令和6年3月分（4月納付）からの 全国健康保険協会管掌健康保険一般保険料額表⑧

（単位：円）

等級	標準報酬月額	報酬月額			島根県		岐阜県		滋賀県・高知県	
					一般保険料（9.92%）		一般保険料（9.91%）		一般保険料（9.89%）	
					被保険者・事業主	合計	被保険者・事業主	合計	被保険者・事業主	合計
1	58,000			63,000未満	2,876.8	5,753.6	2,873.9	5,747.8	2,868.1	5,736.2
2	68,000	63,000以上		73,000 〃	3,372.8	6,745.6	3,369.4	6,738.8	3,362.6	6,725.2
3	78,000	73,000 〃		83,000 〃	3,868.8	7,737.6	3,864.9	7,729.8	3,857.1	7,714.2
4	88,000	83,000 〃		93,000 〃	4,364.8	8,729.6	4,360.4	8,720.8	4,351.6	8,703.2
5	98,000	93,000 〃		101,000 〃	4,860.8	9,721.6	4,855.9	9,711.8	4,846.1	9,692.2
6	104,000	101,000 〃		107,000 〃	5,158.4	10,316.8	5,153.2	10,306.4	5,142.8	10,285.6
7	110,000	107,000 〃		114,000 〃	5,456	10,912	5,450.5	10,901	5,439.5	10,879
8	118,000	114,000 〃		122,000 〃	5,852.8	11,705.6	5,846.9	11,693.8	5,835.1	11,670.2
9	126,000	122,000 〃		130,000 〃	6,249.6	12,499.2	6,243.3	12,486.6	6,230.7	12,461.4
10	134,000	130,000 〃		138,000 〃	6,646.4	13,292.8	6,639.7	13,279.4	6,626.3	13,252.6
11	142,000	138,000 〃		146,000 〃	7,043.2	14,086.4	7,036.1	14,072.2	7,021.9	14,043.8
12	150,000	146,000 〃		155,000 〃	7,440	14,880	7,432.5	14,865	7,417.5	14,835
13	160,000	155,000 〃		165,000 〃	7,936	15,872	7,928	15,856	7,912	15,824
14	170,000	165,000 〃		175,000 〃	8,432	16,864	8,423.5	16,847	8,406.5	16,813
15	180,000	175,000 〃		185,000 〃	8,928	17,856	8,919	17,838	8,901	17,802
16	190,000	185,000 〃		195,000 〃	9,424	18,848	9,414.5	18,829	9,395.5	18,791
17	200,000	195,000 〃		210,000 〃	9,920	19,840	9,910	19,820	9,890	19,780
18	220,000	210,000 〃		230,000 〃	10,912	21,824	10,901	21,802	10,879	21,758
19	240,000	230,000 〃		250,000 〃	11,904	23,808	11,892	23,784	11,868	23,736
20	260,000	250,000 〃		270,000 〃	12,896	25,792	12,883	25,766	12,857	25,714
21	280,000	270,000 〃		290,000 〃	13,888	27,776	13,874	27,748	13,846	27,692
22	300,000	290,000 〃		310,000 〃	14,880	29,760	14,865	29,730	14,835	29,670
23	320,000	310,000 〃		330,000 〃	15,872	31,744	15,856	31,712	15,824	31,648
24	340,000	330,000 〃		350,000 〃	16,864	33,728	16,847	33,694	16,813	33,626
25	360,000	350,000 〃		370,000 〃	17,856	35,712	17,838	35,676	17,802	35,604
26	380,000	370,000 〃		395,000 〃	18,848	37,696	18,829	37,658	18,791	37,582
27	410,000	395,000 〃		425,000 〃	20,336	40,672	20,315.5	40,631	20,274.5	40,549
28	440,000	425,000 〃		455,000 〃	21,824	43,648	21,802	43,604	21,758	43,516
29	470,000	455,000 〃		485,000 〃	23,312	46,624	23,288.5	46,577	23,241.5	46,483
30	500,000	485,000 〃		515,000 〃	24,800	49,600	24,775	49,550	24,725	49,450
31	530,000	515,000 〃		545,000 〃	26,288	52,576	26,261.5	52,523	26,208.5	52,417
32	560,000	545,000 〃		575,000 〃	27,776	55,552	27,748	55,496	27,692	55,384
33	590,000	575,000 〃		605,000 〃	29,264	58,528	29,234.5	58,469	29,175.5	58,351
34	620,000	605,000 〃		635,000 〃	30,752	61,504	30,721	61,442	30,659	61,318
35	650,000	635,000 〃		665,000 〃	32,240	64,480	32,207.5	64,415	32,142.5	64,285
36	680,000	665,000 〃		695,000 〃	33,728	67,456	33,694	67,388	33,626	67,252
37	710,000	695,000 〃		730,000 〃	35,216	70,432	35,180.5	70,361	35,109.5	70,219
38	750,000	730,000 〃		770,000 〃	37,200	74,400	37,162.5	74,325	37,087.5	74,175
39	790,000	770,000 〃		810,000 〃	39,184	78,368	39,144.5	78,289	39,065.5	78,131
40	830,000	810,000 〃		855,000 〃	41,168	82,336	41,126.5	82,253	41,043.5	82,087
41	880,000	855,000 〃		905,000 〃	43,648	87,296	43,604	87,208	43,516	87,032
42	930,000	905,000 〃		955,000 〃	46,128	92,256	46,081.5	92,163	45,988.5	91,977
43	980,000	955,000 〃		1,005,000 〃	48,608	97,216	48,559	97,118	48,461	96,922
44	1,030,000	1,005,000 〃		1,055,000 〃	51,088	102,176	51,036.5	102,073	50,933.5	101,867
45	1,090,000	1,055,000 〃		1,115,000 〃	54,064	108,128	54,009.5	108,019	53,900.5	107,801
46	1,150,000	1,115,000 〃		1,175,000 〃	57,040	114,080	56,982.5	113,965	56,867.5	113,735
47	1,210,000	1,175,000 〃		1,235,000 〃	60,016	120,032	59,955.5	119,911	59,834.5	119,669
48	1,270,000	1,235,000 〃		1,295,000 〃	62,992	125,984	62,928.5	125,857	62,801.5	125,603
49	1,330,000	1,295,000 〃		1,355,000 〃	65,968	131,936	65,901.5	131,803	65,768.5	131,537
50	1,390,000	1,355,000 〃			68,944	137,888	68,874.5	137,749	68,735.5	137,471

令和6年3月分（4月納付）からの 全国健康保険協会管掌健康保険一般保険料額表⑨

（単位：円）

等級	標準報酬月額	報酬月額		秋田県・静岡県・宮崎県 一般保険料（9.85%）		山形県 一般保険料（9.84%）		群馬県 一般保険料（9.81%）	
				被保険者・事業主	合計	被保険者・事業主	合計	被保険者・事業主	合計
1	58,000		63,000未満	2,856.5	5,713	2,853.6	5,707.2	2,844.9	5,689.8
2	68,000	63,000以上	73,000	3,349	6,698	3,345.6	6,691.2	3,335.4	6,670.8
3	78,000	73,000 〃	83,000 〃	3,841.5	7,683	3,837.6	7,675.2	3,825.9	7,651.8
4	88,000	83,000 〃	93,000 〃	4,334	8,668	4,329.6	8,659.2	4,316.4	8,632.8
5	98,000	93,000 〃	101,000 〃	4,826.5	9,653	4,821.6	9,643.2	4,806.9	9,613.8
6	104,000	101,000 〃	107,000 〃	5,122	10,244	5,116.8	10,233.6	5,101.2	10,202.4
7	110,000	107,000 〃	114,000 〃	5,417.5	10,835	5,412	10,824	5,395.5	10,791
8	118,000	114,000 〃	122,000 〃	5,811.5	11,623	5,805.6	11,611.2	5,787.9	11,575.8
9	126,000	122,000 〃	130,000 〃	6,205.5	12,411	6,199.2	12,398.4	6,180.3	12,360.6
10	134,000	130,000 〃	138,000 〃	6,599.5	13,199	6,592.8	13,185.6	6,572.7	13,145.4
11	142,000	138,000 〃	146,000 〃	6,993.5	13,987	6,986.4	13,972.8	6,965.1	13,930.2
12	150,000	146,000 〃	155,000 〃	7,387.5	14,775	7,380	14,760	7,357.5	14,715
13	160,000	155,000 〃	165,000 〃	7,880	15,760	7,872	15,744	7,848	15,696
14	170,000	165,000 〃	175,000 〃	8,372.5	16,745	8,364	16,728	8,338.5	16,677
15	180,000	175,000 〃	185,000 〃	8,865	17,730	8,856	17,712	8,829	17,658
16	190,000	185,000 〃	195,000 〃	9,357.5	18,715	9,348	18,696	9,319.5	18,639
17	200,000	195,000 〃	210,000 〃	9,850	19,700	9,840	19,680	9,810	19,620
18	220,000	210,000 〃	230,000 〃	10,835	21,670	10,824	21,648	10,791	21,582
19	240,000	230,000 〃	250,000 〃	11,820	23,640	11,808	23,616	11,772	23,544
20	260,000	250,000 〃	270,000 〃	12,805	25,610	12,792	25,584	12,753	25,506
21	280,000	270,000 〃	290,000 〃	13,790	27,580	13,776	27,552	13,734	27,468
22	300,000	290,000 〃	310,000 〃	14,775	29,550	14,760	29,520	14,715	29,430
23	320,000	310,000 〃	330,000 〃	15,760	31,520	15,744	31,488	15,696	31,392
24	340,000	330,000 〃	350,000 〃	16,745	33,490	16,728	33,456	16,677	33,354
25	360,000	350,000 〃	370,000 〃	17,730	35,460	17,712	35,424	17,658	35,316
26	380,000	370,000 〃	395,000 〃	18,715	37,430	18,696	37,392	18,639	37,278
27	410,000	395,000 〃	425,000 〃	20,192.5	40,385	20,172	40,344	20,110.5	40,221
28	440,000	425,000 〃	455,000 〃	21,670	43,340	21,648	43,296	21,582	43,164
29	470,000	455,000 〃	485,000 〃	23,147.5	46,295	23,124	46,248	23,053.5	46,107
30	500,000	485,000 〃	515,000 〃	24,625	49,250	24,600	49,200	24,525	49,050
31	530,000	515,000 〃	545,000 〃	26,102.5	52,205	26,076	52,152	25,996.5	51,993
32	560,000	545,000 〃	575,000 〃	27,580	55,160	27,552	55,104	27,468	54,936
33	590,000	575,000 〃	605,000 〃	29,057.5	58,115	29,028	58,056	28,939.5	57,879
34	620,000	605,000 〃	635,000 〃	30,535	61,070	30,504	61,008	30,411	60,822
35	650,000	635,000 〃	665,000 〃	32,012.5	64,025	31,980	63,960	31,882.5	63,765
36	680,000	665,000 〃	695,000 〃	33,490	66,980	33,456	66,912	33,354	66,708
37	710,000	695,000 〃	730,000 〃	34,967.5	69,935	34,932	69,864	34,825.5	69,651
38	750,000	730,000 〃	770,000 〃	36,937.5	73,875	36,900	73,800	36,787.5	73,575
39	790,000	770,000 〃	810,000 〃	38,907.5	77,815	38,868	77,736	38,749.5	77,499
40	830,000	810,000 〃	855,000 〃	40,877.5	81,755	40,836	81,672	40,711.5	81,423
41	880,000	855,000 〃	905,000 〃	43,340	86,680	43,296	86,592	43,164	86,328
42	930,000	905,000 〃	955,000 〃	45,802.5	91,605	45,756	91,512	45,616.5	91,233
43	980,000	955,000 〃	1,005,000 〃	48,265	96,530	48,216	96,432	48,069	96,138
44	1,030,000	1,005,000 〃	1,055,000 〃	50,727.5	101,455	50,676	101,352	50,521.5	101,043
45	1,090,000	1,055,000 〃	1,115,000 〃	53,682.5	107,365	53,628	107,256	53,464.5	106,929
46	1,150,000	1,115,000 〃	1,175,000 〃	56,637.5	113,275	56,580	113,160	56,407.5	112,815
47	1,210,000	1,175,000 〃	1,235,000 〃	59,592.5	119,185	59,532	119,064	59,350.5	118,701
48	1,270,000	1,235,000 〃	1,295,000 〃	62,547.5	125,095	62,484	124,968	62,293.5	124,587
49	1,330,000	1,295,000 〃	1,355,000 〃	65,502.5	131,005	65,436	130,872	65,236.5	130,473
50	1,390,000	1,355,000 〃		68,457.5	136,915	68,388	136,776	68,179.5	136,359

令和6年3月分（4月納付）からの 全国健康保険協会管掌健康保険一般保険料額表⑩

（単位：円）

等級	標準報酬月額	報酬月額		栃木県 一般保険料（9.79%） 被保険者・事業主	栃木県 合計	埼玉県 一般保険料（9.78%） 被保険者・事業主	埼玉県 合計	千葉県 一般保険料（9.77%） 被保険者・事業主	千葉県 合計
1	58,000		63,000未満	2,839.1	5,678.2	2,836.2	5,672.4	2,833.3	5,666.6
2	68,000	63,000以上	73,000 〃	3,328.6	6,657.2	3,325.2	6,650.4	3,321.8	6,643.6
3	78,000	73,000 〃	83,000 〃	3,818.1	7,636.2	3,814.2	7,628.4	3,810.3	7,620.6
4	88,000	83,000 〃	93,000 〃	4,307.6	8,615.2	4,303.2	8,606.4	4,298.8	8,597.6
5	98,000	93,000 〃	101,000 〃	4,797.1	9,594.2	4,792.2	9,584.4	4,787.3	9,574.6
6	104,000	101,000 〃	107,000 〃	5,090.8	10,181.6	5,085.6	10,171.2	5,080.4	10,160.8
7	110,000	107,000 〃	114,000 〃	5,384.5	10,769	5,379	10,758	5,373.5	10,747
8	118,000	114,000 〃	122,000 〃	5,776.1	11,552.2	5,770.2	11,540.4	5,764.3	11,528.6
9	126,000	122,000 〃	130,000 〃	6,167.7	12,335.4	6,161.4	12,322.8	6,155.1	12,310.2
10	134,000	130,000 〃	138,000 〃	6,559.3	13,118.6	6,552.6	13,105.2	6,545.9	13,091.8
11	142,000	138,000 〃	146,000 〃	6,950.9	13,901.8	6,943.8	13,887.6	6,936.7	13,873.4
12	150,000	146,000 〃	155,000 〃	7,342.5	14,685	7,335	14,670	7,327.5	14,655
13	160,000	155,000 〃	165,000 〃	7,832	15,664	7,824	15,648	7,816	15,632
14	170,000	165,000 〃	175,000 〃	8,321.5	16,643	8,313	16,626	8,304.5	16,609
15	180,000	175,000 〃	185,000 〃	8,811	17,622	8,802	17,604	8,793	17,586
16	190,000	185,000 〃	195,000 〃	9,300.5	18,601	9,291	18,582	9,281.5	18,563
17	200,000	195,000 〃	210,000 〃	9,790	19,580	9,780	19,560	9,770	19,540
18	220,000	210,000 〃	230,000 〃	10,769	21,538	10,758	21,516	10,747	21,494
19	240,000	230,000 〃	250,000 〃	11,748	23,496	11,736	23,472	11,724	23,448
20	260,000	250,000 〃	270,000 〃	12,727	25,454	12,714	25,428	12,701	25,402
21	280,000	270,000 〃	290,000 〃	13,706	27,412	13,692	27,384	13,678	27,356
22	300,000	290,000 〃	310,000 〃	14,685	29,370	14,670	29,340	14,655	29,310
23	320,000	310,000 〃	330,000 〃	15,664	31,328	15,648	31,296	15,632	31,264
24	340,000	330,000 〃	350,000 〃	16,643	33,286	16,626	33,252	16,609	33,218
25	360,000	350,000 〃	370,000 〃	17,622	35,244	17,604	35,208	17,586	35,172
26	380,000	370,000 〃	395,000 〃	18,601	37,202	18,582	37,164	18,563	37,126
27	410,000	395,000 〃	425,000 〃	20,069.5	40,139	20,049	40,098	20,028.5	40,057
28	440,000	425,000 〃	455,000 〃	21,538	43,076	21,516	43,032	21,494	42,988
29	470,000	455,000 〃	485,000 〃	23,006.5	46,013	22,983	45,966	22,959.5	45,919
30	500,000	485,000 〃	515,000 〃	24,475	48,950	24,450	48,900	24,425	48,850
31	530,000	515,000 〃	545,000 〃	25,943.5	51,887	25,917	51,834	25,890.5	51,781
32	560,000	545,000 〃	575,000 〃	27,412	54,824	27,384	54,768	27,356	54,712
33	590,000	575,000 〃	605,000 〃	28,880.5	57,761	28,851	57,702	28,821.5	57,643
34	620,000	605,000 〃	635,000 〃	30,349	60,698	30,318	60,636	30,287	60,574
35	650,000	635,000 〃	665,000 〃	31,817.5	63,635	31,785	63,570	31,752.5	63,505
36	680,000	665,000 〃	695,000 〃	33,286	66,572	33,252	66,504	33,218	66,436
37	710,000	695,000 〃	730,000 〃	34,754.5	69,509	34,719	69,438	34,683.5	69,367
38	750,000	730,000 〃	770,000 〃	36,712.5	73,425	36,675	73,350	36,637.5	73,275
39	790,000	770,000 〃	810,000 〃	38,670.5	77,341	38,631	77,262	38,591.5	77,183
40	830,000	810,000 〃	855,000 〃	40,628.5	81,257	40,587	81,174	40,545.5	81,091
41	880,000	855,000 〃	905,000 〃	43,076	86,152	43,032	86,064	42,988	85,976
42	930,000	905,000 〃	955,000 〃	45,523.5	91,047	45,477	90,954	45,430.5	90,861
43	980,000	955,000 〃	1,005,000 〃	47,971	95,942	47,922	95,844	47,873	95,746
44	1,030,000	1,005,000 〃	1,055,000 〃	50,418.5	100,837	50,367	100,734	50,315.5	100,631
45	1,090,000	1,055,000 〃	1,115,000 〃	53,355.5	106,711	53,301	106,602	53,246.5	106,493
46	1,150,000	1,115,000 〃	1,175,000 〃	56,292.5	112,585	56,235	112,470	56,177.5	112,355
47	1,210,000	1,175,000 〃	1,235,000 〃	59,229.5	118,459	59,169	118,338	59,108.5	118,217
48	1,270,000	1,235,000 〃	1,295,000 〃	62,166.5	124,333	62,103	124,206	62,039.5	124,079
49	1,330,000	1,295,000 〃	1,355,000 〃	65,103.5	130,207	65,037	130,074	64,970.5	129,941
50	1,390,000	1,355,000 〃		68,040.5	136,081	67,971	135,942	67,901.5	135,803

令和6年3月分（4月納付）からの 全国健康保険協会管掌健康保険一般保険料額表⑪

（単位：円）

等級	標準報酬月額	報酬月額		鳥取県 一般保険料（9.68%） 被保険者・事業主	合計	茨城県 一般保険料（9.66%） 被保険者・事業主	合計	岩手県 一般保険料（9.63%） 被保険者・事業主	合計
1	58,000		63,000未満	2,807.2	5,614.4	2,801.4	5,602.8	2,792.7	5,585.4
2	68,000	63,000以上	73,000 〃	3,291.2	6,582.4	3,284.4	6,568.8	3,274.2	6,548.4
3	78,000	73,000 〃	83,000 〃	3,775.2	7,550.4	3,767.4	7,534.8	3,755.7	7,511.4
4	88,000	83,000 〃	93,000 〃	4,259.2	8,518.4	4,250.4	8,500.8	4,237.2	8,474.4
5	98,000	93,000 〃	101,000 〃	4,743.2	9,486.4	4,733.4	9,466.8	4,718.7	9,437.4
6	104,000	101,000 〃	107,000 〃	5,033.6	10,067.2	5,023.2	10,046.4	5,007.6	10,015.2
7	110,000	107,000 〃	114,000 〃	5,324	10,648	5,313	10,626	5,296.5	10,593
8	118,000	114,000 〃	122,000 〃	5,711.2	11,422.4	5,699.4	11,398.8	5,681.7	11,363.4
9	126,000	122,000 〃	130,000 〃	6,098.4	12,196.8	6,085.8	12,171.6	6,066.9	12,133.8
10	134,000	130,000 〃	138,000 〃	6,485.6	12,971.2	6,472.2	12,944.4	6,452.1	12,904.2
11	142,000	138,000 〃	146,000 〃	6,872.8	13,745.6	6,858.6	13,717.2	6,837.3	13,674.6
12	150,000	146,000 〃	155,000 〃	7,260	14,520	7,245	14,490	7,222.5	14,445
13	160,000	155,000 〃	165,000 〃	7,744	15,488	7,728	15,456	7,704	15,408
14	170,000	165,000 〃	175,000 〃	8,228	16,456	8,211	16,422	8,185.5	16,371
15	180,000	175,000 〃	185,000 〃	8,712	17,424	8,694	17,388	8,667	17,334
16	190,000	185,000 〃	195,000 〃	9,196	18,392	9,177	18,354	9,148.5	18,297
17	200,000	195,000 〃	210,000 〃	9,680	19,360	9,660	19,320	9,630	19,260
18	220,000	210,000 〃	230,000 〃	10,648	21,296	10,626	21,252	10,593	21,186
19	240,000	230,000 〃	250,000 〃	11,616	23,232	11,592	23,184	11,556	23,112
20	260,000	250,000 〃	270,000 〃	12,584	25,168	12,558	25,116	12,519	25,038
21	280,000	270,000 〃	290,000 〃	13,552	27,104	13,524	27,048	13,482	26,964
22	300,000	290,000 〃	310,000 〃	14,520	29,040	14,490	28,980	14,445	28,890
23	320,000	310,000 〃	330,000 〃	15,488	30,976	15,456	30,912	15,408	30,816
24	340,000	330,000 〃	350,000 〃	16,456	32,912	16,422	32,844	16,371	32,742
25	360,000	350,000 〃	370,000 〃	17,424	34,848	17,388	34,776	17,334	34,668
26	380,000	370,000 〃	395,000 〃	18,392	36,784	18,354	36,708	18,297	36,594
27	410,000	395,000 〃	425,000 〃	19,844	39,688	19,803	39,606	19,741.5	39,483
28	440,000	425,000 〃	455,000 〃	21,296	42,592	21,252	42,504	21,186	42,372
29	470,000	455,000 〃	485,000 〃	22,748	45,496	22,701	45,402	22,630.5	45,261
30	500,000	485,000 〃	515,000 〃	24,200	48,400	24,150	48,300	24,075	48,150
31	530,000	515,000 〃	545,000 〃	25,652	51,304	25,599	51,198	25,519.5	51,039
32	560,000	545,000 〃	575,000 〃	27,104	54,208	27,048	54,096	26,964	53,928
33	590,000	575,000 〃	605,000 〃	28,556	57,112	28,497	56,994	28,408.5	56,817
34	620,000	605,000 〃	635,000 〃	30,008	60,016	29,946	59,892	29,853	59,706
35	650,000	635,000 〃	665,000 〃	31,460	62,920	31,395	62,790	31,297.5	62,595
36	680,000	665,000 〃	695,000 〃	32,912	65,824	32,844	65,688	32,742	65,484
37	710,000	695,000 〃	730,000 〃	34,364	68,728	34,293	68,586	34,186.5	68,373
38	750,000	730,000 〃	770,000 〃	36,300	72,600	36,225	72,450	36,112.5	72,225
39	790,000	770,000 〃	810,000 〃	38,236	76,472	38,157	76,314	38,038.5	76,077
40	830,000	810,000 〃	855,000 〃	40,172	80,344	40,089	80,178	39,964.5	79,929
41	880,000	855,000 〃	905,000 〃	42,592	85,184	42,504	85,008	42,372	84,744
42	930,000	905,000 〃	955,000 〃	45,012	90,024	44,919	89,838	44,779.5	89,559
43	980,000	955,000 〃	1,005,000 〃	47,432	94,864	47,334	94,668	47,187	94,374
44	1,030,000	1,005,000 〃	1,055,000 〃	49,852	99,704	49,749	99,498	49,594.5	99,189
45	1,090,000	1,055,000 〃	1,115,000 〃	52,756	105,512	52,647	105,294	52,483.5	104,967
46	1,150,000	1,115,000 〃	1,175,000 〃	55,660	111,320	55,545	111,090	55,372.5	110,745
47	1,210,000	1,175,000 〃	1,235,000 〃	58,564	117,128	58,443	116,886	58,261.5	116,523
48	1,270,000	1,235,000 〃	1,295,000 〃	61,468	122,936	61,341	122,682	61,150.5	122,301
49	1,330,000	1,295,000 〃	1,355,000 〃	64,372	128,744	64,239	128,478	64,039.5	128,079
50	1,390,000	1,355,000 〃		67,276	134,552	67,137	134,274	66,928.5	133,857

令和6年3月分（4月納付）からの 全国健康保険協会管掌健康保険一般保険料額表⑫

（単位：円）

等級	標準報酬月額	報酬月額		富山県 一般保険料（9.62%） 被保険者・事業主	合計	福島県 一般保険料（9.59%） 被保険者・事業主	合計	長野県 一般保険料（9.55%） 被保険者・事業主	合計
1	58,000		63,000未満	2,789.8	5,579.6	2,781.1	5,562.2	2,769.5	5,539
2	68,000	63,000以上	73,000 〃	3,270.8	6,541.6	3,260.6	6,521.2	3,247	6,494
3	78,000	73,000 〃	83,000 〃	3,751.8	7,503.6	3,740.1	7,480.2	3,724.5	7,449
4	88,000	83,000 〃	93,000 〃	4,232.8	8,465.6	4,219.6	8,439.2	4,202	8,404
5	98,000	93,000 〃	101,000 〃	4,713.8	9,427.6	4,699.1	9,398.2	4,679.5	9,359
6	104,000	101,000 〃	107,000 〃	5,002.4	10,004.8	4,986.8	9,973.6	4,966	9,932
7	110,000	107,000 〃	114,000 〃	5,291	10,582	5,274.5	10,549	5,252.5	10,505
8	118,000	114,000 〃	122,000 〃	5,675.8	11,351.6	5,658.1	11,316.2	5,634.5	11,269
9	126,000	122,000 〃	130,000 〃	6,060.6	12,121.2	6,041.7	12,083.4	6,016.5	12,033
10	134,000	130,000 〃	138,000 〃	6,445.4	12,890.8	6,425.3	12,850.6	6,398.5	12,797
11	142,000	138,000 〃	146,000 〃	6,830.2	13,660.4	6,808.9	13,617.8	6,780.5	13,561
12	150,000	146,000 〃	155,000 〃	7,215	14,430	7,192.5	14,385	7,162.5	14,325
13	160,000	155,000 〃	165,000 〃	7,696	15,392	7,672	15,344	7,640	15,280
14	170,000	165,000 〃	175,000 〃	8,177	16,354	8,151.5	16,303	8,117.5	16,235
15	180,000	175,000 〃	185,000 〃	8,658	17,316	8,631	17,262	8,595	17,190
16	190,000	185,000 〃	195,000 〃	9,139	18,278	9,110.5	18,221	9,072.5	18,145
17	200,000	195,000 〃	210,000 〃	9,620	19,240	9,590	19,180	9,550	19,100
18	220,000	210,000 〃	230,000 〃	10,582	21,164	10,549	21,098	10,505	21,010
19	240,000	230,000 〃	250,000 〃	11,544	23,088	11,508	23,016	11,460	22,920
20	260,000	250,000 〃	270,000 〃	12,506	25,012	12,467	24,934	12,415	24,830
21	280,000	270,000 〃	290,000 〃	13,468	26,936	13,426	26,852	13,370	26,740
22	300,000	290,000 〃	310,000 〃	14,430	28,860	14,385	28,770	14,325	28,650
23	320,000	310,000 〃	330,000 〃	15,392	30,784	15,344	30,688	15,280	30,560
24	340,000	330,000 〃	350,000 〃	16,354	32,708	16,303	32,606	16,235	32,470
25	360,000	350,000 〃	370,000 〃	17,316	34,632	17,262	34,524	17,190	34,380
26	380,000	370,000 〃	395,000 〃	18,278	36,556	18,221	36,442	18,145	36,290
27	410,000	395,000 〃	425,000 〃	19,721	39,442	19,659.5	39,319	19,577.5	39,155
28	440,000	425,000 〃	455,000 〃	21,164	42,328	21,098	42,196	21,010	42,020
29	470,000	455,000 〃	485,000 〃	22,607	45,214	22,536.5	45,073	22,442.5	44,885
30	500,000	485,000 〃	515,000 〃	24,050	48,100	23,975	47,950	23,875	47,750
31	530,000	515,000 〃	545,000 〃	25,493	50,986	25,413.5	50,827	25,307.5	50,615
32	560,000	545,000 〃	575,000 〃	26,936	53,872	26,852	53,704	26,740	53,480
33	590,000	575,000 〃	605,000 〃	28,379	56,758	28,290.5	56,581	28,172.5	56,345
34	620,000	605,000 〃	635,000 〃	29,822	59,644	29,729	59,458	29,605	59,210
35	650,000	635,000 〃	665,000 〃	31,265	62,530	31,167.5	62,335	31,037.5	62,075
36	680,000	665,000 〃	695,000 〃	32,708	65,416	32,606	65,212	32,470	64,940
37	710,000	695,000 〃	730,000 〃	34,151	68,302	34,044.5	68,089	33,902.5	67,805
38	750,000	730,000 〃	770,000 〃	36,075	72,150	35,962.5	71,925	35,812.5	71,625
39	790,000	770,000 〃	810,000 〃	37,999	75,998	37,880.5	75,761	37,722.5	75,445
40	830,000	810,000 〃	855,000 〃	39,923	79,846	39,798.5	79,597	39,632.5	79,265
41	880,000	855,000 〃	905,000 〃	42,328	84,656	42,196	84,392	42,020	84,040
42	930,000	905,000 〃	955,000 〃	44,733	89,466	44,593.5	89,187	44,407.5	88,815
43	980,000	955,000 〃	1,005,000 〃	47,138	94,276	46,991	93,982	46,795	93,590
44	1,030,000	1,005,000 〃	1,055,000 〃	49,543	99,086	49,388.5	98,777	49,182.5	98,365
45	1,090,000	1,055,000 〃	1,115,000 〃	52,429	104,858	52,265.5	104,531	52,047.5	104,095
46	1,150,000	1,115,000 〃	1,175,000 〃	55,315	110,630	55,142.5	110,285	54,912.5	109,825
47	1,210,000	1,175,000 〃	1,235,000 〃	58,201	116,402	58,019.5	116,039	57,777.5	115,555
48	1,270,000	1,235,000 〃	1,295,000 〃	61,087	122,174	60,896.5	121,793	60,642.5	121,285
49	1,330,000	1,295,000 〃	1,355,000 〃	63,973	127,946	63,773.5	127,547	63,507.5	127,015
50	1,390,000	1,355,000 〃		66,859	133,718	66,650.5	133,301	66,372.5	132,745

令和6年3月分（4月納付）からの 全国健康保険協会管掌健康保険一般保険料額表⑬

（単位：円）

等級	標準報酬月額	報酬月額			沖縄県 一般保険料（9.52%）		青森県 一般保険料（9.49%）		新潟県 一般保険料（9.35%）	
					被保険者・事業主	合計	被保険者・事業主	合計	被保険者・事業主	合計
1	58,000			63,000未満	2,760.8	5,521.6	2,752.1	5,504.2	2,711.5	5,423
2	68,000	63,000以上		73,000	3,236.8	6,473.6	3,226.6	6,453.2	3,179	6,358
3	78,000	73,000 〃		83,000 〃	3,712.8	7,425.6	3,701.1	7,402.2	3,646.5	7,293
4	88,000	83,000 〃		93,000 〃	4,188.8	8,377.6	4,175.6	8,351.2	4,114	8,228
5	98,000	93,000 〃		101,000 〃	4,664.8	9,329.6	4,650.1	9,300.2	4,581.5	9,163
6	104,000	101,000 〃		107,000 〃	4,950.4	9,900.8	4,934.8	9,869.6	4,862	9,724
7	110,000	107,000 〃		114,000 〃	5,236	10,472	5,219.5	10,439	5,142.5	10,285
8	118,000	114,000 〃		122,000 〃	5,616.8	11,233.6	5,599.1	11,198.2	5,516.5	11,033
9	126,000	122,000 〃		130,000 〃	5,997.6	11,995.2	5,978.7	11,957.4	5,890.5	11,781
10	134,000	130,000 〃		138,000 〃	6,378.4	12,756.8	6,358.3	12,716.6	6,264.5	12,529
11	142,000	138,000 〃		146,000 〃	6,759.2	13,518.4	6,737.9	13,475.8	6,638.5	13,277
12	150,000	146,000 〃		155,000 〃	7,140	14,280	7,117.5	14,235	7,012.5	14,025
13	160,000	155,000 〃		165,000 〃	7,616	15,232	7,592	15,184	7,480	14,960
14	170,000	165,000 〃		175,000 〃	8,092	16,184	8,066.5	16,133	7,947.5	15,895
15	180,000	175,000 〃		185,000 〃	8,568	17,136	8,541	17,082	8,415	16,830
16	190,000	185,000 〃		195,000 〃	9,044	18,088	9,015.5	18,031	8,882.5	17,765
17	200,000	195,000 〃		210,000 〃	9,520	19,040	9,490	18,980	9,350	18,700
18	220,000	210,000 〃		230,000 〃	10,472	20,944	10,439	20,878	10,285	20,570
19	240,000	230,000 〃		250,000 〃	11,424	22,848	11,388	22,776	11,220	22,440
20	260,000	250,000 〃		270,000 〃	12,376	24,752	12,337	24,674	12,155	24,310
21	280,000	270,000 〃		290,000 〃	13,328	26,656	13,286	26,572	13,090	26,180
22	300,000	290,000 〃		310,000 〃	14,280	28,560	14,235	28,470	14,025	28,050
23	320,000	310,000 〃		330,000 〃	15,232	30,464	15,184	30,368	14,960	29,920
24	340,000	330,000 〃		350,000 〃	16,184	32,368	16,133	32,266	15,895	31,790
25	360,000	350,000 〃		370,000 〃	17,136	34,272	17,082	34,164	16,830	33,660
26	380,000	370,000 〃		395,000 〃	18,088	36,176	18,031	36,062	17,765	35,530
27	410,000	395,000 〃		425,000 〃	19,516	39,032	19,454.5	38,909	19,167.5	38,335
28	440,000	425,000 〃		455,000 〃	20,944	41,888	20,878	41,756	20,570	41,140
29	470,000	455,000 〃		485,000 〃	22,372	44,744	22,301.5	44,603	21,972.5	43,945
30	500,000	485,000 〃		515,000 〃	23,800	47,600	23,725	47,450	23,375	46,750
31	530,000	515,000 〃		545,000 〃	25,228	50,456	25,148.5	50,297	24,777.5	49,555
32	560,000	545,000 〃		575,000 〃	26,656	53,312	26,572	53,144	26,180	52,360
33	590,000	575,000 〃		605,000 〃	28,084	56,168	27,995.5	55,991	27,582.5	55,165
34	620,000	605,000 〃		635,000 〃	29,512	59,024	29,419	58,838	28,985	57,970
35	650,000	635,000 〃		665,000 〃	30,940	61,880	30,842.5	61,685	30,387.5	60,775
36	680,000	665,000 〃		695,000 〃	32,368	64,736	32,266	64,532	31,790	63,580
37	710,000	695,000 〃		730,000 〃	33,796	67,592	33,689.5	67,379	33,192.5	66,385
38	750,000	730,000 〃		770,000 〃	35,700	71,400	35,587.5	71,175	35,062.5	70,125
39	790,000	770,000 〃		810,000 〃	37,604	75,208	37,485.5	74,971	36,932.5	73,865
40	830,000	810,000 〃		855,000 〃	39,508	79,016	39,383.5	78,767	38,802.5	77,605
41	880,000	855,000 〃		905,000 〃	41,888	83,776	41,756	83,512	41,140	82,280
42	930,000	905,000 〃		955,000 〃	44,268	88,536	44,128.5	88,257	43,477.5	86,955
43	980,000	955,000 〃		1,005,000 〃	46,648	93,296	46,501	93,002	45,815	91,630
44	1,030,000	1,005,000 〃		1,055,000 〃	49,028	98,056	48,873.5	97,747	48,152.5	96,305
45	1,090,000	1,055,000 〃		1,115,000 〃	51,884	103,768	51,720.5	103,441	50,957.5	101,915
46	1,150,000	1,115,000 〃		1,175,000 〃	54,740	109,480	54,567.5	109,135	53,762.5	107,525
47	1,210,000	1,175,000 〃		1,235,000 〃	57,596	115,192	57,414.5	114,829	56,567.5	113,135
48	1,270,000	1,235,000 〃		1,295,000 〃	60,452	120,904	60,261.5	120,523	59,372.5	118,745
49	1,330,000	1,295,000 〃		1,355,000 〃	63,308	126,616	63,108.5	126,217	62,177.5	124,355
50	1,390,000	1,355,000 〃			66,164	132,328	65,955.5	131,911	64,982.5	129,965

令和5年3月分（4月納付）から 令和6年2月分（3月納付）までの 健康保険・厚生年金保険 標準報酬月額・保険料額表

（単位：円）

左欄注記：健康保険料額 40歳から64歳までの人は（一般保険料）＋（介護保険料）、上記以外の人は（一般保険料）のみとなります。

中央欄：各都道府県単位の全国健康保険協会管掌健康保険一般保険料率及び一般保険料は、325～338ページを参照してください。

等級（健康保険）	等級（厚生年金保険）	標準報酬月額	報酬月額	全国健康保険協会管掌健康保険料 一般保険料（被保険者・事業主 合／合／計）	厚生年金保険料額（18.300%）被保険者・事業主	厚生年金保険料額 合計	介護保険料（1.82%）被保険者・事業主	介護保険料 合計
1		58,000	～63,000未満	※中央欄参照	8,052	16,104	527.8	1,055.6
2		68,000	63,000以上～73,000		8,052	16,104	618.8	1,237.6
3		78,000	73,000～83,000		8,052	16,104	709.8	1,419.6
4	1	88,000	83,000～93,000		8,052	16,104	800.8	1,601.6
5	2	98,000	93,000～101,000		8,967	17,934	891.8	1,783.6
6	3	104,000	101,000～107,000		9,516	19,032	946.4	1,892.8
7	4	110,000	107,000～114,000		10,065	20,130	1,001	2,002
8	5	118,000	114,000～122,000		10,797	21,594	1,073.8	2,147.6
9	6	126,000	122,000～130,000		11,529	23,058	1,146.6	2,293.2
10	7	134,000	130,000～138,000		12,261	24,522	1,219.4	2,438.8
11	8	142,000	138,000～146,000		12,993	25,986	1,292.2	2,584.4
12	9	150,000	146,000～155,000		13,725	27,450	1,365	2,730
13	10	160,000	155,000～165,000		14,640	29,280	1,456	2,912
14	11	170,000	165,000～175,000		15,555	31,110	1,547	3,094
15	12	180,000	175,000～185,000		16,470	32,940	1,638	3,276
16	13	190,000	185,000～195,000		17,385	34,770	1,729	3,458
17	14	200,000	195,000～210,000		18,300	36,600	1,820	3,640
18	15	220,000	210,000～230,000		20,130	40,260	2,002	4,004
19	16	240,000	230,000～250,000		21,960	43,920	2,184	4,368
20	17	260,000	250,000～270,000		23,790	47,580	2,366	4,732
21	18	280,000	270,000～290,000		25,620	51,240	2,548	5,096
22	19	300,000	290,000～310,000		27,450	54,900	2,730	5,460
23	20	320,000	310,000～330,000		29,280	58,560	2,912	5,824
24	21	340,000	330,000～350,000		31,110	62,220	3,094	6,188
25	22	360,000	350,000～370,000		32,940	65,880	3,276	6,552
26	23	380,000	370,000～395,000		34,770	69,540	3,458	6,916
27	24	410,000	395,000～425,000		37,515	75,030	3,731	7,462
28	25	440,000	425,000～455,000		40,260	80,520	4,004	8,008
29	26	470,000	455,000～485,000		43,005	86,010	4,277	8,554
30	27	500,000	485,000～515,000		45,750	91,500	4,550	9,100
31	28	530,000	515,000～545,000		48,495	96,990	4,823	9,646
32	29	560,000	545,000～575,000		51,240	102,480	5,096	10,192
33	30	590,000	575,000～605,000		53,985	107,970	5,369	10,738
34	31	620,000	605,000～635,000		56,730	113,460	5,642	11,284
35	32	650,000	635,000～665,000		59,475	118,950	5,915	11,830
36		680,000	665,000～695,000		59,475	118,950	6,188	12,376
37		710,000	695,000～730,000		59,475	118,950	6,461	12,922
38		750,000	730,000～770,000		59,475	118,950	6,825	13,650
39		790,000	770,000～810,000		59,475	118,950	7,189	14,378
40		830,000	810,000～855,000		59,475	118,950	7,553	15,106
41		880,000	855,000～905,000		59,475	118,950	8,008	16,016
42		930,000	905,000～955,000		59,475	118,950	8,463	16,926
43		980,000	955,000～1,005,000		59,475	118,950	8,918	17,836
44		1,030,000	1,005,000～1,055,000		59,475	118,950	9,373	18,746
45		1,090,000	1,055,000～1,115,000		59,475	118,950	9,919	19,838
46		1,150,000	1,115,000～1,175,000		59,475	118,950	10,465	20,930
47		1,210,000	1,175,000～1,235,000		59,475	118,950	11,011	22,022
48		1,270,000	1,235,000～1,295,000		59,475	118,950	11,557	23,114
49		1,330,000	1,295,000～1,355,000		59,475	118,950	12,103	24,206
50		1,390,000	1,355,000～		59,475	118,950	12,649	25,298

▲ 賞与から徴収する保険料…賞与等の額（1,000円未満切捨て）×（厚生18.300%＋健保料率《＋介護保険料率》）で計算し、被保険者負担はその2分の1。ただし、賞与等の額は、厚生年金保険については1回の支払いにつき150万円、健康保険については年度（4月1日～翌年3月31日）の累計額573万円が上限となります。
なお、賞与とは年3回以下の支給のものをいいます。

▲ 上表の「被保険者負担額」を給与から控除する場合の端数処理は、原則として50銭以下は切捨て、50銭超は切上げ

令和6年分　初心者にもできる

年末調整の実務と法定調書の作り方

2024年11月1日　発行

編　者	公益財団法人 納税協会連合会 編集部
発行者	新 木 敏 克
発行所	公益財団法人 納税協会連合会
	〒540-0012 大阪市中央区谷町1－5－4　電話（編集部）06(6135)4062

発売所	株式会社 清文社	大阪市北区天神橋2丁目北2－6（大和南森町ビル） 〒530-0041　電話 06(6135)4050　FAX 06(6135)4059 東京都文京区小石川1丁目3－25（小石川大国ビル） 〒112-0002　電話 03(4332)1375　FAX 03(4332)1376 URL https://www.skattsei.co.jp/

印刷 ㈱広済堂ネクスト

■著作権法により無断複写複製は禁止されています。落丁本・乱丁本はお取り替えします。
■本書の内容に関するお問い合わせは編集部までFAX（06-6135-4063）又はe-mail（edit-w@skattsei.co.jp）でお願いします。
■本書の追録情報等は、発売所（清文社）のホームページ（https://www.skattsei.co.jp）をご覧ください。

ISBN978-4-433-70104-8